D0549697

BIBLIOTHÈQUE DU VOYAGEUR

LE GRAND GUIDE DU BRÉSIL

Traduit de l'anglais et adapté par Pascale Hervieux
et Servane Pascaud

GALLIMARD

Insight Guides, Brazil

Dépôt légal : février 1991
N° d'édition : 49195
ISBN 2-07-072061-6

Imprimé à Singapour

CEUX QUI ONT FAIT CE GUIDE

Le *Grand Guide du Brésil* est le premier volume de la Bibliothèque du Voyageur consacré à l'Amérique du Sud.

Le rédacteur en chef de ce guide, **Edwin Taylor**, journaliste américain, connait bien le Brésil, où il vit depuis de nombreuses années. Il a longuement étudié l'histoire et la culture de ce pays. Aujourd'hui, il publie régulièrement des analyses approfondies sur la situation politique et économique du pays. Pour réaliser ce guide, il a réuni une équipe expérimentée de journalistes et d'écrivains, qui tous résident au Brésil.

Tom Murphy, journaliste américain originaire du New Jersey, a mis à profit sa parfaite connaissance de São Paulo pour décrire toutes les facettes de la ville la plus grande du monde. Murphy a aussi parcouru dans l'intérieur du pays l'État du Minas Gerais, fait des recherches sur les légendes amazoniennes et rédigé un petit guide sur le plus grandiose des spectacles, le carnaval. Il a participer à la rédaction de ces différents chapitres : *Le rêve amazonien*, *La fête au Brésil* et *Les couleurs du Brésil*.

Le journaliste britannique, **Richard House**, a silloné le pays en tout sens pour découvrir des destinations originales, propices aux aventures les plus mouvementées.

Moyra Ashford, journaliste britannique elle aussi, s'est surtout consacrée au chapitre sur la musique brésilienne, *Le rythme au Brésil*.

Si le Brésil n'est pas représentatif de l'Amérique du Sud, l'État de Bahia en particulier se distingue. **Elizabeth Herrington** s'est attachée à le démontrer dans le chapitre traitant de cette région légendaire.

Taylor

Murphy

House

Ashford

Sol Biderman, romancier et dramaturge américain, est l'auteur des chapitres suivants : *De l'impressionnisme au positivisme* et *Des saints et des idoles.*

Michael Small, premier secrétaire à l'ambassade du Canada au Brésil a rédigé le chapitre consacré à la nouvelle capitale du Brésil, *Brasília.*

Deux Brésiliens, **Régina Prado**, docteur en lettres modernes et traductrice et **Pilinio Prado**, docteur d'État en philosophie, chercheur et enseignant ont rédigé les chapitres : *Les couleurs du Brésil, Les Indiens déchus et L'Amazonie.*

Le Brésil sans le football ne serait pas le Brésil. Aussi **Steve Yolen** a-t-il consacré a ce sport si populaire tout un chapitre.

C'est le photographe **Nautier de Vanxe** qui a pris toutes les photos des chapitres sur Bahia, le Nordeste et l'Amazone.

H. John Maier Jr. a lui photographié la ville de Rio de Janeiro et **Vange Milliet** celle de São Paulo; il a aussi fourni toutes les photos des chapitres sur l'histoire du Brésil.

L'**agence F4**, l'une des meilleurs du Brésil, a également fourni certaines photos.

Il n'y a pas de bon guide sans de laborieuses recherches. **Kristen Christensen** a apporté à tous les niveaux de la fabrication de ce livre, une collaboration précieuse et efficace.

Il nous faut aussi remercier l'**Agence nationale du tourisme brésilien** (Embratur), pour sa précieuse collaboration.

Small

Maier

Christensen

TABLE

HISTOIRE ET SOCIÉTÉ 15-93

Les trésors du Brésil 15

Des plages
de rêves à la fôret amazonienne 19

Un passé sans histoire 33

Le pays de l'avenir 49

Les couleurs du Brésil 59

Les Indiens déchus 67

Le riche et le pauvre 75

L'Art du compromis 83

Des saints et des idoles 87

ITINÉRAIRES 101-272

Le Brésil du Nord au Sud 101

Rio de Janeiro 105

La feijoada : un plat national 120

TABLE

L'État de Rio 133

São Paulo 149

Liberdade : un petit air de Tokyo 156

Le Minas Gerais 169

Le baroque brésilien 176

Brasília 181

L'autobus maître des routes 186

Les États du Sud 191

Le pays des vignobles 196

L'Ouest sauvage 202

Bahia 216

La cuisine de Bahia 228

Le Nordeste 237

Le fleuve São Francisco 244

L'Amazonie 263

Croisière sur l'Amazone 270

TABLE

CULTURE ET ENVIRONNEMENT 281-319

La fête au Brésil 281

Le rythme au Brésil 291

Le football 299

De l'impressionnisme au primitivisme 303

L'architecture moderne 306

Le rêve amazonien 313

INFORMATIONS PRATIQUES 321

Préparatifs et formalités de départ 322

Aller au Brésil 323

A l'arrivée 323

A savoir une fois sur place 325

Pour mieux connaître le Brésil 328

Comment se déplacer 329

La langue 334

Musées 335

TABLE

Sports et loisirs	339
Shopping	340
Pour les gourmets	341
Où se loger	346
Adresses utiles	352
Bibliographie	353

CARTES ET PLANS

Le Brésil	22-23
Rio de Janeiro	98-99
L'État de Rio	134
L'État de São Paulo	151
São Paulo	153
Le Minas Gerais	170
Les États du Sud	192-193
Les États de l'Ouest	205
Bahia	217
Le Nordeste	238

LES TRÉSORS DU BRÉSIL

Depuis l'arrivée des premiers colons Portugais au XVIe siècle, le Brésil n'a jamais cessé d'exercer sa fascination sur les étrangers. Au fil du temps, les chercheurs d'or, les exploitants de caoutchouc ou de café ont été remplacés par les amateurs de paysages et de rythmes exotiques. Les Brésiliens eux-mêmes n'échappent pas à cette fascination. Véritablement amoureux de leur terre — son étendue les a toujours laissé rêveurs — ils portent en eux la certitude que, quelque part, à portée de main peut-être, les attend un trésor fabuleux et qu'il suffit de le chercher. Au cours des quatre derniers siècles les Brésiliens se sont lancés à la découverte de leur pays dans l'espoir de trouver leur trésor, colonisant dans le même temps les immenses espaces vides qui s'offraient à eux. Le Brésil, aussi vaste qu'un continent, compte aujourd'hui cent quarante millions d'habitants. La population, composite, va du blanc au noir, du marron au jaune, en passant par toutes les nuances intermédiaires.

Les Brésiliens vivent dans le luxe des métropoles ou dans le dénuement des régions agricoles. Ils travaillent dans les industries du XXIe siècle, ou s'échinent derrière de précaires charrues en bois tirées par des bêtes essoufflées. A l'intérieur d'une même frontière se côtoient les Indiens, restés à l'âge de la pierre, les paysans et les propriétaires terriens, derniers vestiges de l'époque féodale, les pionniers et les aventuriers qui, sans cesse, reculent les limites de la jungle, et les « golden boys » des métropoles. Ce melting-pot est en constant devenir. Nulle part ailleurs, le processus de développement n'est aussi tangible qu'au Brésil, pays dont le dynamisme est l'une des qualités premières. Sans égard pour la récession économique qui les frappe depuis le début des années 80, les Brésiliens s'emploient sans relâche à la construction de leur nation. La forêt amazonienne, autrefois impénétrable, révèle peu à peu ses derniers secrets, trop vite même au gré de certains.

Le trait d'union entre toutes ces contradictions? Un langage commun, le portugais; une religion commune, le catholicisme (plus de 90% de la population est de confession catholique romaine) et enfin, un rêve commun, celui de devenir un jour une grande nation. Ce rêve s'accompagne souvent d'une frustration commune devant la lenteur avec laquelle le Brésil s'achemine vers son glorieux avenir. Cependant, les Brésiliens forment un peuple remarquablement heureux, en dépit des difficultés sociales et économiques souvent énormes qui les accablent. Spontané, enthousiaste et charmeur, le Brésilien est une créature de l'instant. Rien n'est jamais plus important à ses yeux que le moment présent. Confrontés à l'hédonisme jubilatoire du Brésilien, les prudents calculateurs, les tenants du long terme y perdent leur latin. Saisir l'instant, quoi de plus naturel au pays du carnaval. Qui sait de quoi demain sera fait?

Pages précédentes : tâches ménagères à Bahia ; les eaux calmes de Morro de São Paulo à Bahia ; la cathédrale de Brasília ; les mines d'or de la Serra Pelada ; l'Amazone. Ci-contre, fabrication des fameux flacons de sable coloré.

DES PLAGES DE RÊVE A LA FORÊT AMAZONIENNE

Presque aussi vaste que les États-Unis d'Amérique — quatre fois la taille du Mexique, et deux fois celle de l'Inde — le Brésil se situe au cinquième rang des plus grands pays du monde. Pourtant, les Brésiliens n'occupent qu'une infime fraction de leur territoire. Plus de 25% de la population se regroupe dans les cinq grandes régions urbaines du Sud. A eux deux, les États du Sud et du Sud-Est n'accueillent pas moins de 58% de la population, alors qu'ils ne représentent que 16% de la surface totale du Brésil. En d'autres termes, soixante-dix-huit millions de Brésiliens vivent dans une région grande comme deux fois la France, tandis que les cinquante-sept millions restants se partagent un territoire équivalent à celui des États-Unis moins le Texas. Plus que tout autre, le Brésil est le pays des grands espaces vierges.

Les deux plus grandes régions du pays sont également les moins peuplées. Le Nord, siège de la forêt amazonienne, occupe 42% de la surface totale du Brésil, l'équivalent de l'Europe occidentale. Pourtant, sa population est inférieure à celle de New York (vingt millions d'habitants). Au sud de l'Amazonie se situe la région du Centre-Ouest, dominée par un vaste plateau, qui représente 22% du territoire brésilien. Elle n'accueille cependant que 7% de la population totale. Ces deux régions, plus vastes que bien des pays au monde, sont l'espoir du Brésil et représentent le défi qu'il devra relever pour construire son avenir.

Mystérieuse Amazonie

La légendaire forêt amazonienne est l'un des derniers endroits du monde moderne à préserver farouchement ses secrets. On sait pourtant qu'elle contient un cinquième des réserves d'eau potable de la terre et produit un tiers de l'oxygène de la planète. Vue des airs, elle rappelle un gigantesque tapis vert qui se déroulerait sans fin jusqu'à l'horizon. Vue depuis ses rivières, elle ne présente que le mur impéné-

Pages précédentes : les bâtiments administratifs de Brasília. Ci-contre, ville coloniale dans le Minas Gerais.

trable de sa végétation luxuriante. Le cœur de la forêt, quant à lui, avec ses arbres immenses qui bloquent implacablement le moindre rayon de soleil, ressemble au pays des ténèbres éternelles. Cet environnement hostile explique à lui seul le taux de population réduit dans la région, en dépit des grands fleuves amazoniens, voies de communication efficaces pour le commerce. Ces gigantesques cours d'eau sont comme les rues d'une métropole mais les blocs qu'ils séparent ne contiennent que des arbres. Quelques villes, parfois, surgissent au détour d'un bras de rivière, comme étouffées entre l'eau et la forêt.

Un fleuve de légende

L'Amazone, le deuxième fleuve du monde par la taille, traverse la partie septentrionale du Brésil d'ouest en est, séparant la vaste plaine de la Guyane des hauts plateaux brésiliens. Parmi les dix-sept affluents principaux de l'Amazone, le Tocantins et l'Araguaia, le Xingu, le Tapajos et le Madeira, qui mesurent chacun plus de 1 600 km de long, s'écoulent tous vers le sud. Ils arrosent les hauts plateaux brésiliens et forment l'un des trois grands réseaux fluviaux du pays.

En dépit de la taille et de l'hostilité de cette région, la tentation de conquérir l'Amazonie est toujours aussi forte que par le passé. Des autoroutes se fraient désormais un chemin à travers la partie ouest de la forêt tandis que les colons se regroupent dans l'État de Rondonia à la recherche d'or et de nouvelles terres. L'action combinée des exploitants agricoles et des prospecteurs a fini par repousser les limites de la jungle. Certains satellites ont même réussi à capter la chaleur de milliers de petits feux allumés en bordure de la forêt sur les nouveaux fronts de colonisation. Par ailleurs, des projets miniers de plusieurs milliards de dollars attaquent la forêt sur son flanc est. Là, ainsi que le long des fleuves amazoniens, de nombreux projets hydro-électriques sont soit en cours, soit à l'étude, preuves supplémentaires de l'avancée inéluctable du progrès.

Dans le même temps, au cœur de l'Amazonie, la compagnie pétrolière nationale brésilienne, la Petrobas, a découvert d'importants gisements de pétrole et de gaz naturel. Les écologistes affirment que si les destructions se poursuivent au rythme actuel, la forêt

Pause cigarette à l'ombre d'une maison.

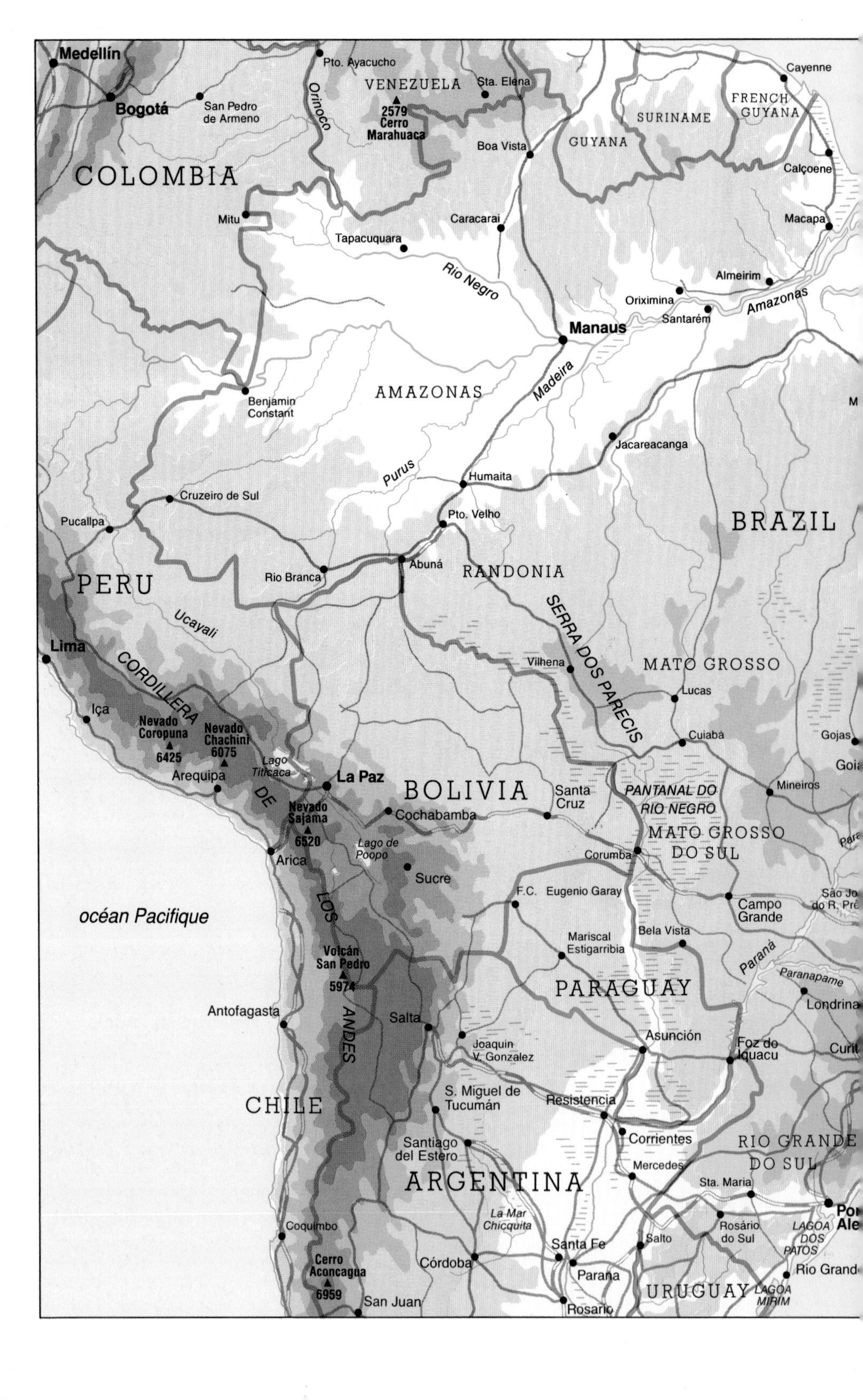
Medellín
Bogotá
San Pedro de Armeno
COLOMBIA
Pto. Ayacucho
Orinoco
VENEZUELA
2579 Cerro Marahuaca
Sta. Elena
Boa Vista
GUYANA
SURINAME
FRENCH GUYANA
Cayenne
Calçoene
Macapa
Mitu
Caracarai
Tapacuquara
Rio Negro
Almeirim
Oriximina
Santarém
Amazonas
Manaus
Madeira
AMAZONAS
Benjamin Constant
Jacareacanga
Purus
Humaita
Cruzeiro de Sul
Pto. Velho
Pucallpa
BRAZIL
Abuná
Rio Branca
RANDONIA
PERU
SERRA DOS PARECIS
Ucayali
Lima
CORDILLERA
Vilhena
MATO GROSSO
Lucas
Iça
Nevado Coropuna 6425
Nevado Chachini 6075
Cuiabá
Gojas
Lago Titicaca
Arequipa
La Paz
BOLIVIA
Santa Cruz
PANTANAL DO RIO NEGRO
Mineiros
DE
Nevado Sajama 6520
Cochabamba
MATO GROSSO DO SUL
Lago de Poopo
Arica
Corumba
Sucre
LOS
F.C. Eugenio Garay
São Jo do R. Pré
Campo Grande
océan Pacifique
Bela Vista
Mariscal Estigarribia
Paraná
Paranapame
Volcán San Pedro 5974
PARAGUAY
Londrina
Antofagasta
ANDES
Salta
Joaquin V. Gonzalez
Asunción
Foz do Iquacu
S. Miguel de Tucumán
Resistencia
CHILE
Corrientes
Santiago del Estero
RIO GRANDE DO SUL
Mercedes
ARGENTINA
Sta. Maria
La Mar Chicquita
Rosário do Sul
LAGOA DOS PATOS
Coquimbo
Salto
Santa Fe
Cerro Aconcagua 6959
Córdoba
Parana
Rio Grande
URUGUAY
LAGOA MIRIM
San Juan
Rosario

aura complètement disparu dans moins de cent ans. Ces pronostics pessimistes font sourire les spécialistes de l'Amazonie qui rappellent à ce sujet l'échec du projet de construction de la transamazonienne dans les années 70. Cette autoroute, qui devait traverser la forêt de part en part, n'est plus aujourd'hui qu'une vague piste dont le souvenir s'efface dans les profondeurs de la jungle. En dépit de tous les avertissements, la conquête de l'Amazonie ne s'arrêtera plus. Ce que les écologistes considèrent comme un anéantissement inexcusable et néfaste, les Brésiliens le considèrent comme un progrès, plus même, comme un véritable besoin national : celui de plier la forêt à leur volonté.

Le Centre-Ouest

Dans ce deuxième grand espace vide du Brésil, le développement s'est ralenti après une courte flambée dans les années 70. Brasília, la nouvelle capitale construite sur ce plateau central complètement désert, devait devenir un pôle d'attraction pour les Brésiliens. Or, si la ville s'est agrandie, dépassant rapidement le million d'habitants, le développement qu'elle devait entraîner pour le reste de la région se fait toujours attendre. En termes de géographie, le *Planalto Central* n'offre aucune des barrières naturelles de l'Amazonie. Situé à 1 000 m au-dessus du niveau de la mer, il se divise en zones de forêts et de savanes connues sous le nom de *cerrado*. La forêt se limite essentiellement à la partie nord de la région et n'est autre qu'une extension de la forêt amazonienne, tandis que le *cerrado* domine le reste du plateau.

Composé de bouquets d'arbres et de formations herbacées, le *cerrado* ne semble, à première vue, qu'une terre sans grande valeur. Pourtant, l'expérience a montré qu'après défrichement, il devenait extrêmement fertile. A la suite d'importants investissements effectués par de riches hommes d'affaires de São Paulo, des exploitants venus du sud du Brésil ont transformé des hectares entiers de *cerrado* en ranches et en fermes très rentables. C'est là, par exemple, que se trouve la plus grande plantation de soja du monde. Les prairies du sud de la région ont été transformées en pâturages et accueillent désormais certains des plus grands élevages du Brésil. Cependant, il reste encore beaucoup à faire pour convertir entièrement le *cerrado* en terres exploitables.

Le Nordeste

Cette région qui occupe 18 % du territoire brésilien est également celle qui connaît à l'heure actuelle les conditions de vie les plus catastrophiques. Malgré les plantations de canne à sucre qui en firent le premier centre économique et politique du pays à l'époque coloniale, le Nordeste n'a jamais connu le développement dont ont bénéficié les États du Sud et du Sud-Est. Pourtant, contrairement au Nord et au Centre-Ouest, le Nordeste n'est ni isolé, ni sous-peuplé. Son unique défaut est son climat.

La région est divisée en quatre zones : l'État le plus septentrional, Maranhão, présente les mêmes caractéristiques climatiques que le Nordeste et l'Amazonie ; de l'État de Rio Grande do Norte à Bahia, la côte est bordée par une étroite bande de terre fertile, la *zona da mata* ; à l'ouest de cette bande commence une zone de transition semi-fertile, l'*agreste* ; enfin, l'intérieur de la région est occupé par une terre aride connue sous le nom de *sertão*.

C'est dans le *sertão* que la pauvreté fait le plus de ravages. Les périodes de sécheresse interminables, alternant avec des inondations brutales, en font une terre aride et inhospitalière, où seule survit la *caatinga*, formation végétale constituée d'arbustes épineux et de cactées. La dernière sécheresse, la plus grave depuis le début du siècle, a pris fin en 1984 après cinq longues années. Comme à chaque fois, elle a entraîné un exode rural massif vers les villes de la côte du Nordeste. La certitude des sécheresses à venir a également poussé des millions d'habitants du *sertão* vers les métropoles du Sud-Est, essentiellement São Paulo et Rio de Janeiro.

Comble de l'ironie, à quelques heures seulement du *sertão* dévasté, de fabuleuses plages de sable blanc, bordées de cocotiers paresseusement bercés par la brise, déroulent leur ruban étincelant sous le soleil tropical. Elles s'étendent de l'État de Maranhão à celui de Rio Grande do Sul, en une ligne côtière ininterrompue de plus de 7 700 km, la plus longue du monde. Grâce à des pluies régulières, le littoral du Nordeste est devenu le

Bidonvilles sur pilotis.

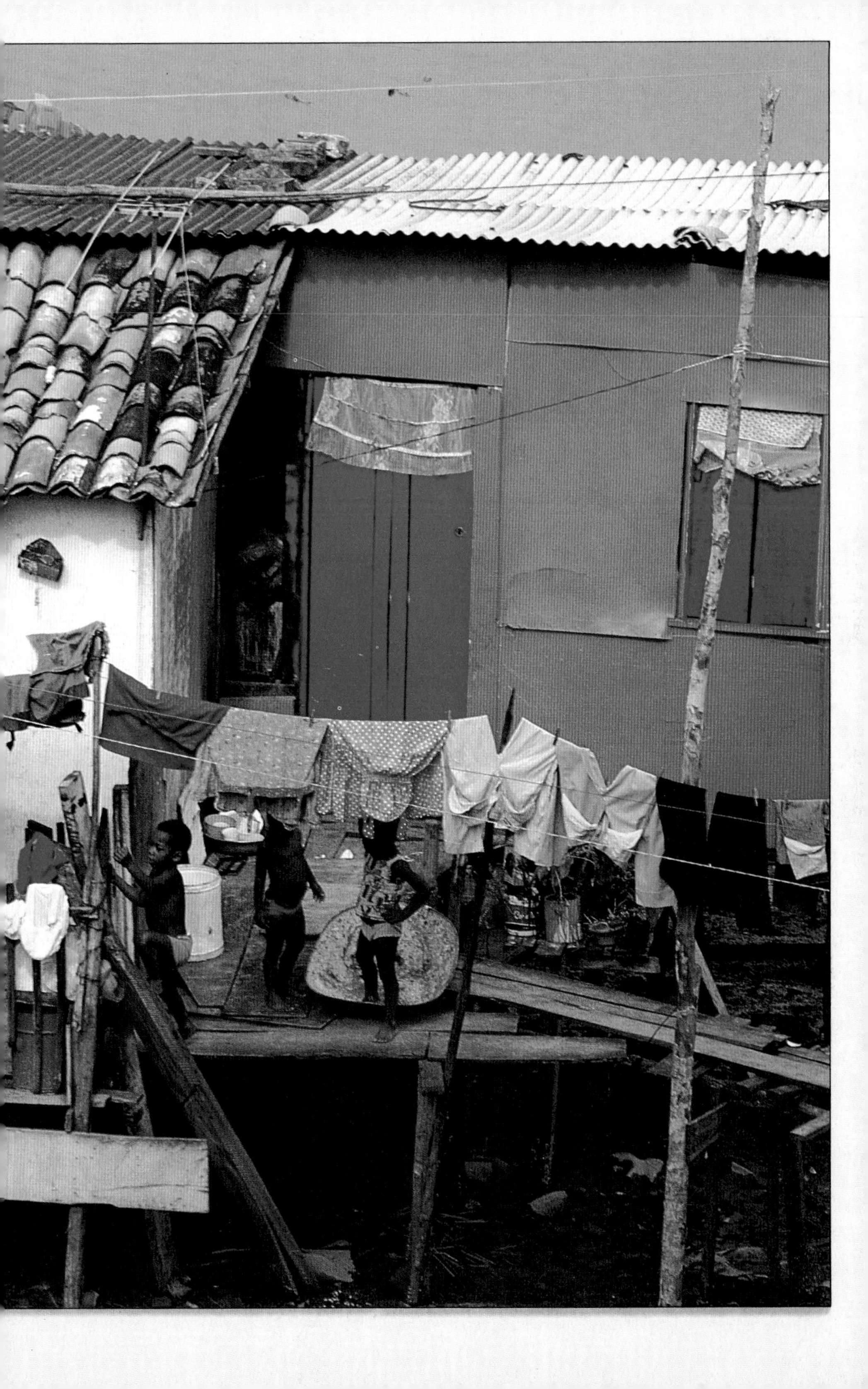

centre de la production locale de sucre et de cacao, aussi la région accueille-t-elle un nombre sans cesse grandissant d'habitants.

Faute d'investissements, l'économie du Nordeste reste dominée par l'agriculture avec, malgré tout, quelques zones industrielles isolées, mais c'est sans doute au tourisme que la région devra son salut. Ses plages superbes et son climat tropical lui ont valu une réputation internationale responsable d'une véritable flambée de construction hôtelière.

Le fleuve São Francisco

Le Nordeste est bordé, au sud, par le fleuve São Francisco, qui forme, avec ses tributaires, le deuxième grand réseau fluvial brésilien. Il prend sa source dans le plateau central, s'écoule vers l'est sur plus de 1 600 km et pénètre dans le Nordeste à la hauteur de l'État de Bahia. Jouissant d'un débit régulier, il a toujours arrosé sans faillir les zones arides de l'intérieur, créant sur son passage une étroite bande de terre fertile dans une région qui n'a jamais été capable de se nourrir.

Le Sud-Est

Cette région, si elle ne représente que 11 % du territoire brésilien, n'en regroupe pas moins 45 % de la population totale, répartie entre les trois plus grandes villes du pays, São Paulo, Rio de Janeiro et Belo Horizonte. Elle se divise entre un littoral étroit et un haut plateau comprenant des montagnes côtières qui s'étendent de Bahia jusqu'à l'État de Rio Grande do Sul. L'impénétrable végétation tropicale de la *mata atlântica* recouvre les montagnes côtières d'un épais tapis de verdure. Pourtant, ce même développement qui a apporté la prospérité au Sud-Est menace à présent la survie de la forêt. En de nombreux endroits de l'État de São Paulo, qui possède le plus grand parc industriel d'Amérique latine, la flore a été inexorablement détruite par la pollution atmosphérique. En revanche, plus au Sud, l'État de Paraná a réussi à préserver sa forêt tropicale, véritable exemple du genre.

A l'exception des villes de Rio et de Santos (les deux plus grands ports brésiliens), la population du Sud-Est se concentre principalement sur le plateau, à une altitude de 700 m. Cette région montagneuse au climat tempéré,

Les matchs de football attirent toujours de nombreux spectateurs au Brésil.

où il existe une différence marquée entre l'hiver et l'été, est le centre de la croissance économique du Brésil depuis le XIXe siècle.

Le Minas Gerais, seul État du Sud-Est sans littoral, doit son développement précoce à la richesse de son sous-sol. En effet, sa terre rouge est prodigieusement riche en minerai de fer. Le Minas Gerais est devenu, au XVIIIe siècle, le premier producteur mondial d'or. Aujourd'hui, le Brésil lui doit sa place parmi les premiers producteurs du monde de minerai de fer et de pierres précieuses.

Le Sud

Il s'agit de la plus petite région du Brésil, puisqu'elle ne représente que 7% du territoire national. A l'instar du Sud-Est, elle a connu un développement rapide dans la seconde moitié du XXe siècle, et abrite à l'heure actuelle 16% de la population totale. Située au sud du tropique du Capricorne, elle jouit d'un climat subtropical caractérisé par quatre saisons distinctes. Elle connaît le gel et des chutes de neige occasionnelles en hiver. C'est en partie à cause de ce climat que les trois États du Sud ont attiré, au début du siècle, un grand nombre d'immigrants italiens, allemands, polonais et russes, responsables du curieux mélange ethnique particulier à la région.

L'élevage et les vastes plantations de blé, de maïs, de soja et de riz dans les États de Paraná et de Rio Grande do Sul, ont fait de la région le garde-manger du Brésil. En effet, c'est dans les immenses herbages de la moitié ouest de l'État de Rio Grande do Sul, que l'on trouve les plus grandes exploitations du pays. En revanche, l'autre moitié de l'État se caractérise par des paysages montagneux et de larges vallées ombragées, qui abritent les grandes industries viticoles, dirigées par des immigrants italiens et allemands. L'État de Paraná doit aussi sa richesse à l'exploitation industrielle de ses vastes pinèdes, mais malheureusement, ses ressources s'épuisent rapidement. La frontière ouest de l'État est marquée par le Paraná qui forme, avec le Paraguay, le troisième grand réseau fluvial du pays. La formidable puissance de ces deux fleuves a été canalisée afin de produire l'énergie nécessaire aux industries du Sud et du Sud-Est. C'est en effet sur le Paraná que le Brésil a construit la plus grande centrale hydro-électrique du monde, le barrage d'Itaipu.

Préparation de spécialités bahianaises.

UN PASSÉ SANS HISTOIRES

En dépit de sa taille, le Brésil n'a joué qu'un rôle secondaire dans la formation du monde moderne. Le Brésil ne possède pas de culture millénaire comme le Mexique ou le Pérou, qui s'enorgueillissent d'un fier passé indien. Le Brésil s'est contenté d'assister en spectateur aux événements historiques de ces derniers siècles. Préférant jouer la carte du compromis plutôt que celle de la confrontation, le Brésil a toujours résolu ses différends dans la paix, sinon dans le silence. Cependant, les Brésiliens ne tirent aucune gloire de ce passé tranquille et rêvent d'un futur plus héroïque. Le Brésil, fortement ancré dans le présent, garde les yeux tournés vers l'avenir, sans trop penser à son passé.

Le Brésil est l'exception de l'Amérique latine : tout d'abord par sa taille gigantesque qui le singularise des autres pays, ensuite par sa langue, le portugais, unique dans tout le continent sud-américain, enfin, par son histoire — il devint le siège du gouvernement portugais pendant la période coloniale, obtint son indépendance sans verser de sang et s'efforça toujours de cultiver des relations pacifiques avec ses voisins.

A la découverte du Brésil

Le Brésil fut découvert en l'an 1500 par l'explorateur portugais Pedro Alvares Cabral, au cours d'une série d'expéditions lancées par les grands navigateurs portugais. Initialement, Cabral devait relier les Indes via le cap de Bonne-Espérance mais il fut dévié de son cours par une tempête. C'est, du moins, la version officielle retenue par l'histoire, même si l'on s'accorde aujourd'hui à penser que Cabral dévia intentionnellement de son cap dans l'espoir de s'approprier à son tour une part de ce nouveau monde découvert huit ans plus tôt par Christophe Colomb.

Cabral pensa tout d'abord avoir découvert une île et la baptisa Santa Cruz. Plus tard, lorsqu'il apparut que l'île était en fait un continent, on le nomma Terra de Santa Cruz. Le nom de Brésil ne lui fut attribué que plus tard, en raison du *pau brasil*, ou bois de braise, produit en masse par la nouvelle colonie, et dont la teinture rouge était fortement appréciée en Europe.

Pages précédentes : tableau réalisé en 1657 par Frans Post représentant Cidade Mauricia et Recife. Ci-contre, le palais d'été de l'empereur Pierre II à Petrópolis.

La colonisation

Ce n'est qu'en 1533 que la couronne portugaise entreprit véritablement d'organiser la colonisation du Brésil. La côte, seule région explorée à l'époque, fut divisée en quinze capitaineries héréditaires, confiées à des familles de l'aristocratie portugaise qui battaient monnaie, prélevaient l'impôt et jouissaient d'une autonomie et d'un pouvoir absolus. Les deux capitaineries les plus importantes étaient celles de São Vicente au sud (aujourd'hui l'État de São Paulo) et de Pernambuco au Nord. Cette dernière devint rapidement le centre économique de la colonie grâce à l'introduction des plantations de canne à sucre. Malgré tout, les capitaineries, incapables de satisfaire les besoins des coloniaux et les exigences du Portugal, se soldèrent par un échec. Laissées aux caprices de leurs propriétaires, certaines furent tout simplement abandonnées. De plus, en l'absence d'une ligne de défense commune, la côte brésilienne était en butte aux attaques incessantes des pirates français.

En 1549, le roi Jean III du Portugal finit par se lasser du système des capitaineries et imposa un gouvernement colonial centralisé pour mettre fin à toutes les divisions internes. La ville de Salvador, aujourd'hui capitale de l'État de Bahia, devint ainsi la première capitale du Brésil, un statut qu'elle réussit à préserver pendant deux cent quatorze ans. L'aristocrate portugais Tomé de Sousa, nommé gouverneur général de la colonie, fut le premier représentant officiel de la Couronne. Après cette réforme administrative, la colonisation put enfin reprendre. De 1550 à la fin du siècle, le Brésil se peupla essentiellement d'aristocrates, d'aventuriers et de missionnaires jésuites dont la tâche était de convertir les Indiens au christianisme. Certains de ces jésuites cherchèrent à protéger les Indiens de l'esclavage, une position qui les plaça en conflit ouvert avec les intérêts des coloniaux. Ils s'employèrent ainsi à construire des écoles et des missions autour desquelles s'organisèrent des villages indiens, qu'ils s'efforcèrent de soustraire aux esclavagistes.

A force de persévérance, les jésuites réussirent à imposer leurs principes, et le Brésil se tourna alors vers l'Afrique pour se procurer sa main-d'œuvre. Ainsi les esclaves noirs firent-ils leur entrée sur le nouveau continent.

L'occupation française

Jusqu'à la fin du XVIe siècle, la colonie consolida ses bases le long de la côte atlantique. En 1555, les Français s'installèrent à l'endroit de l'actuelle Rio de Janeiro, dans le but d'établir une grande colonie française en Amérique du Sud. Leur tentative se solda par un échec et ils furent chassés sans autre forme de procès par les Portugais, en 1565. Deux ans plus tard naissait la ville de Rio.

Le contrôle de la couronne portugaise sur le Brésil demeura incontesté jusqu'en 1630, date à laquelle la Dutch West India Company entra dans la bataille et s'attribua la région de Pernambuco dans le nord du pays. Cette conquête était la conséquence directe de l'alliance du Portugal avec l'empire espagnol en 1580, une union qui allait durer jusqu'en 1640 et placer le Brésil sous le feu des ennemis de l'Espagne. Sous la férule de ses nouveaux dirigeants, Pernambuco devint une colonie prospère. Pourtant, les Hollandais furent chassés en 1654 par une rébellion inspirée et dirigée par les coloniaux eux-mêmes, sans grande intervention de la part du Portugal.

Les bandeirantes

Pendant ce temps, au sud du Brésil, les *bandeirantes*, groupes d'aventuriers ainsi baptisés car ils ne se déplaçaient jamais sans leur étendard, quittèrent leur base de São Paulo à la recherche d'esclaves indiens et d'or. Ces expéditions, ou *bandeiras*, qui réunissaient souvent jusqu'à trois mille personnes, s'enfonçaient vers l'ouest, le sud et le nord, sans oublier l'arrière-pays, et duraient parfois plusieurs années.

Pour la première fois, la colonie, par le biais de ses aventuriers, s'employait consciemment à découvrir et à définir ses frontières. Les *bandeirantes* se heurtèrent bientôt aux jésuites protecteurs des Indiens, mais les missionnaires se trouvèrent impuissants à freiner les *bandeiras* qui parvinrent, au sud, jusqu'en Uruguay et en Argentine, à l'ouest, jusqu'au Pérou et en Bolivie, et au nord-ouest, jusqu'en Colombie. Au cours de leur avancée, les *bandeirantes* dépassèrent la ligne imaginaire établie par le traité de Tordesillas. Ce traité avait été signé le 7 juin 1494, longtemps avant ces événements, entre l'Espagne et le Portugal, et fixait la ligne de démarcation séparant les possessions coloniales des deux pays à 2 000 km à l'ouest des îles du Cap-Vert. A cette époque, le fait n'avait que peu d'importance puisque les deux nations étaient alliées, mais après 1640, lorsque le Portugal redevint indépendant, les conquêtes des *bandeirantes* furent incorporées au Brésil en dépit des protestations véhémentes de l'Espagne. Ce n'est qu'à partir de 1750, lors du traité de Madrid que l'Espagne reconnut officiellement les terres conquises par les *bandeirantes* comme territoires brésiliens.

Pendant cette période trouble où se dessinaient peu à peu les frontières du pays, les missionnaires jésuites pénétrèrent en Amazonie, tandis que les puissants propriétaires terriens du Nordeste s'efforçaient d'étendre leur contrôle à toute la région. Du nord au sud, le seul lien apparent était une culture et une langue communes, qui distinguaient clairement le Brésil du reste de l'Amérique du Sud.

La vocation agricole

Au XVIIIe siècle, la colonie était devenue essentiellement agricole et s'étendait encore principalement le long de la côte. Toute la richesse du pays était entre les mains de quelques grandes familles terriennes qui se consacraient surtout à l'élevage du bétail ainsi qu'à la production de sucre, de tabac, de café et de coton.

En dépit des efforts des jésuites, les *bandeirantes* étaient parvenus à décimer la population indienne par l'esclavage, les maladies et les massacres. En revanche, la population des esclaves noirs avait fortement progressé. La colonie commerçait essentiellement avec le Portugal et, en dehors des expéditions des *bandeirantes*, le Brésil n'avait que peu de contacts avec ses voisins. Tout cela allait bientôt changer grâce à une découverte importante à la fin du XVIIe siècle.

Dans les montagnes du plateau central du Brésil, les *bandeirantes* trouvèrent finalement ce qu'ils cherchaient depuis le début: de l'or. La ruée vers l'or fut immédiate, attirant des milliers de colons vers l'actuel État de Minas Gerais. Pour la première fois depuis les débuts de leur histoire, les Brésiliens quittaient la sécurité de la côte pour s'enfoncer vers l'intérieur du pays. Des villes fleurirent un peu partout dans les montagnes du Minas et, en 1750, Ouro Prêto comptait quatre-vingt mille habitants. Ainsi, le Brésil devint le premier producteur mondial d'or au XVIIIe siècle. Cependant, toutes les richesses générées par la

A gauche, la Fondation de São Paulo, *tableau de 1554 d'Oscar Pereira da Silva ; ci-dessus, l'*Indépendance ou la mort, *tableau de 1880 de Pedro Americo*

découverte de l'or revinrent au Portugal au grand mécontentement des colons qui se sentaient déjà plus Brésiliens que Portugais. Grâce à l'or, le Sud-Est devenait le nouveau centre économique du pays, au détriment des régions productrices de sucre du Nordeste. C'est pourquoi, en 1763, Salvador fut déchue de son statut de capitale au profit de Rio de Janeiro. Dans le même temps, les dernières capitaineries furent placées sous le contrôle de la Couronne et les jésuites furent expulsés du Brésil.

La montée du libéralisme

Bien qu'isolé, le Brésil n'était pas entièrement coupé du reste du monde et, dans la seconde moitié du XVIIIe siècle, le libéralisme alors en vogue en Europe commença à pénétrer la conscience nationale. En 1789, le pays connut son premier mouvement d'indépendance, localisé dans la ville d'Ouro Prêto. Le catalyseur fut une décision du Portugal d'augmenter l'impôt sur l'or, mais l'*Inconfidência Mineira*, ainsi était nommé ce mouvement révolutionnaire indépendantiste, connut une fin tragique avec l'arrestation de son chef, le dentiste Joaquim José da Silva Xavier, plus connu sous le nom de Tiradentes, l'arracheur de dents. Il fut pendu et dépecé sur la place publique. D'autres mouvements auraient probablement vu le jour à la suite du premier, si les événements en Europe n'avaient pas apporté de changements importants. En 1807, Napoléon conquit le Portugal, forçant la famille royale portugaise à l'exil. Le roi Jean VI se réfugia alors au Brésil, et la colonie devint le nouveau siège du gouvernement, fait unique dans toute l'histoire du colonialisme. La décision d'ouvrir le Brésil au commerce avec d'autres nations, en particulier l'Angleterre, alliée du Portugal contre Napoléon, fut la conséquence immédiate de ce changement de statut.

Lorsque le roi Jean VI retourna au Portugal en 1821, il nomma son fils, Pierre Ier, prince-régent, faisant de lui le chef du gouvernement brésilien. Le parlement portugais, pour sa part, refusa de reconnaître le nouveau statut du Brésil et tenta d'imposer le retour à la dépendance coloniale. Convaincu que les Brésiliens n'accepteraient jamais un tel revirement, Pierre Ier proclama l'indépendance du Brésil le 7 septembre 1822, créant ainsi l'Empire brésilien, la première monarchie des Amériques. Le Portugal se remettant lentement des guerres napoléoniennes n'opposa que peu de résistance au Brésil. Les forces brésiliennes expulsèrent rapidement les dernières garnisons portugaises de leur territoire. A la fin de l'année 1823, l'indépendance de la nouvelle nation était scellée. L'année suivante, les États-Unis reconnurent officiellement le Brésil et, en 1825, les relations furent rétablies avec le Portugal.

L'époque des divisions internes

Si le Brésil avait gagné son indépendance avec une relative facilité, la situation se gâta rapidement. En effet, au cours de ses dix-huit

premières années, l'Empire fut pris dans une série de luttes intestines allant parfois jusqu'à la révolte. Le premier à décevoir les attentes fut l'empereur lui-même. Pierre Ier, s'il avait su gagner la liberté, se révélait incapable de la défendre. Plutôt que d'adopter la politique libérale tant attendue par ses sujets, il s'obstinait à vouloir garder les privilèges et les pouvoirs d'un monarque absolu. Lorsque l'assemblée chargée de mettre au point la nouvelle constitution décida de réduire les pouvoirs de l'empereur et d'introduire la loi parlementaire, Pierre Ier la fit dissoudre et rédigea une constitution à sa convenance. Malgré tout, le libéralisme l'emporta et l'empereur accepta la création d'un parlement qu'il ne cessa dès lors de combattre. Il entraîna de plus le Brésil dans une guerre impopulaire contre l'Argentine au sujet du Cisplatina, l'État le plus méridional du pays. Cette guerre coûteuse se solda par la défaite du Brésil et la perte du Cisplatina, l'actuel Uruguay.

Lassé par les incessantes batailles politiques qui marquèrent son règne, Pierre Ier abdiqua en 1831, au profit de son fils Pierre II, nommé régent à l'âge de cinq ans. De 1831 à 1840, le Brésil fut dirigé par quelques politiciens agissant au nom du jeune régent. Cependant, ce système ne devait pas durer longtemps car l'absence d'un véritable leader encourageait les mouvements de protestation à défier la

monarchie. Ces dix années marquèrent la période la plus troublée de l'histoire du Brésil. Révoltes et tentatives de coup d'État se succédèrent dans le Nordeste, l'Amazonas, le Minas Gerais et les États du Sud. Les différents groupes nationalistes menèrent le pays au bord de la guerre civile dans l'espoir d'obtenir leur autonomie. La menace la plus sérieuse vint des *farrapos*, les gauchos du Sud. La guerre des *farrapos* sévit pendant dix ans et faillit entraîner la perte de l'actuel État de Rio Grande do Sul.

A gauche, l'Avenida Beira Mar à Botafogo ; ci-dessus, la Rua do Ouvidor dans le centre de Rio.

L'âge d'or

A bout de ressources, les dirigeants du pays se résignèrent, en 1840, à abandonner le pouvoir entre les mains du prince-régent, alors âgé de quinze ans. Pierre II, nouvel empereur du Brésil, ramena la paix dans son pays et, pendant les quarante-huit ans qui suivirent, mit ses talents extraordinaires au service de la stabilité politique. Sans jamais employer les méthodes autocratiques de son père, Pierre II était pourtant doté d'une solide autorité qu'il savait moduler dans l'intérêt du pays. Les rivalités régionales s'apaisèrent sous la houlette de ce monarque éclairé. La popularité de l'empereur permit, en outre, d'augmenter le contrôle du gouvernement central sur les affaires de l'État. En pleine guerre civile américaine, Abraham Lincoln fit savoir que le seul homme qu'il jugeait capable d'arbitrer le conflit entre le Nord et le Sud, était Pierre II du Brésil.

Si l'empereur réussit à rétablir la paix à l'intérieur de ses frontières, sa politique extérieure, en revanche, fut moins pacifiste. Décidé à maintenir l'égalité régionale, l'empereur ne cessait de s'ingérer dans les affaires politiques de l'Uruguay, de l'Argentine et du Paraguay, ce qui l'amena à déclarer trois guerres entre 1851 et 1870. Ce furent les dernières batailles du Brésil — le pays se contenta d'une participation limitée, du côté des Alliés, lors de la Seconde Guerre mondiale. En 1851, Pierre II envahit et soumit rapidement l'Uruguay. Les deux pays s'allièrent alors pour attaquer l'Argentine et renverser son dictateur Juan Manuel Rosas. Dès la fin de 1852, l'Uruguay et l'Argentine étaient contrôlés par des gouvernements pro-brésiliens. Pierre II avait atteint son but.

La guerre contre le Paraguay

Une seconde intervention brésilienne en Uruguay, en 1864, provoqua la guerre avec le Paraguay. Le dirigeant paraguayen, Francisco Solano López, allié du parti uruguayen vaincu, attaqua immédiatement le Brésil et l'Argentine. Une triple alliance, réunissant le Brésil, l'Argentine et l'Uruguay fut formée en 1865 contre le Paraguay.

Après des débuts prometteurs, l'alliance connut une série de défaites infligées par des Paraguayens pourtant moins nombreux et moins bien armés. Au lieu de se terminer rapidement, la guerre s'éternisa jusqu'en 1870.

Elle fut la plus longue et la plus meurtrière jamais connue en Amérique latine au XIXe siècle. Le Paraguay fut finalement vaincu après avoir perdu la moitié de sa population masculine. Cette guerre allait marquer le début d'une nouvelle ère pour le pays, celle des dirigeants militaires.

L'influence accrue des militaires allait d'ailleurs jouer un rôle déterminant dans la chute de l'empereur. Connaissant sa politique et sa popularité, il est difficile de comprendre pourquoi il fut renversé. Pourtant, à la fin de son règne, il se heurta violemment aux forces de l'opposition, porteuses d'idéologies nouvelles et puissantes. Si la révolution industrielle commençait à se faire sentir au Brésil dans la seconde moitié du XIXe siècle, l'économie du pays était encore largement dominée par l'agriculture et les gros planteurs faisaient toujours travailler autant d'esclaves, surtout dans le Nordeste — les négriers ne cessèrent leur commerce avec le Brésil qu'en 1853. Aussi les années 1860 virent-elles la naissance et la montée d'un mouvement abolitionniste qui réussit, en 1888, à faire cesser l'esclavage. Dès lors, l'aristocratie foncière s'opposa à son tour à l'empereur. Seule, elle n'aurait jamais réussi à le renverser, c'est pourquoi elle chercha le soutien de l'armée.

Privé de ses partisans traditionnels, isolé, Pierre II ne put faire face au soulèvement militaire du 15 novembre 1889 et fut contraint de prendre le chemin de l'exil.

Le pouvoir militaire

La fin de la monarchie marqua l'arrivée d'une institution qui allait devenir toute puissante au Brésil : l'armée. De 1889 à nos jours, les militaires n'ont jamais cessé de diriger les choix politiques du Brésil. Les deux premiers gouvernements de la République furent administrés par des militaires, plus doués pour dépenser les deniers publics que pour gouverner. Lorsqu'un civil reprit enfin le pouvoir, le pays était profondément endetté. Le deuxième président civil, Manuel Ferraz de Campos Sales (1898-1902), s'attela aux problèmes financiers et négocia le premier ré-échelonnement de la dette extérieure du Brésil. C'est sans doute grâce à son intervention que le pays évita la banqueroute. Campos Sales et son successeur, Francisco de Paula Rodrigues Alves (1902-1906) remirent le Brésil sur les rails. Malheureusement, leur exemple ne fut que trop rarement suivi par leurs successeurs.

Alternant les bons et les mauvais présidents, le Brésil traversa une période de bouleversements sociaux profonds entre 1900 et 1930. Les immigrants européens, Italiens en tête, arrivèrent en masse et s'installèrent à São Paulo, contribuant ainsi à l'hétérogénéité de la population, et fournissant une nouvelle main-d'œuvre bon marché pour l'industrie et l'agriculture. Le café était désormais devenu la culture principale de la région, et le pouvoir économique de São Paulo s'en était trouvé renforcé. Le Minas Gerais se situait en deuxième position, grâce à sa production minière et à ses immenses exploitations agricoles. Loin derrière venaient les anciens pôles économiques du pays, les États de Bahia et de Pernambuco.

Le pouvoir économique s'était peu à peu déplacé vers le Sud, le pouvoir politique ne tarda pas à en faire autant. Au cours des vingt premières années de ce siècle, São Paulo et le Minas Gerais se livrèrent à un impitoyable bras de fer politique, connu sous le nom de « café au lait », en référence aux productions respectives des deux États. Le contrôle exercé par le Sud généra rapidement de nouveaux problèmes. Tandis que le développement économique ne touchait que quelques régions privilégiées, le gouvernement fédéral perdait toute autonomie et se retrouvait prisonnier des intérêts régionaux qui prenaient à sa place les décisions politiques importantes, telles que le choix d'un nouveau président.

Les difficultés économiques

Après la Première Guerre mondiale, durant laquelle le Brésil s'opposa à l'Allemagne, sans toutefois prendre une part active au conflit, le pays connut de nouvelles difficultés économiques. Une succession de gouvernements avides avait vidé le trésor, et les rumeurs persistantes de corruption généralisée commençaient à troubler la paix sociale. Les militaires refirent surface avec une tentative de coup d'État en 1922 et une révolte isolée, à São Paulo en 1924, qui fut brutalement écrasée par le gouvernement fédéral. La révolte dans les casernes était dirigée par un groupe d'officiers, connus sous le nom de *tenentes* (les lieutenants). Ils étaient issus de cette nouvelle classe moyenne, apparue depuis peu dans les villes, et qui cherchait encore ses chefs pour s'opposer aux riches propriétaires fonciers de São Paulo et du Minas Gerais.

La crise politique atteignit son point culminant en 1930, après l'élection du candidat conservateur Julio Prestes à la présidence du pays, en dépit d'un immense effort de mobilisation des masses en faveur du candidat de l'opposition, Getúlio Vargas, gouverneur de l'État de Rio Grande do Sul. Cette fois, l'opposition refusa d'accepter le résultat du vote. La révolte, soutenue par l'opposition et les militaires, éclata dans le Minas Gerais, à Rio Grande do Sul et dans le Nordeste. Deux semaines plus tard, l'armée avait pris le contrôle du pays, renversé le président et provisoirement installé Vargas à la présidence.

L'ère Vargas

L'ascension rapide de Getúlio Vargas marqua le début d'une nouvelle ère sur la scène politique brésilienne. Soutenu, dans les villes, par les classes moyennes et défavorisées, Vargas personnifiait la rupture avec un système politique jusqu'alors fondé sur l'agriculture. D'un seul coup, les barons du café de São Paulo et les riches propriétaires terriens, détenteurs de tous les pouvoirs dans l'ancienne république, se retrouvaient évincés des instances dirigeantes. Balayant l'ancien système dominé par une élite toute puissante, l'action politique se concentra sur l'homme du peuple et les populations des zones urbaines en pleine expansion.

Pourtant, ce profond bouleversement de la vie politique n'entraîna pas la progression des principes démocratiques dans le pays. Résolu à garder le pouvoir entre ses seules mains, Vargas se lança dans un programme populiste et nationaliste qui lui permit de rester au centre de l'action politique du Brésil pendant vingt-cinq ans. Il détermina néanmoins le modèle politique qui allait être suivi jusqu'à notre époque : une alternance de dirigeants populistes et d'interventions militaires.

A gauche, le grand salon du palais Catete à Rio de Janeiro ; ci-dessus, la Praça Viscande de Rio Branco à Pará.

La stratégie de Vargas fut de gagner le soutien des populations urbaines tout en concentrant le pouvoir entre ses mains. Profitant de l'expansion de l'industrialisation, il utilisa la législation du travail comme fer de lance de sa politique : des lois furent votées, établissant le revenu minimal, la sécurité sociale, les congés payés, le congé de maternité et l'assistance médicale. Des réformes autorisèrent les syndicats, qui restaient toutefois soumis au gouvernement fédéral. Vargas devint rapidement le leader le plus populaire au Brésil depuis Pierre II. La nouvelle constitution, qui ne fut ratifiée qu'en 1934, après le soulèvement anti-Vargas à São Paulo, augmentait les pouvoirs du gouvernement fédéral.

La dictature

Après la ratification de la constitution, la présidence « par intérim » de Vargas prit fin et il fut élu par le Congrès. La constitution limitait son mandat à quatre ans, les élections suivantes étant prévues pour 1938, mais il refusa de quitter le pouvoir. En 1937, prenant prétexte d'une soi-disant menace communiste, Vargas, aidé par les militaires, dissolut le Congrès, annula la constitution de 1934 et la remplaça par un texte lui donnant tout pouvoir. La seconde partie du règne Vargas, qu'il intitula lui-même le « l'État nouveau » *(Estado Novo)*, fut beaucoup plus tumultueuse que les sept premières années. L'opposition politique grandissante menaçait de le renverser mais il assura sa position en entrant dans la Seconde Guerre mondiale en 1942, aux côtés des Alliés. Il envoya un corps expéditionnaire de vingt-cinq mille hommes grossir les rangs de la Cinquième Armée en Italie. Le Brésil fut le seul pays sud-américain à prendre une part active à la guerre. Ses pertes furent minimes (environ quatre cent cinquante morts), mais l'effort de guerre permit de détourner un temps l'attention du peuple.

Cependant, à la fin de la guerre, Vargas se retrouva rapidement sous les feux de la rampe. Sous la menace des mêmes militaires qui l'avaient aidé à prendre le pouvoir, il approuva des mesures légalisant les partis politiques d'opposition et prévoyant des élections présidentielles à la fin de 1945. Mais, alors même qu'il négociait avec l'opposition pour éviter un coup d'État, Vargas poussait ses partisans à s'unir aux communistes dans un grand mouvement populaire qui le maintiendrait en place. Craignant le succès de ses intrigues, les militaires organisèrent un coup d'État le 30 octobre 1945 et mirent fin aux quinze années de règne du président Vargas.

Pourtant, le départ de Vargas ne fut que temporaire. L'ancien ministre de la Guerre de Vargas, le général Enrico Gaspar Dutra fut élu à la présidence en 1945 mais ne resta que cinq ans au pouvoir, le temps de faire ratifier une nouvelle constitution plus libérale. Car en 1950, Vargas revenait au pouvoir, légalement élu par le peuple.

Les dernières années de Vargas au pouvoir furent marquées par l'échec. Le charisme de l'ancien dictateur s'était évanoui face à un Congrès hostile et à des partis d'opposition très actifs. Il fut incapable de garder les forces économiques et politiques du pays sous contrôle. Il tenta de sauver son gouvernement par un train de mesures nationalistes, il fit notamment nationaliser la recherche et la production pétrolière, sans jamais pour autant rattraper le terrain perdu. Une crise politique, provoquée par un attentat raté contre un leader de l'opposition, et dont l'instigateur aurait été l'un des proches du président, mit un terme à l'ère Vargas. Mis en demeure par les militaires de choisir entre la démission ou le coup d'État, Vargas choisit une troisième voie : le 24 août 1954, il mettait fin à ses jours.

La mort de Vargas permit l'apparition de nouveaux visages sur la scène politique. Les deux personnages les plus marquants venaient des nouveaux pôles politiques du XXe siècle, São Paulo et le Minas Gerais. Juscelino Kubitschek du Minas Gerais et Janio Quadros de São Paulo utilisèrent tous deux le même chemin pour accéder à la présidence, tout d'abord maires de la capitale, puis gouverneurs de leur État respectif. Populisme, nationalisme et intervention militaire, les trois pôles de la politique moderne au Brésil, jouèrent un rôle déterminant dans la carrière de Juscelino Kubitschek et de Janio Quadros. Deux nouveaux facteurs vinrent toutefois s'y ajouter : le lien de plus en plus étroit entre l'économie et la politique à l'intérieur des frontières, et les liens économiques et politiques établis par le Brésil avec le reste du monde.

A gauche, l'Avenida Paulista le jour de son inauguration, aquarelle de 1891 ; ci-dessus, Vargas (au centre avec des bottes) entouré de son état-major.

Un leader dynamique

Kubitschek, politicien et visionnaire dynamique, fut élu en 1955 et promit au Brésil « cinquante ans de progrès en cinq ans ». Pour la première fois, le pays était dirigé par un homme dont le principal souci était la croissance économique. Sous son commandement, l'industrialisation fit un formidable bond en avant. Les constructeurs automobiles étrangers, invités à s'installer au Brésil, furent à l'origine de la véritable explosion de croissance dans la ville et l'État de São Paulo. Autoroutes, aciéries et centrales hydro-électriques furent construites à l'aide de fonds publics. Pour la première fois, le gouvernement participait directement à la réalisation des grands projets d'infrastructure. Pourtant, Kubitschek avait en tête un projet plus grandiose encore : la construction de Brasília.

La construction d'une nouvelle capitale fédérale au cœur du pays devint vite une obsession pour le nouveau président. Dès sa prise de fonctions, il ordonna la réalisation des plans de la ville, afin qu'elle puisse voir le jour avant la fin de son mandat. Son idée était de développer la région centrale quasi désertique en attirant des milliers de fonctionnaires de Rio à Brasília. Comme il n'existait rien à l'emplacement choisi, Kubitschek dut faire face à une opposition massive de la part des bureaucrates peu désireux de quitter le confort et les plaisirs de Rio pour s'exiler dans une région sauvage. La construction de la ville se poursuivit néanmoins à un rythme effréné de 1957 à 1960. Et, le 21 avril 1960, Kubitschek put enfin inaugurer la capitale qu'il avait créée. Pourtant, si Brasília reste aujourd'hui encore le symbole du dynamisme de Kubitschek, sa réalisation, comme celle d'autres projets de grande envergure, n'en a pas moins vidé les caisses de l'État. Kubitschek fut peut-être à l'origine d'une croissance rapide, mais il fut également responsable d'un endettement public très lourd, d'une inflation élevée et d'une corruption généralisée.

Le réformateur

La situation semblait taillée sur mesure pour Quadros qui promettait de nettoyer le gouvernement de la corruption qui l'étouffait; il choisit même le balai comme symbole de sa campagne électorale. Malheureusement, il ne se montra pas à la hauteur de ses ambitions, et son gouvernement, aussi court que mémorable, entraîna le pays dans une crise institutionnelle qui mit un terme à l'expérience démocratique au Brésil. Le nouveau président, personnage irascible, imprévisible et dictatorial, chercha à imposer sa volonté en toutes choses (il alla jusqu'à interdire les bikinis sur les plages), il tenta même de supprimer le Congrès, ce qui le conduisit à une lutte ouverte avec le pouvoir législatif. Il surprit ses partisans en rapprochant le Brésil du bloc des pays non alignés et choqua les militaires en remettant une médaille au révolutionnaire cubain Che Guevara. Finalement, dans une volte-face imprévue, Quadros démissionna de ses fonctions le 25 août 1961, sept mois après son élection, arguant que des *« forces terribles »* faisaient pression sur lui.

La démission de Quadros entraîna une crise immédiate et plaça de nouveau les militaires au centre de la scène politique. Les officiers supérieurs des forces armées menacèrent d'empêcher la prise de fonctions du vice-président, João Goulart, dont la sympathie pour la gauche n'était un secret pour personne. Malgré cela, Goulart réussit à obtenir le soutien des régiments militaires basés dans son État natal, le Rio Grande do Sul. Craignant le déclenchement d'une guerre civile, les militaires se résignèrent à la négociation. Après l'instauration d'un nouveau système parlementaire destiné à réduire les pouvoirs du président, Goulart prit en main les rênes du pays.

La politique populiste

La pratique allait mettre ce compromis en échec et, en 1963, un référendum national se déclara en faveur d'un retour à l'ancien système. Disposant désormais de pouvoirs plus étendus, Goulart lança une politique populiste et nationaliste qui fit effectuer au Brésil un virage serré vers la gauche. Il annonça des réformes agraires, promit des réformes sociales et envisagea de nationaliser les compagnies étrangères. Cependant, sa politique économique ne réussit pas à endiguer l'inflation qu'il avait des gouvernements précédents. Le coût de la vie en augmentation constante entraîna une série de mouvements de grève. L'opposition se renforça, soutenue principalement par les classes moyennes de São Paulo et du Minas Gerais, dont les dirigeants politiques réclamèrent l'intervention des militaires. Finalement, le 31mars 1964, arguant d'un complot communiste dont Goulart lui-même aurait pris la tête, les militaires se soulevèrent contre la présidence. Le coup d'État se déroula sans violence et, le 2 avril, Goulart abandonna ses fonctions pour se réfugier en Uruguay. C'était la quatrième fois, depuis 1945, que l'armée intervenait dans le gouvernement, mais c'était la première fois que les généraux gardaient le pouvoir. Ils restèrent à la tête du pays pendant vingt et un ans, s'efforçant d'éradiquer la corruption, de contrer l'influence de la gauche et de réformer le système politique. Cinq généraux se succédèrent à la présidence pendant ces années. Le premier, Humberto de Alencar Castelo Branco, s'attacha à améliorer la situation économique du pays. Il introduisit des mesures d'austérité destinées à diminuer l'inflation, et réduisit énergiquement les dépenses de l'État. Grâce à son programme de réformes, Castelo Branco parvint à restaurer l'équilibre économique et amorça une période de forte croissance. Son gouvernement adopta également des mesures visant à limiter les libertés politiques. Les partis existants furent suspendus et remplacés par un système bi-partite : le parti Arena soutenait le gouvernement, tandis que le MDB représentait l'opposition. Maires et gouverneurs étaient nommés par les militaires, quant aux élections présidentielles, elles se déroulaient désormais selon un mode de scrutin indirect. Tous les présidents du régime militaire furent ainsi choisis secrètement par l'armée.

A gauche, Juscelino Kubitschek le jour de l'inauguration de Brasília ; ci-dessus, au centre, drapé de son écharpe, João Goulart.

La nouvelle constitution

Durant la présidence du général Arthur da Costa e Silva, le successeur de Castelo Branco, les militaires introduisirent une nouvelle constitution qui subordonnait clairement le Congrès au pouvoir exécutif. En 1968, une vague d'opposition, de protestations publiques et d'actes de terrorisme, conduisit Costa e Silva à durcir ses positions. Il fit fermer le Congrès et porta atteinte à la liberté des Brésiliens. Ces événements marquèrent le début des années de répression du régime militaire. S'appuyant sur la notion de sécurité nationale, qui donnait au gouvernement le droit d'arrêter n'importe qui, les militaires se lancèrent dans une lutte sans merci contre les mouvements subversifs. Les opposants au régime furent arrêtés et torturés, la guérilla fut écrasée, et la presse censurée. Cette tendance augmenta sous la présidence du général Medici, successeur de Costa e Silva foudroyé par une attaque cardiaque en 1969.

Les années Medici furent les plus catastrophiques du régime militaire, non seulement en raison de la suppression des droits de l'homme, mais aussi, et paradoxalement, en raison de la formidable croissance économique que connut le Brésil durant cette période. Amorcée sous le gouvernement de Medici, elle se poursuivit tout au long du mandat de son successeur, le général Ernesto Geisel (1974-1979).

Avec le « miracle brésilien », comme on a baptisé les années 70, le pays se hissa enfin au rang des grandes puissances mondiales, réalisant finalement le vieux rêve de Kubitschek. Le Brésil accéda à une prospérité jusqu'alors inconnue. En conséquence, la population tout entière soutenait le régime militaire en acceptant de fermer les yeux sur les limitations de ses droits politiques. Le renforcement de l'économie brésilienne conduisit les militaires à rompre avec leur soumission traditionnelle aux États-Unis, et à adopter une politique extérieure plus indépendante.

Les années noires

Les années 80 marquèrent le début des difficultés pour les militaires. La croissance économique commença par se ralentir avant de s'arrêter tout à fait. A la suite d'un moratoire accordé au Mexique pour le règlement de sa dette extérieure en 1982, la crise de l'endettement s'abattit sur le Brésil. Les capitaux étrangers se tarirent, tandis que les intérêts cumulés sur les anciens prêts dépassaient de loin les ressources du gouvernement. Le général João Figueiredo, le dernier des présidents militaires, fut également le plus impopulaire. Lors de sa prise de fonctions en 1979, il avait promis le retour du Brésil à la démocratie et avait accordé l'amnistie à tous les prisonniers et exilés politiques. Le gouvernement se lança ensuite dans une série de mesures de libéralisation : la liberté de la presse fut rétablie, de nouveaux partis politiques virent le jour, et des élections pour les gouverneurs et le Congrès furent organisées. Cependant, la liberté politique croissante ne parvint pas à faire oublier le malaise qui étreignait le pays engagé, entre 1981 et 1983, dans une lutte sans merci contre la récession économique.

La confiance manifestée jusqu'alors par la population pour les militaires se mua rapidement en hostilité ouverte, les tenants de la ligne dure au sein de l'armée s'opposant à un retour à la démocratie. Aussi, en janvier 1985, un collège électoral composé de membres du Congrès nomma Tancredo Neves — premier civil depuis vingt et un ans — à la présidence du pays. Neves, gouverneur de l'État du Minas Gerais, était considéré par beaucoup comme le politicien le plus habile de l'opposition. Cet homme, réputé pour ses positions modérées fut accepté par les conservateurs et les libéraux. Pourtant, le passage du Brésil à la démocratie allait être marqué par une tragédie. Neves tomba malade la veille de prêter serment et succomba un mois plus tard, plongeant le pays dans une nouvelle crise. José Sarney, son vice-président, prit aussitôt ses fonctions mais ce conservateur ne trouva aucun soutien parmi les libéraux. Sarney mit alors en place un train de mesures populistes, dont un programme de réforme agraire, afin de s'assurer le soutien des libéraux contrôlant le Congrès. Mais, écrasé par la dette extérieure, sans ressources pour relancer l'investissement, le gouvernement se montra incapable de redresser la barre.

Au début de l'année 1986, l'inflation atteignait 300 % par an, la popularité de Sarney était en chute libre et la gauche faisait pression pour avancer les élections présidentielles avancées. En réponse à cette menace, Sarney déclara le gel des prix tout en permettant l'augmentation des salaires. La consommation fit aussitôt un bond en avant et la popularité du président se renforça.

Le retour d'une inflation élevée en 1987 coïncida avec la création de l'Assemblée constituante nationale (composée des membres du Congrès), chargée d'élaborer la nouvelle constitution. En 1987 et 1988, la situation économique se dégrada encore. Si le parti du gouvernement détenait la majorité des sièges, il n'en était pas moins profondément divisé entre conservateurs, modérés et libéraux. Au sein de l'administration, cette même division entre droite, centre et gauche, empêchait l'application d'une ligne politique cohérente. Tandis que Sarney faisait son possible pour obtenir le soutien de la gauche, la tendance nationaliste se renforçait au sein du gouvernement, pour aboutir, en février 1987, à l'adoption d'un moratoire sur la dette brésilienne auprès des banques étrangères. Les nationalistes s'imposèrent également à l'Assemblée et firent inclure dans la nouvelle constitution une série de mesures dirigées contre les capitaux étrangers.

En 1988, l'inflation atteignit 700 %. Craignant que la faiblesse de Sarney et le vide politique qu'elle entraînait n'ouvre la porte du gouvernement à la gauche, l'armée intervint de nouveau pour soutenir le gouvernement en place. Du côté de l'opposition, Leonel Brizola, beau-frère de l'ancien président Goulart, entama sa campagne pour obtenir le soutien du peuple lors des élections présidentielles de novembre 1989.

Ainsi, après trois ans d'exercice, le premier gouvernement civil du Brésil depuis 1964 devait faire face aux mêmes problèmes : une division politique et une instabilité économique profondes, ainsi qu'une rivalité croissante entre la droite et la gauche. Mais ce fut Collor — le candidat conservateur — qui remporta les élections présidentielles de 1989 .

A gauche, le président Medici ; ci-dessus, le président Tancredo Neves (au centre) et son successeur José Sarney (à gauche).

LE PAYS DE L'AVENIR

Le Brésil est le pays de tous les possibles. Non content d'occuper le cinquième rang mondial par la taille, il est également à la sixième place des pays les plus peuplés et représente le deuxième marché de consommation du monde capitaliste, derrière les États-Unis. De plus, le Brésil dispose d'importantes ressources naturelles, dont certaines sont encore inexploitées, et se trouve à la tête de l'un des parcs industriels les plus vastes du monde.

Le plus étonnant au sujet du Brésil, c'est la vitesse et la discrétion de sa progression. La position géographique du pays, éloigné de tout, sa tendance à l'isolement et sa propension à sous-estimer ses propres accomplissements, sont des faits qui contribuent à une méconnaissance générale de son histoire.

- Avec un produit national brut de 313 milliards de dollars, le Brésil est aujourd'hui la huitième puissance économique du monde occidental, devant le Mexique, l'Arabie Saoudite, l'Afrique du Sud, l'Espagne, l'Inde et l'Australie.
- Parmi les pays en voie de développement, le Brésil est de loin le plus industrialisé et il dispose du marché de consommation national le plus important.
- Le Brésil est le septième producteur mondial d'acier.
- Son industrie automobile le place au neuvième rang mondial.
- Les réserves hydro-électriques du Brésil restent sans concurrence, et la plus grande centrale hydro-électrique du monde se trouve au Brésil.
- Le Brésil est le deuxième producteur mondial de minerai de fer et d'étain, le troisième producteur de manganèse et de bauxite et le huitième producteur d'aluminium. Ses mines produisent également du béryllium, du cobalt, du chrome, de l'uranium, du nickel et des diamants. Ses réserves d'or sont estimées supérieures à celles de l'Afrique du Sud. Le Brésil est le premier producteur mondial de quartz ainsi que de toute une variété de minéraux stratégiques, indispensables aujourd'hui aux industries de pointe.

Pages précédentes : usine pétrochimique près de Salvador ; ci-contre, métallurgiste au fourneau.

- Le Brésil est le premier exportateur mondial de café, il est également le premier producteur mondial de sucre, le deuxième producteur de soja et de cacao, le troisième producteur de maïs. Quant à son cheptel, il occupe le deuxième rang mondial.
- L'agriculture qui dominait autrefois l'économie brésilienne ne représente plus aujourd'hui que 13 % du PNB, contre 35 % pour l'industrie, et 52 % pour les services.
- Entre 1973 et 1984, la consommation a augmenté en moyenne de 4,9 % par an au Brésil, contre 2,6 % pour les pays industrialisés.
- Les exportations brésiliennes ont augmenté trois fois plus vite que celles des pays industrialisés entre 1979 et 1985.
- Le café n'est plus en tête des exportations brésiliennes, les produits manufacturés représentent aujourd'hui 67 % du total. Le Brésil exporte désormais des automobiles, de l'acier, des chaussures, des avions, et se situe au cinquième rang mondial des exportateurs d'armes.

Grâce à tout cela, le pays est aujourd'hui doté d'une économie moderne et diversifiée qui le rapproche considérablement des leaders mondiaux. Pour les économistes, l'accession du Brésil aux premières places n'est plus qu'une question de temps. Sa progression semble assurée grâce à une industrie solide, une expansion de ses marchés tant nationaux qu'étrangers, et ses importantes ressources naturelles. Cependant, le progrès ne s'est pas toujours effectué sans heurts. Depuis l'époque coloniale, le Brésil a traversé tour à tour des périodes de développement et de récession marquées par de soudaines flambées de croissance qui disparaissaient aussi vite que les mirages dans le désert.

L'industrialisation s'est faite tardivement au Brésil. De l'époque coloniale à la première moitié du XXe siècle, le pays est resté essentiellement agricole, avec une économie fondée sur un seul produit : tout d'abord, le bois, puis le sucre, l'or au XVIIIe siècle, et enfin, le café. Jusqu'aux années 50, le café représentait plus de la moitié des revenus d'exportations du Brésil, 65 % de la population active travaillait dans les exploitations agricoles, et la fonction principale des banques était d'accorder des crédits aux fermiers.

La modernisation

La Seconde Guerre mondiale mit un terme aux approvisionnements du Brésil en produits manufacturés et marqua les débuts de l'industrie locale, bien obligée de subvenir par elle-même aux besoins du pays. Pour s'étendre, les industries brésiliennes avaient cependant encore besoin d'un coup de pouce; coup de pouce qui leur fut donné par le gouvernement et, plus particulièrement, par le président Juscelino Kubitschek. Lorsqu'il prit ses fonctions en 1955, Kubitschek fit le vœu de moderniser l'économie brésilienne et plaça la croissance en tête de liste des priorités de son administration; politique reprise depuis lors par tous les gouvernements suivants. Kubitschek inaugura également la politique de participation gouvernementale à la gestion économique du pays avec l'aide de capitaux étrangers, modèle qui fut repris et modifié par ses successeurs.

Kubitschek engagea des fonds publics dans tous les grands projets d'infrastructure (autoroutes et centrales électriques) et invita les constructeurs automobiles étrangers à installer leurs usines à São Paulo. L'État finança également le secteur privé, avec pour résultat un taux de croissance annuel moyen de l'économie de 7 % entre 1948 et 1961. Malheureusement, à cette époque, l'inflation et l'instabilité politique, les deux fléaux du Brésil, firent leur apparition et stoppèrent net la première poussée de croissance économique.

Le coup d'État de 1964 résolut les problèmes politiques et, après leur prise de pouvoir, les généraux eurent recours à des mesures d'austérité pour endiguer l'inflation. En 1968, l'inflation était enfin contrôlée et l'économie prête à prendre un essor historique. A partir de 1970, le Brésil connut quatre années de croissance économique incomparables, culminant avec une expansion de 14 % en 1973. Le taux de croissance se ralentit ensuite jusqu'à la fin de la décennie sans jamais toutefois tomber à moins de 4,6 %. Il se stabilisa jusqu'en 1980 à 8,9 % par an. Ces années, connues sous le nom de « miracle brésilien », changèrent l'histoire du Brésil à tout jamais. São Paulo en tête, les grandes villes du pays s'industrialisèrent rapidement, ce qui provoqua un exode rural massif. En l'espace de vingt ans, le Brésil passa de l'ère agricole (55 % de la population dans les campagnes) à l'ère urbaine (67 % de la population regroupée dans les villes).

Cette transition ne fut nulle part ailleurs plus évidente que dans l'État de São Paulo. La ville de São Paulo accueillit le plus gros des investissements du secteur privé, le parc industriel de l'État fit un bond en avant extraordinaire pour devenir le plus grand de toute l'Amérique latine et l'un des plus modernes au monde. L'essor de l'État de São Paulo s'est poursuivi jusqu'à ce jour, avec un PNB de

57 milliards de dollars, supérieur à ceux de tous les autres pays d'Amérique du Sud, en dehors du Mexique.

L'évolution des mentalités

Les années miraculeuses apportèrent plus que le changement social et économique, elles remodelèrent profondément les mentalités. Habitués à sous-estimer à la fois la valeur et les possibilités de leur pays, les Brésiliens des années 70 eurent la surprise de voir le géant endormi se réveiller et redresser la tête. Ils commencèrent alors à croire, non sans fierté, que leur pays pourrait réellement occuper une place importante dans le monde. Et personne n'y croyait plus que les militaires.

Dans l'euphorie du succès de leurs programmes économiques, les généraux dépassèrent rapidement leur objectif initial, qui était de façonner un cadre à la croissance, pour se lancer dans le projet ambitieux de faire du Brésil une grande puissance mondiale avant la fin du siècle. Oubliant toute modération, ils mirent au point des projets de développement concernant tous les secteurs de l'économie, leur seul problème étant le financement ! Ni le gouvernement, ni le secteur privé, ni les capitaux étrangers, ni même les trois ensemble, ne réunissaient les ressources nécessaires. Il fallait de toute évidence trouver un autre partenaire.

Ce fut chose faite en 1974. Après la crise pétrolière en 1973, les grandes banques internationales virent affluer les pétrodollars des pays du Moyen-Orient. A la recherche de nouveaux investissements, ces banques tournèrent alors leurs regards vers les pays du Tiers-Monde. Aucune nation ne disposait d'un taux de croissance équivalent à celui du Brésil, sans même parler de son potentiel. C'était le mariage idéal.

A gauche, assemblage de composants électroniques à l'usine Philips ; ci-dessus, chaîne de production de Volkswagen.

Bientôt les banques de New York et de Londres, suivies de près par celles de Francfort, Tokyo, Paris, Toronto, Genève et de Chicago, envoyèrent leurs représentants à Rio et à São Paulo. Les règles du jeu étaient très simples : les généraux présentaient les projets qui devaient faire accéder le pays au rang de superpuissance et les banquiers déversaient leurs dollars, sur la seule garantie du formidable potentiel brésilien. Il n'y avait ni risque ni erreur possible. Pour faciliter les choses, les prêts étaient consentis à des taux d'intérêt très bas et s'accompagnaient généralement d'une période de grâce, repoussant le début des remboursements. Une véritable aubaine pour les généraux.

La foire à l'emprunt

En 1974, le Brésil emprunta plus d'argent qu'il ne l'avait fait au cours des cent cinquante années précédentes. A la fin de la décennie, les prêts arabes ainsi effectués par l'intermédiaire des banques s'élevaient à 40 milliards de dollars. L'argent ne se contentait pas de couler à flots, il inondait littéralement le Brésil. Cet argent permit d'améliorer les transports (nouvelles autoroutes, ponts et voies ferrées, métros pour Rio et São Paulo), l'industrie (aciéries, complexe pétrochimique, usines de biens de consommation), le secteur de l'énergie (centrales électriques, réacteurs nucléaires, programmes d'énergie propre, recherche pétrolière), les communications (modernisation du réseau téléphonique et des systèmes de télécommunications) et, accessoirement, d'enrichir un certain nombre de militaires et de technocrates.

En 1979, l'état de grâce prit fin. Avec le second choc pétrolier, le prix du pétrole importé par le Brésil doubla tandis que les taux d'intérêts décollaient et que les prix des matières premières s'écroulaient sur les places financières internationales. En 1979, le déficit de la balance commerciale du Brésil avait presque triplé par rapport à 1978. Pourtant, dans les premiers temps, ni les généraux ni les banquiers ne voulurent admettre que la partie était jouée. Les emprunts se poursuivirent mais l'argent servait désormais à payer les importations de pétrole et à rembourser les prêts. En 1981, la situation se dégrada avec la récession économique aux États-Unis qui se répercuta immédiatement sur le Brésil. La croissance économique passa de 9,1 % en 1980 à - 3,4 % en 1981, elle remonta légèrement de 0,9 % en 1982 avant de s'écrouler à - 2,5 % en 1983.

Les trois années de récession

Ces trois années de récession créerent au Brésil une véritable crise. Le chômage augmenta de manière inquiétante et les faillites se multiplièrent, tandis que disparaissait l'utopie d'un Grand Brésil, rêvée par les généraux. Le pays, semblait-il, avait une fois de plus laissé passer sa chance ne gardant que le goût amer de l'échec. Pour couronner le tout, le Mexique refusa de rembourser sa dette extérieure en 1982, ce qui eut pour conséquence de déclencher la crise de l'endettement en Amérique latine et de supprimer définitivement les sources d'argent neuf pour le Brésil.

Depuis lors, le Brésil n'a cessé de lutter pour reprendre le contrôle de son destin, tout en faisant face, un malheur ne venant jamais seul, à une situation véritablement apocalyptique. En plus de la récession et de la crise de l'endettement, le pays fut confronté à la reprise de l'inflation (365 % en 1987), à une nouvelle crise politique (départ des généraux discrédités et arrivée au pouvoir d'un gouvernement civil lui aussi discrédité), et au net ralentissement des investissements étrangers. Pourtant, en dépit de toutes ces difficultés, le Brésil ne s'avoue pas vaincu. Car, même au plus fort de la crise, le pays garde un atout précieux. Si, à l'heure actuelle, les Brésiliens critiquent sévèrement la gestion des militaires il n'en reste pas moins que les nombreux emprunts contractés par ces derniers ont porté leurs fruits et promettent de jouer un rôle essentiel dans l'économie future du Brésil. La plupart des grands projets des années 70 ont donné au pays les moyens de réduire ses importations et de se libérer de la dépendance étrangère. Un important projet de recherche pétrolière off-shore, mis en place à la fin des années 70, a permis à la production brésilienne de dépasser les six cent mille barils par jour, ce qui représente environ 60 % de la consommation nationale. De récentes découvertes off-shore devraient désormais assurer l'autonomie pétrolière du Brésil dès les années 90.

A gauche, plate-forme pétrolière au large du Brésil ; ci-dessus, de nombreux ouvriers travaillent sur les plates-formes.

Les exportations

Avant la crise de l'endettement, le Brésil exportait essentiellement des matières premières et des produits agricoles, dont les bénéfices permettaient de payer les importations de pétrole et de biens d'équipement. Avec la disparition des prêts étrangers, le pays fut contraint d'augmenter ses exportations tant pour évacuer ses excédents commerciaux que pour s'acquitter du remboursement annuel de ses dettes. Cette augmentation des exportations a permis aux produits brésiliens de conquérir de nombreux marchés étrangers, et a ouvert aux industries brésiliennes de nouvelles possibilités sur le marché national. Grâce à ses ventes à l'étranger, le Brésil est désormais considéré comme le Japon de l'Amérique latine.

En effet, sa balance commerciale, qui accusait en 1980 un déficit de plus de 2 milliards de dollars, est passée entre 1984 et 1987 à un excédent annuel moyen de 11 milliards de dollars. Cette magistrale volte-face démontre bien l'extraordinaire flexibilité de l'économie brésilienne. Mais depuis le début de la récession, la capacité de production du Brésil n'a jamais dépassé le point culminant atteint en 1980 et ce n'est qu'en 1986 que la production industrielle a enfin pu rattraper le niveau atteint six ans auparavant. Avant qu'elle ne dépasse ce niveau, des investissements seront nécessaires pour en augmenter la capacité.

Heureusement, les difficultés actuelles semblent également être porteuses de leur solution. Le modèle de croissance utilisé depuis le gouvernement Kubitschek et pendant les vingt et un ans de régime militaire impliquait une participation importante du gouvernement. Les entreprises d'État se sont multipliées dans tous les secteurs, plaçant le Brésil en 1987 dans la position incongrue d'un pays capitaliste dont l'économie est contrôlée à 60 % par le gouvernement.

Comme toutes les autres économies étatisées, le Brésil est paralysé par une inefficacité chronique : les entreprises d'État sont régies par un système simple, celui du « copinage », le recrutement des cadres ne s'effectuant plus que par relations ; de plus le déficit de ces entreprises est régulièrement couvert par le trésor fédéral — situation démotivante pour leurs dirigeants — ce qui entraîne des ponctions énormes sur les ressources gouvernementales déjà limitées.

L'expansion

Durant les années de croissance, cette faiblesse était cachée par les succès économiques. En revanche, depuis 1980, les membres du gouvernement eux-mêmes ont dû convenir que le contrôle de l'État devait être réduit pour permettre la modernisation et l'expansion de l'économie brésilienne. Un programme de privatisation a donc été mis en place, prévoyant la fermeture des entreprises d'État déficitaires et la vente totale ou partielle de certaines autres au secteur privé. Ce programme permettra, non seulement de réduire le rôle de l'État dans l'économie, mais aussi de diminuer les dépenses de l'administration. En effet, les déficits budgétaires importants et répétitifs ont fortement contribué à l'augmentation de l'inflation au Brésil. Dans les années 70, l'inflation annuelle moyenne était de 20 %. Au cours des années 80, elle a atteint 170 %.

Le Brésil a tenté d'endiguer l'inflation en instaurant des taxes sur l'ensemble de l'économie mais, ce faisant, le marché a été pris en otage par la politique gouvernementale. Les salaires, les emprunts, les arriérés d'impôts, les contrats de location et de vente, les comptes d'épargne, les dépôts à terme et toutes les autres manipulations financières, sont indexés sur le taux de l'inflation et sont réajustés chaque mois. Les prix ont été indexés, puis contrôlés, puis gelés, puis de nouveau contrôlés, dans une valse-hésitation étourdissante. La tendance du gouvernement à expérimenter sans cesse de nouveaux systèmes de contrôle et de mécanismes d'indexation, a créé ce que les Brésiliens appellent « l'économie vaudou ». Et les hommes d'affaires du monde entier sont saisis de terreur à chaque rumeur d'un nouveau train de mesures économiques au Brésil.

Jusqu'à présent, ces modifications constantes des règles du jeu n'ont pas résolu le problème de l'inflation mais elles ont multiplié les difficultés pour les entreprises, incapables, dans de telles conditions, de prévoir une action à long terme. Les prévisions vont rarement au-delà du trimestre, et elles doivent toujours tenir compte de toute une série de variables. En réalité, les stratégies sont révisées tous les mois en fonction du taux de l'inflation. Pourtant, le gouvernement a toujours refusé de laisser le marché déterminer les variables clés telles que prix et salaires.

Le règne des multinationales

Les multinationales, qui se trouvent dans une situation difficile depuis les années 80, sont particulièrement concernées par les problèmes économiques du Brésil. Elles ont non seulement été confrontées à des contrôles sur les prix et des gels occasionnels, mais elles ont également été victimes de la vague de nationalisme qui a suivi la fin du régime militaire. Ce courant, fondé sur l'espoir de l'accession du Brésil au rang de superpuissance, s'est développé pendant les dernières années du régime militaire. Avec la démission des généraux, l'influence de la gauche s'est accrue, entraînant une attitude négative envers les investisseurs internationaux.

Cependant, cette attitude ne tient aucun compte de l'importante contribution financiére étrangère dans l'économie Brésilienne. Si l'industrialisation a été si lente au Brésil, c'est surtout en raison du manque de capitaux-risques. Dans les années 50, alors que le pays tentait de remplacer les importations par la production nationale, les entreprises étrangères augmentèrent leurs investissements. Dans les années 60, les multinationales et le gouvernement brésilien étaient les principaux investisseurs à long terme dans le secteur industriel. Volkswagen, General Motors, Ford, Mercedes-Benz, Fiat, Volvo et Saab-Scania injectèrent des centaines de millions de dollars dans l'économie brésilienne, créant la plus importante industrie automobile du Tiers-Monde et des milliers d'emplois qualifiés. Installées pour la plupart à São Paulo, ces entreprises ont entraîné la naissance d'une industrie nationale de pièces détachées et ont ouvert un marché substantiel pour les aciéries brésiliennes en plein essor dans les années 60 et 70.

Dans les années 70, les multinationales augmentèrent leur niveau d'investissement pour suivre la croissance, apportèrent de nouvelles technologies et ouvrirent des marchés d'exportation pour la production brésilienne. A la fin de 1987, l'investissement et le réinvestissement total des multinationales s'élevait à 23 milliards de dollars, dont 33 % pour les États-Unis, 13 % pour l'Allemagne fédérale, 9 % pour le Japon, 8 % pour la Suisse, 6 % pour la Grande-Bretagne et 4,5 % pour le Canada. Grâce à ces investissements, le Brésil a réussi à atteindre un niveau d'industrialisation élevé en un temps record. A l'heure actuelle, les multinationales contrôlent 23 % de la production industrielle, 28 % des exportations de biens manufacturés, et versent 35 % des impôts sur les sociétés au Brésil. Elles emploient 18,5 % de la main-d'œuvre industrielle et paient des salaires de 39 % plus élevés que ceux versés par des entreprises brésiliennes d'État. Leur productivité est supérieure de 60 % à celle des entreprises

A gauche, ouvrier travaillant dans une plantation de canne à sucre ; ci-dessus, la récolte du café.

brésiliennes du secteur privé, et elle est cinq fois plus élevée que celle des entreprises nationalisées.

La croissance future

Pour son prochain cycle de croissance, le Brésil aura besoin de capitaux étrangers. D'ailleurs, l'élément susceptible de provoquer ces investissements est peut-être déjà en place. Il s'agit de la conversion de la dette, première réponse positive aux innombrables problèmes créés par la crise de l'endettement. La facture laissée par les militaires est lourde. De 1982 à 1987, le Brésil a remboursé plus de 55 milliards de dollars, devenant ainsi le premier exportateur mondial de capitaux. Cette situation n'a rien pour réjouir les dirigeants actuels, paralysés par cette dette qu'ils n'ont pas contractée. En conséquence, depuis la présidence de José Sarney, le Brésil se montre de plus en plus réticent à s'acquitter de ses remboursements, adoptant même des positions radicales qui ont mené à la déclaration d'un moratoire partiel sur sa dette en février 1987. En d'autres termes, soit le Brésil obtient le rééchelonnement de sa dette, soit les banques perdent 80 milliards de dollars (le Brésil doit également 15 milliards de dollars de crédits à court terme aux banques, et 15 milliards de dollars supplémentaires aux gouvernements étrangers et aux organismes internationaux tels que la Banque mondiale). Les banques ont alors proposé de convertir une partie de leur créance en investissements directs dans l'économie brésilienne. Elles reçoivent des actions de certaines entreprises en échange de reconnaissances de dette qui perdent rapidement de leur valeur. Cela permet de lever une partie de la dette, et d'injecter des capitaux qui s'investissent dans l'économie. La conversion de la dette devrait apporter entre 4 et 7 milliards de dollars par an. Si le schéma de conversion présente une solution valable pour les problèmes d'investissements, il ne résout cependant pas entièrement la question de l'endettement.

Si l'avenir immédiat du Brésil ne se présente pas sous les meilleurs auspices, le futur, en revanche, s'annonce brillant. Car dès que l'inflation aura été réduite, que les investissements auront repris et que la crise de l'endettement aura été résolue, le Brésil pourra entamer une nouvelle période de croissance. Dès le début du siècle prochain, le pays devrait pouvoir augmenter ses capacités industrielles en renforçant sa position de leader en matière d'exportations, et en répondant à la demande nationale d'une population qui doublera pour atteindre les 270 millions d'habitants en 2020. Les formidables ressources du Brésil lui assurent d'ores et déjà une position privilégiée lorsque les pays industrialisés viendront frapper à sa porte à la recherche de minéraux d'importance stratégique et d'autres matières premières.

Un défi à relever

Cependant, pour parvenir à la puissance économique qu'il recherche, le Brésil doit encore relever un certain nombre de défis. Il paraît acquis que São Paulo et les États voisins du Sud-Est et du Sud resteront à la tête de l'expansion économique et industrielle au siècle prochain, mais que deviendra le reste du Brésil ? Les disparités régionales ont entravé et déséquilibré la marche du pays vers le progrès. Tandis que les classes moyennes de São Paulo et de Rio bénéficient d'un style de vie moderne et avantageux, les populations des régions du Nord-Est souffrent encore de la famine et de la malnutrition. Les ordinateurs font désormais partie de la vie quotidienne dans le Sud, mais le Nord et le Nord-Est utilisent toujours des techniques agricoles vétustes. Au XXIe siècle, le Brésil devra redistribuer les richesses actuellement concentrées dans le Sud et le Sud-Est.

Enfin, pour garantir la compétitivité de sa production sur les marchés internationaux, le Brésil devra s'aligner sur le rythme rapide des développements technologiques. Jusqu'alors, le pays a fait preuve d'une approche essentiellement nationaliste de la question, se barricadant derrière le protectionnisme pour empêcher les importations et favoriser la croissance de ses entreprises de technologie de pointe. Cependant, cette politique a entraîné l'obsolescence technologique de la production brésilienne. Le Brésil doit apprendre qu'il lui est impossible de résoudre seul ses problèmes. La reprise des accords commerciaux et des investissements étrangers pourra internationaliser l'économie brésilienne et réduire les nationalistes au silence en mettant un terme à l'isolationnisme et en permettant au pays de progresser vers les premières places des puissances économiques mondiales.

Plusieurs banques françaises sont représentées à São Paulo.

BANCO FRANCÊS
E BRASILEIRO

LES COULEURS DU BRÉSIL

Le Brésil est le pays de la diversité. Si les Brésiliens partagent une langue, une situation géographique et une culture communes, ils adorent, en revanche, une douzaine de dieux différents, et leurs ancêtres viennent de tous les coins du globe. Les Brésiliens ne savent pas toujours exactement de quelle couleur ils sont, et à vrai dire, ils s'en moquent éperdument. Si le « melting pot » brésilien continue à frémir, c'est surtout en raison du passé colonialiste du pays.

Parmi les pays du Nouveau Monde, l'héritage du Brésil est unique. Tandis que les colonies hispaniques de l'Amérique du Sud étaient dirigées par une bureaucratie inflexible, et les futurs États-Unis par une Angleterre négligente, les colons du Brésil, quant à eux, ont choisi une voie médiane. Les Portugais n'avaient rien en commun avec les puritains de Nouvelle-Angleterre, bannis de leur pays natal. Ils ne cherchaient pas non plus à tirer un maximum de profits financiers pendant quelques courtes années de « service » colonial avant de retourner chez eux, comme le faisaient les Espagnols. Ils n'étaient que des hommes soucieux de respecter leurs engagements envers leur Couronne, même si très rapidement, ils développèrent une nouvelle identité en accord avec leur nouvel environnement.

Les grands d'Espagne détestaient le Nouveau Monde, les puritains n'avaient pas d'autre choix que d'y rester, mais les Portugais, eux, venaient et s'installaient parce qu'ils aimaient le Brésil — surtout ses femmes. Les enfants nés d'union entre Portugais et femmes indiennes, les premiers vrais Brésiliens, furent appelés *mamelucos*. Plus tard, d'autres races firent leur apparition, les *cafusos*, mélange de sang indien et de sang noir, et les *mulattos*, mélange de sang noir et de sang blanc.

Ces *mamelucos* furent un des éléments importants dans l'occupation des terres par les colons blancs. Ils apprirent à lire et à écrire en portugais, chez les pères du collège de São Paulo. Ils furent aussi initiés par leurs ancêtres aux secrets de la forêt qu'ils transmirent aux blancs, et ces derniers leur enseignèrent à leur tour la manipulation des armes à feu. Les Paulistes, blancs et métis, portugais et *mamelucos*, adoptèrent les techniques indiennes : ils construisirent des pirogues, employèrent des plantes indiennes pour guérir leurs blessures, pêchèrent et chassèrent à l'indienne.

Jusqu'au XVIIIe siècle deux politiques s'opposèrent : les missions jésuites protégeaient et convertissaient les populations indigènes; tandis que les émissaires de la couronne portugaise hésitaient entre persécution, massacre, esclavage ou bien « pacification » et métissage : encouragement au mariage des colons blancs avec des femmes indiennes (comme fit le marquis de Pombal en 1755).

Ce sont les Jésuites qui dotèrent le langage tupi d'une structure grammaticale, qui permit aux indiens, aux métis et même aux descendants directs des Portugais de parler cette langue. Et aujourd'hui encore l'influence de cette langue indienne est toujours présente au Brésil. Le langage Tupi-Guarani, pour ne citer que lui, a largement influencé le portugais et l'anglais modernes: *abacaxi, urubu* et *caatinga* ne sont que quelques exemples parmi les vingt mille mots indigènes désormais intégrés au portugais moderne, tandis que tabac, tapioca, manioc et jaguar ont trouvé leur place dans le vocabulaire anglais.

De nombreux patronymes d'origine indienne ont survécu à la période coloniale et sont encore utilisés de nos jours. Des noms tels qu'Ypiranga, Araripe, Peryassu, et bien d'autres, étaient autrefois portés par de respectables familles du Pernambuco et de Bahia.

A l'heure actuelle, les Indiens ne sont plus que les fantômes de ce qu'ils ont été. En 1500, à l'arrivée des premiers Européens, plus de quatre millions d'Indiens vivaient au Brésil. D'après Ailton Krenak, chef des Indiens et directeur de la Ligue des Nations Indiennes du Brésil, plus de sept cents tribus auraient disparu depuis lors, victimes des maladies et des massacres, ou absorbées progressivement par les autres races. Environ cent quatre-vingts tribus et cent vingt langages et dialectes ont survécu, la plupart sont encore parlés dans les réserves gouvernementales du Mato Grosso et du Goiás, ou dans certains villages de l'Amazonie. De nos jours, les Indiens de pure

Un petit enfant blanc dans les bras de sa nounou noire.

race au Brésil ne dépasseraient pas le nombre de deux cent mille.

La culture africaine

L'évolution des noirs et des mulâtres à travers l'histoire du Brésil a été complexe. Les Brésiliens ont toujours eu des sentiments mêlés à l'égard de leur héritage africain. Autrefois, le racisme était tout simplement nié mais le pays a maintenant pris conscience à la fois de son racisme latent et de la formidable richesse de l'héritage noir.

Le sociologue brésilien Gilberto Freyre s'est penché sur le sujet en 1936 dans son ouvrage *Casa Grande e Senzala* : « *Chaque Brésilien, même le plus clair de peau, porte en son corps et en son âme l'ombre, et même la marque de l'indigène et du noir. L'influence africaine, qu'elle soit directe ou non, est la base de toute réflexion sincère sur notre évolution. Nous portons tous, ou presque, la marque de cette influence.* »

Le trafic d'esclaves noirs au Brésil date des débuts de la colonisation, il s'intensifia à partir de 1550, avec l'installation des grandes plantations de cannes à sucre. Ces esclaves arrivèrent en grand nombre de Guinée, d'Angola, du Mozambique et du Soudan. Ils furent tout d'abord employés dans les plantations de cannes à sucre de Bahia et du Pernambuco, puis dans les mines d'or du Minas Gerais et enfin dans les plantations de café et de coton à São Paulo et dans le sud du pays.

Les noirs étaient soumis aux mêmes lois que les colons (devoirs religieux, monogamie, baptême, mariages). Toute tentative de fuite ou de révolte était punie de mort. L'asservissement était total. Les esclaves — hommes et femmes — devaient se soumettre à tous les caprices du maître, et il était courant que le maître prenne femme parmi les nourrices de lait de ses enfants légaux, ou parmi les *mucamas* de leur femme — femmes de service, femmes de chambre, coiffeuses, brodeuses, dames de compagnie... Les femmes noires s'occupaient souvent de tout dans la maison, y compris de l'éducation des enfants. Nombre de Brésiliens sont nés de ces rapports illicites et connus de tous, bien qu'inavoués dans la plupart des cas.

Aussi dès l'époque coloniale, des pans entiers de la culture africaine ont été incorporés tels quels dans le mode de vie brésilien. A l'heure actuelle, ils se traduisent par les rythmes lascifs de la samba, la cuisine épicée de Bahia, et les religions « spiritistes » qui fleurissent un peu partout, même dans les villes. Toutefois, « la marque de cette influence » va bien au-delà de simples conventions religieuses ou culinaires. Dans l'un de ses romans, l'écrivain Jorge Amado, originaire de Bahia, démontre que la plupart des respectables familles de Bahia ont du sang noir dans leurs veines.

Par le passé, la plupart des Brésiliens auraient tout simplement nié « la marque de cette influence ». Une toile, réalisée à la fin du siècle dernier par Modesto Brocos, illustre parfaitement cette attitude. L'œuvre représente une vieille femme noire assise sur un canapé auprès de sa fille mulâtresse et de son gendre blanc. La fille tient fièrement un beau bébé rose dans ses bras, tandis que la mère lève les yeux au ciel comme pour remercier Dieu. Les sentiments de l'artiste et de ses

sujets sur la question raciale ne font aucun doute.

Et pourtant, le Brésil abrite une contradiction fascinante. La classe blanche dominante, si elle ne se cache pas de ses opinions racistes, autorise néanmoins ses héritiers à épouser des mulâtresses considérées comme inférieures. Statistiquement, cette tendance s'est accentuée au cours du XXe siècle dans ce que les sociologues ont appelé le « blanchiement » du Brésil. D'après les recensements officiels, la population noire du Brésil est tombée de

A gauche, jeunes vendeurs des rues ; ci-dessus, bronzer est tout un art…

14,6 % en 1940 à 5,9 % en 1980. La partie blanche de la population est, elle, passée de 63,5 % à 55 %. En revanche, la population mulâtre a augmenté en flèche, passant de 21,2 % à 38,5 %.

Le dernier bastion des noirs du Brésil reste incontestablement l'état de Bahia. Salvador, l'une des plus vieilles et plus fascinantes villes du pays, est la capitale des noirs. Les mulâtres sont plus fortement représentés dans les régions côtières au nord et au sud de Bahia, ainsi que dans l'État du Minas Gerais, à l'ouest de Rio de Janeiro, où l'esclavage a été introduit durant la ruée vers l'or, au XVIIIe siècle.

Une nouvelle opinion sur les races

Ces dernières années ont été témoin de la redécouverte et la redéfinition du passé noir au Brésil. Les livres d'histoire brésiliens du début du siècle contiennent pourtant un certain nombre de passages racistes. Le préambule d'une loi sur l'immigration au début du XXe siècle disait : *« Il est nécessaire de préserver et de développer la composition ethnique de la population en donnant la préférence à ses éléments européens. »* Mais le racisme, actuel et passé, est désormais une notion surannée. Les sociologues contemporains, à commencer par Freyre, ont fait une liste des accomplissements réels des premiers résidents noirs du Brésil. Ce faisant, ils ont découvert que l'Africain avait beaucoup donné au Nouveau Monde.

Les noirs possédaient le plus souvent une grande habileté manuelle pour le travail du bois, la maçonnerie et le travail dans les mines. Les plus beaux bas-reliefs baroques qui décorent les églises coloniales de Bahia ont été sculptés par des esclaves africains. Dans le Minas Gerais, l'artisan mulâtre Antonio Francisco Lisboa, surnommé Aleijadinho (« le petit handicapé ») en raison de son arthrite déformante, a mené l'architecture et la sculpture brésiliennes dans le haut baroque.

Il débuta sa carrière vers la fin du XVIIIe siècle avec l'élégante Igreja de São Francisco à Ouro Prêto, et l'église São Francisco, plus grande et plus élaborée, dans la ville de São João del Rei, dans le Minas Gerais. Il a également réalisés les soixante-dix-huit sculptures en stéatite et bois de cèdre que l'on peut admirer à l'Igreja do Bom Jesus dos Matozinhous à Congonhas de Campo, dans l'est du Minas

Gerais. Ces sculptures, dont soixante-six représentent le Chemin de croix, sont si vivantes que l'on croirait presque qu'Aleijadinho était présent lors de la crucifixion du Christ.

Mais le miracle accompli par Aleijadinho, fils illégitime d'un constructeur portugais et d'une esclave noire, a été de créer un nouveau langage artistique, informe et pourtant novateur, à la limite de la civilisation occidentale. Au cours des 80 années de sa vie, il n'a jamais fait d'études de Beaux-Arts. Pourtant, ses statues de Congonhas représentent l'une des plus grandes collections de l'art baroque du monde entier.

L'influence des noirs va certainement au-delà de l'art et de l'artisanat. De nombreux Africains, en particulier les Yorubas de Bahia, furent à l'origine de pratiques politiques et religieuses très élaborées. Les historiens contemporains notent qu'ils pratiquaient le mohamédisme et parlaient couramment l'arabe. Leur culture, pétrie de danses, de musiques et de littérature transmise par tradition orale, en faisait les égaux de leurs maîtres en tout, hormis le rang social.

L'esclavage au Brésil

Ces fiers esclaves noirs n'acceptaient pas toujours leur servitude avec placidité. Le Brésil avait coutume de penser que son esclavage était *« moins rigoureux que celui des Français, des Anglais ou des Nord-Américains »*, mais les historiens contemporains ont rectifié cette opinion en rappelant que neuf révoltes d'esclaves ont secoué la province de Bahia entre 1807 et 1835.

Le prince Adalbert de Prusse, en visite dans une plantation de Bahia au XIXe siècle, écrivait : *« les pistolets et les fusils chargés, alignés à portée de main dans la chambre du propriétaire de la plantation, montrent qu'il n'a aucune confiance en ses esclaves, et qu'il a sans doute été contraint plus d'une fois à les affronter les armes à la main. »*

L'histoire de l'esclavage au Brésil est tout aussi horrifiante qu'en Amérique du Nord. Les historiens pensent aujourd'hui que près de cinq millions d'Africains ont été capturés et envoyés au Brésil entre 1532 et l'abolition de l'esclavage en 1850. 20 % des captifs, c'est-à-dire un million, sont morts avant d'atteindre les côtes du Brésil.

Les maîtres blancs traitaient souvent leurs esclaves comme des biens de peu de valeur. La durée de vie moyenne d'un jeune noir, employé dans une plantation de cannes à sucre ou dans une mine d'or, était de huit ans. Il était alors plus rentable d'acheter de nouveaux esclaves que de préserver la santé des anciens. En 1835, date d'une sanglante révolte d'esclaves à Bahia, le Brésil comptait sans doute plus de noirs, libres ou non, que de blancs. Quatre provinces brésiliennes, touchées par l'accroissement de la violence et la naissance d'une conscience noire, ont alors adopté des lois de ségrégation raciale contre les hommes libres.

Lorsqu'ils n'étaient pas en pleine rébellion, les esclaves du nord-est étaient souvent en

fuite. A l'heure actuelle, au moins dix grands *quilombos*, ou refuges d'esclaves, ont été recensés. Ils virent le jour durant l'époque coloniale dans les profondeurs du nord-est. A son apogée, le plus grand de ces refuges, Palmares, abrita jusqu'à trente mille fugitifs et prospéra pendant soixante-sept ans avant d'être écrasé par la milice coloniale en 1694. Palmares, à l'instar des autres grands *quilombos* des XVIIe et XVIIIe siècles, était dirigé comme une monarchie africaine tribale avec un roi, un conseil royal, des propriétés communes et privées, une armée tribale et un prêtre.

Cependant, par certains aspects, l'esclavage au Brésil était plus libéral que dans les autres colonies du Nouveau-Monde. La loi interdisait aux propriétaires de séparer les familles d'esclaves et leur faisait obligation d'affranchir tout esclave capable de payer son juste prix. Nombreux ont été les esclaves à acheter ainsi leur liberté, même aux premiers jours de l'époque coloniale.

Les esclaves affranchis se regroupaient souvent en communautés religieuses; ils étaient soutenus par l'Église catholique et les missionaires jésuites. Ces communautés rassemblaient des fonds pour racheter la liberté d'autres esclaves, dont certains réussirent même à atteindre une certaine aisance financière. A Ouro Prêto, l'une de ces communautés a construit l'Igreja da Nossa Senhora do Rosario dos Pretos, véritable joyau de l'art baroque et l'une des plus belles églises du Brésil.

L'esclavage a disparu au Brésil le 13 mai 1888 lorsque la princesse régente Isabelle d'Orléans et de Bragance a signé une loi abolissant cette institution. Près de huit cent mille esclaves furent aussitôt libérés. Le Brésil fut le dernier pays occidental à mettre un terme à l'esclavage.

A gauche, un fermier du Minas Gerais ; ci-dessus, jeune femme dans le costume traditionnel de Bahia.

Le développement socio-économique

Cependant, la population noire et métisse n'était pas prête pour affronter le XXe siècle. A l'heure actuelle, le Brésil souffre d'un sérieux retard dans le développement socio-économique des noirs et des mulâtres, un cercle vicieux qui a entraîné une discrimination persistante à leur encontre.

Selon Dalmo Dallari, avocat des droits de l'homme à São Paulo, « *la Constitution et les lois du Brésil interdisent explicitement toute discrimination raciale. Mais il est clair que ces lois ne sont que l'expression d'intentions rarement mises en pratique.* » La discrimination existe toujours, même si elle ne resurgit qu'épisodiquement. Les noirs à qui l'on interdit l'entrée de certains restaurants ou hôtels, les femmes de couleur à qui les gardiens des immeubles de luxe demandent de passer par l'entrée de service, n'en sont que quelques exemples.

La discrimination raciale au Brésil revêt parfois des formes plus subtiles. Percy da Silva, coordinateur gouvernemental pour les affaires afro-brésiliennes déclare : « *s'il est vrai que les noirs ne sont plus des esclaves, il est également vrai qu'ils ne bénéficient pas des mêmes avantages que les blancs. Ils sont stigmatisés, considérés comme des êtres inférieurs. Ils doivent faire preuve de deux fois plus de talent pour être acceptés dans le monde du travail, par exemple.* » En conséquence, le Brésil n'a pas de ministres, de diplomates, de syndicalistes ou d'hommes politiques noirs. Le visage que le Brésil montre au monde est blanc, même si 40 % de sa population est noire ou métisse.

La situation économique des noirs a été étudiée en profondeur dans un rapport publié en 1983 par l'Institut Géographique et Statistique officiel du Brésil (IBGE). Ce rapport montrait que les blancs représentaient 56,6 % de la population active et gagnaient 71,1 % du revenu. Les mulâtres qui constituaient 30,8 % de la population active, ne gagnaient que 19,8 % du revenu, tandis que les noirs qui représentaient 9,5 % de la population active, ne gagnaient que 5,2 % du revenu. L'étude a également révélé que 8,5 % des blancs possédaient des diplômes universitaires contre 1,1 % pour les noirs et 2,7 % pour les mulâtres. Par ailleurs, si 15,5 % des blancs étaient analphabètes, ce pourcentage montait à 42,2 % pour les noirs et à 31,5 % pour les mulâtres.

L'absence d'une conscience noire au Brésil est frappante. D'après João Baptista Pereira, sociologue à l'université de São Paulo, *« les noirs du Brésil ne savent pas s'ils souffrent de la discrimination à cause de leur couleur ou de leur pauvreté. »*

De plus, les tensions raciales au Brésil restent sans doute invisibles pour des raisons culturelles. Si l'on ne parle pas souvent de racisme, c'est uniquement pour une raison très simple. Le noir connaît sa place. Et si les noirs du Brésil avaient un porte-parole de la trempe de Martin Luther King, le racisme ferait aussitôt surface et les racistes sortiraient de l'ombre.

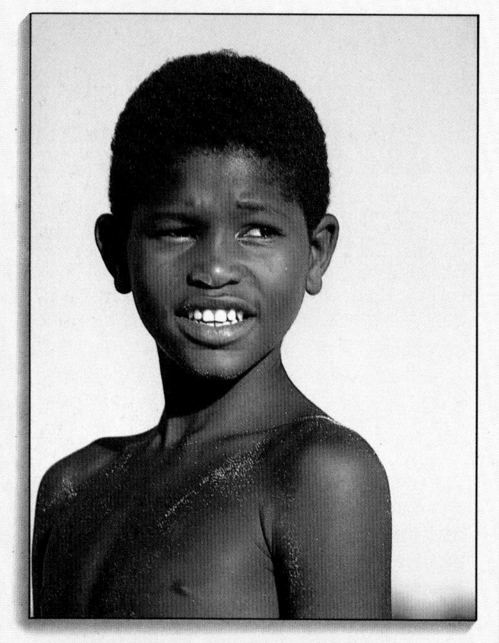

Mais l'idée, avancée autrefois que le Brésil est une « démocratie de races », se trouve aujourd'hui sérieusement remise en question par la discrimination subtile et les tensions raciales latentes. Pourtant, si la « face » que le Brésil présente au monde est blanche, à 55 % pour être exact, sa blancheur n'est pas uniforme. Le Brésil est et reste un bouillonnant melting pot.

Tout comme les États-Unis, le Brésil est une nation d'immigrants, et ces derniers ne viennent pas seulement du Portugal. Les Rodrigues, Fernandes, De Souza et autres, forment la majorité dans les annuaires téléphoniques de certaines villes. Ailleurs, des noms comme Alaby ou Geisel, Tolentino ou Kobayashi, et même MacDowel, se rencontrent fréquemment.

Les immigrants européens

L'origine de la diversité des groupes ethniques au Brésil remonte aux années 1850. A cette époque, le gouvernement impérial encouragea l'immigration européenne pour reconstituer la main-d'œuvre après l'abolition de l'esclavage. Les premiers immigrants étaient des paysans allemands et suisses qui s'installèrent principalement dans les trois états du sud, Rio Grande do Sul, Santa Catarina et Paraná, où le sol et le climat rappelaient le plus les conditions européennes.

Pendant des décennies, certaines communautés telles celle de Novo Hamburgo dans l'État de Rio Grande do Sul et Blumenau dans l'État de Santa Catarina sont restées plus allemandes que brésiliennes. Le protestantisme était aussi répandu que le catholicisme, et la plupart des résidents parlaient l'allemand de préférence au portugais. Aujourd'hui encore, ces villes portent la marque de leur héritage germanique, avec des architectures de style alpestre dominant le paysage, et des restaurants proposant plus volontiers des *Knackwürste* et du *Eisbein* que de la *feijoada.*

Plus tard, au XIXe siècle, l'immigration s'est faite italienne, en particulier dans l'état de São Paulo. Les Italiens n'étaient pas tous des paysans comme les premiers immigrants. Il s'agissait pour la plupart d'artisans et même de cols blancs. Dès les années 1890, à la suite de l'abolition de l'esclavage, les Italiens envahirent l'état de São Paulo, trouvant à s'employer dans les riches plantations de café de l'intérieur. Un contingent respectable vint aussi grossir les rangs des populations actives de São Paulo et des villes environnantes. En une génération, les Italiens étaient installés. Deux générations plus tard, ils formaient une nouvelle élite composée d'industriels puissants tels que les Martinelli ou les Matarrazoa. L'un des premiers gratte-ciel construit au Brésil, et qui domine encore aujourd'hui la vieille ville de São Paulo, appartenait aux Martinelli. Quelques années plus tard, un bâtiment encore plus imposant, l'Italia Building comptant quarante et un étages, fut construit à l'angle des avenues Ipiranga et São Luis. Il reste toujours le plus grand building de toute l'Amérique du Sud.

Au début du siècle, le Brésil abritait des immigrants du monde entier. Selon les rapports du ministère des Affaires Étrangères, cinq millions d'immigrants se sont installés au Brésil entre 1884 et 1973, date à laquelle la loi sur la protection de l'immigration a été adoptée. Les Italiens étaient au nombre de un million et demi, les Portugais de un peu plus d'un million. Les Espagnols étaient cinq cent quatre-vingt mille, les Allemands deux cent mille, les Russes cent dix mille, et cent mille Juifs qui s'installèrent à São Paulo et à Rio de Janeiro. Le demi-million restant venait de divers pays d'Europe tels que la Pologne, la Lithuanie et la Grèce.

Cependant, le mouvement migratoire vers le Brésil dépassa les frontières de l'Europe. Dès 1908, avec l'arrivée à Santos Harbor du *Kasato Maru* transportant deux cent cinquante mille immigrés japonais, le Japon contribua à peupler les étendues sauvages du Brésil. La plupart des descendants de ces fiers Nippons, qui avaient fui les mauvaises récoltes et les tremblements de terre de leur île natale, vivent toujours à São Paulo. La présence japonaise devient évidente dans le quartier Liberdade de São Paulo, où s'est constituée une véritable « Japantown » aux abords de la vieille ville. Les enseignes des innombrables boutiques et restaurants de ce quartier sont bilingues. Les cinémas présentent des films en japonais, et, le dimanche, le marché vend des objets et de la nourriture du Japon.

Le Moyen-Orient, quant à lui, a envoyé quelque sept cent mille immigrants, originaires pour la plupart de l'actuelle Syrie et du Liban, pendant les vingt premières années de ce siècle. Deux grandes zones commerciales situées, l'une dans la Rua de Ouvidor à Rio de Janeiro, l'autre dans la Rua 25 de Marco à São Paulo, appartiennent essentiellement aux immigrants du Moyen-Orient et à leurs descendants. Les boutiques, pressées les unes contre les autres dans des rues étroites rappelant les bazars, vendent tout ce que l'on peut désirer, des fleurs aux tapis persans. Marchands arabes et juifs s'y côtoient en parfaite harmonie.

Les diversités régionales

Le processus qui ferait de toutes ces races une « race brésilienne unique » est loin d'être achevé, et en partie à cause de la force des régionalismes. En dépit de l'impact de la communication de masse et de la tendance historique vers la centralisation politique, les régionalismes fleurissent toujours au Brésil.

Le *gaucho* blanc, catholique et macho, arpente toujours les plaines du sud. L'agressif *paulista*, qui pratique des religions aussi diverses que l'islam ou le shinto, et se prévaut d'origines ethniques variées, sévit toujours dans les banques, les industries et la bureaucratie du pays. Le *carioca*, dont le bronzage peut être d'origine ou non, semble quant à lui s'adonner à toutes les religions alors qu'il est en réalité agnostique.

A gauche, jeune garçon de Bahia ; à droite, les enfants des favelas.

Le *mineiro*, rude et courageux, qu'il soit blanc, mulâtre ou noir, reste puritain dans sa religion, austère dans sa sexualité et infiniment patient dans sa politique. Le *nordestino* a la peau bronzée ou noire, le cœur léger, une personnalité haute en couleurs, pratique un mélange flamboyant de catholicisme et de cultes africains, avec une préférence marquée pour ces derniers.

Enfin, le *sertanejo*, l'homme de l'arrière-pays, profondément religieux, parcourt toujours les grandes routes poussiéreuses du *sertão*, fuyant l'horrible alternance de sécheresses et d'inondations, espérant pouvoir revenir un jour à ce qu'il nomme fièrement son pays.

National

LES INDIENS DÉCHUS

Si on laisse de côté les spéculations concernant les origines de la position de l'Europe, en particulier de la France normande, sur la côte brésilienne (on sait en effet que depuis au moins le XIIe siècle le mot « Brésil » est attesté comme appelation des terres mythiques d'où provenait le bois de teinture brasil, de braise), on datera des XVe et XVIe siècles les premiers témoignages — extravagants, fabuleux — concernant les Indiens : les rapports officiels de Colomb relatifs aux Antilles et au Venezuela à partir de 1492; ceux de Pero Vaz de Caminha sur le littoral brésilien en 1500, et ceux, célèbres, de Americo Vespucci entre 1501 et 1503. Les lettres des missionnaires au Brésil ne remontent qu'à 1549, et proviennent de jésuites installés chez les Indiens Tupinamba (aujourd'hui Rio de Janeiro).

Mais l'un des premiers grands chroniqueurs du Brésil est sans doute l'huguenot de Genève, Jean de Léry, qui débarqua dans la baie de Guanabara en 1556 avec un groupe de Genevois protestants, envoyés par Calvin à la requête de Villegaignon. De l'alliance qui se nouera entre lui et les Indiens, Léry écrira ce chef-d'œuvre reconnu de la littérature ethnographique qu'est l'*Histoire d'un voyage fait en la terre du Brésil*, dont la lecture marquera J.-J. Rousseau. C'est ce « bréviaire de l'ethnologue » que, quatre siècles plus tard, Lévi-Strauss aura dans sa poche lorsque, à son tour, il débarquera à Rio de Janeiro.

Nul ne saurait imaginer le choc qu'ont dû ressentir ces voyageurs, les premiers observateurs de l'autre monde. Les différences séparant les deux planètes qui s'affrontaient alors étaient si abyssales que chaque côté se demanda pendant longtemps s'il avait vraiment à faire à des humains, plutôt qu'à des bêtes ou à des créatures diaboliques ou même à des dieux. *« Jamais l'humanité n'avait connu aussi déchirante épreuve et jamais plus elle n'en connaîtra de pareille, à moins qu'un jour, à des millions de kilomètres du nôtre, un autre globe ne se révèle, habité par des êtres pensants »*, note Lévi-Strauss dans *Tristes Tropiques*. C'est sans doute cette découverte cruciale de l'*autre*, de la différence radicale déchirant une humanité qui se prenait jusque là pour unique, entière et parachevée; découverte qui fut une véritable révolution dans l'ordre de la pensée, analogue à celle accomplie à la même époque par Copernic; c'est sans doute cet événement majeur, à l'origine des temps modernes et de leur conscience ethnographique, qui ouvre à la Renaissance la voie à ce qui sera, trois cents ans après, les idéaux philosophiques de la Révolution française et de la Déclaration des droits de l'homme. Mais c'est parce que les civilisations indiennes ont payé si cruellement ce progrès moral dont la civilisation occidentale est si fière, que Oswald de Andrade, revendiquant à sa façon l'anthropophagie ancestrale, s'écriera incrédule et non sans douleur : *« Sans nous l'Europe n'aurait même pas sa pauvre déclaration des droits de l'homme ».*

Alliance étonnante des traditions anciennes (peinture du corps) et du moderne (magnétophone).

Dépopulations

Combien étaient-ils, les Indiens, à l'époque de la Découverte? Et combien sont-ils aujourd'hui? On les estime généralement entre deux millions et demi et quatre millions en 1500. Néanmoins, comme le calcul de la population indienne à cette époque est irréalisable, ces estimations sont forcément hasardeuses.

L'étude démographique est un terrain de batailles idéologiques, où se trahissent des préjugés classiques solidement établis, ayant trait aux structures économiques et sociales des communautés indiennes. Encore ici une révision complète des idées reçues s'impose. Pierre Clastres a essayé d'établir un nouvel ordre de grandeur concernant la population des seuls Guaranis (dont le pays était en gros situé dans le sud brésilien à partir du Paraná actuel, limité à l'ouest par le fleuve Paraguay et à l'est par la côte Atlantique jusqu'à la frontière de l'Uruguay actuel). Il calcule à partir des données chiffrées relatives au territoire et à la démographie, en s'aidant de l'homogénéité démographique présumée des groupes guarani et tupi. Il contrôle ensuite cette opération par un second calcul, partant de la courbe de dépopulation. L'ethnologue arrive ainsi à établir, pour ces seuls Indiens Guarani, qu'ils devaient être environ un million cinq cent mille avant l'arrivée des Blancs. Deux siècles après ils n'étaient plus que cent cinquante mille, réduits donc de neuf dixièmes. Ces résultats effrayants s'accordent avec ceux obtenus par les travaux pionniers de

Nathan Wachtel (sur l'Empire inca) et de l'école de Berkeley (pour la région méxicaine de l'Anahauac) dont Clastres se réclame. A Pierre Chaunu (cité par Clastres dans *la Société contre l'État*) de conclure : *« Ce n'est plus les quarante millions d'hommes jugés excessifs du Dr. Rivet qu'il faut supposer à l'Amérique précolombienne, mais quatre-vingts, cent millions d'âmes peut-être. (...) C'est le quart de l'humanité, en gros, qu'auront anéanti les chocs microbiens du XVIe siècle ».*

Ces données semblent se rapprocher des chiffres de Darcy Ribeiro concernant la population indienne du Brésil au XXe siècle (si on

laisse de côté la difficulté de délimiter aujourd'hui la catégorie « indien » et de la séparer d'avec ses figures métissées ou assimilées) : deux cent trente tribus et un million d'Indiens en 1900, dont un tiers disparaît en un demi-siècle (cent quarante-trois tribus en 1957); cinquante tribus et cent à cent cinquante mille Indiens en 1980; soit un taux de chute de huit à neuf dixièmes environ, en moins d'un siècle. Aujourd'hui ils constituent tout au plus un millième de la population totale.

Civilisations

Les Indiens de la grande culture tupi-guarani sont vraisemblablement les premiers que les voyageurs du XVIe siècle rencontrèrent, un peu partout, sur la côte brésilienne. Ils occupaient la zone côtière sud, jusqu'au cours inférieur et moyen de l'Amazone, et la quasi-totalité du Paraguay. C'est de cette culture que proviennent les trois Indiens que Montaigne rencontra à Rouen, vers 1560. Quand en 1938 Lévi-Strauss pénètra dans le village des Tupi-Kawahib il crut rencontrer les derniers survivants descendants de ces grandes populations, dont la culture lui semblait d'ailleurs offrir d'« obscures affinités » avec celle des Aztèques de la vallée du Mexique.

Les Tupi voisinaient au nord-ouest avec deux autres peuples : les Carib et les Arawak, qui peuplaient l'estuaire de l'Amazone, les Guyane, jusqu'au bassin caraïbéen et les Antilles. Les Arawaks ont probablement précédé les Tupi dans la pénétration du continent. A la fin des années 1930 il en subsistait de petites colonies à l'intérieur du Brésil, sur les cours du Xingu et du Guaporé; selon l'ethnographe les Arawak ont même des descendants en haute Bolivie.

Les Arawak se rapprochent, par leur organisation sociale, des groupements connus sous le nom de Gé, qui habitaient en 1500 les régions forestières difficilement accessibles, du sud du Brésil; ce qui leur a permis de survivre de quelques siècles à l'anéantissement que connurent les Tupis à l'époque de la Découverte. Ces groupes Gé, dont le degré de raffinement sur le plan sociologique et religieux était remarquable, sont supposés être les premiers habitants du Brésil. Et Lévi-Strauss avoua son trouble dans *Tristes Tropiques,* lorsqu'il reconnut que *« l'organisation sociale des Gé et jusqu'au plan des villages bororo ressemblent à ce que l'étude de certains gisements pré-incaïques, comme celui de Tiahuauaco en haute Bolivie, permet de reconstituer de ces civilisations disparues. »* Autrement dit, ils ressemblent aussi à certains éléments de ce qu'ont été, au début de leur florissement, les civilisations américaines d'il y a trois millénaires.

« Tupi or not tupi... »

Du XVIe jusqu'au XIXe siècle les Indiens, quand ils ne furent pas simplement liquidés par les colons ou décimés par les épidémies contractées auprès des blancs — ou encore morts *« d'horreur et de dégoût pour la civilisation européenne »* (Lévi-Strauss) —, furent réduits à la condition d'esclaves; bien que le pape Paul III eut reconnu, dès la lettre patente de 1537, l'humanité des Indiens et malgré les réglements pour leur protection obtenus ensuite par les jésuites, notamment au cours du XVIIe siècle. Clastres rappelle que, d'après les archives jésuites concernant justement le milieu du XVIIe siècle, les bandes d'explorateurs auraient, en quelques années, tué ou capturé près de trois cents mille Indiens.

Certes, la reconnaissance ecclésiastique de l'humanité des « primitifs » est elle-même à double tranchant : car si en tant que fils d'Adam et donc créatures de Dieu (chrétien) leurs corps ne doivent pas être asservis, leurs âmes restent par contre à convertir, donc à conquérir. Nous avons là le modèle du dilemme dans lequel les Indiens seront toujours emprisonnés et au sein duquel ils succomberont : ou bien périr sous la brutalité des colonisateurs et de leurs lobbies de tous poils au long des siècles, ou bien se laisser prendre en charge et protéger, éduquer, bref intégrer, par les organisations « humanitaires » — des missions jésuites d'autrefois à celles, catholiques ou autres, d'aujourd'hui (on en compte une cinquantaine en Amazonie, dont plus de la moitié sont nord-américaines, œuvrant à « moraliser » la vie familiale et sexuelle des derniers « primitifs »). Notre société n'aura donc pas cessé de dépouiller les Indiens de leur puissance propre, se jouant hypocritement à elle-même *« la comédie de les anoblir au moment où elle achève de les supprimer »* (Lévi-Strauss). Devant le dilemme terrifiant — ou se « civiliser » ou mourir — qui pourrait finalement dire (à la place de l'Indien ?) s'il ne faut pas plutôt préférer la mort à vivre déshonoré et sous tutelle ?

A côté des organisations humanitaires il faut évoquer aussi les tentatives d'institutionalisation d'une « politique indienne » au Brésil. Elles datent du Service de Protection de Indiens (SPI) fondé en 1910, dans l'esprit du paternalisme du XIXe siècle, par un adepte du positivisme d'Auguste Comte : le général Candido Rondon. Le SPI fut dissous en 1968, accusé d'omission, de corruption et de crime. Entre-temps les frères Villas Boas, « spécialistes de terrain », fondèrent le Parc national du Xingu, réserve protégée officialisée en 1961. Ce parc regroupe aujourd'hui entre quinze et dix-sept ethnies indiennes dans plus de 32 mille km^2, totalisant environ deux mille cinq cent Indiens. Cependant, en dépit de ces efforts, les affrontements sanglants entre Indiens et civilisés (contrebandiers, chercheurs d'or, braconniers) se poursuivront. Dorénavant, après le départ des Villas Boas, l'administration de la réserve du Xingu fut prise en charge par les fonctionnaires de la FUNAI (Fondation Nationale de l'Indien), organisme gouvernemental créé à la place du SPI.

A gauche, une jeune mère et son enfant ; ci-dessus, coiffure de fête.

Celle-ci, bien qu'étant une « fondation » relativement autonome, dépend en fait du ministère de l'Intérieur, lequel mène plutôt une politique de colonisation accélérée de l'« intérieur », voire de conquête, telle la

construction des routes amazoniennes ou l'occupation de territoires à des fins d'exploitations minières ou forestières, entraînant la disparition des sociétés indiennes.

Il va sans dire que dans ces conditions le bilan de la politique de la FUNAI est plutôt accablant. Qu'il suffise de mentionner ici son inaction criminelle face au problème de la survie de la plus importante communauté amazonienne, celle des Indiens Yanomani qui vivent à l'extrême nord entre le Brésil et le Venezuela, émigrés vraisemblablement des Caraïbes et descendant directement des premières populations venues en Amérique du Sud. Les Yanomani, qui ont été relativement protégés du contact avec les Blancs, mais qui voient maintenant leur territoire coupé par les routes, envahi par les chercheurs d'or et occupé par les entreprises agricoles et minières, sont en ce moment en train d'être liquidés, ravagés par les maladies, les corruptions et les affrontements.

Il faut, à l'heure où les Indiens servent de pâture aux médias, écouter la parole plaintive et impuissante, coupable aussi, du voyageur sous les tropiques au milieu des années 50, devant cette dernière forme d'achèvement des « primitifs » qu'est la mise en exploitation de leur image exotique : *« Pauvre gibier pris aux pièges de la civilisation mécanique... tendres et impuissantes victimes, je peux me résigner à comprendre le destin qui vous anéantit, mais non point être dupe de cette sorcellerie plus chétive que la vôtre, qui brandit devant un public avide des albums en kodachrome remplaçant vos masques détruits. Croit-il par leur intermédiaire réussir à s'approprier vos charmes ? »* (Lévi-Strauss, *Tristes tropiques*).

Comment a-t-on pu en arriver là ? Alors qu'il y a quatre siècles les premiers témoins occidentaux pensaient découvrir, avec les Indiens, l'humanité « suprêmement heureuse », la *« gens beatissima »* ?

Depuis ses débuts l'Occident a rêvé avec nostalgie d'un âge d'or perdu. Avant même l'ère chrétienne, Platon et Homère témoignaient déjà de cette nostalgie de l'origine. Rien de surprenant donc à ce que, lors de la découverte des Indiens à l'aube du XVIe siècle, les premiers chroniqueurs, Colomb, Caminha et Vespucci, se soient précipités pour y reconnaître la vie à l'état de nature, avant d'être corrompue par l'ordre social.

Mais ce faisant on commençait déjà à atténuer, et à s'approprier, donc à abolir, l'altérité radicale des « sauvages », en les identifiant, les inscrivant dans le grand récit de l'odyssée de l'Occident blanc et chrétien — fut-ce à la place éminente de son origine immémoriale et regrettée.

On ne comprendra rien au problème des Indiens si l'on n'a pas présent à l'esprit ce fait : le regard porté sur eux aura toujours été informé ou préformé par les récits, les fantasmes, voire les remords de l'Occident au sujet de l'exotique comme incarnation de ce qu'il aura perdu. Plus encore : il y va de la propre compréhension de la culture du Brésil et de ses dilemnes; car l'image que les Brésiliens — issus du croisement d'éléments européens et non européens (amérindiens, négro-africains) — s'efforcent d'avoir d'eux-mêmes, ainsi que celle qu'ils se font des Indiens et de leurs rapports réciproques, sont traversées par cette mythologie que l'Europe occidentale n'a pas cessé d'entretenir au sujet de ses « autres » et de ses confins. De sorte que cet exotisme persistant aura informé jusqu'aujourd'hui la vision que les Brésiliens ont d'eux-mêmes, les conduisant à se voir — étrangers à eux-mêmes — avec les yeux du visiteur d'outre-Atlantique.

Épilogue

En 1938, quatre cents ans après les grands, les « vrais » voyageurs, Hans Staden, Jean de Léry, André Thevet, qui pour la première fois mettaient le pied sur le territoire brésilien, Claude Lévi-Strauss devait remarquer avec regret que les sociétés qu'il allait étudier n'étaient plus que *« des corps débiles et des formes mutilées »,* des civilisations d'autrefois. Mais le voyageur sait en même temps cette chose étrange et inquiétante : que la déchéance de ces sociétés est la condition de sa science. *« Pour pouvoir étudier une société primitive,* disait Alfred Métraux à Clastres, *il faut qu'elle soit déjà un peu pourrie. »* Il faut que l'Indien consente à être « ethnologisé », qu'il ait déjà cessé en quelque sorte d'être ce qu'il était.

Aujourd'hui le dernier des voyageurs de l'Occident qu'on appelle touriste, ne pourrait s'attendre qu'à trouver tout au plus les débris, les ruines, les ombres de ce qu'ont été les fières ethnies indiennes, avant le choc fatal qu'a été pour elles la découverte de la civilisation occidentale, conquérante, industrielle et microbienne. Il les trouvera soit crûment, camelots indigents, vendant des arcs et des flèches dans des boutiques ou sur les routes; quand ils n'y vagabondent pas, mendiant, corrompus par l'alcool et la prostitution. Soit il les verra à travers la vitrine des scènes filmées ou télévisées de la vie des Indiens du Parc national du Xingu, qui apprennent désormais à monnayer leur image, fut-ce au prix de la rendre kitsch. Ils fournissent ainsi aux caméras vidéo et aux guides de voyage les dernières ombres destinées au Musée de l'histoire à laquelle ils ont succombé.

Danses rituelles dans le Parc national de Xingu.

VENDE-SE
ESTA-CASA

LE RICHE ET LE PAUVRE

Bien qu'aucune carte ne le montrera jamais, il existe deux Brésil qui se partagent le même espace et se côtoient jour après jour. L'un est un pays au potentiel énorme, disposant de ressources humaines et naturelles infinies, un véritable pays de cocagne. Là, n'importe qui peut réussir de façon éclatante et bénéficier de privilèges inouïs. L'autre est le pays des privations, de la souffrance et de la misère humaine. Ici, il n'y a aucun espoir hormis celui d'atteindre un jour l'autre Brésil.

Depuis sa naissance, la nation brésilienne a toujours été une société imparfaite et injuste, strictement divisée en classes, avec une minorité contrôlant d'une main de fer la vie économique et politique du pays. Contrairement aux autres pays du continent américain, le Brésil n'a gagné son indépendance que pour reproduire jusque dans les moindres détails le mode de vie colonial.

Le règne de l'élite

Plutôt que de se débarrasser de l'apparat de la monarchie imposé par le Portugal, le Brésil l'a repris à son compte. De colonie, le pays devint empire, remplaçant les nobles portugais par leurs clones brésiliens, et établissant le règne de l'élite comme le principe fondamental de la société brésilienne.

Depuis lors, si la composition de cette élite a changé (les nobles ont été successivement remplacés par l'aristocratie foncière, les barons du caoutchouc et du café et, aujourd'hui, les industriels et hommes d'affaires des États du Sud-Est), les divisions de base de la société sont restées inchangées : quelques élus à la tête, un plus grand nombre au niveau inférieur et la multitude à la base de la pyramide.

A l'heure actuelle, les classes supérieures de la société brésilienne, qui représentent 10 % de la population totale, se partagent 7,5 % du revenu national. Les classes inférieures se contentent de 12 %, tandis que l'élite, qui ne représente que 1 % de la population, se taille la part du lion avec 14,5% du revenu national. Dans ce pays si fier de détenir le dixième rang des puissances économiques mondiales, seuls 1,5 % des salariés disposent d'un revenu annuel supérieur à 100 000 francs, 2 % d'entre eux gagnent entre 51 000 et 100 000 francs par an, 30 % gagnent entre 12 000 et 51 000 francs par an, tandis que 52 % des salariés gagnent moins de 12 000 francs par an. Par ailleurs, 12 % de la population survit dans la frange inférieure du sous-emploi, gagnant juste de quoi vivre en lavant des voitures, en vendant des babioles au coin des rues, ou tout simplement en s'adonnant à la mendicité.

Ces niveaux de salaires ont depuis longtemps contraint les Brésiliens, et en particulier ceux qui se situent à la base de la pyramide, à augmenter leurs revenus par d'autres moyens. Il n'est pas rare de voir les enfants commencer à travailler dès l'âge de dix ans, tandis que les femmes se pressent en nombre sans cesse grandissant sur le marché du travail. Elles forment aujourd'hui 33,5 % de la population active totale. Ces rentrées d'argent supplémentaires ont permis d'augmenter les revenus des ménages. Ainsi, 4,5 % des ménages brésiliens gagnent aujourd'hui plus de 51 000 francs, et 8,5 % d'entre eux se situent entre 12 000 et 51 000 francs. Pourtant, la situation reste inchangée à la base, où 68 % des ménages survivent avec moins de 25 000 francs par an.

Les autres divisions

L'inégalité des revenus n'est pourtant que l'un des facteurs qui divisent les deux Brésil. Les 13 % des ménages brésiliens qui jouissent d'un niveau de vie moyen ou supérieur ont accès à une assistance médicale de qualité, une alimentation saine, un système éducatif convenable pour leurs enfants et un logement correct. Leur Brésil est le pays des centres commerciaux et des boutiques à la mode, des appartements de standing, des cliniques et des écoles privées, des restaurants chics et des derniers modèles de voitures.

Pour les deux tiers des ménages brésiliens situés en deçà de la ligne de séparation, rien de tout cela n'existe. L'éducation, lorsqu'elle est possible, passe par le système des écoles publiques, en général sous-financées et surpeuplées. Les services de santé sont assurés par un système médical public précaire, quant aux conditions de logement, elles sont souvent déplorables : des millions de Brésiliens sont parqués dans les *favelas* ou les bidonvilles. Si

Pages précédentes : villa de style colonial. Ci-contre, bidonville improvisé.

la famine n'y atteint pas le niveau de certains pays d'Afrique, la malnutrition y est toutefois largement répandue.

Les disparités régionales

Les preuves de l'existence de deux pays au sein du seul Brésil ne manquent pas, ni dans les villes ni dans les États, mais il existe également d'importantes disparités régionales. Pendant l'époque coloniale, le Nord-Est était la force économique dominante du Brésil, le centre des plantations prospères de canne à sucre. Mais, tandis que le sucre perdait de son importance pour être remplacé par l'or, la région déclina rapidement. Le coup de grâce lui fut assené par la révolution industrielle qui balaya le pays dès le début de ce siècle, et transporta le pouvoir économique et politique vers les cités du Sud et du Sud-Est. L'absence d'industrie, la sécheresse récurrente et l'archaïsme du système d'exploitation agricole ont fait du Nord-Est le symbole de « l'autre Brésil ».

Selon les statistiques gouvernementales, 86 % des enfants dans le Nord-Est souffrent de formes diverses de malnutrition. La majorité des victimes de maladies infectieuses vivent dans le Nord-Est où la mortalité infantile atteint 120 pour 1 000, contre 87 pour 1 000 dans le reste du pays et seulement 61 pour 1 000 dans les États du Sud. L'espérance de vie dans la région n'est que de 55 ans contre 64 pour l'ensemble du pays et 67 pour le Sud-Est. Près de 60 % de la population active de la région gagne moins de 5 500 francs par an. Dans le Sud-Est, seuls 26 % des salariés gagnent moins que cette somme. Tandis que le Nord-Est n'abrite que 28 % de la population totale, la moitié des analphabètes du Brésil habitent dans cette région. Le taux d'analphabétisme dans le Nord-Est est de 47 % contre 17 % dans le Sud-Est, et 26 % pour l'ensemble du pays. Seuls 2 % des habitants du Nord-Est bénéficient d'une formation universitaire supérieure, contre 6 % dans le Sud-Est.

Les tentatives du gouvernement pour remédier à ces inégalités et diminuer le gouffre séparant les deux Brésil se sont soldées par des échecs. Les années 70 ont été celles de la croissance économique et des investissements étrangers. Ces investissements ont financé en priorité de grands projets d'infrastructure. Les militaires au pouvoir ont ignoré les problèmes sociaux, croyant fermement à l'effet de propagation vers le bas du miracle économique.

L'endettement social

Avec l'arrivée des années 80 et la crise internationale de l'endettement, le flot des investissements étrangers se tarit et le nouveau gouvernement civil du Brésil se trouva confronté à un endettement social sans fond. Tandis que la croissance économique se ralentissait, la question sociale prit des proportions inquiétantes. Le Brésil a besoin d'un taux de croissance économique annuel d'au moins 3 % afin d'absorber le million et demi de jeunes qui arrivent chaque année sur le marché du travail.

Parallèlement, des investissements importants doivent être effectués dans les secteurs de l'éducation, du logement et de la santé pour compenser les effets tragiques de la négligence des années 70. Les efforts du gouvernement pour régler ces questions ont été réduits à néant par l'instabilité de la croissance économique dans les années 80 ainsi que par l'inefficacité et la voracité de la bureaucratie qui, en 1988, absorba à elle seule 80 % de l'impôt fédéral pour payer ses fonctionnaires. La croissance de la population pose également un grave problème. Même avec une progression économique régulière, le gouvernement aura bien du mal à fournir des emplois à une population qui double tous les trente ans.

L'explosion démographique

A l'heure actuelle, le Brésil compte plus de cent quarante millions d'habitants et la population croît de 2,3 % par an. A cette allure, le nombre des Brésiliens aura doublé en 2015. Le nombre des enfants vivant dans la pauvreté aura lui aussi doublé (quarante-cinq millions aujourd'hui, quatre-vingt-dix millions en 2015), ainsi que le nombre des enfants souffrant de malnutrition (quinze millions aujourd'hui et trente millions en 2015), et le nombre des enfants abandonnés (douze millions à l'heure actuelle, vingt-quatre millions en 2015). En fait, les statistiques sur la pauvreté feront peut-être plus que doubler en raison du taux de natalité plus élevé dans les classes sociales inférieures. Dans le Nord-Est, par exemple, le nombre moyen d'enfants par famille est de cinq dans les zones rurales, de quatre dans les villes, tandis que la moyenne dans le Sud-Est est de moins de trois enfants par famille.

A gauche, un cadre bien agréable pour passer des vacances ; ci-dessus, bidonvilles sur pilotis, beaucoup moins attrayants.

Le contrôle des naissances

Si la population continuait à croître au taux de 2,3 % par an, le Brésil compterait six cent millions d'habitants en 2050. Il apparaît donc indispensable que le pays prenne des mesures pour ralentir l'accroissement de la population.

Mais, jusqu'à présent, l'opposition de l'Église catholique et d'une partie des forces armées a bloqué toutes les tentatives de mise au point d'un programme de contrôle des naissances.

Le principal obstacle à un contrôle démographique efficace est le manque d'information dans la population et au sein même du gouvernement. Les dirigeants estiment souvent que le problème est secondaire et qu'il se résoudra de lui-même. Le taux des naissances est effectivement tombé dans les années 80 et il continuera sans doute à baisser. Certaines prévisions optimistes estiment que le taux de croissance sera descendu à 1,7 % à la fin de ce siècle. Pourtant, ce taux ne sera probablement pas atteint avant 2010 sans une intervention massive du gouvernement.

L'un des problèmes majeurs de la croissance démographique brésilienne tient à sa répartition entre les différentes régions. Entre 1981 et 1985, le Nord-Est a enregistré un taux de croissance inférieur à celui du Sud-Est, 2,1 % contre 2,5 %. Cela ne signifie pas pour autant que ses habitants sont plus avancés que leurs compatriotes en matière de régulation des naissances. La différence s'explique par le taux élevé de mortalité infantile et l'espérance de vie réduite dans cette région. A cela s'ajoute un facteur crucial: la migration des habitants du Nord-Est vers le Sud à la recherche de travail.

Les mouvements migratoires

L'exode rural qui a mené les populations du Nord-Est vers les régions plus prospères du Sud-Est a commencé dans les années 60. 25 % de la population du Brésil est désormais concentrée dans les zones urbaines de São Paulo, Rio de Janeiro, Belo Horizonte, Curitiba et Pôrto Alegre. Entre 1970 et 1980 la population de la ville de São Paulo a été grossie par l'arrivée de trois millions d'immigrants venant pour la plupart du Nord-Est.

Ainsi, les paysans quittent la misère de leur pays natal pour aller vers les centres industriels du Sud et du Sud-Est où ils fournissent une main-d'œuvre régulière et bon marché, mais où ils posent également un énorme problème social. En plus de peser lourdement sur des services publics exangues, cette masse d'immigrants appauvris contribue à l'expansion des bidonvilles urbains et à l'augmentation de la criminalité, son inévitable corollaire. A l'heure actuelle, la moitié de la population de São Paulo, c'est-à-dire cinq millions d'habitants, vit dans des logements de qualité inférieure à la norme. Plus de huit cent mille habitants vivent dans les *favelas*, ou bidonvilles. Les responsables de la municipalité de São Paulo estiment qu'il leur manque plus d'un million de logements. Ces chiffres montrent comment, en raison d'un taux de natalité plus élevé chez les pauvres, le Brésil des démunis envahit le Brésil des nantis.

Jusqu'à présent, le seul frein à la croissance de la population a été la découverte progressive des techniques de contrôle des naissances par les couches les plus défavorisées de la population; mais elles restent souvent hors de leur portée en raison de leur coût. Les écoles publiques brésiliennes ne dispensent pas de cours d'éducation sexuelle et, en dépit de l'annonce de la mise en place de programmes gouvernementaux d'information et de distribution gratuite de moyens de contraception dans les années 80, aucune évolution n'a été enregistrée. Tous les efforts ont été contrés par l'opposition de l'Église, un financement inadapté et une bureaucratie inefficace.

De plus, derrière tous ces facteurs, se cache l'ambiguïté de la position du gouvernement. Certains ministres ont admis la nécessité d'un contrôle des naissances mais la politique gouvernementale officielle reste celle de la non-ingérence dans le planning familial, ce qui revient à dire que le gouvernement refuse d'encourager les Brésiliens à mettre moins d'enfants au monde. Comme il est virtuellement impossible de fournir des moyens de contraception sans encourager les hommes et les femmes à les utiliser, le gouvernement a été constamment accusé par la gauche et l'Église de promouvoir le contrôle des naissances. Aussi, lui a-t-il été impossible de mettre en œuvre le moindre programme.

Mais les Brésiliens les plus pauvres réclament l'aide du gouvernement. La preuve flagrante en est que, dans ce pays à dominante catholique où l'avortement reste strictement interdit, le nombre des interruptions volontaires de grossesse égale chaque année celui des naissances, c'est-à-dire environ trois millions (le nombre des naissances annuelles au Brésil est égal à celui des États-Unis et de l'Union soviétique réunis). Un sondage effectué à Rio de Janeiro et São Paulo en 1987 a montré que 63 % des personnes interrogées se prononçaient en faveur d'une action gouvernementale pour l'information et l'accès aux moyens de contraception.

Des contrastes évidents

Pour les visiteurs, les contrastes entre les deux Brésil deviennent vite évidents. D'innombrables mendiants se pressent sur les avenues du bord de mer à Rio, tandis que des domestiques lavent les vitres des appartements de luxe de l'autre côté de la rue. Dans les rues de São Paulo, de somptueuses Mercedes doublent des hommes poussant des brouettes brinquebalantes remplies de vieux journaux destinés au recyclage.

Demeure bourgeoise dans le quartier Morumbi de São Paulo.

De même, la diversité des modes de vie, selon l'appartenance à l'un ou l'autre des deux mondes, est aisément discernable. Pour les classes aisées qui se situent au sommet de la pyramide, les signes extérieurs de richesse ne manquent pas. De superbes villas bordent les rues du quartier Morumbi à São Paulo, tandis qu'à Rio des immeubles de luxe abritant des appartements de plusieurs millions de dollars s'étendent le long de la mer dans le quartier d'Ipanema.

Cependant, ce qui distingue les riches du Brésil de leurs homologues dans les autres pays n'est pas tant le nombre de leurs possessions que leur pouvoir. En effet, la nature élitiste de la société brésilienne confère aux plus riches un pouvoir quasiment illimité. L'élite actuelle, concentrée à São Paulo ne lave pas son linge sale en public et les affaires de fraude ou de corruption sont généralement traitées avec la plus grande discrétion. L'élite prend soin de ses membres : si la criminalité des cols blancs existe bien au Brésil, il n'existe pas, en revanche, de criminels en col blanc

Pour les habitants de l'autre Brésil, pour ceux qui vivent dans la misère, il n'existe aucune barrière susceptible de les protéger des coups du sort. Ils végètent dans les milliers de bidonvilles qui fleurissent à travers le pays, dans des cabanes sur pilotis construites sur des cours d'eau pollués, ou dans les maisons de brique et de béton des *favelas* de Rio et de São Paulo.

Les favelas de Rio

Rio a été la première grande ville brésilienne à abriter ces bidonvilles qui n'ont cessé, depuis, de se multiplier. Les *favelas* sont nées à Rio au début de ce siècle, lorsque des soldats, libérés après avoir maté une rébellion dans le Nord-Est, s'installèrent dans des baraquements sur le flanc d'une colline proche du centre de la ville. Ils baptisèrent leur communauté *favela* d'après le nom du campement qu'ils occupaient à Bahia durant les affrontements. Depuis lors, tous les bidonvilles portent ce nom.

Ils se sont rapidement étendus, prenant parfois des proportions effrayantes. Selon le gouvernement, il existe à Rio quatre cent quatre-vingts *favelas* abritant une population estimée à un million de personnes (la ville compte près de six millions d'habitants). Leur taux de croissance est de 5 % par an, soit le double de celui de la ville entière. Tout d'abord confinées près de la zone centrale, les *favelas* ont ensuite grandi au rythme de la ville. Elles ont envahi les montagnes derrière Copacabana, se sont étendues à Ipanema, suivant toujours le mouvement des constructions et des créations d'emploi.

Les *favelas* les plus connues, bâties à flanc de montagne, forment une pittoresque mosaïque de couleurs au milieu des roches grises et des vertes forêts, mais d'autres se sont créées ces dernières années dans les plaines des banlieues nord et sud de Rio. Leur existence souligne l'incroyable pression démographique à laquelle est soumise cette ville dont la topographie limite pourtant sévèrement toute possibilité d'expansion. Depuis l'époque coloniale, les habitants de Rio ont choisi de vivre près de la mer, tournant le dos aux montagnes. Ce choix, s'il s'est révélé parfait d'un point de vue esthétique, a pourtant fait de Rio une ville aux frontières sociales clairement définies. Avec l'explosion du prix des terrains situés en bord de mer, les plus pauvres ont été contraints à s'éloigner vers la périphérie, augmentant ainsi la durée et le coût des transports sur leur lieu de travail. Parallèlement à cette tendance, le nombre des logements dans les quartiers populaires de la ville a fortement diminué. Les *favelas* s'imposent de plus en plus comme la seule réponse possible à ce double problème.

Rocinha

Ce processus n'est nulle part aussi évident que dans la *favela* Rocinha à Rio de Janeiro, la plus grande de tout le Brésil et probablement de l'Amérique du Sud. Plus de soixante mille personnes vivent dans cette fourmilière, serrées les unes contre les autres dans des baraques en brique ou des cabanes de fortune. Rocinha a vu le jour dans les années 40, lorsqu'un groupe de squatters s'est approprié des terrains laissés à l'abandon dans les collines au sud de Rio. Dans les années 60, la *favela* était devenue un élément permanent du paysage de la ville, même si elle était encore de taille modeste. Pendant cette période, plusieurs *favelas* de Rio ont été supprimées par la municipalité, et leurs habitants ont été relogés dans des complexes d'habitations éloignés, mais Rocinha, pourtant, a échappé à ce sort. Dans les années 70, la *favela* a connu sa propre explosion démographique, à la suite d'une poussée de construction dans le quartier tout proche de Barra da Tijuca. Dernièrement, elle a reçu des immigrants des bidonvilles du nord de Rio cherchant à se rapprocher de leur lieu de travail, ainsi que le trop-plein d'autres *favelas* surpeuplées du sud de la ville. Grignotant la montagne, Rocinha est aujourd'hui devenue une ville dans la ville. Elle surplombe les hôtels cinq étoiles, les immeubles de standing et le terrain de golf de São Conrado.

Rocinha est la plus urbanisée de toutes les *favelas* de Rio. Elle dispose de l'électricité et la moitié de ses habitations possèdent au moins l'eau courante. Le commerce s'y est également développé. Boutiques de vêtements, épiceries, bars, buvettes, pharmacies, boucheries, boulangeries et même une banque y fournissent aujourd'hui du travail aux *favelados* (la loi octroie la propriété aux habitants après cinq années passées dans un même logement mais, en pratique, rares sont les habitations de Rocinha à avoir été légalisées). Rocinha fournit les portiers, les équipes de maintenance et autres auxiliaires aux hôtels et aux immeubles de São Conrado. De même, elle procure une main-d'œuvre bon marché à Ipanema et aux autres quartiers limitrophes. Pourtant, même si elle est relativement moderne par rapport aux autres *favelas*, Rocinha est loin d'être un paradis. Les égouts sont inexistants et le ramassage des ordures reste sporadique. Dans l'ensemble, les conditions d'hygiène sont déplorables (Rocinha ne dispose que d'un seul dispensaire chichement équipé), et des glissements de terrain risquent à tout moment de se produire pendant la saison des pluies. Depuis peu, Rocinha est devenue également la source d'approvisionnement de cocaïne et de marijuana pour les riches des quartiers environnants. Le trafic de la drogue s'est étendu aux autres *favelas*, qui sont désormais contrôlées par des gangs de dealers. Dans un avenir immédiat, il n'existe aucune possibilité de changement. Le Brésil des pauvres et le Brésil des riches ne sont pas encore prêts pour se rencontrer.

Les enfants ne sont jamais à cours d'imagination pour créer de nouveaux jeux.

L'ART DU COMPROMIS

Comme les autres pays d'Amérique latine, le Brésil est le pays des extrêmes, de la richesse et de la pauvreté, de l'archaïsme rural et de la modernité urbaine. Toutefois, contrairement à ses voisins, le Brésil a toujours su éviter l'affrontement entre ces extrêmes. Il n'a jamais connu ni révolution ni guerre civile, même s'il en a parfois été bien proche.

Si l'histoire du Brésil s'est déroulée sans violence, c'est parce que les Brésiliens ont toujours cultivé l'art du compromis. Ils ont toujours su trouver un terrain d'entente et régler leurs différends à l'amiable. Cette aptitude est une composante du caractère national qui s'exprime non seulement dans les domaines politique, juridique et financier, mais aussi dans tous les aspects des relations humaines. Il existe des extrêmes au Brésil, mais ils ne sont jamais absolus.

Interprétations

L'ancien président Tancredo Neves avait coutume de dire : *« Ce ne sont pas les faits mais leur interprétation qui compte. »* Puisque les « interprétations » peuvent changer, les « faits » le peuvent aussi. Suivant ce principe, le Brésil est un pays où un fait n'est jamais acquis. Prenons l'exemple des feux de croisement : au Brésil, comme dans tous les autres pays, ils sont rouge, orange et vert. On pourrait supposer que, comme dans tous les autres pays du monde, les conducteurs s'arrêtent au rouge. Faux. Ils ne s'arrêtent que lorsque c'est absolument nécessaire. Souvent, un feu rouge n'est rien d'autre qu'un désagrément inutile, si la route est libre, pourquoi perdre son temps à attendre le feu vert ? Et, à la nuit tombée, pourquoi s'arrêter en pleine rue au risque de se faire attaquer par des voleurs simplement parce que le feu n'a pas la bonne couleur ? Ainsi, les Brésiliens ont développé une capacité unique au monde à interpréter à leur manière des faits que l'on supposait universels.

Les lois

Bien entendu, il y a des lois au Brésil, mais pour quelle raison un citoyen respectueux de l'ordre devrait-il obéir à une loi si elle est notoirement stupide ?

Il existe également une Cour suprême au Brésil mais elle n'est que rarement sollicitée pour juger de la constitutionnalité des lois brésiliennes. Les cent quarante millions de citoyens s'en chargent eux-mêmes quotidiennement, utilisant leur bon sens pour corriger les injustices les plus flagrantes. Ainsi, les lois évoluent naturellement sans tomber dans le circuit de la justice et des tribunaux. Le Congrès n'a jamais besoin de réécrire les lois, car les mauvaises lois ne meurent pas, elles disparaissent tout simplement.

Pourtant, dans certains cas, même les lois les plus ridicules, trouvent un soutien parmi la population. A titre d'exemple, il existe au Brésil une loi qui réglemente les professions du journalisme. En vertu de cette loi, toute publication, quel que soit son genre, doit obligatoirement faire intervenir des journalistes professionnels brésiliens, qu'ils soient nécessaires ou non. Il s'agit là d'un artifice du syndicat des journalistes pour garantir du travail à ses membres. Cette loi pourrait entraver le bon fonctionnement de sociétés éditant des journaux de communication interne ou des lettres d'information, et pour lesquelles des journalistes professionnels représenteraient une dépense indésirable et superflue. C'est là qu'intervient l'ingéniosité des Brésiliens. Afin d'éviter une confrontation déplaisante avec le syndicat, ces sociétés engagent donc un journaliste professionnel et font paraître son nom en tête de toutes leurs publications. Le journaliste reçoit un salaire symbolique mais, en contrepartie, il n'a pas besoin de travailler. Ainsi, le syndicat est satisfait, le journaliste est satisfait, la société est satisfaite et la loi est respectée.

De telles solutions sont généralement désignées par le terme de *jeito*, un mot portugais qui défie les lexicographes et les traducteurs depuis des siècles. Les dictionnaires brésiliens consacrent près d'une demi-page à la définition pourtant imparfaite du mot. Si sa signification peut varier, il est le plus souvent utilisé dans l'expression *dar um jeito*, définie ainsi par le dictionnaire : *« Trouver une solution ou un chemin pour sortir d'une situation donnée. »* Tout comme les faits, les « situations données » au Brésil sont ouvertes à l'interprétation. Il existe donc une infinité de solutions potentielles pour chacune d'elles, ce qui a donné le jour à une forme d'art toute brésilienne, la création de *jeitos*.

Un instant de réflexion.

Une bureaucratie tatillonne

On peut se demander qui, de la bureaucratie ou du *jeito* était là le premier, mais il n'en reste pas moins qu'ils ne pourraient survivre longtemps l'un sans l'autre. Dans un pays enfoncé jusqu'au cou dans la bureaucratie et le fonctionnarisme, le *jeito* fait figure de sauveteur national. En 1979, le gouvernement tenta de réduire le nombre de fonctionnaires par des mesures réunies sous le nom de Programme national de débureaucratisation. En dépit de ce nom barbare, le progamme remporta un vif succès auprès du peuple, mais les bureaucrates organisèrent rapidement la contre-offensive. Aujourd'hui, le programme a été abandonné et les Brésiliens, une fois de plus, s'en remettent à eux-mêmes pour trouver leurs solutions. Les Brésiliens sont très fiers de leur capacité à trouver des solutions parfois brillantes à des situations impossibles.

La plupart des *jeitos* sont le résultat d'une opposition entre le citoyen moyen et la réglementation bureaucratique. Un diplomate canadien a récemment obtenu le droit de visiter une tribu indienne de l'Amazonie, mais à la dernière minute il a appris qu'une radio des poumons était nécessaire pour pouvoir partir. Le temps manquait pour faire cette radio et le voyage du diplomate semblait donc compromis. Mais la solution fut rapidement trouvée : il était si simple de substituer la radiographie d'une autre personne à la sienne. Ainsi la réglementation était-elle respectée, en théorie sinon dans les faits.

Les intermédiaires

Des solutions telles que celle-là dépendent entièrement de la complaisance de la bureaucratie. Pour parvenir à ses fins, une certaine dose de persuasion amicale est parfois nécessaire. Mais l'entreprise est délicate et il n'est pas toujours facile de savoir combien il faut payer. Afin de résoudre ce problème (encore un bel exemple de *jeito*), une nouvelle profession a été créée, celle des *despachantes*. Le *despachante* est un intermédiaire, un parangon de roublardise, parfaitement capable de retrouver son chemin dans les labyrinthes de la bureaucratie, et qui loue ses services en qualité de guide professionnel. Ainsi, quiconque désire créer une entreprise (ce qui nécessite d'innombrables formulaires et engage de nombreux frais, le tout pouvant durer des mois), préférera louer les services d'un *despachante* pour remplire les formalités. Il paiera un forfait à son intermédiaire et ne posera aucune question. Les intermédiaires reversent une partie de cette somme aux bureaucrates et ne poseront pas de questions. Finalement, l'homme d'affaires aura ses formulaires et pourra se mettre au travail, l'intermédiaire aura bien gagné son argent, tandis que les bureaucrates et la bureaucratie seront assurés que tout s'est réglé dans les formes. Bien entendu, ce système ne convient pas à tout le monde. Pour les tenants de la loi et de l'ordre le *jeito* est la porte ouverte à la permissivité et à la corruption. De temps à autre, des mesures musclées tentent d'y remettre bon

ordre. A Rio, par exemple, les autorités essaient régulièrement de forcer les conducteurs à garer leurs véhicules dans les rues et non sur les trottoirs. Pendant les deux premières semaines, la tentative est couronnée de succès mais, comme il n'y a vraiment pas assez de places de parking dans les rues et qu'il faut bien se garer, au bout de quelque temps, et avec un peu de persuasion amicale, les voitures reprennent peu à peu leur place sur les trottoirs.

Les jeitos légalisés

Le *jeito* est devenu une véritable institution comme en témoigne cette affaire qui remonte à quelques années. Les Brésiliens se débattaient alors dans une monumentale contradiction. A cause de l'Église catholique, le divorce était interdit par la loi, ce qui n'empêchait pas, toutefois, les couples mariés de se séparer. Quel était alors leur statut légal? Après mûre réflexion, le gouvernement opta pour une solution toute brésilienne. Un nouveau statut, baptisé *desquite*, fut inventé pour les couples séparés mais non divorcés. Ce statut, qui garantissait une pension alimentaire aux ex-femmes, interdisait néanmoins aux deux époux de se remarier (bien entendu, cette clause n'a jamais été respectée). La question légale était résolue et le clergé pouvait dormir sur ses deux oreilles, sachant que le divorce était toujours interdit. Depuis lors, le *jeito* fait force de loi au Brésil.

A gauche, le parking sauvage est pourtant interdit au Brésil ; ci-dessus, le taux de change du dollar au marché noir s'affiche ouvertement à São Paulo.

Si le *jeito* est unanimement admis, les solutions qu'il a permis de trouver ont parfois été catastrophiques. Certains compromis adoptés par les hommes politiques ont eu des conséquences désastreuses. En 1961, par exemple, le président Quadros démissionna subitement de ses fonctions, entraînant une crise politique mémorable. En vertu de la constitution, le vice-président aurait dû prendre le pouvoir, mais il s'agissait d'un homme de gauche, opposé aux militaires. Les généraux ont alors menacé de renverser le gouvernement. Néanmoins, le vice-président bénéficiait du soutien d'une fraction de l'armée, et soudain, le pays s'est retrouvé au bord de la guerre civile. Pour résoudre cette situation critique, le Congrès et les généraux ont négocié un compromis à la brésilienne. Le vice-président fut autorisé à devenir président, mais son gouvernement était désormais régi par la loi parlementaire. En d'autres termes, le pouvoir revenait à un premier ministre agréé par les généraux.

Pourtant, cette solution si habile n'eut pas le succès escompté. Le président réussit à persuader le Congrès d'organiser un référendum au cours duquel le système parlementaire fut rejeté. Détenant enfin le pouvoir, il guida le pays vers la gauche d'une main sûre jusqu'en 1964, date à laquelle les militaires organisèrent un coup d'État.

Certains arrangements trop rapides ont également provoqué de graves problèmes économiques. En 1982, par exemple, le gouvernement fut informé qu'une célèbre maison de courtage était sur le point de faire faillite. Craignant que cela n'entraîne d'autres débâcles, les ministres mirent au point une « solution de marché ». Ils persuadèrent un autre courtier de reprendre la société défaillante en lui faisant miroiter d'intéressants bénéfices. Deux ans plus tard, la nouvelle société, submergée par les dettes, fut surprise à émettre de faux billets de change. Le montant total de la fraude s'élevait à 500 millions de dollars. Cependant, le propriétaire de la maison de courtage se défendit des accusations portées contre lui en disant qu'il avait agi avec le consentement du gouvernement, en vertu des accords conclus en 1982. A ce jour, cette fraude est restée impunie.

En dépit de ces mauvais exemples, le *jeito* reste au Brésil une institution fiable. Quelle que soit leur classe sociale, les Brésiliens choisissent toujours la solution la plus facile pour sortir des impasses. En 1987, au plus fort des débats enflammés sur la nouvelle constitution du Brésil, un sénateur exprima en ces termes son avis sur l'opposition irréductible entre la gauche et la droite : *« Qu'allons-nous faire ? Tout d'abord, nous allons discuter, hurler, menacer. Puis nous nous assiérons autour d'une table pour trouver un compromis. Comme toujours. »*

DES SAINTS ET DES IDOLES

En décembre, janvier et février, les visiteurs trouvent souvent sur les plages des fleurs, des savonnettes ou des flacons de parfum mêlés de bougies consumées. Ce sont les offrandes des adeptes de l'*umbanda* — le culte le plus répandu au Brésil après le catholicisme — déposées sur la grève en l'honneur de la déesse africaine de la mer, Yemanjá. Dans la vallée de l'Aurore, près de Brasília, des milliers de fidèles, persuadés de l'imminence de la fin du monde, ont créé une communauté placée sous la « protection » des esprits d'Aluxá et de Jaruá, et ont élevé des autels en l'honneur de Jésus-Christ, de Flèche Blanche et de la médium Tia Neiva.

A Juazeiro, ville du Nord-Est, les femmes s'habillent en noir tous les vendredis et le vingtième jour de chaque mois en souvenir de la mort du Padre Cicero qui, selon la légende, ne serait pas mort mais aurait été transporté au ciel. Dans le Nordeste, les paysans tracent des cercles magiques sur le sol autour de leurs vaches malades et adressent leurs prières à Santa Barbara ou à Iansa, son équivalent africain, pour que leur bétail ne meure pas. Ils ont également pour coutume de placer six pains de sel sur le seuil de leur maison dans la nuit de Santa Lucia, le 12 décembre. Si la rosée dissout le premier pain, il pleuvra en décembre. Si elle dissout le second, il pleuvra en janvier, et ainsi de suite. Si aucun des pains de sel n'est dissout par la rosée, cela signifie que la sécheresse va s'abattre sur le *sertão*.

L'énergie spirituelle

Le Brésil compte la plus grande population catholique du monde, mais des millions de ces fidèles allument des cierges à plus d'un autel sans pour autant ressentir la contradiction de leurs actes. Le Brésil est l'un des rares pays où l'on peut choisir le siècle dans lequel on désire évoluer. Pour ceux qui préfèrent la civilisation agitée de ce XXe siècle, São Paulo, Rio de Janeiro et quelques autres grandes villes sont à leur disposition. Pour ceux qui préfèrent le XIXe siècle, les petites villes et les régions rurales leur offrent un style de vie proche de celui du siècle passé. Il subsiste même encore quelques poches moyenâgeuses, où différents cultes religieux sont pratiqués par des communautés qui attendent avec anxiété la fin du monde. Certaines tribus d'Indiens d'Amazonie n'ont, quant à elles, pas encore acquis l'usage du fer et vivent toujours en plein âge de pierre.

Le Brésil est aussi l'un des rares pays au monde où l'on peut choisir parmi différentes religions, et s'immerger dans toutes les expressions intérieures ou extérieures du culte, allant des rites animistes indiens aux croyances messianiques et apocalyptiques, en passant par les doctrines philosophiques du protestantisme existentiel, la théologie de la libération des prêtres catholiques rebelles et le judaïsme moderne ou traditionnel.

A gauche, fidèles de la vallée de l'Aurore près de Brasília ; à droite, pèlerinage à Juazeiro.

L'influence indienne

L'héritage indien du pays est en partie responsable de certaines croyances mystiques indéracinables. Aujourd'hui encore, les tribus indiennes qui n'ont pas été complètement assimilées continuent à fabriquer des objets qui perdent peu à peu leur signification religieuse. Les sculptures d'argile des Karaja représentent la naissance et la mort. Le mythe de l'origine des plantes médicinales est associé aux flûtes rituelles des Nhambiquaras. Les personnages figurant sur les paniers des Aparai représentent leurs mythes. Les Bororos, Macros, Jes, Urubus et de nombreuses autres tribus utilisent des diadèmes, des bracelets ou des colliers faits de plumes d'oiseaux, symboles de magie, de santé, de maladie ou de mort. Les Indiens d'Amazonie invoquent leurs ancêtres morts représentés par des arbres totem, en se peignant le corps de couleurs symboliques, en luttant, en dansant, en jouant de leurs flûtes géantes et en chantant. Même la construction des villages tribaux obéit à une configuration mythique stricte : dans les villages Bororos, les huttes

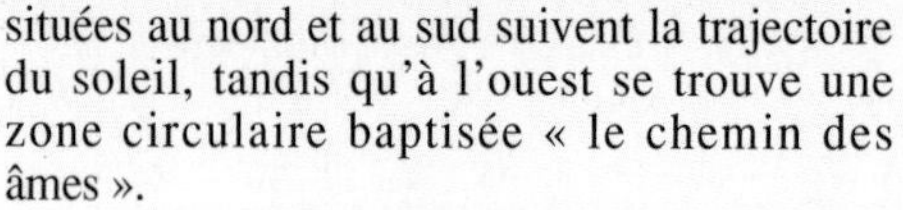

situées au nord et au sud suivent la trajectoire du soleil, tandis qu'à l'ouest se trouve une zone circulaire baptisée « le chemin des âmes ».

Cultes religieux africains

Les rites africains sont la deuxième source d'influence dans la culture religieuse brésilienne. Le plus africain de ces rites est peut-être le *candomblé*, pratiqué essentiellement dans l'État de Bahia. L'ordination des prêtresses s'effectue par le cérémonial du rasage de la tête, de bains rituels, et de l'application de plumes, de sang de poule ou de chèvre sur le front. La cérémonie est accompagnée par le battement sourd des tambours *atabaque*, des chants africains et des danses frénétiques qui ont pour but de mettre les initiées en transe.

La *quimbanda*, résultat d'influences diverses mêlées de rites africains, se caractérise par des maléfices et des sacrifices de poules, ou de chèvres noires. Parfois, les déités reçoivent en offrande les têtes et les pattes des animaux, tandis que les prêtres gardent les meilleurs morceaux pour eux. Ces sacrifices sont appelés « magie noire » par les Brésiliens. L'*umbanda*, quant à elle, est associée à la « magie blanche » et a recours à des incantations pour obtenir la guérison de personnes malades. L'*umbanda* est fortement influencée par des cultes non-africains, même si elle est souvent désignée par le terme générique de *macumba*, mot afro-brésilien désignant le vaudou. Les cultes vaudou, comparables à ceux pratiqués à Haïti et dans le reste des Caraïbes, ne se sont implantés que dans de rares endroits au Brésil. C'est dans le Maranhão et le long de la frontière nord de la Guyane que les descendants d'esclaves fugitifs ont perpétué les rites et les cultes africains, loin de la domination de l'homme blanc.

L'héritage noir

L'une des conséquences de la pratique de nombreux cultes africains a été le maintien de l'histoire des Noirs au Brésil par la tradition orale. Il a été plus facile pour les Noirs du Brésil de retrouver leurs ancêtres africains que cela ne l'a été pour leurs frères d'Amérique. Les grandes prêtresses de *candomblé*, telles que Olga Olekatu et Mãe Menininha de Gantois, étaient capables de réciter les noms de leurs ancêtres et de ceux des membres de leur communauté jusqu'à leurs origines. Elles décrivaient en détail la manière dont leurs ancêtres avaient été capturés et transportés au Brésil. Avant de mourir, ces prêtresses ont légué leur savoir aux nouveaux guides spirituels de la communauté, qui ont à leur tour mémorisé cette immense généalogie.

Certains cultes, comme celui de l'*umbanda*, ont aussi recours au dieu de la guerre Ogum, à des représentations divines, ainsi qu'à des forces démoniaques symbolisées par Exus — forces qui appartiennent habituellement au *candomblé* et à divers autres rites africains. L'*umbanda* fait partie d'un mouvement mystique appelé spiritisme, qui mêle des personnages d'inspiration africaine aux demi-dieux ou aux médiums brésiliens, tels que Pai João, Caboclo et Pomba Gira. Ce culte adopte les concepts théologiques mystiques d'Allan Kardec, le père du spiritisme en Europe. Il existe aussi un guide spirituel brésilien, Chico Xavier, dont les livres, qui seraient des transcriptions de messages reçus de l'au-delà, se sont vendus à des millions d'exemplaires. Les représentations graphiques les plus populaires et les plus fréquentes sont celles de saint Côme et de saint Damien, de saint Georges terrassant le dragon, de Yemanjá dans sa grande robe blanche, ou encore de Pai João, le fumeur de cigares.

Les mélanges religieux

Le mélange des cultes indiens, africains et européens a donné naissance, au Brésil, à une forme de syncrétisme religieux unique. La catholique Santa Barbara devient Iansa dans les cultes afro-brésiliens, Yemanjá prend souvent la forme de la Vierge Marie et Xango, le dieu du tonnerre, n'est autre que le sosie de saint Georges.

Ci-contre à gauche, offrandes sur une plage de Rio ; à droite, cérémonie de candomblé *; ci-dessus, célébration maritime ; à droite, cet homme porte des symboles religieux catholiques et afro-brésiliens.*

Yemanjá a parfois l'apparence de la Vierge Marie, de la déesse de la mer ou d'une sirène. C'est dans la nuit du 13 décembre, sur la plage de Praia Grande à São Paulo, celle du 31 décembre à Rio de Janeiro et celle du 2 février à Bahia, que ses adorateurs déposent des offrandes de fleurs, de parfums ou de poudre de riz au bord de l'eau (Yemanjá serait donc une déesse vaniteuse que seuls les parfums et les fleurs peuvent apaiser). Si les offrandes coulent au fond de l'eau ou si elles sont emportées au large, cela veut dire que Yemanjá les accepte. Si elles reviennent sur la grève, c'est qu'elle les rejette.

L'imagerie venue d'Europe

L'imagerie religieuse européenne est arrivée au Brésil avec les premiers colons portugais qui ont importé les saints catholiques les plus populaires, ainsi que la coutume de représenter la scène de la Nativité à Noël. Des crèches devaient être exposées sept ans de suite si la famille voulait éviter les foudres divines. Chaque année, un nouveau personnage devait être ajouté à la scène, mais les vêtements de l'Enfant Jésus ne pouvaient être changés. De nouveaux vêtement étaient donc ajoutés aux anciens. Outre l'âne et le bœuf traditionnels, certaines crèches accueillaient même des animaux exotiques.

Les saints patrons

La sainte patronne du Brésil est Nossa Senhora de Aparecida, la Vierge de la Conception. Il y a trois siècles, des fragments d'une statuette en terre cuite ont été découverts dans les filets d'un pêcheur sur la rivière Paraíba entre Rio et São Paulo. La coutume à cette époque était de jeter les idoles cassées dans la rivière car cela portait malheur d'avoir un saint brisé à la maison.

Aujourd'hui, la basilique d'Aparecida, située sur l'autoroute entre Rio et São Paulo, abrite cette statuette en terre cuite et reçoit plus de trois millions de pèlerins chaque année. Seules la Vierge de Guadalupe au Mexique et de Czestochowa en Pologne reçoivent plus de visiteurs.

Tout un réseau de légendes, d'histoires, de superstitions et de miracles présumés a été tissé autour de la statuette. A la fin des années 70, elle fut même brisée par un fanatique, puis restaurée par des spécialistes du musée d'Art de São Paulo. Chaque année, le 12 octobre, jour de la sainte, plusieurs centaines de milliers de fidèles se regroupent dans le sanctuaire, certains s'y traînent à genoux, d'autres s'y rendent de l'autre bout du pays à dos de cheval. Un homme, paraît-il, a même fait à pied un voyage de plus de 1 500 km avec une croix sur le dos en guise d'action de grâces. L'autre représentation populaire de la Vierge est celle de Notre-Dame de « l'O », un euphémisme désignant la Vierge enceinte. Le haut clergé a tenté, mais en vain, de supprimer ce culte de Notre-Dame de la Conception. Notre-Dame de « l'O », est aussi appelée « Notre-Dame du 25 mars », puisqu'elle a conçu son fils neuf mois avant Noël. En raison des périls de l'accouchement, Notre-Dame de « l'O » est surtout vénérée par les femmes enceintes.

Des propriétés thérapeutiques

De nombreux autres saints possèdent des vertus curatives. Santa Lucia, par exemple, est censée guérir les aveugles et les mal-voyants. Santa Barbara protège de la foudre. Les jeunes femmes célibataires adressent leurs prières à saint Antoine pour qu'il leur donne un mari. Saint Antoine est souvent représenté portant l'Enfant Jésus dans ses bras, les jeunes femmes doivent le lui enlever, ce qui le rend tellement furieux qu'il accepte alors de faire tout ce qui est en son pouvoir (même de trouver un mari à ces femmes) pour le récupérer. Ce n'est qu'après le mariage que la jeune mariée remet l'Enfant Jésus dans les bras de saint Antoine.

Saint Bras protège quant à lui, des angines et empêche de s'étouffer sur des arêtes de poisson. Saint Jude, le saint aux grandes bottes, fréquemment sculpté dans le bois ou moulé dans le plâtre, est le patron des causes perdues, tout comme en Europe.

Carrancas

De nombreuses représentations religieuses ont survécu en perdant toutefois leur aura mystique. Les *carrancas* étaient des figurines en bois que l'on fixait à la proue des bateaux à vapeur et des autres embarcations qui naviguaient sur le fleuve São Francisco entre 1850 et 1950. Aujourd'hui, les pêcheurs portugais de Nazare peignent des yeux sur la proue de leurs bateaux pour « voir » les dangers sous-marins.

Les *carrancas* brésiliens avaient la forme de monstres destinés à effrayer les esprits de l'eau qui pouvaient menacer la navigation. Le *carranca* était fixé à la proue, dos aux marins, afin qu'ils ne soient pas « perturbés » par son terrible aspect. Le São Francisco charrie de nombreuses légendes sur les esprits de l'eau, la « Sorcière des Flots », le « Monstre des Flots », et le *Caboclo da Agua* ou « Ermite des Eaux », qui envoient les bateaux par le fond. La force spirituelle des sculptures en bois est encore reconnue à l'heure actuelle dans la vallée du São Francisco sur le plateau central, où l'artiste brésilien GTO, Geraldo Teles de Oliveira, exécute des sculptures semblables aux représentations médiévales de la hiérarchie des anges. Cependant, les anges de GTO se ressemblent tous, l'artiste ne fait pas de distinction entre les chérubins, les séraphins, les archanges ou les trônes...

Depuis des siècles, le sujet préféré des artistes brésiliens est l'ange handicapé. Certains des anges sculptés, figurant dans l'église São Francisco et les autres églises de Bahia, ont des particularités amusantes. Ils sont affligés de strabisme divergent ou convergent, ou même de lunettes. Dans la même tradition, un sculpteur contemporain du Minas Gerais crée des bataillons d'anges, de prêtres ou de moines aux yeux exorbités, tournés l'un vers le nord-nord-ouest, l'autre vers le sud-sud-est.

Ci-dessus, l'intérieur d'une église catholique ; à droite, un moine brésilien en pleine contemplation.

Padre Cicero

Padre Cicero, figure religieuse célèbre dans le Nord-Est, est le personnage favori des sculpteurs (ses moulages en plâtre se sont vendus à des millions d'exemplaires à travers tout le pays). Cicero était considéré comme un messie capable de transformer les régions arides en un jardin paradisiaque où la pauvreté et la faim n'existeraient pas. Une vallée verdoyante du Nord-Est a été surnommée « Horto », ou jardin de Gethsemani, et la ville de Juazeiro a été rebaptisée « Nouvelle Jérusalem ». Certains de ses adorateurs les plus fanatiques recueillaient ses rognures d'ongles qui, tout comme l'eau utilisée pour laver sa soutane, avaient, paraît-il, des propriétés magiques.

Sa célébrité commença le jour où une femme d'un certain âge, Maria Araujo, fut prise de convulsions pendant la messe, alors qu'elle venait de recevoir l'hostie de sa main. Une tache de sang en forme de « sacré-cœur » serait alors apparue sur l'hostie. Depuis, des chanteurs ambulants ont répandu l'histoire à travers le *sertão*, chantant les louanges du prêtre miraculeux et du « miracle du Sacré-Cœur ». D'autres observateurs, plus prudents, ont suggéré que Maria Araujo souffrait peut-être de tuberculose ou de saignements des gencives. Certains ont affirmé que l'hostie était faite de papier de tournesol et que le « miracle » de Padre Cicero n'était rien d'autre qu'un vulgaire test à l'acide. En dépit de cela, la renommée de Padre Cicero s'est répandue à travers le pays, et ceux qui chantaient ses louanges sont même allés jusqu'à prétendre que Padre Cicero était l'un des trois représentants de la sainte Trinité.

Le « miracle de l'hostie » eut lieu en 1895, peu avant le début de la guerre de Canudos, pendant laquelle les troupes de la toute nouvelle république brésilienne écrasèrent un mouvement dirigé par Antonio Conselheiro, un fanatique religieux qui avait prophétisé une pluie d'étoiles annonciatrice de la fin du monde. Le gouvernement pensait que Conselheiro était en fait à la tête des forces de l'empereur déchu. Pour leur part, Conselheiro et ses partisans pensaient que la nouvelle République était l'incarnation de l'Antéchrist puisqu'elle refusait de reconnaître la validité des mariages religieux. La république envoya des milliers de soldats pour écraser les hommes de Conselheiro à Canudos. Ces derniers repoussèrent quatre attaques mais, en 1897, l'armée arracha enfin la victoire, décimant les troupes de Conselheiro. Les survivants se réfugièrent à Juazeiro et vinrent grossir les rangs des adorateurs de Padre Cicero.

La légende du Padre Cicero s'est répandue dans tout le pays par des sculptures, des chants et des livres de poésie. Une statue du prêtre a même été érigée à Horto, et son église est devenue un lieu de pèlerinage qui attire chaque année des milliers de personnes.

L'église de Juazeiro est remplie d'ex-voto et d'offrandes sculptées dans le bois représentant des membres ou des parties du corps atteints d'infirmités. En effet, lorsque les pèlerins sont guéris d'une maladie, ils sculptent la partie malade de leur corps et viennent l'accrocher dans l'église en signe de gratitude. Les églises de Caninde et de Salvador sont, elles aussi, remplies d'ex-voto. Les plus récents sont faits de cire, à la demande des prêtres, qui peuvent ainsi les refondre et les revendre sous forme de cierges. On y trouve des tibias, des mains, des coudes, des visages marqués par la variole, des yeux, des abdomens perforés, tous sculptés jusque dans le moindre détail. La vieille femme qui gardait les ex-voto de Juazeiro était célèbre pour les malédictions qu'elle lançait à ceux qui tentaient de les voler : *« Volez ces yeux et Padre Cicero vous rendra aveugle. Volez ces poumons et Padre Cicero vous donnera la tuberculose. Volez cette jambe et Padre Cicero vous donnera la lèpre. »*

L'une des sculptures les plus célèbres du Padre Cicero s'appelle *la Fille qui se transforma en chienne pour avoir maudit Padre Cicero le vendredi saint*. Les métamorphoses, ou les transformations en animaux sont des punitions fréquentes dans la littérature populaire brésilienne, pour ceux qui violent les codes religieux et moraux de la région.

Depuis la mort du Padre Cicero, de nombreux cultes messianiques ont fait leur apparition. Le plus célèbre est sans doute celui de Frei Damião, un prêtre calabrais arrivé au Brésil il y a soixante ans, qui utilise dans ses sermons les mêmes images de feu et de soufre qu'Antonio Conselheiro ou Padre Cicero.

Le mysticisme

Un mouvement religieux, connu sous le nom de vallée de l'Aurore (Vale do Amanhecer), a vu le jour près de Brasília où des milliers de fidèles attendent avec impatience le nouveau millénaire, persuadés qu'ils feront partie des survivants lorsque viendra la fin du monde. Ils ont construit un temple gigantesque rempli de nouvelles figures religieuses, telles qu'Aluxa, Jarua, Flèche Blanche et la médium Tia Neiva, fondatrice du mouvement. Située à une soixantaine de kilomètres de Brasília, la vallée de l'Aurore est le plus grand centre du mysticisme au Brésil. Le mouvement a été fondé par Tia Neiva en 1959 et a été transféré en 1969 à Planaltina, dans la banlieue de Brasília. A l'heure actuelle, la communauté compte quatre mille habitants, une école capable d'accueillir trois cents élèves, une cafétéria, deux restaurants, un marchand de glaces, un hôtel et deux policiers nommés par le service de police de Brasília. En arrivant à la vallée de l'Aurore, les visiteurs peuvent apercevoir quelques douzaines de femmes en robe longue décorée de sequins d'argent en forme d'étoiles et de lunes. Elles portent des voiles et des gants assortis à leur robe (généralement noir, bleu ou rouge). Les hommes portent des pantalons marron, des chemises noires, un ruban en travers de la poitrine et un bouclier en cuir. Ce sont les médiums qui guident les milliers d'adeptes de la secte.

Tia Neiva, la fondatrice, pensait qu'il existait cent mille Brésiliens doués des pouvoirs surnaturels des médiums, et elle en a elle-même recensé quatre-vingts. « *Les deux-tiers de l'humanité disparaîtront à la fin du millénaire mais nous, dans la vallée de l'Aurore, nous serons sauvés* », tel était le credo de Tia Neiva.

La vallée de l'Aurore est le plus récent des mouvements apocalyptiques au Brésil. Quelques siècles plus tôt, les partisans du roi Sebastião, roi du Portugal tombé au combat contre les Maures au Maroc, pensaient qu'il réapparaîtrait au Brésil pour faire verdir les terres arides et assécher la mer. Le Brésil a toujours été synonyme d'énergie mystique et d'espérance religieuse, plus que jamais peut-être, à l'aube de ce nouveau millénaire.

*A gauche, cérémonie de l'*umbanda *; ci-dessus, procession catholique.*

BODYBOARD

XYZ
XYZ

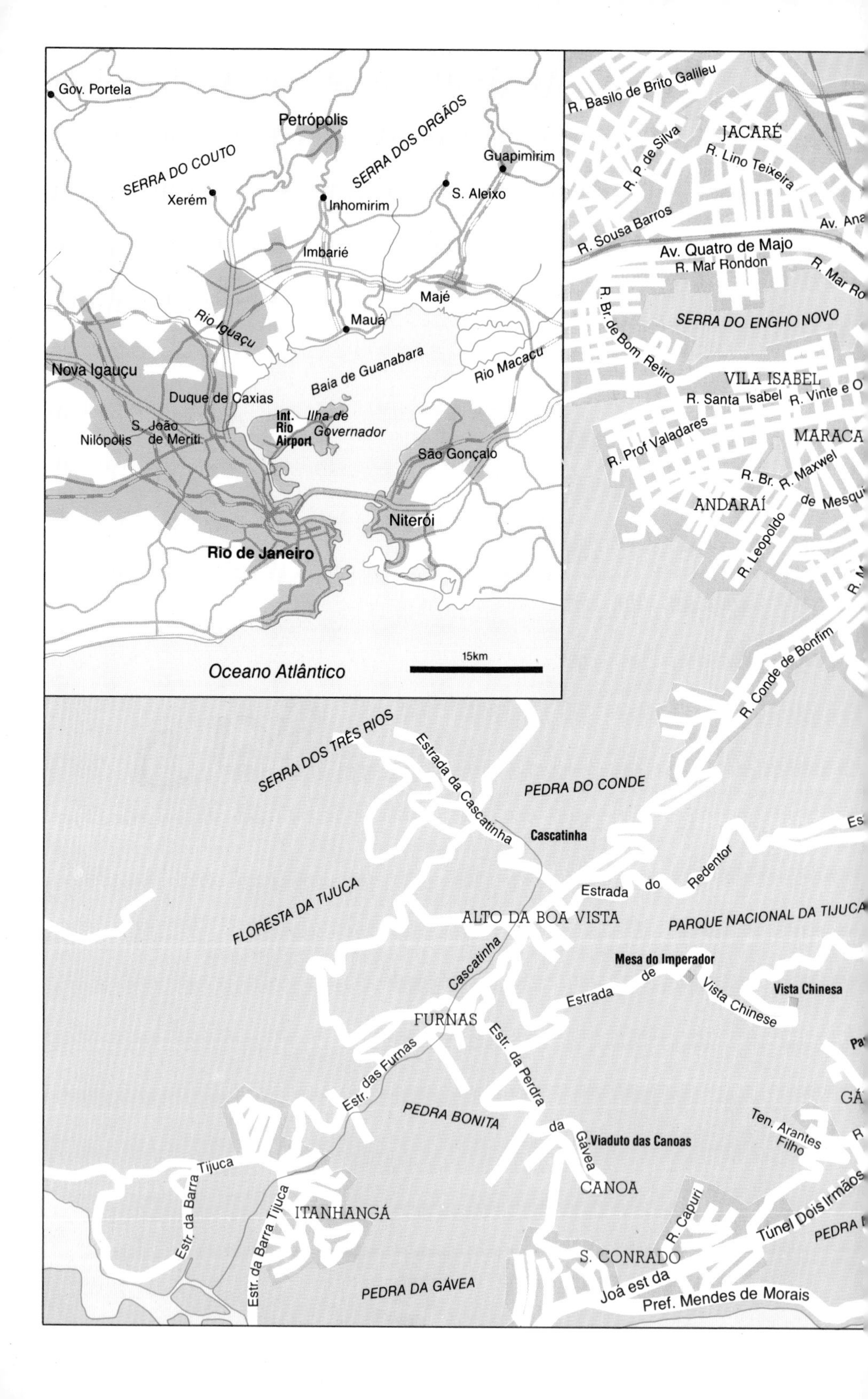

Gov. Portela
Petrópolis
SERRA DOS ORGÃOS
SERRA DO COUTO
Guapimirim
Xerém
Inhomirim
S. Aleixo
Imbarié
Majé
Rio Iguaçu
Mauá
Nova Igauçu
Baia de Guanabara
Rio Macacu
Duque de Caxias
Int. Rio Airport
Ilha de Governador
S. João de Meriti
Nilópolis
São Gonçalo
Niterói
Rio de Janeiro
15km
Oceano Atlântico
R. Basilo de Brito Galileu
JACARÉ
R. P. de Silva
R. Lino Teixeira
R. Sousa Barros
Av. Quatro de Majo
R. Mar Rondon
R. Br. de Bom Retiro
SERRA DO ENGHO NOVO
VILA ISABEL
R. Santa Isabel
R. Prof Valadares
MARACA
R. Br.
R. Maxwel
ANDARAÍ
R. Leopoldo
R. Conde de Bonfim
SERRA DOS TRÊS RIOS
Estrada da Cascatinha
PEDRA DO CONDE
Cascatinha
Estrada do Redentor
FLORESTA DA TIJUCA
ALTO DA BOA VISTA
PARQUE NACIONAL DA TIJUCA
Mesa do Imperador
Cascatinha
Estrada de Vista Chinese
Vista Chinesa
FURNAS
Estr. das Furnas
Estr. da Perdra da Gávea
PEDRA BONITA
Viaduto das Canoas
Ten. Arantes Filho
Estr. da Barra Tijuca
Estr. da Barra Tijuca
ITANHANGÁ
CANOA
R. Capuri
Túnel Dois Irmãos
S. CONRADO
PEDRA DA GÁVEA
Joá est da
Pref. Mendes de Morais

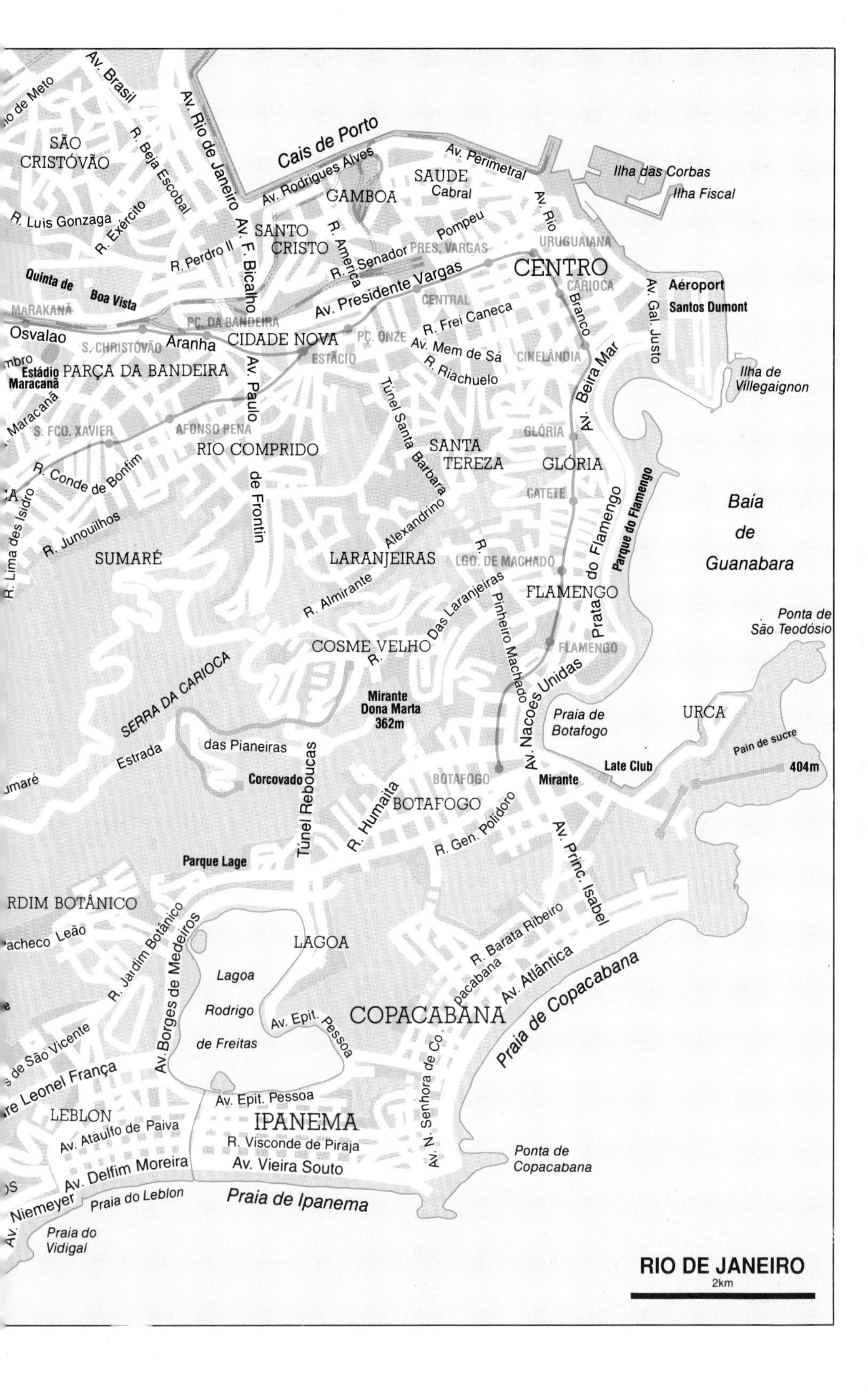
RIO DE JANEIRO
2km
Cais de Porto
Baía de Guanabara
SÃO CRISTÓVÃO
GAMBOA
SAUDE
Cabral
SANTO CRISTO
CENTRO
CIDADE NOVA
PARÇA DA BANDEIRA
RIO COMPRIDO
SANTA TEREZA
GLÓRIA
SUMARÉ
LARANJEIRAS
FLAMENGO
COSME VELHO
URCA
BOTAFOGO
LAGOA
COPACABANA
IPANEMA
LEBLON
RDIM BOTÂNICO
Av. Brasil
Av. Rio de Janeiro
R. Beja Escobal
R. Luis Gonzaga
R. Exército
Av. Rodrigues Alves
Av. Perimetral
Ilha das Corbas
Ilha Fiscal
Av. Rio
URUGUAIANA
Pompeu
PRES. VARGAS
R. Senador
R. America
R. Perdro II
Av. F. Bicalho
Quinta de Boa Vista
MARAKANÃ
PC. DA BANDEIRA
Av. Presidente Vargas
CENTRAL
CARIOCA
Branco
Av. Gal. Justo
Aéroport Santos Dumont
Osvalao
S. CHRISTÓVÃO
Aranha
PC. ONZE
R. Frei Caneca
Av. Mem de Sá
ESTÁCIO
CINELÂNDIA
Av. Beira Mar
Ilha de Villegaignon
Estádio Maracanã
Av. Paulo de Frontin
R. Riachuelo
Túnel Santa Barbara
Maracanã
S. FCO. XAVIER
AFONSO PENA
R. Conde de Bonfim
R. Lima des Isidro
R. Junouilhos
Alexandrino
CATETE
Parque do Flamengo
Prata do Flamengo
LGO. DE MACHADO
R. Almirante
R. Das Laranjeiras
R. Pinheiro Machado
Ponta de São Teodósio
FLAMENGO
Av. Nacoes Unidas
SERRA DA CARIOCA
Mirante Dona Marta 362m
Praia de Botafogo
Estrada das Pianeiras
Túnel Reboucas
Pain de sucre
404m
Late Club
Corcovado
BOTAFOGO
Mirante
R. Humaita
R. Gen. Polidoro
Av. Princ. Isabel
Parque Lage
Pacheco Leão
R. Jardim Botânico
Av. Borges de Medeiros
Lagoa Rodrigo de Freitas
R. Barata Ribeiro
Av. Atlântica
Praia de Copacabana
Av. Epit. Pessoa
de São Vicente
Leonel França
Av. N. Senhora de Copacabana
Av. Ataulfo de Paiva
R. Visconde de Piraja
Av. Vieira Souto
Ponta de Copacabana
Av. Delfim Moreira
Av. Niemeyer
Praia do Leblon
Praia de Ipanema
Praia do Vidigal

LE BRÉSIL DU NORD AU SUD

Le Brésil est capable de satisfaire les désirs des touristes les plus exigeants. Ceux qui recherchent les mers chaudes, les plages de sable blanc et la végétation tropicale seront enthousiasmés par le littoral brésilien qui est le plus long, sinon le plus beau du monde. On y trouve de petites criques isolées, de larges baies aux eaux calmes et des plages bordées de dunes, longues de plusieurs kilomètres. Il est impossible d'en recommander une plutôt qu'une autre, à chacun de faire son choix.

Dans le Nord et le Nordeste, les villes, situées principalement en bord de mer, sont parsemées de monuments datant de l'époque coloniale. Salvador et Recife, anciennes capitales coloniales, sont à la fois des lieux historiques et touristiques. De plus, Salvador est le siège d'une culture à part, mélange unique de l'Afrique noire et du Portugal.

Le Nord n'a pas à lui tout seul l'apanage des belles plages. En effet, le littoral déroule son long ruban vers le Sud, pour atteindre la plus célèbre des villes d'Amérique latine, Rio de Janeiro. Mais Rio a plus que des plages à offrir. Elle est un mélange de panoramas époustouflants (montagnes et mer), de samba, de carnaval et de douceur de vivre. Les nouvelles stations balnéaires à la mode, Búzios et Angra dos Reis, situées chacune à quelques heures de route de Rio, attirent des milliers de touristes avec leurs plages vierges et leurs îles tropicales. Pour retrouver une fraîcheur et un calme plus européens, il suffit de se rendre dans les montagnes à l'extérieur de Rio.

A São Paulo, le Brésil se fait plus sérieux. São Paulo, centre du plus grand parc industriel du Tiers-Monde, est la ville la plus dynamique de toute l'Amérique latine. Le brassage des nationalités, la multitude des groupes ethniques, en font la New York des tropiques.

Plus on descend vers le Sud, plus l'influence européenne se fait sentir. Elle est surtout visible dans les États de Paraná, Santa Catarina et Rio Grande do Sul où les immigrants italiens, allemands et polonais ont imprimé leur marque. Ici aussi, les plages et la mer ont une importance capitale. La côte de l'État de Santa Catarina est l'une des plus belles de tout le Sud.

Le tableau du Brésil serait incomplet si l'on oubliait les régions de l'intérieur. On y trouve les curiosités naturelles les plus remarquables du monde. Un tiers du territoire national est occupé par la forêt amazonienne, siège de légendes, d'aventures et du puissant fleuve Amazone. Au sud de la zone amazonienne s'étend le Pantanal, une région marécageuse, drainée de fleuves et de rivières, immense réserve naturelle abritant des milliers de poissons, d'oiseaux et d'animaux. A l'extrême sud, enfin, les chutes d'Iguaçú sont considérées par beaucoup comme la plus grande attraction naturelle du Brésil.

Pages précédentes : le Pain de Sucre devant la baie de Guanabara à Rio ; farniente à la plage. Ci-contre, la statue du Christ Rédempteur. Pages suivantes : la favela *de Rocinha, le plus grand bidonville d'Amérique latine.*

RIO DE JANEIRO

Langoureusement étendue sur une étroite bande de terre comprise entre de hauts pics de granit et l'océan Atlantique, Rio de Janeiro représente la victoire finale du rêve sur la réalité.

Chaque jour, les avenues et les rues de Rio voient circuler quelque huit millions de personnes et près d'un million de voitures, de camions, de bus, de motos et de scooters, se disputant la place dans un concert assourdissant de klaxons. Ce chaos quotidien ne suffit pourtant pas à tempérer la bonne humeur des *Cariocas*, les natifs de Rio, car, pour le *Carioca*, tout est relatif, excepté une chose, la beauté légendaire de sa ville natale.

Les vrais *Cariocas*, ceux qui vivent à Rio même, sont plus de cinq millions et demi auxquels il faut ajouter les quatre millions qui vivent dans les banlieues de la ville. 70 % d'entre eux sont pauvres selon les normes américaines et européennes, mais il y a la plage, la samba, le carnaval et surtout, la réconfortante, l'extraordinaire beauté de Rio.

Rien ne peut vraiment préparer l'étranger à Rio, ni les cartes postales, ni les films, ni les conférences, rien de tout cela ne peut traduire l'intensité des jeux d'ombre et de lumière, du mélange des couleurs et de la subtilité des nuances. Chaque jour à Rio est légèrement différent du précédent, mais tous sont d'une beauté inégalable.

Un peu d'histoire

Les premiers « touristes » sont officiellement arrivés à Rio le 1er janvier 1502. Ils faisaient partie d'une mission d'exploration portugaise, dirigée par André Gonçalves. Gonçalves crut entrer dans l'embouchure d'un vaste fleuve qu'il baptisa Rio de Janeiro (rivière de Janvier). En réalité, la rivière de Gonçalves formait une baie de 245 km², encore connue aujourd'hui sous son nom indien de Guanabara, « le bras de mer ».

Dans un premier temps, les Portugais installèrent leur colonie au nord et au sud de Rio, sans troubler la quiétude des indiens Tamoios qui vivaient sur les terres entourant la baie. Cette paix fut de courte durée car des pirates français et portugais ne tardèrent pas à multiplier leurs raids sur la côte brésilienne à la recherche de nouvelles richesses. En 1555 une flotte de guerre française arriva à Rio dans l'intention de fonder la première colonie française en Amérique du Sud. Les efforts des Français pour coloniser la côte se soldèrent par un échec. Attaqués pour la première fois par les Portugais en 1560, les derniers Français furent définitivement refoulés en 1565.

Après cette victoire, les Portugais accordèrent plus d'attention à Rio et fondèrent officiellement en 1567 la ville de São Sebastião de Rio de Janeiro. Baptisée du nom de saint Sébastien, dont la fête coïncidait avec le jour de sa fondation, la ville fut bientôt connue sous le seul nom de Rio de Janeiro. A la fin du XVIe siècle, Rio était devenue l'un des quatre grands centres de la colonie portugaise; et c'est du port même de Rio que le sucre était exporté vers l'Europe. Son importance grandit au cours des dix années suivantes, menaçant même la suprématie de Salvador, capitale du Brésil, située dans l'État de Bahia.

Au XVIIIe siècle, la ruée vers l'or dans l'État voisin du Minas Gerais, fit de Rio le grand centre économique de la colonie. L'or devint le principal bien d'exportation, et tout l'or du Brésil transita bientôt vers le Portugal via Rio de Janeiro. C'est ainsi qu'en 1763, Rio fut choisit comme nouvelle capitale du Brésil au détriment de Salvador.

La première ville du Brésil

Jusqu'en 1950, Rio resta la première ville du pays. Lorsque la famille royale portugaise s'enfuit devant les armées napoléoniennes en 1808, Rio devint la capitale de l'empire portugais. Quand le Brésil obtint son indépendance en 1822, Rio fut choisie pour être la capitale de l'empire brésilien. En 1889, enfin, elle devint la capitale de la république du Brésil. Pendant toutes ces années, Rio fut le centre politique et économique du pays.

Le XXe siècle entraîna une poussée de croissance économique dans l'État de São

Pages précédentes la célèbre plage de Copacabana. Ci-dessous, le défilé des clowns pendant le carnaval de Rio.

Paulo. Et dès 1950, la ville de São Paulo avait surpassé Rio de Janeiro par son nombre d'habitants et par son importance économique. Cette tendance s'est toujours confirmée depuis lors, aussi en 1960, Rio connut-elle l'humiliation suprême lorsque le président Juscelino Kubitschek décida de faire de Brasília sa nouvelle capitale. Depuis qu'elle a perdu la première place, détrônée par une concurrente en plein essor industriel et économique, Rio est devenue une capitale touristique. Pourtant, même dans le rôle inconfortable de numéro deux, Rio est restée au cœur des incessantes intrigues politiques de la nation. Les décisions sont peut-être prises à Brasília et à São Paulo, mais c'est à Rio que se nouent les complots.

Le centre historique

Les vestiges historiques sont rares à Rio, en raison des flambées sporadiques de construction et de la soif insatiable des *Cariocas*, pour tout ce qui est neuf et moderne. En raison de la topographie de Rio, l'espace est limité, et il faut en général détruire avant de pouvoir construire. Ainsi ont disparu de nombreux monuments historiques mais il existe toujours quelques trésors uniques à découvrir au détour d'une des nombreuses ruelles de la vieille ville. Le plus précieux de ces joyaux, l'église **Nossa Senhora da Glória do Outeiro**, communément appelée **Igreja de Glória**, se trouve au sommet de la colline du même nom qui surplombe la baie de Guanabara. Cette petite église aux murs blanchis, construite aux alentours de 1720, est l'un des meilleurs exemples du baroque brésilien.

Au cœur du centre de la ville, dans le **Largo da Carioca**, vous trouverez le **Convento de Santo Antônio** dont la construction a débuté en 1608 pour se terminer en 1780. Juste à côté, l'**Igreja São Francisco da Penitência** est l'une des églises les plus richement décorées de Rio de Janeiro.

Au nord du Largo da Carioca se trouve la **Praça Tiradentes**, un square public où Tiradentes, le célèbre révolutionnaire brésilien, fut pendu en 1793 par les

L'autobus version brésilienne.

Portugais. Au fil des siècles et des constructions, cette place a perdu son caractère historique, tout comme le **Largo de São Francisco**, situé non loin de là. Vous y trouverez néanmoins l'**Igreja de São Francisco de Paulo**, de style rococo. L'intérieur de cette église est célèbre pour les peintures de l'artiste baroque Valentim da Fonseca e Silva.

A trois rues du Largo da Carioca, de l'autre côté de l'Avenida Rio Branco, l'artère principale de ce quartier, se trouve un secteur piétonnier où se croisent les hommes d'affaires, les promeneurs et les traditionnels garçons de bureaux. La **Praça XV de Novembro** abrite le **Paço Imperial**. Ce bâtiment à l'architecture typiquement coloniale, construit en 1743, a d'abord accueilli les gouverneurs généraux du Brésil, avant de faire fonction de palais impérial. Restauré depuis peu, le Paço est maintenant devenu un centre culturel. Un peu plus loin, dans la Rua Primeiro de Março se dresse l'**Igreja Nossa Senhora do Carmo**, construite en 1761. C'est dans cette église qu'a eu lieu le couronnement des deux empereurs du Brésil, Pierre Ier et Pierre II. Elle est contiguë à l'**Igreja Nossa Senhora do Monte do Carmo**, construite en 1770.

A quatre rues à l'ouest de la Praça XV, à l'entrée de l'Avenida Vargas, se trouve la plus étonnante église rococo de Rio, l'**Igreja Nossa Senhora da Candelaria**, construite entre 1775 et 1877; la coupole date du XIXe siècle. Ne manquez surtout pas de visiter le **Mosteiro de São Bento**, dans la Rua Dom Gerardo, non loin de l'Avenida Rio Branco. Élevé entre 1633 et 1641 par les bénédictins sur le Morro de São Bento, surplombant la baie de Rio, c'est l'un des plus beaux édifices religieux du Brésil. Si l'extérieur paraît austère, la décoration intérieure, en revanche, avec l'exubérance des boiseries sculptées, recouvertes de feuilles d'or, les sculptures de Mestre Valentim et les toiles du frère Ricardo do Pilar est une des splendeurs de l'art baroque.

Le nivellement

La colline sur laquelle se dresse le monastère est l'une des dernières qui sub-

Cerfs-volan à vendre sur la plage de Copacaban

siste dans le centre de Rio. Les autres, qui l'entouraient encore à l'époque coloniale, ont été peu à peu arasées pour remplir la baie. Grâce à ce procédé, l'**Igreja da Candelaria**, autrefois au bord de l'eau, en est désormais bien éloignée. Malheureusement, lorsque la colline de Castelo fut détruite en 1921-1922, les derniers vestiges des XVIe et XVIIe siècles de Rio disparurent avec elle.

Cette colline flanquait autrefois la plus élégante des avenues de la ville. Inaugurée en 1905, l'**Avenida Central** fut construite à la demande du président Rodrigues Alves qui désirait faire de Rio l'équivalent d'un Paris sous les tropiques. Malheureusement, il avait oublié que, contrairement à Paris, le centre de Rio ne pouvait s'étendre autrement que verticalement. Au fil des ans, les élégants immeubles de l'Avenida Central furent ainsi remplacés par des gratte-ciel de trente étages. Cette avenue fut rebaptisée et elle porte aujourd'hui le nom de **Avenida Rio Branco**. Des cent quinze bâtiments qui bordaient l'Avenida Central en 1905, dix seulement subsistent encore. Les plus impressionnants sont le **Teatro Municipal**, terminé en 1909 dans un style voisin de celui de l'Opéra de Paris, la **Biblioteca Nacional**, construite dans un mélange de néo-classique et d'art nouveau, et enfin le **Museu de Belas Artes**, où l'on peut admirer, entre autres, plusieurs œuvres des plus grands artistes brésiliens.

Les musées

La plupart des musées de Rio sont situés dans le centre ou à proximité. Hormis le musée des Beaux-Arts, vous pourrez visiter le **Museu da República**, ancienne résidence des présidents brésiliens, dans le quartier Catete, à 10 mn du centre, le **Museu Histórico Nacional** qui contient les archives nationales, au sud de la Praça XV et le **Museu da Marinha** célèbre pour ses modèles réduits de navires, situé non loin du précédent, dans l'Avenida Dom Manoel. Il y a aussi le **Museu de Arte Modern** construit sur la baie, près de l'aéroport. Malheureu-sement la collection du musée ayant été entièrement

Fresque murale rappelant la Coupe du monde de football de 1986.

détruite par le feu, il ne présente plus désormais que des expositions temporaires d'art contemporain.

Ne manquez pas d'aller visiter le **musée Indien** dans le quartier de Botafogo, à 10 mn du centre de Rio; ce musée vous fournira de précieux renseignements sur les tribus indiennes du Brésil. La **Casa de Rui Barbosa**, près du musée Indien, est l'ancienne demeure du célèbre juriste et législateur brésilien Rui Barbosa. Il s'agit d'une très belle construction de la fin du XIXe siècle.

Le **Museu Nacional**, ancienne résidence de la famille impériale au XIXe siècle, est à une quinzaine de minutes en autobus du centre. Ce palais, tout proche du zoo de Rio, abrite des collections de spécimens de zoologie, d'archéologie, d'ethnographie et de minéralogie. Il se trouve dans le parc Quinta da Boa Vista, Avenida Dom Pedro II.

Santa Teresa

A quelques minutes des rues bondées du centre s'étend le quartier de Santa Teresa, perché sur une butte qui s'appuie aux collines de la forêt de Tijuca. D'après la légende, au XVIIIe siècle, les esclaves noirs fugitifs se cachaient à Santa Teresa pour échapper à leurs maîtres. Le quartier accueillit ses premiers vrais résidents lorsqu'une épidémie de fièvre jaune força les populations à fuir vers les hauteurs afin d'échapper aux moustiques porteurs de la maladie.

A la fin du XIXe siècle, Santa Teresa devint le quartier bourgeois de Rio de Janeiro et de nombreuses demeures de style victorien surgirent de terre. Intellectuels, artistes et personnalités à la mode furent à leur tour attirés par la fraîcheur et la tranquillité de l'endroit, éloigné et pourtant tout proche du centre et de son agitation.

Ce quartier aux ruelles pavées et tortueuses, avec ses vues spectaculaires sur la baie, est certainement l'un des plus pittoresques de Rio. La circulation automobile y est peu importante et la manière la plus attrayante d'y accéder est de prendre le célèbre *bonde eletrico* (tramway), construit en 1896, et dont les habitants de

Coucher de soleil sur la lagune.

Santa Teresa n'ont jamais permis la disparition.

La tête de ligne est située au centre, près de l'immeuble Petrobras (la compagnie pétrolière nationale du Brésil). Le parcours passe par l'**Aqueduto do Carioca**, également nommé **Arcos da Lapa**. Cet impressionnant aqueduc, construit au XVIIIe siècle pour acheminer l'eau de Santa Teresa vers le centre de la ville, est devenu un viaduc en 1896, date à laquelle le tramway fut mis en service. Ce tramway n'a jamais cessé d'escalader la montagne jour après jour. Les touristes doivent cependant être prévenus qu'il est devenu depuis peu la cible privilégiée des pickpockets et autres voleurs à la tire. Il faut donc garder un œil attentif sur les appareils photo, les sacs et les portefeuilles.

Santa Teresa offre de nombreux points de vue de toute beauté. Au deuxième arrêt du tramway, par exemple, on découvrira un panorama splendide sur la baie. La perspective, depuis les nombreux escaliers publics qui mènent de Santa Teresa aux quartiers voisins de Glória et de Flamengo, quelques centaines de mètres plus bas, est également à couper le souffle. Depuis les jardins situés autour du Museu Chácara do Céu, vous découvrirez une partie de la ville, l'aqueduc et la baie.

Play-boy des plages.

Le musée lui-même est l'une des principales curiosités de Santa Teresa. Situé dans la Rua Martinho Nobre, le **Museu Cháraca do Céu** contient de nombreuses toiles de modernes brésiliens (Portinari et Visconti, entre autres) et de grands maîtres européens (Braque, Dali, Matisse, Picasso ...); on trouvera les œuvres complètes de Gide dans la bibliothèque.

La baie

Depuis sa découverte en 1502, la **baie de Guanabara** a toujours été une étape obligatoire pour les visiteurs. L'un d'eux, Charles Darwin, écrivit ces mots en 1823 : *« La baie de Guanabara excède en splendeur tout ce que les Européens peuvent voir dans leur propre pays. »* Aujourd'hui, pourtant, la baie est entièrement polluée par les tonnes de déchets que les *Cariocas* y déversent chaque jour. En dépit de cela, la baie reste un véritable plaisir pour l'œil avec ses deux forts des XVIIe et XIXe siècles qui en gardent l'entrée.

Il est très facile de traverser la baie de Guanabara pour se rendre à Niterói ou dans les îles, d'où l'on découvre une vue magnifique de la ville de Rio et des montagnes luxuriantes qui la sertissent. Le ferry vous permet d'effectuer la traversée à peu de frais, mais des aéroglisseurs, plus confortables, sont également à votre disposition. Ils partent tous deux de la Praça XV. Le bateau mouche, qui attire de nombreux touristes, appareille du restaurant Sol e Mar, près du Yacht Club de Botafogo. L'étape favorite des visiteurs est l'**Ilha de Paquetá**, la plus grande des quatre-vingt-quatre îles de la baie. On peut y louer des bicyclettes ou en faire le tour dans des voitures à chevaux. Paquetá a quelques plages, mais puisque la baignade est fortement déconseillée dans la baie, mieux vaut se contenter d'un bain de soleil.

Si les *Cariocas* considèrent souvent **Niterói** avec condescendance, cette ville compte néanmoins quelques attractions dignes d'intérêt. Le **Parque da Cidade**, situé à l'extrémité d'une route tortueuse, au beau milieu de la forêt tropicale, offre des panoramas somptueux sur la baie et les montagnes environnantes. Au pied de la colline se trouve la plage **Itaipu** qui offre une vue panoramique de Rio.

Le Pain de Sucre

Ce pic rocheux de 395 m, à la forme si singulière, qui ferme la baie de Guanabara est depuis toujours le symbole de Rio. Les Indiens l'appelaient autrefois *Pau-nd-Acuqua*, ce qui signifie « haut promontoire pointu et isolé ». Pour les Portugais, cela sonnait comme *pão de açúcar*, et le pic lui-même leur rappelait la forme de ces moules d'argile utilisés pour faire des pains de sucre. Le nom portugais est resté.

Les deux téléphériques menant de la **Praia Vermelha** au sommet du Pain de Sucre, avec un arrêt au Morro da Urca, furent construits en 1912. Le premier téléphérique, de construction allemande, accueillait vingt-quatre passagers et est resté en service pendant soixante ans. Il a été remplacé en 1972 par des wagons plus spacieux. A l'heure actuelle, la montée dure 3 mn et les départs se font toutes les demi-heures de 8 h à 22 h à partir de la station Praia Vermelha. Mais il est également possible d'effectuer la montée à pied.

Du **Morro da Urca** aussi bien que du Pain de Sucre lui-même, vous découvrirez des panoramas de toute beauté. A l'ouest s'étendent les plages de Leme, Copacabana, Ipanema et Leblon, bordées par les montagnes. A vos pieds, vous apercevrez les quartiers de Botafogo et de Flamengo avec le Corcovado surmonté du Christ Rédempteur. Au nord s'étire le long ruban du pont qui traverse la baie, reliant Rio de Janeiro à Niterói. Quelle que soit l'heure, la vue depuis le Pain de Sucre est splendide.

Les plages

Si les eaux de la baie ne se prêtent plus aujourd'hui à la baignade, les plages qui l'entourent attirent les *Cariocas*, depuis toujours. Au début du siècle, des tunnels ont été creusés à travers la montagne, reliant le quartier de Botafogo à la plage de Copacabana qui devint aussitôt le nouvel endroit à la mode. Depuis lors, la recherche incessante des meilleures plages a poussé les *Cariocas* toujours plus loin vers le sud, d'abord vers Ipanema et Leblon, puis vers São Conrado, Barra da Tijuca et au-delà.

La plage, à Rio, a été élevée au rang de véritable institution. Toute la vie s'articule autour d'elle. Elle est tout à la fois garderie d'enfants, cour de récréation, salle de lecture, terrain de football ou de volley-ball, salle de concert ou même bureau. Parfois, certains se trempent dans l'eau pour se rafraîchir avant de retourner à des activités plus importantes. Les *Cariocas* lisent, bavardent, flirtent, courent, font de l'exercice, rêvent, réfléchissent et même concluent des affaires sur la plage. Pendant les week-ends d'été, tout Rio se donne rendez-vous sur les plages mais, même pendant la semaine, elles ne sont jamais désertes.

Outre son rôle de détente, la plage, où plus rien ne distingue le riche du pauvre, met tout le monde au même niveau. Elle

Ci-dessous et à droite, côté face et côté pile à Rio de Janeiro.

est ouverte à tous et son accès est gratuit. Ces plages, pourtant très démocratiques, ne manquent pas de classe. Les groupes s'assemblent en général par affinités, homosexuels, couples, familles, adolescents, célébrités, etc. Les mêmes groupes se retrouvent d'ailleurs jour après jour au même endroit.

Copacabana

Avec ses 4,5 km de longueur qui décrivent une courbe parfaite, ses immeubles de même hauteur dépassés seulement par le Pain de Sucre à une extrémité, et le dessin des trottoirs de l'Avenida Atlântica qui la borde, la plage de Copacabana reste certainement la plage préférée des étrangers. C'est dans les années 20 qu'elle acquit sa notoriété, avec la construction, en 1923 du Copacabana Palace Hotel, le seul hôtel de luxe de toute l'Amérique latine à l'époque. C'est également au début des années 20 que le jeu a été légalisé au Brésil, et Copacabana accueillit rapidement les casinos les plus animés de Rio. Les célébrités du monde entier comencèrent à s'y donner rendez-vous. Les soirées habillées du Copa, comme fut bientôt surnommé l'hôtel, attirèrent des personnalités telles que Lana Turner, Eva Peron, Ali Khan, Orson Welles, Tyrone Power et même John F. Kennedy, qui s'y rendit une fois à la fin de la guerre.

Les jeux d'argent furent finalement interdits en 1946, mais la fête à Copacabana se poursuivit jusqu'à la fin des années 50. En perte de vitesse dans les années 60, en raison de la construction de trois autres grands hôtels, Copacabana a fait son grand retour dans les années 80. La plage, qui a été depuis lors agrandie, est de nouveau une étape obligatoire pour les touristes.

En été, sa population se compte par centaines de milliers. Les vendeurs de boissons, de lotions solaires, de chapeaux, de sandales et de cerfs-volants arpentent la plage à longueur de journée, ajoutant à la débauche de couleurs le rythme de leurs voix chantantes et le son de leurs petits tambours. Les baigneurs se prélassent sous des parasols multicolores

Ci-dessous et à droite, au Brésil le corps est roi.

et se trempent rapidement dans l'eau avant de traverser l'Avenida Atlântica pour s'offrir une bière fraîche à la terrasse d'un café.

Pendant l'été, un demi-million de *Cariocas* et de touristes se pressent chaque week-end à Copacabana. La foule sur les plages n'est que le reflet de la foule dans les rues de la ville. Le quartier de Copacabana lui-même se compose de cent neuf rues dans lesquelles habitent plus de trois cent mille personnes. Pour tous ces gens, la plage représente leur dernier terrain de jeu.

Le Corcovado

Surplombant les plages de Rio, la célèbre statue du Christ, bras en croix, se dresse sur le pic du Corcovado haut de 710 m. Il est possible d'atteindre le sommet en voiture ou en taxi, mais il est plus agréable de s'y rendre avec le petit train à crémaillère qui passe par de curieux ponts à claire-voie. Les vues magnifiques que vous découvrirez en gravissant lentement la montagne vous feront oublier un instant l'agitation de la ville. Les trains quittent la station de Cosme Velho toutes les cinq minutes.

Tout en haut, sur une plate-forme aménagée, s'élève le **Christ Rédempteur**, haut de 30 m, que l'on peut apercevoir nuit et jour de tous les quartiers de Rio. L'œuvre, due au sculpteur français Paul Landowsky, fut terminée en 1931, après cinq années de travail. Depuis lors, il n'a cessé de faire concurrence au Pain de Sucre. Il est certain que c'est depuis le Corcovado que l'on a la meilleure vue du Pain de Sucre lui-même. De plus, vous y découvrirez d'un seul coup d'œil tous les quartiers bordant la baie, les plages d'Ipanema et de Copacabana, et surtout le superbe lagon Rodrigo do Freitas.

La forêt de Tijuca

Tout autour du Corcovado s'étend la magnifique forêt de Tijuca qui s'avance presque jusqu'au cœur même de la ville. Cette vaste réserve tropicale est sillonnée par une centaine de kilomètres de routes à deux voies traversant l'épaisse végétation

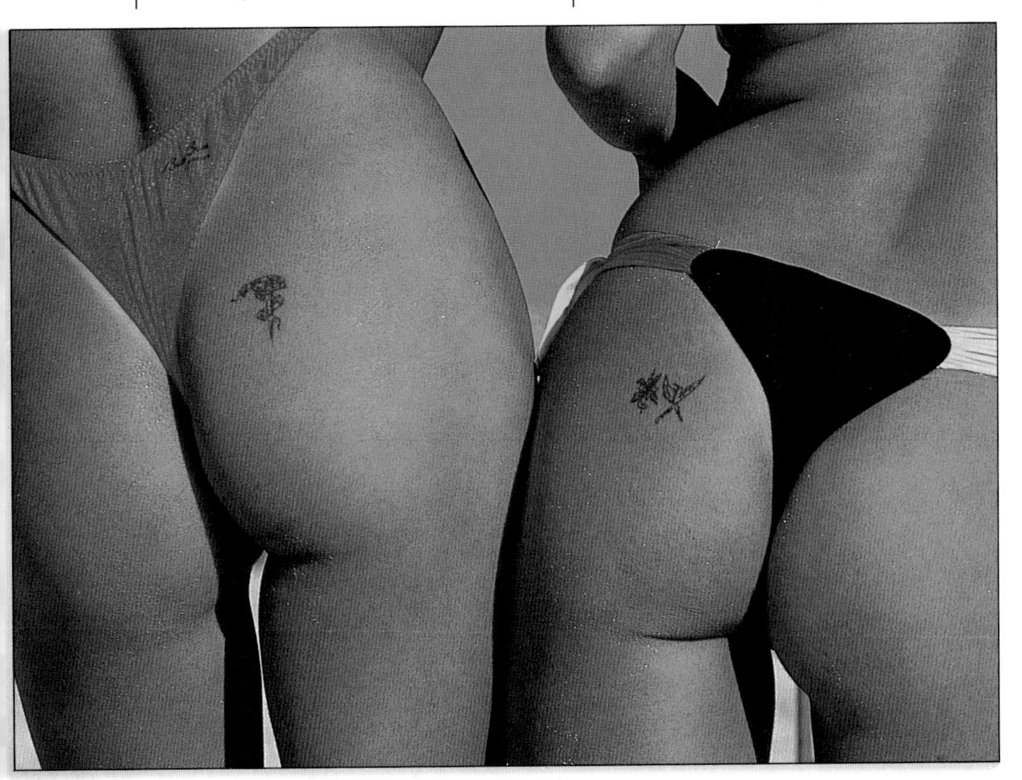

interrompue, çà et là, par de superbes cascades. En chemin, vous découvrirez de très beaux points de vue. La **Mesa do Imperador**, où l'empereur Pierre II venait autrefois pique-niquer en compagnie de la famille royale, s'ouvre sur le lagon. La **Vista Chinesa**, où vous attend un charmant pavillon en forme de pagode, offre une vue plongeante sur les quartiers sud de Rio. Elle porte ce nom car, au temps de l'empereur Jean VI, les Chinois y expérimentèrent la culture du thé. Le **Mirante de Dona Marta** est un belvédère situé juste en dessous du sommet du Corcovado. Il permet de découvrir le Pain de Sucre.

A gauche : la baie de Rio au siècle dernier. Ci-dessous, sortie en famille au jardin botanique de Rio ; à droite, un artiste d'Ipanema.

Ipanema

En traversant la forêt de Tijuca par la route principale vous pourrez entrevoir la plage et le quartier d'Ipanema, celui de **Leblon** et le **lagon Rodrigo do Freitas**, plus connu à Rio sous le nom de *lagoa*. Il s'agit du quartier résidentiel le plus sélect de la ville. A ses débuts, en 1894, Ipanema (nom indien signifiant « eaux dangereuses ») était une zone arriérée dont les dunes de sable parsemées de bungalows n'étaient traversées que par quelques pistes mal entretenues. Longtemps ignoré, car trop éloigné de toute civilisation, le quartier s'est développé lorsque le manque de place a fait fuir les riches de Copacabana vers la plage la plus proche.

Depuis 1950, Ipanema a connu une flambée immobilière et une explosion démographique ininterrompues. Les premières villas ont bientôt été entourées par de petits immeubles et, depuis les années 60, par des buildings de luxe.

Pour les premiers habitants d'Ipanema, ces transformations sont un crime contre l'humanité qu'ils ont décidé de combattre. Oubliant pour une fois le fatalisme des *Cariocas*, les résidents d'Ipanema, de Leblon, du lagon, de Gavea et du Jardim Botânico ont uni leurs forces pour préserver leur environnement, une initiative bienvenue dans une ville si souvent défigurée par les promoteurs.

Il n'est pas étonnant que cet effort soit venu d'Ipanema. Dans les années 60, le

quartier a été balayé par une vague de libéralisme. Les artistes et les intellectuels de Rio se retrouvaient dans les bars ou aux terrasses des cafés pour philosopher sur les grands mouvements de la décennie, les hippies, le rock'n roll, les Beatles, la drogue, les cheveux longs et l'amour libre. L'humour aussi s'exprimait au travers d'un journal satirique mensuel qui n'hésita pas à annoncer fièrement la fondation de la République Indépendante d'Ipanema.

Le poète Vinicius de Moraes et le musicien Tom Jobim étaient des membres éminents de cette drôle de République. Un jour Jobim, inspiré par l'esprit de l'époque, tomba amoureux d'une belle écolière qui passait devant son bar favori. Chaque jour, pendant des semaines, il guetta son passage, entraînant son ami Moraes dans son délire. Ils finirent par traduire leurs sentiments en paroles et en musique. Le résultat est devenu un classique connu dans le monde entier, *Garota de Ipanema* (la Fille d'Ipanema).

Le vent de liberté qui soufflait sur Ipanema tomba avec le coup d'État de 1964 qui écrasa les libéraux. Aujourd'hui, Moraes est mort, Jobim est devenu un compositeur de renommée internationale et la « garota », Heloisa Pinheiro, est une superbe femme d'affaires de quarante ans, mère de quatre enfants. La rue dans laquelle elle passait autrefois porte désormais le nom de Moraes et le café s'appelle *A Garota de Ipanema*.

En dépit de sa brièveté, cette époque a défini l'esprit *carioca* moderne, fait d'irrévérence, d'indépendance et de libéralisme envers les choses de la chair et de l'esprit. Elle a également fait d'Ipanema le modèle du style *carioca*, reléguant Copacabana à la seconde place. Aujourd'hui, Ipanema est le centre de la mode et de la sophistication. Ce qui n'est pas à « in » à Ipanema n'est pas « in » du tout. Les plus luxueuses boutiques de Rio bordent les rues d'Ipanema et de Leblon qui ne forment en fait qu'un seul et même quartier séparé par le canal qui relie le lagon à l'Océan.

Les célèbres boutiques de mode et de décoration d'Ipanema se trouvent essentiellement dans la rue principale, **Visconde de Piraja**, et les rues attenantes. Depuis peu, Ipanema est également devenu le centre de la joaillerie à Rio de Janeiro. Le Brésil est le plus grand producteur mondial de pierres précieuses, que l'on peut acheter dans les magasins de la Visconde de Piraja compris entre la Rua Garcia d'Avila et la Rua Anibal Mendonca. Vous y trouverez le siège mondial de H. Stern, le plus grand joailler du Brésil et l'un des plus importants du monde.

La plage d'Ipanema est moins étendue que celle de Copacabana. Elle est prolongée par la plage d'**Arpoador**, célèbre pour ses surfeurs. A l'autre extrémité, se dresse la sentinelle imperturbable du **Morro dos Dois Irmãos** (la montagne des deux frères). Chaque matin, joggers et cyclistes se pressent sur la promenade, tandis que les classes de gymnastique s'exercent sur le sable.

Pendant la journée, la plage d'Ipanema devient le lieu de rendez-vous de la jeunesse dorée de Rio. C'est pratiquement la seule plage du Brésil sur laquelle les femmes portent le monokini. Les rangées de palmiers qui la bordent ajoutent à son

La favela *s'accroche à flanc de montagne.*

caractère intime et réservé. Au coucher du soleil, des couples d'amoureux, main dans la main, longent la promenade. Moins animée et moins bruyante que Copacabana, Ipanema est sans doute la plus romantique des vingt-trois plages que compte Rio.

Loin des plages

Vers l'intérieur, derrière Ipanema, se trouve le lagon. Ce lac naturel, qui faisait partie au XVIe siècle d'une plantation de canne à sucre, est un endroit calme, loin des plages bondées de Rio. Joggers, promeneurs et cyclistes s'y retrouvent chaque jour pour jouir de la vue superbe sur la forêt de Tijuca, le Corcovado, le Morro dos Dois Irmãos et le sommet éloigné du Morro da Gávea. Le week-end, les *Cariocas* viennent y pique-niquer ou se promener à travers le **Cantagalo Par**, de l'autre côté de la route.

En continuant vers les montagnes le long du lagon, vous arriverez au **Jardim Botânico**, dans la rue du même nom. Il s'agit d'un parc de plus de 140 ha contenant près de deux cent trente-cinq mille plantes et plus de cinq mille espèces d'arbres. Créé par le prince-régent Jean VI en 1808, le parc a très vite accueilli des variétés de plantes et d'arbres du monde entier. Vous pourrez y admirer de très belles collections d'orchidées et de cactées, ainsi qu'une composition de plantes de la forêt vierge d'Amazonie. La majestueuse allée à l'entrée du parc est bordée par une double rangée de cent trente-quatre palmiers royaux, de plus de 30 m de haut, qui furent plantés en 1842.

Les plages plus lointaines

Au sud d'Ipanema s'étendent des plages plus isolées et donc mieux préservées que les autres. La première, São Conrado, se situe dans une anse cernée de toutes parts par des montagnes recouvertes d'une dense végétation. C'est là que s'élève le **Morro da Gávea**, un énorme bloc de granit bien plus impressionnant par sa forme et par sa taille que le célèbre Pain de Sucre.

Les joies du deltaplane au-dessus de São Conrado.

LA FEIJOADA : UN PLAT NATIONAL

Rien n'est plus *carioca* que la *feijoada* du samedi.

Depuis ses humbles origines, ce plat de haricots avec ses garnitures traditionnelles, s'est élevé au rang de plat national brésilien; la *feijoada* est aussi bien le plat favori des riches, que celui des pauvres et même des étrangers. De nombreuses variantes de cette spécialité existent au Brésil, mais la seule vraie *feijoada* est celle de Rio de Janeiro, préparée avec des haricots noirs.

A Rio, la *feijoada* du samedi midi est une véritable institution. Elle est théoriquement servie à l'heure du déjeuner, mais les *Cariocas* ont coutume de prolonger ce repas bien avant dans l'après-midi. On peut essayer de manger légèrement malgré l'abondance de ce plat, mais il est difficile de résister au plaisir de goûter à tout.

Il est donc conseillé d'arriver au restaurant avec un solide appétit. Une grande baignade ou une longue promenade sur la plage pendant la matinée vous mettront en condition pour déguster votre première *feijoada.* Adressez-vous à la réception de votre hôtel pour obtenir l'adresse des meilleurs restaurants servant ce savoureux plat national. Certains, comme ceux du Sheraton, du Caesar Park et de l'Inter-Continental, sont réputés pour leur *feijoada completa.*

La feijoada ou un cassoulet aux haricots noirs

A l'origine, ce plat était réservé aux esclaves qui ajoutaient aux haricots les restes divers provenant de la table de leurs maîtres.

Aujourd'hui, la *feijoada* se compose d'ingrédients qui étaient totalement inconnus de ces premiers esclaves. La tradition veut qu'on y ajoute les oreilles, la queue, les pieds et le museau du cochon, mais les meilleurs restaurants s'en abstiennent généralement. La *fei-*

Une feijoada self-service.

joada moderne contient toute une variété de viandes séchées, salées ou fumées : du petit salé, du bœuf séché, de la langue, des côtelettes de porc, des saucisses, du bacon, etc. Les haricots, relevés d'oignons, d'ail et de fines herbes, doivent mijoter pendant des heures avant d'y mettre la viande.

Mais il ne s'agit là que du plat de base auquel peuvent s'ajouter bien d'autres garnitures. Le repas commence en général par un verre de *caiprinha* — boisson composée de rondelles de citron vert pilées dans de la glace et arrosées de *cachaça* ou d'alcool de sucre de canne. Par ailleurs, la *feijoada* peut aussi être accompagnée de riz blanc, de chou vert coupé en julienne et braisé, de quelques rondelles d'oranges et de *farofa* — farine de manioc sautée dans du beurre avec des oignons, des œufs ou des raisins secs. De nombreux restaurants servent également avec la *feijoada* du bacon frit avec sa couenne. Les viandes sont généralement servies à part.

Si vous aimez les plats piquants, vous pourrez corser votre *feijoada* de petits piments rouges, ou *pimenta*, que vous demanderez au serveur. Écrasez-les dans votre assiette avant de vous servir. On vous proposera également une sauce spéciale à base d'oignons et de piments, servie à part et qui, selon les restaurants, peut être très forte. Il est donc plus prudent de la goûter avant d'en arroser votre plat.

Même si l'on a bien fait dégorger la viande pour en ôter tout le sel avant de la mélanger aux haricots noirs, vous aurez vite soif, surtout si vous avez assaisonné votre *feijoada* de *pimenta*. Vous pourrez alors commander un deuxième verre de *caiprinha*, mais les Brésiliens préfèrent généralement arroser leur *feijoada* d'une bonne bière brésilienne ou étrangère bien glacée.

Ce repas, plutôt lourd, est servi au Brésil tout au long de l'année, même pendant les mois les plus torrides de l'été. Cela étonne souvent les étrangers, plus habitués à manger léger lorsqu'il fait chaud, mais ils finissent toujours par apprécier la *feijoada*, même par 35 °C à l'ombre.

es herbes et es aromates complètent très bien la feijoada.

La plage de São Conrado jouit d'une certaine popularité parmi la jeunesse de Rio — les jeunes des *favelas* et les intellectuels se retrouvent au bout de la plage sur un territoire où la police ne vient jamais. A partir d'Ipanema, on peut y accéder soit par le tunnel creusé sous le Morro dos Dois Irmãos, soit par l'Avenida Niemeyer, construite en 1917. Cette avenue longe le bord de mer en contournant la montagne depuis Leblon jusqu'à São Conrado, et offre des vues plongeantes souvent très spectaculaires sur l'Océan. En arrivant à proximité de São Conrado, l'avenue pique soudain vers le bas et permet de découvrir un paysage magnifique: d'un seul coup d'œil vous pourrez admirer la plage et le Morro da Gávea.

Vidigal

Le quartier de Vidigal, où se mêlent les plus riches et les plus pauvres, est accroché à flanc de montagne, au-dessus de l'Avenida Niemeyer. Les belles propriétés ont été peu à peu cernées par les baraques de la *favela* de Vidigal, l'un des plus grands bidonvilles de Rio. C'est là, au-dessus de la minuscule plage de Vidigal, que s'est installé l'hôtel Sheraton.

São Conrado

L'espace et l'absence de la foule qui se presse sur les plages voisines de Copacabana et d'Ipanema caractérisent ces plages situées un peu en dehors de la ville. Celle de São Conrado est bordée par le Club de golf de Gávea, un 18 trous avec vue directe sur la mer.

Le quartier de São Conrado est l'un des plus sélects de Rio. Les classes moyennes et supérieures s'y sont installées dans les villas et les appartements de luxe qui bordent la mer et le terrain de golf. La situation privilégiée des links en fait l'un des plus beaux au monde.

Pourtant, malgré tout ce déploiement de luxe, la beauté de São Conrado est gâtée par la proximité de la *favela* de Rocinha, accrochée au flanc de la montagne. Plus de soixante mille personnes vivent dans cette fourmilière, dans des

Détente au bord de l'eau.

baraques et des cabanes en bois ou en brique, pressées les unes contre les autres.

Le deltaplane

A l'extrémité de São Conrado s'élève le Morro da Gávea d'où s'élancent les deltaplanes qui atterrissent ensuite sur la plage. Une route de montagne conduit au point de départ, à 510 m de hauteur. Cette même route s'enfonce dans la forêt de Tijuca, vers le Corcovado, et offre quelques vues superbes sur les plages en contrebas. Pour ceux qui seraient tentés par un saut en deltaplane, des moniteurs expérimentés leur proposent des vols en tandem pour 60 dollars. Pour toute information, contactez l'Association de deltaplane de Rio de Janeiro au 220 4704, ou adressez-vous à la réception de votre hôtel.

Barra da Tijuca

De São Conrado, une route surélevée qui serpente entre les falaises mène vers les plages du sud. Au passage, vous pourrez admirer quelques belles propriétés suspendues sur les hauteurs à des angles précaires. Barra da Tijuca, un quartier en pleine expansion situé dans une vaste plaine, vous attend au sortir d'un tunnel. Ses rues sont bordées de petits immeubles et de maisons particulières, les seuls gratte-ciel étant regroupés sur le front de mer. Vous y trouverez également le plus grand centre commercial de Rio. Contrairement à Copacabana et à Ipanema où les magasins, les supermarchés et les boutiques sont tous aisément accessibles à pied, les distances sont plus grandes à Barra et la voiture y est reine.

Barra représente l'avenir de Rio, tant pour les *Cariocas* que pour les touristes. Le quartier est encore en cours d'aménagement et l'espace n'y manque pas. Lorsqu'on quitte Rio pour venir à Barra, on a parfois l'impression d'arriver au bout du monde.

La plage la plus longue

Avec ses 18 km de long, la plage de **Barra** est à la fois la plus longue, mais

Ci-dessous, les fameux T-shirts de Rio ; à droite, la moto, le meilleur moyen e transport.

aussi la moins fréquentée de Rio pendant la semaine. Le week-end, la foule se presse sur l'Avenida Sernambetiba qui la borde. Le tourisme s'y développe et de nombreux immeubles ont été convertis en appartements-hôtels. Leurs prix sont souvent bien inférieurs à ceux des hôtels de Copacabana, d'Ipanema et de São Conrado. La plupart de ces immeubles font partie de résidences dotées de piscines, de terrains de tennis, de saunas…

Ce qui manquait à Barra, c'était la vie nocturne, mais ce problème a été résolu. Au cours des dernières années, des restaurants d'excellente qualité se sont ouverts sur l'avenue du bord de mer et près du centre commercial. Fast-food, discothèques, bars et clubs de samba les ont rapidement rejoints, mais c'est encore et surtout autour des nombreux marchands ambulants, qui parsèment le bord de mer, que s'articule la vie nocturne de Barra.

Les marchands ambulants

Installés dans de grandes caravanes reconverties pour la vente de rafraîchissements, les marchands ambulants servent des boissons et des sandwiches aux baigneurs dans la journée. La nuit, pendant les week-ends, ils deviennent le point de rencontre privilégié pour les couples et les célibataires. La foule se presse alors autour des caravanes dont certaines se transforment la nuit en centres de samba appelés *pagodes*. Confinées à l'origine dans les arrière-cours des quartiers populaires du nord de la ville, les *pagodes* n'étaient que des centres de samba improvisés où musiciens professionnels et amateurs se retrouvaient pour un « bœuf » à la nuit tombée.

En se déplaçant vers les zones plus riches du sud, les *pagodes* n'ont rien perdu de leur originalité musicale, même si elles ont acquis au passage un caractère plus commercial qui les apparente désormais à des bars de samba plus classiques. Pour les romantiques, cependant, rien ne vaut une soirée dans une *pagode*, avec le bruit des vagues qui s'écrasent sur la grève mêlé au rythme des guitares et des percussions, et des chants de la foule joyeuse.

L'été sera chaud avec…

D'ailleurs, Barra est bien le quartier du « romantisme », avec ses douzaines de motels qui ont surgi de terre au fil des ans. A Rio, comme dans tout le Brésil, les motels sont réservés avant tout aux couples d'amoureux. Les chambres, louées à l'heure, sont équipées de saunas et de *jacuzzis*, et de larges miroirs tapissent les plafonds. A Barra, certains de ces motels dépassent en luxe et en confort les hôtels cinq étoiles de Rio.

A l'extrémité de Barra, la petite plage de **Recreio dos Bandeirantes** s'étire à l'abri d'une jetée naturelle qui forme une véritable baie miniature. De Recreio, une route grimpe dans la montagne avant de redescendre vers la plage de **Prainha**, fréquentée par les surfers, puis vers celle de Grumari, merveilleusement isolée. Là, une petite route mal entretenue s'élève jusqu'au sommet de la montagne, d'où l'on peut découvrir une vue splendide sur les plaines de **Guaratiba** et la plage de **Restinga da Marambaia** qui s'étend à perte de vue. Cette plage, propriété de l'armée, est malheureusement interdite aux baigneurs.

Au pied de la montagne se trouve le village de **Pedra da Guaratiba**, célèbre dans tout Rio pour ses restaurants de fruits de mer (Candido, Tia Palmira et Quatro Sete Meia). Le voyage de Barra à Guaratiba permet de découvrir de très beaux paysages.

La vie nocturne

La nuit, Copacabana est la reine de Rio. Les multiples lumières qui suivent la courbure de la plage et la sombre silhouette du Pain de Sucre qui se découpe à l'arrière-plan confèrent à l'endroit une atmosphère presque magique.

Pour être en rythme avec les horaires de Rio, il faut savoir que la nuit commence par un dîner tardif, aux alentours de 21 h (le week-end, de nombreux restaurants sont ouverts jusqu'à l'aube). N'hésitez pas à vous rendre dans une *churrascaria*, restaurant de viande, où les Brésiliens ont l'habitude de se réunir entre amis autour de longues tables généreusement garnies. La plage elle-même est un excellent point de départ. Les ter-

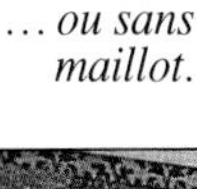

… ou sans maillot.

rasses des cafés se succèdent le long de l'Avenida Atlântica attirant touristes et *Cariocas*. La nuit, Copacabana se transforme en bazar persan, avec ses vendeurs de souvenirs, de peintures, de sculptures sur bois et de T-shirts, ses prostituées (hommes, femmes et travestis), et ses promeneurs.

Au numéro 290 de l'Avenida Atlântica se trouve le restaurant Maru, la meilleure *churrascaria* de la ville, où les serveurs vous proposeront de la viande de bœuf, de porc, de poulet et des saucisses à volonté. Non loin, le restaurant italien Le Fiorentina connaît également un vif succès. Il accueillait autrefois de nombreux artistes et comédiens, et cette tradition s'est perpétuée jusqu'à aujourd'hui. L'hôtel Méridien, l'un des cinq grands hôtels de Rio, se situe à l'intersection de Leme et Copacabana. Le Rio Palace se trouve à l'autre extrémité de Copacabana, le Caesar Park est à Ipanema, le Sheraton, sur la route de São Conrado et l'Inter-Continental est à São Conrado même. Le dernier étage du Méridien abrite le restaurant Saint-Honoré, sous la direction de Paul Bocuse. Les plats y sont aussi appétissants que la vue est belle. De l'autre côté de la rue débute le quartier chaud de Copacabana.

Les restaurants

La cuisine de Rio est très variée, grâce à une importante influence internationale. Les meilleurs restaurants de Copacabana sont : Le Pré Catalan, un temple élevé à la nouvelle cuisine française, situé dans le Rio Palace Hotel, Le Bec Fin, restaurant de cuisine traditionnelle française, situé sur la Praça do Lido, le restaurant de l'hôtel Ouro Verde, sur l'Avenida Atlântica, qui propose une excellente cuisine internationale depuis plus de trente ans, et l'Enotria, un très bon restaurant italien de la Rua Constante Ramos, célèbre pour sa carte des vins. Pour déguster de la viande, rendez-vous au Bife de Ouro, le restaurant du Copacabana Palace Hotel, au Palace (Rua Rodolfo Dantas), ou au Jardim (Rua Republica de Peru). Si vous préférez les fruits de mer, le Grottamare (entre Copacabana et Ipanema, dans la Rua Comes Carneiro), le Shirley (Rua Gustavo Sampião) et le Principe (Av. Atlântica) vous attendent. Le Maxim's, filiale du célèbre restaurant parisien, se trouve au sommet de la tour Rio Sul, non loin de Copacabana.

Le quartier chic d'Ipanema dispose lui aussi de quelques très bons restaurants. Le Streghe est un établissement de nouvelle cuisine italienne, situé au-dessus de l'une des discothèques les plus célèbres de Rio, le Caligula, dans la Rua Prudente de Morais. Petronius est l'un des meilleurs restaurants du Caesar Palace Hotel. Au Lord Jim Pub, authentique pub londonien dans la Rua Paul Redfern, vous retrouverez l'ambiance cosmopolite des grandes villes. Le Sal & Pimenta, Rua Barão de Torre, accueille chaque jour les personnalités de Rio venues déguster une cuisine typiquement brésilienne. Au sous-sol se trouve le piano-bar Alo-Alo, l'un des meilleurs de la ville. Le Claude Troisgros, est-il encore besoin de le présenter, s'est installé dans le quartier du Jardim Botânico, dans la Rua Custodio Serrão. L'Antiquarius, élégant restaurant portugais de la Rua Aristides Espinola est célèbre pour ses plats de cabillaud. Citons encore le Florentino, Av. General San Martin, restaurant de cuisine internationale, et le Satiricon, Rua Barão de Torre, spécialisé dans les fruits de mer.

Les hôtels Sheraton et Inter-Continental vous proposent, eux aussi, une table excellente. Au Sheraton, le Valentino vous réserve ses spécialités culinaires italiennes dans un cadre de toute beauté, tandis que le Mirador sert chaque samedi une *feijoada* imbattable. L'Inter-Continental abrite le Monseigneur, restaurant de cuisine française, et Alfredo, filiale du célèbre établissement romain. Ces deux hôtels, ainsi que le Méridien et le Rio Palace de Copacabana, accueillent chaque soir des groupes de musique brésilienne et de jazz dans leurs piano-bars et leurs discothèques.

Pour finir la nuit en beauté, vous avez le choix entre de nombreuses discothèques. Les plus « branchées » de Rio sont le Canecão, près de Copacabana et du centre commercial Rio-Sul, la Scala et la Plataforma, à Leblon. Le Canecão et la Scala présentent des attractions brésiliennes et internationales, tandis que la Plataforma accueille chaque nuit une

Ci-contre, la samba sur la plage. Pages suivantes : la baie de Rio ; la côte verte.

revue de chants et de danses du Brésil. Il y a encore Help, la discothèque géante de Copacabana sur l'Avenida Atlântica, le Biblio's Bar, une boîte pour célibataires dans l'Avenida Epitacio Pessoa, avec vue sur le lagon et le Chiko, voisin du Biblio. Jazzmania, dans l'Avenida Rainha Elizabeth à Ipanema et People, dans l'Avenida Bartolomeu Mitre à Leblon, sont les deux boîtes de jazz les plus connues de Rio.

Emplettes

Ce n'est qu'au début des années 80 que le premier centre commercial de Rio a été construit, mais les *Cariocas* ont vite pris l'habitude d'y faire leurs courses, à l'abri des chaleurs estivales qui atteignent souvent 35 °C. C'est là, ainsi qu'à Ipanema, que se trouvent les meilleures boutiques de la ville. Les principaux centres commerciaux sont : Rio-Sul, dans le quartier de Botafogo, à peu de distance de Copacabana, est ouvert de 10 h à 22 h du lundi au samedi, des navettes gratuites vous y emmènent à partir des hôtels de Copacabana. Le Barra Shopping, le plus grand centre commercial du Brésil, se trouve à Barra da Tijuca. Ses heures d'ouverture sont les mêmes qu'à Rio-Sul, et il bénéficie également de navettes gratuites au départ des hôtels. Le Cassino Atlântico sur l'Avenida Atlântica à Copacabana est plus petit que les deux précédents, il abrite des magasins de souvenirs, des galeries d'art et des antiquaires. Il est ouvert de 9 h à 22 h du lundi au vendredi, et de 9 h à 20 h le samedi. Le São Conrado Fashion Mall, tout proche du Sheraton et de l'Inter-Continental, abrite des boutiques, des restaurants et des galeries d'art. Il est ouvert de 10 h à 22 h du lundi au samedi.

Les amateurs de souvenirs ne manqueront pas la « Foire des Hippies » à Ipanema, sur la Praça General Osorio. Elle a lieu tous les dimanches de 9 h à 18 h. Vestige de l'époque beatnik, ses étalages débordent de sculptures en bois, de peintures, d'articles en cuir faits main, de bijoux et de toute la panoplie des fameux T-shirts de Rio. Chaque soir, les vendeurs de la Praça General Osorio vendent leurs marchandises sur l'Avenida Atlântica à Copacabana.

L'ÉTAT DE RIO

Si la ville de Rio fascine et attire les visiteurs depuis toujours, l'État dont elle est la capitale ne manque pas non plus de charme et de curiosités. Tout comme sa capitale, l'État de Rio offre des contrastes saisissants entre les montagnes luxuriantes et les plages inondées de soleil, situées à seulement quelques heures de route de la ville.

Búzios

Selon les livres d'histoire, Búzios a été découvert par les Portugais au début du XVIe siècle. En réalité, chaque habitant vous le dira, Búzios n'a été découvert qu'en 1964... par Brigitte Bardot! Invitée par un ami argentin, l'actrice a en effet effectué deux séjours à Búzios. Cela a suffit pour que ce très tranquille village de pêcheurs devienne mondialement connu.

Búzios, ou plus exactement Armação dos Búzios, était autrefois un village paisible, niché au fond d'une baie. Après le passage de « la Bardot », il est subitement devenu synonyme de splendeur tropicale, avec ses plages de sable blanc, ses eaux cristallines, ses palmiers, ses cocotiers, ses femmes splendides à demi nues, et son incomparable douceur de vivre.

Le plus étonnant est que tout cela est vrai. Búzios est l'un de ces rares endroits touristiques qui sont à la hauteur de leur réputation.

Le paradis retrouvé

Situé à 200 km environ à l'est de Rio de Janeiro sur la Costa do Sol, Búzios a souvent été comparé à la célèbre île d'Ibiza en Espagne, ou même à Saint-Tropez. Cette station balnéaire de renommée internationale réussit pourtant à garder l'apparence d'un tranquille village de pêcheurs pendant la majeure partie de l'année. C'est au moment du carnaval et les week-ends que les touristes y affluent en masse, faisant passer la population de dix mille à près de cinquante mille habitants.

Exubérance végétale dans la montagne près de Petrópolis.

Le reste du temps, le village redevient un véritable havre de paix. Contrairement à de nombreuses villes à la mode, y compris Rio de Janeiro, Búzios n'a jamais perdu le contrôle de sa croissance. C'est la station balnéaire favorite du Rio mondain.

Búzios a connu un important boom immobilier depuis les années 1970 mais, fort heureusement, la municipalité en a gardé le contrôle. Des lois très strictes limitent, par exemple, la hauteur des immeubles. Le front de mer n'est donc pas défiguré par des gratte-ciel comme c'est le cas dans la plupart des grandes villes du Brésil. Les maisons particulières s'intègrent parfaitement au paysage, et ne déparent pas au milieu des maisons de pêcheurs.

Par ailleurs, il n'y pas de grands hôtels dans le village. L'hébergement à Búzios se fait dans des *pousadas*, de petites auberges très simples qui ne proposent pas plus de douze chambres (l'hôtel le plus important, le **Ilha das Rocas** qui compte soixante-dix chambres, est situé sur une île, au large de Búzios, dans un paysage féerique). Cela a permis de préserver le charme et le caractère de ce petit village.

Les plages

Il y a en tout vingt-trois plages dans la région de Búzios. Certaines sont abritées dans de paisibles petites anses, d'autres font face à l'océan. Celles qui se situent dans les environs immédiats de la ville, comme Ossos, Gerida et Ferradura, sont facilement accessibles à pied ou en voiture. Comme on peut s'y attendre, les « meilleures» plages sont aussi les plus retirées. Il faut faire un long trajet sur un terrain souvent défoncé et des pistes cabossées avant d'y parvenir. Mais au bout du chemin vous attendent des plages désertes et fabuleuses, telles que celles de Tartaruga, Azeda et Azedinha, Brava et Forno, célèbres pour deux raisons, leurs eaux tranquilles et leurs superbes baigneuses.

Il est non seulement fatigant mais aussi inutile de faire le tour des plages par la terre ferme. Les pêcheurs de Búzios sont tous de formidables guides touristiques à temps partiel, et vous pourrez louer leurs bateaux à l'heure ou pour la journée. Il est aussi possible de louer des voiliers, des voitures, des bicyclettes, des motos et des chevaux. Les amateurs de plongée sous-marine pourront également louer des équipements complets.

Les journées commencent tard à Búzios ou personne ne se lève avant 11 h. Après un copieux petit déjeuner, la plage vous attend : baignades, promenades et excursions, entrecoupées de crevettes grillées et d'huîtres arrosées de bière fraîche ou de *caiprinha*. L'après-midi, vous pourrez même faire quelques emplettes dans les superbes boutiques de mode de la Rua José Bento Ribeiro Dantas, plus connue sous le nom de Rua das Pedras, et celles de la Rua Manuel Turibe de Farias.

La vie nocturne

Dès le coucher du soleil, l'esprit bohémien de Búzios se réveille. En dépit de sa petite taille, la ville est l'une des trois premières du Brésil pour ce qui est des plaisirs de la table. Vous aurez le choix entre plus de vingt restaurants pour déguster de la cuisine brésilienne, italienne, française ou portugaise, sans compter les restaurants qui servent de succulents fruits de mer et les crêperies. Le Streghe Búzios (spécialités italiennes), Au Cheval Blanc (cuisine française) et Adamaster (fruits de mer) sont les trois meilleurs restaurants de Búzios. Attention toutefois à l'addition, souvent beaucoup plus élevée qu'à Rio.

Après le dîner, les Brésiliens se retrouvent volontiers autour d'un verre dans l'un des nombreux bars de la ville, qui offrent souvent un agréable spectacle en prime. Depuis « BB », de nombreux étrangers ont trouvé le chemin de Búzios. Mais si Brigitte Bardot est repartie, les autres sont restés et ont ouvert des auberges, des restaurants, des bars et des boutiques, qui confèrent une atmosphère cosmopolite à la ville. Les résidents brésiliens de Búzios ont depuis quelques années été rejoints par des Français, des Suisses, des Scandinaves et des Américains qui ont tous juré de ne jamais repartir.

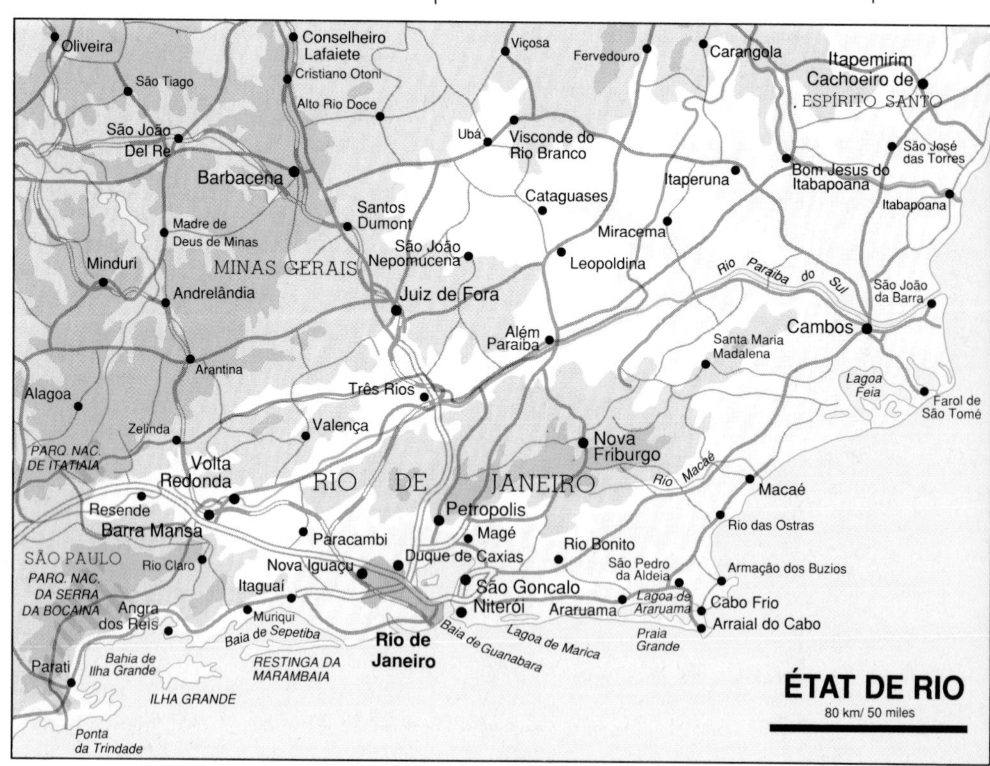

Quelques curiosités

Madame Michou vous accueillera chaque soir, ainsi qu'une foule de jeunes gens, dans sa célèbre crêperie. Chez François Le Mouellic et Vivianne Debon, les propriétaires de La Nuance, vous pourrez admirer un spectacle de marionnettes et savourer une coupe de champagne débouché au sabre.

A l'Estalagem, une auberge dotée d'un bar et d'un restaurant, vous pourrez écouter Bruce Henry, le propriétaire américain qui est aussi un excellent musicien de jazz. Peut-être y apercevrez-vous Matthew, un peintre néo-zélandais qui a élu domicile dans une grotte au bord de la mer.

La région des lacs

Entre Rio et Armação dos Búzios, se trouve la région des lacs, une série de lagons séparés de l'océan par de larges bancs de sable. Le littoral à l'est de Rio se caractérise par de forts courants et des vagues imposantes qui attirent de nombreux surfers de tous les pays. Les compétitions de surf les plus importantes ont en général lieu à **Saquarema**, l'une des quatre grandes stations balnéaires de la région des lacs. Elle accueille également de nombreux amateurs de planche à voile.

La superbe plage de **Ponta Negra**, quasi déserte, s'étire le long d'une mer cristalline près de **Maricá**. Après Saquarema, les stations balnéaires d'**Aruama** et de **São Pedro d'Aldeia** sont le rendez-vous favori des *Cariocas* pendant les vacances, en particulier pendant la période du carnaval. En continuant vers l'est, on arrive enfin à **Cabo Frio** qui marque officiellement la fin de la région des lacs et le début de la Costa do Sol.

Située à 25 km de Búzios, la ville de Cabo Frio, découverte en 1503 par Amerigo Vespucci, est réputée pour ses longues plages de sable fin et ses dunes. Elle compte quarante mille habitants en temps normal, mais elle peut héberger jusqu'à deux cent mille estivants en haute saison, grâce à un important complexe

es superbes criques les environs de Búzios.

touristique. Contrairement à Búzios, Cabo Frio est une ville historique qui abrite quelques beaux vestiges du XVIIe siècle : le fort de **São Mateus**, construit en 1616, l'**Igreja Nossa Senhora de Assumpção**, construite en 1615, l'**Igreja Nossa Senhora da Asunção**, construite en 1666 et le **Convento Nossa Senhora dos Anjos**, construit en 1686.

Une ville de rêve

Entre Búzios et Cabo Frio se trouve le hameau **Arraial do Cabo**, l'un des plus beaux endroits de la Costa do Sol. Épargné par le développement touristique, Arraial ne compte qu'une poignée de petites auberges. Les touristes préfèrent en effet se loger à Búzios et à Cabo Frio, et faire de petites excursions à Arraial.

C'est à Arraial que l'on trouve les eaux les plus claires de toute la côte sud du Brésil. Les amateurs de plongée et de pêche sous-marines s'y donnent rendez-vous. Le hameau, entouré de nombreuses plages et de montagnes verdoyantes, est situé à la pointe d'un cap. Certaines de ces plages, bien abritées, ont des eaux calmes, propices à la baignade. D'autres, ouvertes sur l'océan, sont balayées en permanence par de grandes rafales de vent et attirent un grand nombre de surfers.

Au large se dresse l'**Ilha do Farrol**, célèbre pour son phare et la **Gruta Azul**, une grotte sous-marine baignée par des eaux limpides. Vous pourrez faire de belles promenades en mer et découvrir ainsi les deux autres îles de Bufalo et de Cabo.

Arraial est, avant tout, un village de pêche et l'on peut y acheter chaque jour quantité de poissons frais. Aujourd'hui encore, les pêcheurs d'Arraial grimpent sur les dunes pour repérer les bancs de poissons avant de prendre la mer, preuve supplémentaire de la pureté de l'eau à cet endroit.

La Costa Verde

Cette « côte verte » s'étend au sud- ouest de Rio et se prolonge jusqu'à l'État de

Une architecture typiquement coloniale, l'église Gloria.

São Paulo. Ainsi nommée en raison de la végétation luxuriante qui domine le littoral jusqu'à la mer, la Costa Verde vous permettra de découvrir une nature vierge. Son accès est très facile depuis la récente ouverture de la fameuse autoroute du bord de mer, la Rio-Santos.

Pendant le trajet vous découvrirez des panoramas superbes. La route passe à côté d'un parc national, de la seule centrale nucléaire du Brésil, de villes touristiques, de petits villages de pêcheurs, de plusieurs importants élevages de bétail, et traverse la ville historique de Paraty, véritable monument au passé colonial du Brésil.

La Costa Verde, parsemée de plages innombrables, s'étend sur plus de 250 km le long de la mer. Il est possible d'y pratiquer tous les sports terrestres et nautiques.

Bien qu'il soit possible de visiter la Costa Verde en un seul jour, il est toutefois plus sage d'y consacrer deux ou trois jours pour en découvrir toutes les curiosités. Au cours des dix dernières années, le tourisme est devenu l'activité principale de la région, et de nombreux hôtels et restaurants vous y attendent. Attention : si vous louez une voiture, évitez de rouler la nuit, car l'autoroute est parfois très dangereuse.

Des îles tropicales

La Costa Verde commene à 70 km de Rio de Janeiro, à Itacuruçá (petite ville de deux mille habitants). Des schooners quittent le port chaque matin à partir de 10 h pour des excursions d'un jour vers les îles tropicales de la **Baía de Sepetiba**. La baie qui s'étend sur plus de 100 km de long est fermée par un immense banc de sable, la **Restinga do Marambáia** et par l'Ilha Grande.

Les excursions qui sont organisées au départ de Itacuruçã reviennent à environ 100 francs par personne et comprennent un déjeuner de fruits de mer pris sur l'une des îles. Les schooners font étape dans plusieurs îles, celles de **Martins**, d'**Itacuruçá** et de **Jaguanum**, notamment, pour permettre aux passagers de se baigner.

L'époque coloniale est toujours vivante à Paraty.

Vous pourrez facilement visiter les îles plus petites en louant les services d'un pêcheur. Les îles de **Pombeba** et de **Sororoca**, par exemple, sont superbes. Pour ceux qui désireraient séjourner dans les îles, il existe quelques bons hôtels, entre autre le Ilha de Jaguanum et l'hôtel do Pierre.

L'autoroute continue en passant par Muruqui et **Mangaratiba**, site d'un village du Club Méditerranée, pour aboutir enfin à **Angra dos Reis** — la baie des Rois car elle fut découverte le jour des rois, le 6 janvier 1502 —, la plus grande agglomération de la Costa Verde. Cette ville de plus de cinquante mille habitants est à la fois un pôle touristique important, un centre industriel et un port en plein développement.

La ville s'étire sur une série de collines à l'entrée d'une large baie où l'on trouve plus de trois cent soixante-dix îles, deux mille plages, sept baies et des douzaines de criques. L'eau claire et chaude est un sanctuaire parfait pour la faune marine. La pêche sous-marine est l'un des passe-temps favoris des habitants de Mangaratiba. Vous pourrez vous procurer des cartes routières et des brochures sur les hôtels et les excursions en bateau de la région à l'office du tourisme situé juste en face de la gare routière, tout près du port.

Les amateurs de golf descendront de préférence à l'hôtel do Frade qui dispose du seul 18-trous de toute la Costa Verde. Des tournois internationaux y sont organisés en juin et en novembre.

A une heure et demie en bateau d'Angra dos Reis, se trouve l'**Ilha Grande**, la plus grande de toutes les îles de la baie — 155 km². Véritable paradis tropical, cette île compte certaines des plus belles plages de tout le Brésil. On ne peut y accéder que par bateau, depuis Mangaratiba, Angra dos Reis et Paraty. Vous débarquerez à **Abrão**, l'unique ville de l'île.

Vous pourrez y louer de petits bateaux pour visiter les plages plus lointaines de Lopez Mendes, Paranoica, das Palmas et Saco do Céu. L'île dispose de plusieurs terrains de camping, mais vous ne trouverez que deux hôtels.

A gauche, sortie en mer dans un saveiro *; ci-dessous, un pêcheur et son bateau.*

L'histoire préservée

Après Angra, l'autoroute se poursuit ensuite jusqu'au pittoresque village de pêcheurs de **Mambucaba**. A l'extrémité de la baie, à près de quatre heures de route de Rio, se trouve **Paratí** (neuf mille habitants), un joyau de l'époque coloniale. La ville entière a été déclarée monument historique par l'UNESCO en 1966.

Paratí, qui en langue indienne signifie « vivier de poissons », fut fondée en 1660. La ville connut son heure de gloire au XVIIIe siècle avec la découverte d'or et de diamants dans l'État voisin de Minas Gerais. Les pierres étaient transportées jusqu'à Paratí, avant d'étre embarquées pour Rio ou le Portugal. La ville était également une étape importante pour les voyageurs et les marchands qui circulaient entre São Paulo et Rio. Paratí a ainsi prospéré pendant plus d'un siècle, comme en témoignent encore les nombreuses demeures coloniales.

Après l'indépendance du Brésil, en 1822, les exportations d'or ont cessé et une nouvelle route a été construite, reliant directement São Paulo à Rio. Paratí a alors perdu sa position stratégique, puis elle est peu à peu tombée dans l'oubli.

Vendeur de bananes sur une route de montagne.

Miraculeusement préservée en raison de son éloignement, Paratí est aujourd'hui un centre historique important. Vous découvrirez le cœur colonial de la ville à pied car les voitures y sont interdites.

Parmi les nombreuses églises de la ville, on pourra visiter l'Igreja do Rosário, construite en 1722 et l'**Igreja Santa Rita de Cássia**, construite la même année. Cette église, qui abrite aujourd'hui le musée d'Art sacré, se distingue par une architecture baroque typiquement brésilienne. L'office du tourisme se trouve juste à côté, dans l'ancienne prison.

Les rues de Paratí recèlent toutes des trésors cachés, des galeries d'art, des boutiques d'artisanat local, de petites auberges et des demeures coloniales. De l'extérieur, les auberges, ou *pousadas*, évoquent les maisons de la Mediterranée avec leurs murs blanchis, leurs lourdes portes en bois et leurs volets peints aux couleurs vives. A l'intérieur, en revanche, on découvre une atmosphère typiquement tropicale, avec des patios plantés de fougères, d'orchidées, de rosiers, de violettes et de gardénias. Les deux plus beaux jardins se trouvent à la **Pousada do Ouro** et Coxico.

Des schooners partent chaque jour du port à la découverte des îles environnantes. Vous pourrez également visiter la **Fazenda Banal**, située à Cunha, à cinq minutes en voiture de Paratí, sur l'ancienne route de l'or. Ce ranch du XVIIe siècle est entouré d'un zoo abritant des lynx, des singes, des oiseaux rares, une cascade pour la baignade, un restaurant servant de la cuisine brésilienne et une ancienne distillerie de *cachaça*, toujours en service, où vous pourrez goûter et acheter dix variétés différentes de cet alcool.

Les villégiatures de montagne

En dépit de leur amour pour les plaisirs de la plage, les habitants de Rio ressentent parfois le besoin de respirer l'air frais des montagnes. C'est ainsi que les villes de Petrópolis et de Teresópolis ont vu le jour. Ces deux villes du XIXe siècle sont l'héritage des empereurs Pierre Ier et Pierre II.

Petrópolis ou la ville d'un empereur

Cette ville de deux cent soixante-dix mille habitants, située à 60 km seulement de Rio, s'est développée sous le règne de l'empereur Pierre II. A l'origine, ce n'était qu'un petit hameau du nom de Corrego Seco, de la Serra Flumineuse, où Pierre Ier avait acheté une fazenda et des terres, en 1814, dans l'intention d'y faire construire un palais d'été. Ce dernier fut finalement construit par son fils, Pierre II, dans les années 1840.

La route qui mène à Petrópolis est une curiosité en soi. Entrecoupée de ponts qui dominent de luxuriantes vallées, elle serpente autour des montagnes, s'élevant du niveau de la mer à 840 m en quelque 60 km. En chemin, vous apercevrez des tronçons de l'ancienne route de Petrópolis, une voie pavée et souvent périlleuse que les ouvriers royaux ne cessaient de réparer autrefois.

La vie à Petrópolis s'articule autour des deux rues principales, la Rua do Imperador et la Rua 15 de Novembro, où se trouvent les seuls immeubles de plus de cinq étages de la ville. Les températures sont plus basses qu'à Rio, et pendant les mois de juin à septembre, il est plus prudent d'emporter des pulls et des vestes. L'Avenida 7 de Setembro, perpendiculaire à la Rua do Imperador, est toujours très animée. Elle est divisée en deux

Ci-dessus, l'empereur Pierre II ; ci-dessous, les joies du pédalo à Búzios.

par un long canal, et des fiacres à l'ancienne, que l'on peut louer à l'heure, parcourent sans relâche ses pavés ensoleillés. Le **Palácio Imperial**, qui abrite aujourd'hui le **Museu Imperial**, est entouré de jardins aux allées soigneusement entretenues. Le palais, de couleur rose, construit par le Français Louis Vauthier, est plutôt modeste pour une résidence royale.

Le musée est ouvert de midi à 17 h, du mardi au dimanche. Les visiteurs sont priés de mettre des chaussons de feutre qui glissent sans bruit sur les superbes planchers de *jacarandá* et de bois de braise. Le mobilier, très simple, témoigne du caractère parfois austère de l'empereur Pierre II. Ses objets personnels, parmi lesquels se trouvent un télescope et un téléphone, sont regroupés au second étage du palais.

On pourra également y admirer les **Joyaux de la couronne**, parure scintillante de soixante-dix-sept perles et six cent trente-neuf diamants, les vêtements de cérémonie de l'empereur, et même une couronne en plumes de toucan d'Amazonie. Les photographies de la famille royale montrent pourtant que le deuxième et dernier monarque du Brésil était plus à l'aise dans des costumes de coupe classique que dans ses atours impériaux.

Les héritiers de Pierre Ier

En face du palais, de l'autre côté de la place, se trouve le pavillon royal qui est maintenant le domicile de l'héritier de l'empereur. Dom Pedro de Orleans e Bragança, l'arrière-petit-fils de Pierre II, en est le propriétaire. Sa demeure est fermée au public, mais on peut l'apercevoir parfois, devisant sur la place avec ses voisins.

La **Cathedral de São Pedro de Alcantara** est située en haut de l'Avenida 7 de Setembro. Commencée en 1884, il a fallu cinquante-cinq ans pour en achever la construction. De la cathédrale, un réseau de ruelles ombragées et pavées s'enfonce vers le quartier résidentiel de la ville. Petrópolis est célèbre pour ses maisons de couleur rose (dont certaines

La Praia do Forte à Cabo Frio.

appartiennent aux membres de la famille royale) et pour ses nombreux jardins et parcs à la végétation luxuriante.

Non loin de la cathédrale, dans la Rua Alfredo Pachá, s'élève le **Pálacio de Cristal**, édifié en 1879 à l'imitation du Crystal Palace de Londres. Il accueille aujourd'hui des expositions d'art. Tout près, vous trouverez la **Casa de Santos-Dumont** qui abrite les objets personnels du célèbre aviateur brésilien.

Santos-Dumont

Pour les Brésiliens, c'est Alberto Santos-Dumont qui a inventé l'aéroplane. C'est en 1906, alors qu'il habitait à Paris, qu'il effectua le premier vol propulsé homologué en Europe dans un engin conçu et réalisé par ses soins. Le célèbre vol des frères Wright avait eu lieu en 1903, mais ce n'est qu'en 1908 qu'il fut homologué.

Santos-Dumont lui-même a dessiné les plans de sa maison qui n'a qu'une seule pièce, pas de table ni de cuisine (il faisait livrer ses repas par l'hôtel voisin), pas d'escaliers ni de lit. Il y a, en revanche, de nombreuses étagères ainsi qu'une commode dont le plateau lui servait de lit. Santos-Dumont s'est suicidé en 1932 à cinquante-neuf ans, pour protester contre l'usage des avions pendant la guerre.

Vous poursuivrez votre visite par le **Quitandinha**, ancien hôtel de style normand, construit en 1945 pour accueillir un casino. Malheureusement, quelques mois après son inauguration, les jeux d'argent et de hasard ont été formellement interdits au Brésil, et l'hôtel a dû fermer ses portes. Il a été reconverti depuis lors en club privé, mais en téléphonant à l'avance, on peut y trouver un hébergement de tout confort.

Teresópolis

A une cinquantaine de kilomètres et à moins d'une heure de route de Petrópolis, se trouve la deuxième villégiature de montagne de Rio de Janeiro: Teresópolis (cent quinze mille habitants). Baptisée d'après l'épouse de Pierre II, l'impératrice Tereza Christina, Teresópolis a été construite dans les années 1880. Cette ville pittoresque s'accroche à la Serra Flumineuse à 900 m de hauteur. De là, on découvre au loin la baie de Guanabara et le spectaculaire **Parque Nacional da Serra dos Orgãos**.

Le parc, avec ses larges pelouses, ses fontaines en pierre et ses patios ombragés, s'étire sous la garde de pics élevés. Le **Dedo da Nossa Senhora** culmine à 1 320 m, la Nariz do Frade à 1 920 m, l'Agulha do Diabo à 2 020 m, tandis que le sommet le plus haut, **Pedra do Sino**, s'élève à plus de 2 200 m au-dessus du niveau de la mer. Le sommet le plus étonnant reste néanmoins le **Dedo de Deus** (Doigt de Dieu) que l'on peut apercevoir de Rio par beau temps.

Ci-dessus, l'impératrice Tereza Christina, ci-dessous, boutiques dans une rue pavée de Paraty ; ci-contre, étape dans une baie tranquille près d'Angra.

ASSICURAZIONI GENERALI
DI TRIESTE E VENEZIA

GARBO
MODA MASCULINA

SÃO PAULO

São Paulo est une ville aux multiples visages. Cette New York de l'Amérique latine abrite plus de groupes ethniques que n'importe quelle autre agglomération de la région. Avec ses dix millions d'habitants, elle occupe la quatrième place mondiale derrière Shanghai, Mexico et Tokyo. Son vaste parc industriel, l'un des plus grands et des plus modernes au monde, atteste de son extraordinaire dynamisme, tout comme ses élégants immeubles et villas témoignent de l'incroyable richesse de ses classes supérieures.

Comme New York, São Paulo est une ville de contrastes. Si elle est, d'une part, le centre industriel et financier du pays, elle est aussi le siège de nombreux bidonvilles. Cinq millions de *Paulistas* ainsi que se nomment les habitants de São Paulo, s'entassent dans des baraquements et des HLM sordides, les *cortiços*, où il n'y a qu'une seule salle de bains pour cent personnes, et où les enfants jouent dans la boue et les ordures des arrière-cours.

Les banlieues ouvrières sont insuffisamment urbanisées et leurs égouts sont plus que rudimentaires. La moitié de la population ne survit qu'avec un revenu inférieur ou égal à 600 francs par mois.

Pourtant, São Paulo est la ville où tout est possible, et les plus démunis ont toujours une chance de sortir de leur condition.

Les immigrants : le fer de lance de la population

Près d'un million de *Paulistas* sont d'origine italienne, et autant sont d'origine espagnole. On compte aussi à São Paulo plus de cent mille *Paulistas* d'origine allemande, cinquante mille d'origine russe, cinquante mille d'origine arménienne, cinquante mille autres *Paulistas* sont originaires des Balkans et de l'Europe centrale.

Comme dans les villes américaines, ces communautés forment généralement les classes moyennes, tandis que les réfugiés des régions rurales forment les classes inférieures. Près de deux millions de *Paulistas* sont des immigrants, ou des descendants d'immigrants du Nordeste brésilien.

São Paulo compte également une importante communauté d'origine japonaise (six cent mille), et de diverses origines asiatiques (cent mille). Contrairement aux autres métropoles brésiliennes, les Noirs et les *mulattos* représentent moins de 10 % de la population de la ville.

Le catholicisme n'est pas la religion dominante à São Paulo où près du tiers de la population se réclame de cultes différents : shinto et bouddhisme pour les Orientaux, islam pour la communauté libanaise (environ un million de personnes) et judaïsme. Même parmi les catholiques romains les différences sont grandes, puisque l'office est célébré chaque dimanche dans plus de vingt-six langues.

L'État de São Paulo est le plus peuplé (trente et un millions d'habitants), le plus diversifié économiquement et le plus riche du Brésil. Il comprend des industries mais aussi de nombreuses stations balnéaires, capables de rivaliser de beauté et de luxe avec les plus belles plages de Rio de Janeiro, des montagnes et de larges plaines fertiles.

Cet État est la locomotive du Brésil. Avec 22,5 % de la population totale, il a payé plus de 39 % de l'impôt fédéral en 1986, consommé 29,2 % de l'énergie électrique, acheté 38,5 % de la production automobile et communiqué par l'intermédiaire de plus de quatre millions de lignes téléphoniques, soit 39 % du total brésilien.

La moitié des groupes industriels brésiliens sont membres de la fédération industrielle d'État (Fiesp). La moitié des vingt plus grandes entreprises privées, ainsi que la moitié des vingt plus grands établissements bancaires privés, ont leur siège dans l'État de São Paulo.

Le développement récent de São Paulo s'est effectué à une vitesse fulgurante. Pendant les trois premiers siècles et demi de l'histoire du Brésil, São Paulo n'était qu'un petit village sans intérêt, n'abritant qu'une poignée de pionniers et d'aventuriers.

São Paulo vu du ciel ; une fresque ur les murs de la ville. Ci-contre, bain e soleil sur la terrasse d'un building.

Les origines

Cinquante ans après la découverte du Brésil, deux courageux jésuites, José de Anchieta et Manuel da Nóbrega partirent à la conquête de l'intérieur du pays, la colonisation s'étant jusqu'à ce jour limitée à la côte. Après avoir franchi une haute barrière de montagnes ils arrivèrent sur le plateau de Piratininga, à 70 km de la colonie de São Vicente fondée en 1532. Situé à 750 m d'altitude, ce haut plateau bien irrigué et qui de plus bénéficait d'un climat bien plus agréable que Rio attira les deux missionnaires qui décidèrent alors d'y construire sept villages. L'un de ces villages, créé le 25 janvier 1554, reçut le nom du saint fêté ce jour-là: Saint-Paul ou São Paulo. Le traditionnel dynamisme de São Paulo trouve sans doute ses racines dans l'isolement de ces premières colonies, tellement éloignées des centres administratifs et commerciaux du Nord-Est, qu'elles apprirent vite à devenir autonomes.

Comme les vicissitudes de la vie sur le haut plateau séduisaient peu d'Européennes, les colons prirent des concubines indiennes et donnèrent le jour à une solide race de métis, habitués aux privations et peu attachés au Portugal.

Deux générations plus tard, les *bandeirantes* faisaient leur apparition à São Paulo, faisant de ce nouveau petit village le point de départ des pionniers qui partaient à la recherche de l'or. De leurs origines indiennes, ils avaient gardé d'incroyables capacités de survie et l'aptitude à lire les traces sur le sol, et de leurs pères portugais, ils avaient hérité la soif du gain et la tendance au nomadisme qui les poussa à explorer la moitié de leur continent.

Les *Paulistas* d'aujourd'hui expliquent leur vocation capitaliste par l'individualisme forcené de leurs intrépides ancêtres. Pendant deux siècles, les *bandeirantes* ont exploré l'Amazonie, défendant leurs frontières contre les incursions espagnoles, découvrant l'or et les diamants dans le Minas Gerais, l'État de Goiás et le Mato Grosso, capturant des Indiens pour les faire travailler dans les plantations de canne à sucre de la côte.

L'individualisme des *bandeirantes* s'est transmis à la vie politique du XIXe siècle. Les *Paulistas* sont très fiers que la déclaration d'indépendance ait été prononcée par le prince-régent, Pierre Ier, sur le sol de leur État, dans une ville nommée Ipiranga, le 7 septembre 1822. Par la suite, Pierre Ier a toujours été largement influencé par ses conseillers *paulistas*. Plus tard, en 1889, ce sont encore les *Paulistas* qui dirigèrent la lutte contre l'esclavage et permirent d'établir la république.

La croissance économique

Les affaires sont la véritable vocation de São Paulo. Attirés par la croissance de l'industrie textile britannique, les planteurs *paulistas* cultivèrent d'abord le coton au début du XIXe siècle. Toutefois, en l'absence d'esclaves, les plantations souffrirent rapidement d'un manque de main-d'œuvre et de plus leur production fut largement écrasée par la concurrence américaine.

La guerre civile aux États-Unis entraîna une brève reprise des ventes brésiliennes à la Grande-Bretagne, en raison du blocus de tous les ports confédérés. Mais dès la fin de la guerre, les exportations de coton baissèrent de nouveau. Les planteurs *paulistas* effectuèrent alors une série d'investissements habiles destinés à faire de leur État le plus riche du Brésil.

Avec l'argent du coton, ils se lancèrent dans la culture du café, un produit de plus en plus recherché, et pour lequel il n'y avait encore qu'une concurrence minime. Les conditions climatiques et le sol rouge, la *terra roxa* de São Paulo se révélèrent idéales pour la croissance du fragile caféier.

En moins de dix ans, le café dépassa le coton en termes de rentabilité. Dans le même temps, les planteurs décidèrent de résoudre une fois pour toutes le problème crucial du manque de main-d'œuvre. Dès le début des années 1870, des commissions d'État aidées par des agents privés lancèrent une campagne systématique pour attirer dans leur État des colons européens. Entre 1870 et 1920, cinq millions d'immigrants sont ainsi venus s'installer dans la région.

L'argent du café permit le développement du petit village de São Paulo de

Piratininga. Pendant les premières années du XXe siècle, des constructions modernes le transformèrent rapidement en métropole. Parallèlement, les « barons du café » commencèrent à chercher de nouveaux secteurs d'investissement pour se protéger d'une baisse possible des prix mondiaux du café.

Comme toujours, leur stratégie a été celle de la diversification, vers l'industrie cette fois. Leurs atouts: une élite dynamique et novatrice, un large capital dégagé des ventes du café, un réseau ferroviaire moderne, un port de première classe, une main-d'œuvre qualifiée et d'importantes sources d'énergie hydroélectrique grâce au réseau fluvial de la Serra do Mar.

Toutes les conditions étaient réunies pour faire de São Paulo le géant industriel et financier que l'on connaît. La Première Guerre mondiale fut un merveilleux détonateur: la baisse des importations de produits manufacturés en provenance d'Europe laissa un grand vide, rapidement comblé par la classe montante des entrepreneurs brésiliens. De plus, la crise des années 30 entraîna d'importants mouvements migratoires du nord du pays vers le sud. Les nouveaux venus furent immédiatement absorbés par des industries en pleine expansion: il y avait trois cent trente-quatre usines en 1907, vingt-trois mille en 1972, aujourd'hui on en compte plus de trente-six mille, et 45 % de la main-d'œuvre ouvrière se concentre dans l'agglomération de São Paulo.

Du début des années 60 à la fin des années 70, la ville de São Paulo a connu une extraordinaire explosion démographique, due essentiellement à la migration, avec l'arrivée de plus de mille nouveaux résidents par jour.

Voici quelques chiffres comparatifs pour illustrer la rapidité de la croissance démographique de São Paulo: en 1872, São Paulo était la neuvième ville du Brésil avec trente-deux mille habitants. Rio de Janeiro était déjà une métropole de plus de deux cent soixante-seize mille habitants. En 1890, São Paulo occupait la quatrième place, avec soixante-cinq mille résidents, contre un demi-million pour Rio. Dès 1920, São

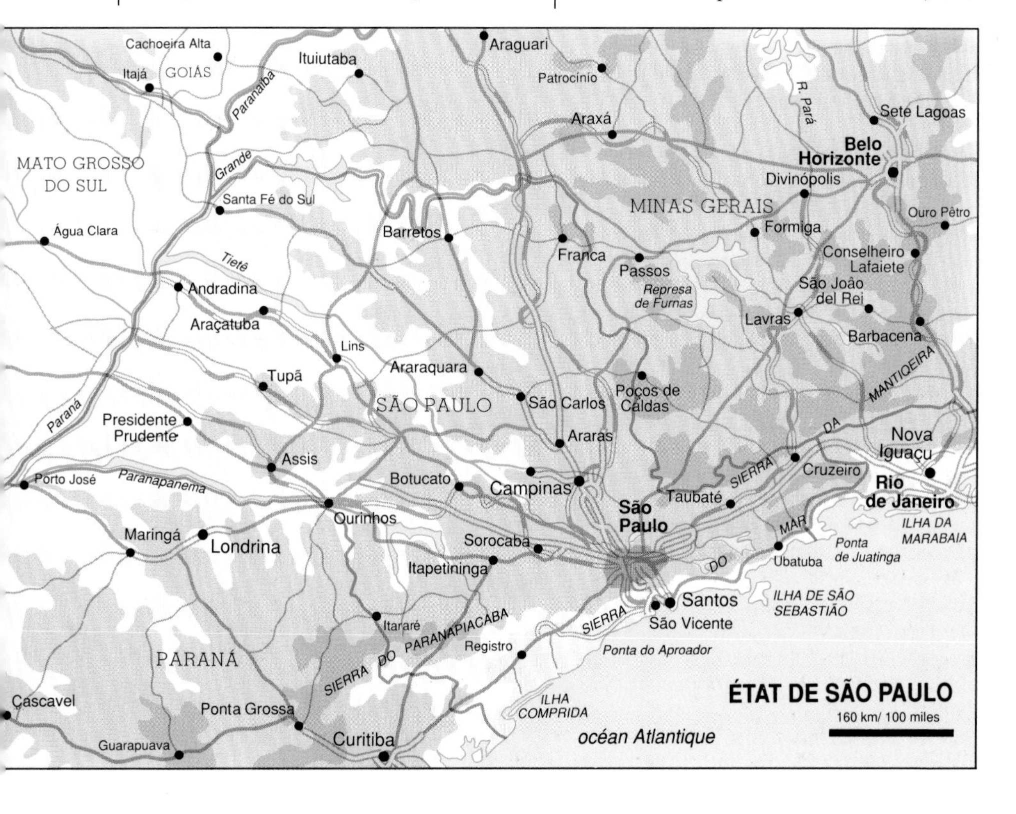

Paulo atteignait les cinq cent soixante-dix-neuf mille habitants et se plaçait en deuxième position derrière Rio qui comptait alors une population de plus d'un million. En 1954, São Paulo dépassait Rio de Janeiro et devenait la plus grande ville du Brésil. En 1960, sa population était de près de quatre millions contre trois millions et demi pour Riode Janeiro, et en 1980, elle passait à huit millions et demi alors que Rio était loin derrière avec cinq millions de résidents.

Depuis 1984, São Paulo a dépassé le chiffre fatidique des dix millions d'habitants, auquel il faut encore ajouter les six millions de personnes résidant dans la banlieue de São Paulo — soit cinq fois la population parisienne. A l'aube du XXIe siècle cette métropole comptera certainement plus de dix-huit millions d'habitants.

L'esprit d'indépendance

La tradition d'indépendance politique et intellectuelle de São Paulo s'est perpétuée au XXe siècle. En 1924, l'un des premiers mouvements de révolte contre le conservatisme de l'ancienne république a été dirigé par de jeunes officiers de São Paulo.

En 1932, l'État tout entier s'est mobilisé dans une guerre civile de trois mois pour protester contre l'interventionnisme de plus en plus important du gouvernement fédéral dans ses affaires. La révolte a été écrasée par le président Getúlio Vargas, mais il savait qu'il ne pourrait jamais gouverner sans le consentement des *Paulistas*.

Les *Paulistas* ont également formé l'avant-garde d'un mouvement intellectuel nationaliste qui a vu le jour en 1922. Cette année-là, le gouvernement avait organisé une grande exposition à Rio de Janeiro pour célébrer le centième anniversaire de l'indépendance. Un groupe d'artistes et d'écrivains décida de boycotter cette manifestation officielle en organisèrant une « Semaine de l'Art moderne » pour contrecarrer l'exposition organisée au théâtre municipal de São Paulo.

La génération d'intellectuels qui allaient dominer le monde littéraire et artistique brésilien du XXe siècle — le peintre Anita Malfatti, l'écrivain Mário de Andrade, le critique Oswald de Andrade, le sculpteur Victor Brecheret et le compositeur Heitor Villa-Lobos — s'insurgèrent contre « l'imitation servile » des tendances artistiques françaises et anglaises, et luttèrent pour la « brésilianisation du Brésil ».

Les objectifs du mouvement de 1922 n'ont jamais été complètement atteints, même à São Paulo. Pourtant, le mélange continu d'éléments disparates, d'ancien et de moderne, d'étranger et d'indigène, fait bien tout le charme de cette ville. Aucune autre métropole d'Amérique latine n'est aussi flamboyante et cosmopolite que São Paulo.

La vieille ville de São Paulo

Le centre originel de São Paulo consiste aujourd'hui en une esplanade aérée et une poignée de constructions aux murs blanchis, le **Pátio do Colégio**. C'est à cet endroit que les jésuites José de Anchieta et Manuel da Nóbrega fondè-

Le building de la Copan dans le centre de São Paulo.

rent la mission de **São Paulo de Piratininga** en 1554. La plupart des maisons ainsi que la chapelle ont été consolidées lors des grands travaux de restauration effectués dans les années 70. La **Casa de Anchieta** est un musée consacré à l'histoire de la fondation de la ville, et expose des objets de la vie quotidienne des premiers colons. Aujourd'hui, la plupart des manifestations politiques et syndicales ont lieu sur le Pátio do Colégio.

Il a fallu presque un siècle pour que la modeste colonie de São Paulo commence à s'étoffer. En 1632, l'**Igreja do Carmo** fut construite à 200 m seulement de la chapelle d'Anchieta, juste derrière l'actuelle Praça da Sé. Sa belle façade, de style baroque, a été admirablement préservée.

L'**Igreja São Francisco**, de style colonial, fut édifiée en 1644 à la périphérie du village, à 400 m environ du Pátio do Colégio. Un couvent lui fut ajouté en 1647. On peut y admirer des sculptures sur bois, des dorures de l'époque coloniale et surtout quelques belles peintures portugaises. L'**Igreja de Santo Antônio**, commençée en 1592, puis détruite et reconstruite par deux fois, fut finalement achevée en 1717. Elle se trouve à mi-chemin entre le Pátio do Colégio et l'église São Francisco. Récemment restaurée, sa façade baroque jaune et blanc offre un contraste saisissant avec le gris terne des hauts buildings qui l'entourent.

Jusqu'au milieu du XIXe siècle, ce quartier, qui ne comprenait qu'une douzaine de rues, formait à lui seul la « ville » de São Paulo. L'inauguration en 1868 de la voie de chemin de fer reliant Jundiai à Santos changea pour toujours le visage de São Paulo. Briques rouges et fer forgé se sont peu à peu insinués dans le paysage urbain, tandis que des dizaines d'ateliers et d'entrepôts sortaient tous les jours de terre, le long de la voie ferrée.

La culture du café allait entraîner une deuxième poussée de croissance. De 1892 — date à laquelle le premier pont en fer fut construit à travers la **vallée de l'Anhangabau**, où l'on plantait

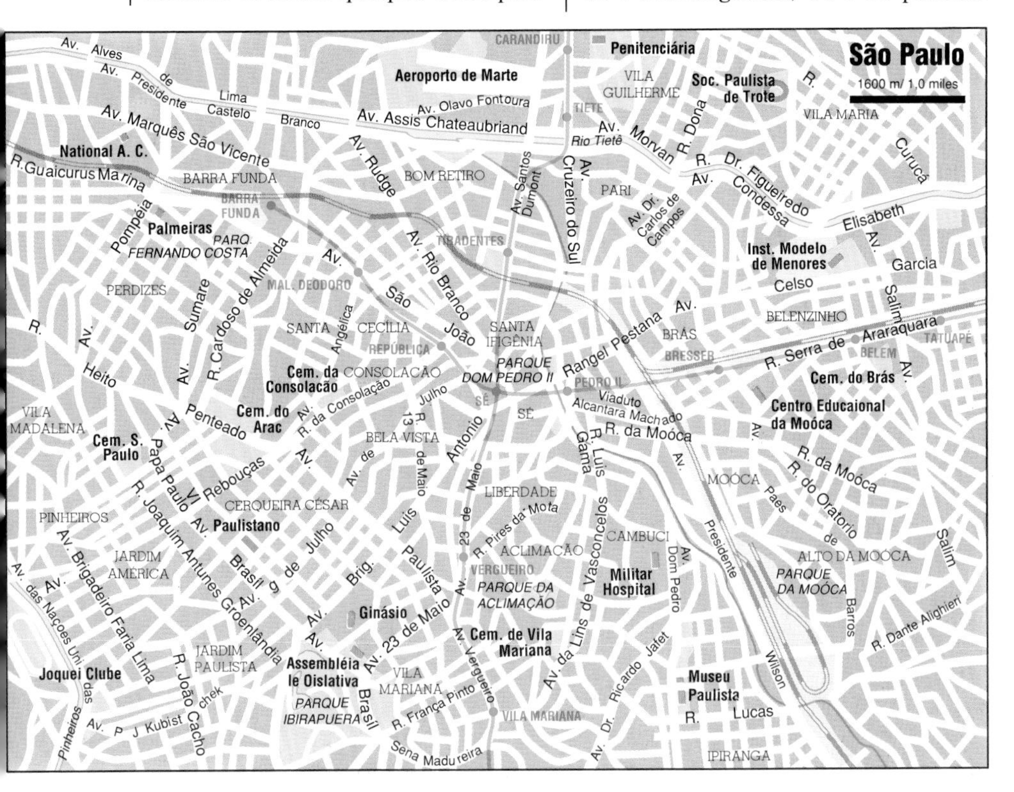

jadis le thé — jusqu'à la fin des années 20, de nouveaux quartiers d'affaires se construisirent à la périphérie de la ville.

Les « barons du café » ont été les premiers à venir s'installer dans la partie nord de l'Anhangabau, dans un quartier baptisé **Campos Elíseos**. Certaines de leurs demeures (appelées *palacetes* ou petis palais), de style Art nouveau, entourées de hautes grilles en fer forgé, existent encore, mais l'endroit, autrefois superbe, n'est plus que l'ombre de son glorieux passé. Plus tard, d'autres propriétés ont été construites dans le quartier voisin d'**Higienópolis**, puis le long de l'élégante Avenida Paulista.

Dans le même temps, des milliers d'immigrants — Italiens, Portuguais, Espagnols, Allemands, Libanais et même Japonais — arrivant de tous les pays du monde s'installaient dans les quartiers ouvriers qui proliféraient autour du cœur originel de São Paulo.

Les quartiers de Vila Inglesa et de Vila Economizadora, avec leurs rangées proprettes de maisons et de boutiques en briques rouges, témoignent encore de l'effort de la municipalité pour résoudre, en vain, le problème crucial du logement. Lorsque débuta l'expansion industrielle de São Paulo, les immigrants italiens, japonais et portugais furent contraints de s'entasser dans les quartiers pauvres de Bras, Bom Retiro, Bela Vista et Liberdade à la périphérie de la ville.

Les quartiers étrangers

Le quartier de **Liberdade**, situé juste derrière la Praça da Sé, a gardé intactes ses origines japonaises, à tel point que les panneaux des rues portent des indications en japonais et que les cinémas ne programment que des films japonais en version originale.

Bela Vista, communément appelé **Bixiga**, est aujourd'hui le quartier italien de São Paulo. La Rua 13 de Maio, au cœur du quartier de Bixiga, est bordée par des rangées de *cantinas* rouges et vertes et d'agréables maisons particulières de deux étages. L'église paroissiale **Nossa Senhora Achiropita**, véritable

Le parc d'Ibirapuera est la promenade favorite des Paulistas.

basilique miniature, dotée de gracieuses colonnades et d'une vaste coupole, réunit chaque dimanche tous les Italiens du quartier.

Achiropita est le site d'un festival qui a lieu tous les ans au mois d'août, et qui célèbre le vin, les pâtes et la musique. La Rua 13 de Maio est alors interdite aux voitures et des milliers de personnes s'y retrouvent pour danser, boire (plus de 5 000 litres de vin sont en général consommés) et manger (trois tonnes de spaghettis et quarante mille pizzas sont englouties).

Le quartier de Bixiga, situé dans Bela Vista, doit son surnom particulier au marché qui vendait autrefois des abats — *bixiga* signifie vessie en portugais — aux immigrants trop pauvres pour acheter régulièrement de la viande.

Bom Retiro, près de la gare de Luz, a conservé de nombreux vestiges de son passé arabe et libanais. La Rua 25 de Março est remplie d'ateliers et de magasins de tapis, qui évoquent étrangement les bazars orientaux. On y voit des marchands juifs, musulmans et chrétiens siroter leur café et deviser paisiblement comme si les tensions n'avaient jamais existé au Moyen-Orient.

Le quartier de **Bras** s'étire derrière Bom Retiro, tout autour de la gare de triage Roosevelt. Italien jusqu'au début du siècle, Bras abrite aujourd'hui les milliers d'immigrants arrivant du Nordeste. Ce sont les chauffeurs de bus de São Paulo, les terrassiers et les maçons aux mains noueuses et au sourire édenté.

Leur culture, enrichie de folklore brésilien, explose à tous les coins de rues. Chaque nuit, sur la Praça da Sé, les *Nordestinos* se réunissent pour jouer de l'accordéon.

Pendant la journée, les *repentistas*, des joueurs de guitare, improvisent des mélodies à la demande des badauds sur l'**esplanade São Bento**. Les danseurs de *capoeira* de Bahia évoluent au son mystérieux du *berimbau* devant la station de métro Anhangabau. Sur la **Praça do Patriarca**, un vieux *Nordestino* propose ses peaux d'alligators, ses élixirs et ses épices d'Amazonie aux nombreux promeneurs.

Une rue animée de São Paulo.

LIBERDADE : UN PETIT AIR DE TOKYO

Un haut portique rouge, appelé *tori*, surmonte l'avenue principale du quartier. A côté, on aperçoit une végétation luxuriante et l'arche gracieuse d'un petit pont de pierre, dans un jardin soigneusement entretenu, appelé *hashi*. Derrière le portique, quatre cent cinquante portails plus petits s'alignent à distance régulière jusqu'à perte de vue.

Le long des rues adjacentes, plusieurs cinémas présentent des films en japonais. Des marchands ambulants aux visages ridés vendent de petits bouquets de fleurs aux promeneurs. Des plaques en cuivre, apposées aux façades des immeubles, annoncent des centres d'acupuncture et de méditation. On peut également y suivre des cours de judo, d'arrangement floral et de cérémonie du thé. Les panneaux indicateurs sont même écrits en japonais. Bienvenue à Liberdade, le quartier japonais de São Paulo.

Les habitants de Liberdade ont le choix entre trois quotidiens en langue japonaise, et peuvent s'approvisionner en délicatesses orientales dans les nombreuses épiceries du quartier. Certains prétendent que Liberdade est plus japonais que Tokyo, trop largement occidentalisée. C'est un endroit perdu à la fois dans le temps et dans l'espace.

Le quartier, centralisé autour de la Rua Galváo Bueno, juste derrière la cathédrale de São Paulo, est né en 1908. Le 18 juin de cette année-là, le vapeur *Kasato Marua* accosta dans le port de Santos avec huit cent trente Japonais à son bord. Les immigrants, presque tous des fermiers, avaient fui les mauvaises récoltes et les nombreux tremblements de terre de leur île natale.

Grâce à de nombreux prêts consentis par une société de développement japonaise, la plupart des cent soixante-cinq familles débarquées du *Kasato Marua* purent fonder de modestes exploitations agricoles dans l'intérieur de l'État de São Paulo. Plus tard, certains d'entre eux

La communaut japonaise à l'honneur au musée d'Art de São Paulo.

s'installèrent dans le Mato Grosso, et même en Amazonie, où ils se lancèrent, avec succès, dans la production de jute et de piments.

Au cours des cinquante années suivantes, plus de deux cent cinquante mille Japonais suivirent l'exemple de ces premiers expatriés. Toute l'histoire de la communauté japonaise au Brésil est retracée en détail au **musée de l'Immigration** de Liberdade, situé dans la Rua São Joaquim.

C'est dans les années 40 que Liberdade est vraiment devenu le quartier oriental de São Paulo, lorsque les fils, *nissei*, et les petits-fils, *sansei*, des premiers immigrants se lancèrent dans le commerce. A l'heure actuelle, près de cent boutiques de produits japonais divers répondent aux besoins des habitants, mais aussi des touristes.

Certains magasins, comme Casa Mizumoto et Minikimono, proposent un large éventail d'articles, des petits bouddhas en plastique, de délicates statuettes d'ivoire, des vases peints à la main et des assortiments de *furin*, ou « clochettes du Bonheur », qui éloignent les mauvais esprits par leur tintement. Dans la Rua Galváo Bueno, le magasin O Oratório s'est spécialisé dans la vente d'autels en bois laqué pour les adorateurs de Bouddha. C'est dans une atmosphère feutrée que les vendeurs dévoilent aux clients les impressionnantes rangées de très beaux autels portatifs en or ou en bronze.

Le commerce s'étend également aux pierres semi-précieuses du Brésil, serties dans de rustiques anneaux de bois, ou artistement ouvragées.

Un avant-goût de cuisine japonaise

Une visite à Liberdade comprend une étape obligatoire dans l'un de ses nombreux restaurants. Hinadé, Yamaga et Kokeshi servent des spécialités japonaises sur des tables basses en bois. On y mange indifféremment avec des baguettes ou avec une fourchette et un couteau. Les établissements plus grands disposent en général de leurs propres bars à *sushi*. Les meilleurs se trouvent dans les hôtels Banri, Osaka et Nikkey Palace, dans la Rua Galváo Bueno.

Pour une première approche de la cuisine japonaise, on choisira un *okonomi yaki*, beignet de crevette, de porc ou de poisson, un *sukiyaki*, plat de viande et de légumes nappé de sauce, ou encore un *lobatazaki*, brochette de viande ou de poisson grillé. Les plus audacieux pourront essayer des plats nettement plus exotiques comme le *unagui*, de l'anguille servie avec une sauce aigre-douce, ou le *kocarai*, de la carpe crue. Crevettes, poisson cru, pâtés d'algues, champignons et saumon, sont traditionnellement servis à l'apéritif. Des plats de calmars figurent également sur tous les menus.

Si le quartier est essentiellement japonais, il abrite néanmoins quelques très bons restaurants chinois, tout à fait capables de rivaliser avec leurs meilleurs concurrents japonais.

Au marché oriental qui se tient tous les dimanches sur la **Praça Liberdade**, autour de la station de métro, des dizaines d'étals vous proposent de nombreux échantillons de cuisine asiatique, crevettes, viande et poisson grillés. Le marché, qui s'étend jusque dans les rues adjacentes, propose également des produits d'artisanat, vendus pendant la semaine dans les grands magasins. Cependant, les importations sont limitées, mesure destinée à stimuler la production locale.

A première vue, la vie nocturne à Liberdade, semble très calme. Seuls quelques rares piétons arpentent les rues et la circulation est presque inexistante. Tout se passe à l'intérieur. Certains des plus grands restaurants accueillent chaque soir des musiciens revêtus de costumes aux couleurs éclatantes, qui accompagnent les dîneurs de musique japonaise traditionnelle.

Tout près de la station de métro, quelques discothèques bruyantes, comme le Yuri et le Tutu, présentent des spectacles de strip-tease. Non loin, sur l'Avenida Liberdade, le Liberty Plaza Club offre un mélange surprenant de spectacles érotiques, de rock'n roll, de bars à *sushi* et de billards.

De nuit comme de jour, Liberdade est un quartier plein de vie, de couleurs et de surprises étonnantes. Ce qui frappe le plus les visiteurs, c'est l'impression de dépaysement total. Le Brésil semble bien loin.

Le centre historique

La croissance rapide de São Paulo a entraîné une transformation profonde du centre historique. La gare de **Luz**, faite de briques et de fer forgé, dotée d'une horloge de style anglais et entourée de vastes jardins, a été inaugurée en 1901. L'imposant bâtiment du bureau de poste central a été construit en 1920 dans l'Avenida São João. La même année, le diocèse de São Paulo a fait détruire une ancienne cathédrale branlante datant du XVIIIe siècle pour la remplacer par l'actuelle **Basilica da Nossa Senhora da Assunção**, dont la façade gothique et les flèches n'ont été terminées qu'en 1954.

En 1929, la communauté italienne inaugurait le premier symbole de sa réussite, le **Building Martinelli**, haut de trente étages. Les années d'après-guerre ont vu la construction de la **Banco do São Paulo**, pure imitation de l'Empire State Building de New York. C'est en 1965 que le plus haut gratte-ciel d'Amérique latine, l'**Edifício Itália** (quarante-deux étages) a ouvert ses portes.

Le **Teatro Municipal**, mélange d'Art nouveau et de Renaissance italienne, est l'œuvre de l'architecte brésilien Francisco Ramos de Azevedo qui dirigea également la construction du **Marché municipal**, au début des années 30, dans un pur style gothique. Le théâtre, inauguré en 1911, a depuis lors accueilli une pléiade d'artistes célèbres. Isadora Duncan, Ana Pavlova et Enrico Caruso se sont produits sous les feux du lourd chandelier de cristal, illuminant de leur charisme l'impressionnant décor de marbre, de bronze et d'onyx.

Au début des années 40, São Paulo s'agrandit encore; à la périphérie de la ville, de nombreux quartiers commerciaux et résidentiels furent construits. Les élégants immeubles d'Higienópolis et de Jardim, au sud de l'Avenida Paulista ont rapidement attiré les classes moyennes et supérieures. Aussi, à 2 km de là, de nouvelles constructions — immeubles de bureaux, résidences et centres commerciaux — sortirent de terre, quelques années plus tard, pour se regrouper autour de l'Avenida Faria Lima.

Dans les années 70, São Paulo, abritant un nombre d'habitants toujours croissant, se voit obligé d'enjamber le **fleuve Pinheiros**, pour donner naissance au nouveau quartier chic de **Morumbi**, niché dans les collines. C'est là que se trouve aujourd'hui la résidence officielle du gouverneur de l'État.

Les parcs et les musées

Si les habitants de São Paulo sont réputés pour leur ardeur au travail, ils savent néanmoins trouver du temps pour leurs loisirs. Les parcs et les musées de la ville attirent chaque jour un grand nombre de visiteurs.

Un immeuble à l'architecture très audacieuse — un caisson de verre installé sur quatre pilliers — abrite le **MASP**, **Museu de Arte de São Paulo**. Ce musée, l'un des plus intéressants d'Amérique latine est le joyau culturel de la ville. On pourra y admirer la superbe collection d'œuvres d'art d'un journaliste richissime, Assis Chateaubriand. Près de mille œuvres, de la Grèce antique au Brésil

L'Obélisque de São Paulo.

moderne, sont visibles par roulement lors d'expositions partielles. Poussin, Fragonard, Raphaël, Bosch, Holbein, Rembrandt, Gainsborough, Constable, Delacroix, Monet, Van Gogh, Goya, Reynolds, Lautrec, Renoir, Cezanne et Picasso ne sont que quelques-uns des plus grands artistes européens qui y sont exposés. L'école brésilienne des XIXe et XXe siècles est également très bien représentée, avec notamment des toiles d'Almeida Júnior, Pedro Américo, Portinari, Di Cavalcanti et Tarsila do Amaral.

L'une des grandes originalités de ce musée, mise à part son architecture étonnante, est la diposition ingénieuse des tableaux : les toiles sont suspendues, donnant à l'ensemble une impression de surréalisme.

La **galerie d'Art de l'État de São Paulo**, bâtiment néo-classique conçu par Ramos de Azevedo, est située derrière la gare et le parc de Luz, et rassemble des œuvres d'artistes brésiliens. Les sculptures de Vitor Brecheret, et une toile d'Almeida Júnior représentant une jeune fille lisant devant une rangée de palmiers, forment le clou de l'exposition.

En face de la galerie d'Art de São Paulo, dans l'Avenida Tiradentes, se trouve le **Museu de Arte Sacra**, qui réunit la plus importante collection d'objets et d'œuvres d'art de l'époque coloniale. Le musée est installé dans l'ancien monastère de Luz, construit en 1774, mais certaines parties de l'édifice datent du XVIIe siècle. Les portraits à l'huile des premiers évêques de São Paulo, les autels baroques, les oratoires peints rococo, les somptueuses sculptures de Frei Agostinho de Jesus, de Francisco-Xavier de Brito et de son illustre élève Aleijadinho l'« handicapé », ainsi que les superbes pièces d'orfèvrerie, font de ce musée d'art religieux le plus important de tout le Brésil.

A Morumbi, en face du **palais du Gouverneur**, se trouve la **Fondation Oscar Americano**, située dans un agréable cadre de verdure. A sa mort, en 1974, Americano, architecte et collectionneur célèbre, légua sa propriété à la ville. La discrète demeure de verre et de pierre

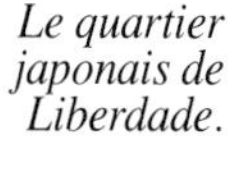

Le quartier japonais de Liberdade.

abrite des œuvres de Di Cavalcanti, Portinari, Guignard et de beaucoup d'autres artistes. Le dimanche après-midi, des quatuors à cordes et des solistes se produisent dans le petit auditorium adjacent.

Le **Museu Ipiranga**, d'inspiration néoclassique, se trouve dans une banlieue tranquille, là où Pierre Ier déclara l'indépendance du Brésil le 22 septembre 1822. Une statue équestre se dresse à l'endroit même où l'empereur clama *« l'indépendance ou la mort »* devant une petite assemblée. Ses restes sont enterrés aux pieds de la statue de bronze. Le musée abrite une collection hétéroclite d'objets historiques et scientifiques, les objets personnels de l'empereur et de sa famille, du mobilier, des outils et des charrettes datant de l'époque coloniale. Au premier étage une immense toile représente le geste historique de Pierre Ier.

Sept galeries sont consacrées aux Indiens du Brésil, avec notamment une très intéressante collection de poteries précolombiennes de l'île de Marajó. Dans l'aile droite une exposition est consacrée à la guerre civile de 1932 et à l'aviateur Santos-Dumont — qui réalisa au début de ce siècle l'exploit de passer en avion sous la tour Eiffel.

Parque Ibirapuera est le parc le plus important de São Paulo, avec ses 160 ha de pelouses, d'arbres et de pavillons, aménagés en 1954 par l'architecte Oscar Niemeyer, à l'occasion du quatrième centenaire de la fondation de São Paulo. On y trouvera même un jardin pour non-voyants où le nom des fleurs et des plantes est inscrit en braille. Ses terrains de jeu et ses zones de pique-nique attirent chaque week-end plus d'un demi-million de *Paulistas*.

Tous les samedis après-midi se tient dans l'enceinte du Parque Ibirapuera une importante foire de l'artisanat.

A l'entrée du parc se dressent les deux monuments les plus célèbres de São Paulo, l'**Obelisco-Mausoléu de Herois**, haut de 72 m, élevé en l'honneur des héros de la guerre civile de 1932, et le **Monumento das Bandeiras** (créé par Victor Brecheret), élevé lui à la mémoire des expéditions coloniales des fameux

Zone piétonnière dans le centre de São Paulo.

bandeirantes, ces pionniers qui partirent de São Paulo à la conquête du Brésil. Les pavillons d'Ibirapuera abritent de nombreuses manifestations culturelles, en particulier la célèbre Biennale d'Art de São Paulo.

Depuis 1951, la Biennale de São Paulo est la plus importante manifestation artistique du monde. Le **Pavilion Bienal** accueille pendant deux mois — entre ocobre et décembre chaque année impaire — les nouveautés les plus excentriques en matière d'art et de musique. Le reste du temps, il est consacré à des foires industrielles ou culturelles. Le troisième étage abrite une exposition permanente de peintres brésiliens contemporains.

Non loin du Pavilion Bienal se trouve le **Museu de Arte Contemporânea**, qui expose les œuvres des peintres et des sculpteurs brésiliens les plus importants du XXe siècle. Une basse coupole de béton abrite le **Museu de Aeronautica**, dans lequel on peut découvrir les répliques des premiers aéroplanes construits par Albert Santos-Dumont.

L'**Instituto Butantá**, fondé en 1901, est l'un des meilleurs centres mondiaux pour l'étude des serpents venimeux et la mise au point de plusieurs vaccins et sérums, vendus au Brésil ainsi que dans plusieurs pays étrangers. Les quelque trente mille reptiles, araignées géantes et scorpions de l'institut, s'ébattent dans de grandes fosses, protégées par des vitres épaisses. Les visiteurs peuvent assister tous les jours à une opération très spectaculaire : l'extraction du venin.

São Paulo possède également l'un des plus grands zoos du monde, situé dans le **Parque Estadual das Fontas do Ipiranga**.

Avec ses trois mille cinq cents spécimens qui évoluent dans un environnement naturel et ses oiseaux tropicaux, le **Jardim zoológico** attire chaque année près de deux millions et demi de visiteurs. Le **Simba Safari** tout proche reçoit, quant à lui, près de mille visiteurs par jour, qui viennent admirer les lions en liberté, les singes, les cerfs et autres animaux sauvages. La visite se fait en voiture et, pour ne prendre aucun risque, le personnel ajuste des grilles en métal sur les vitres des véhicules à l'entrée du parc.

Les restaurants

São Paulo est une ville où les restaurants sont rois. Les *Paulistas* sont de fins gourmets qui apprécient la bonne chère sous toutes ses formes. A São Paulo il existe autant de spécialités culinaires que de groupes ethniques différents. La vie nocturne s'articule autour des meilleures tables de la ville.

Il serait vain de vouloir établir une liste exhaustive des restaurants de São Paulo, dont certains figurent parmi les meilleurs du monde.

C'est à Higienópolis que se trouve l'un des plus célèbres restaurants de cuisine italienne traditionnelle, le Jardim de Napoli. La famille Buconerba y fabrique elle-même ses *calabrese*, ses *fusilli* et ses *tartiglione* depuis 1950. La spécialité de la maison est un plat d'agneau aux aubergines.

Tous les dimanches, la douzaine de *cantinas* de la Rua 13 de Maio, dans Bixiga, se remplit de clients. Les plus populaires sont Roperto, La Tavola, Dona Grazia et Mexilhão.

Les Orelhãos *(ou grandes oreilles), les fameuses cabines téléphoniques publiques.*

La Casserole est un confortable restaurant de cuisine française traditionnelle. Il se situe près du marché aux fleurs du Largo do Arouche, dans le centre de la ville. Vous y dégusterez une excellente soupe de poisson et de très bons plateaux de fruits de mer, au milieu d'un jardin superbe.

La Cuisine du Soleil, dans l'hôtel Maksoud Plaza, est le meilleur restaurant français de la ville. Il est surtout réputé pour ses homards.

Ibirapuera est le quartier des restaurants allemands. Des brasseries bruyantes, du nom de Konstanz, Windhuk et Bismark, servent de copieuses assiettes de *eisbein* et de *kassler*.

Vous trouverez également à São Paulo d'excellents restaurants chinois comme le Sino-Brasileiro, dans une ancienne maison particulière à Perdizes, ou le Gengis Khan, situé à l'angle des avenues Redbouças et Faria Lima. Ce sont toutefois les restaurants japonais qui restent les préférés des amateurs de cuisine orientale. Il existe aussi quelques restaurants moins courants. Le Vikings, au Maksoud Plaza, propose des spécialités scandinaves, le Hungaria, dans le Jardim Paulista, sert un excellent goulache dans une vaste salle agrémentée d'une cheminée, tandis qu'à Itaim, près d'Ibirapuera, la Brasserie Victoria détient le titre de meilleur restaurant de cuisine arabe. C'est dans le quartier de Pinheiros, chez Zorba, que se réunit chaque dimanche la communauté grecque de São Paulo pour déguster la *musaka*.

Pour la cuisine occidentale, une visite au restaurant américain The Country Place s'impose. Le cadre rustique et le *chicken pot pie* vous donneront l'impression d'un dîner d'automne en Nouvelle-Angleterre

La cuisine brésilienne est elle aussi très bien représentée. Hormis les nombreuses *churrascarias*, il existe toute une variété de restaurants, tel le O Profeto. Installé dans le quartier Moema, près d'Ibirapuera, ce restaurant s'est spécialisé dans les plats de haricots, de poulet et de cochon du Minas Gerais.

Le Jardim Paulista abrite deux immenses steak-houses, The Place et le

Les luxueuses galeries du centre commercial d'Ibirapuera

Buffalo Grill, célèbre pour ses huîtres et ses pâtés spéciaux.

Mais où donc faire ses emplettes ?

Le deuxième passe-temps favori des *Paulistas*, après les restaurants, est le shopping. La Rua Augusta et la Rua Oscar Freire, à Jardim Paulista, forment le centre traditionnel de la mode féminine et masculine de qualité. Dimpus, Etcetera et Pandemoium y sont les boutiques les plus connues. Le Postiche vend de très beaux articles en cuir. La Vitrine Gallery, au 2530 Rua Augusta, comprend de nombreux magasins.

Au 2883 de la même rue, une étroite galerie de boutiques d'artisanat s'ouvre sur le quartier artistique de São Paulo, la Rua Padre João Manuel et la Rua Barão de Capanema. Vous y trouverez une douzaine de galeries, parmi lesquelles Dan et Remet, qui exposent les meilleures œuvres de peintres et de sculpteurs brésiliens contemporains.

Comme les habitants de Rio de Janeiro, les *Paulistas* ont une prédilection pour les centres commerciaux. Le plus élégant, mais aussi le plus cher, est le Morumbi, où l'on trouve de nombreuses boutiques de luxe, une patinoire et un aquarium géant, entrecoupés de magnifiques jardins intérieurs.

Les plus anciens centres commerciaux de São Paulo sont l'Iguatemi, sur l'Avenida Faria Lima et l'Ibirapuera, près du parc du même nom, toujours très fréquentés. Le plus moderne et aussi le plus populaire est l'Eldorado, une large structure de verre agrémentée de fontaines et de miroirs. Le dernier étage de l'Eldorado est réservé à des salles de concert, des cinémas, et des bars.

La vie nocturne : pubs, musique et danse

A São Paulo, la vraie vie commence à minuit. Des clubs privés comme The Gallery et Regine's, dans le secteur de Faria Lima, accueillent chaque soir le São Paulo mondain.

Pour des plaisirs moins huppés, les *Paulistas* se donnent rendez-vous à Bixiga. Il ne faut pas manquer le délirant Imelda Marcos, où les visiteurs sont accueillis par le sosie de l'ex-première dame des Philippines. Elle pousse même la ressemblance jusqu'à changer de chaussures tous les soirs. Non loin de là, le Madama Sata est le point de rencontre favori des punks et des marginaux en tous genres. Dans la Rua 13 de Maio, quelques *cantinas* plus tranquilles, comme le Café do Bixiga, l'Espaço Off, le Café Piu-Piu et le Soçaité, vous proposent d'écouter des groupes de jazz, de musique folklorique et de rock brésilien.

La jeunesse dorée se retrouve dans des discothèques extravagantes comme le Up and Down, avec ses cinq bars, sa piste de danse géante, sa machine à brouillard et son immense écran vidéo. The Roof, une boîte située près de Faria Lima, au vingt-deuxième étage d'une tour, permet de découvrir une vue étonnante de la ville. Pour ceux qui préfèrent savourer la musique à un niveau sonore plus raisonnable, les bars et les restaurants de la Rua Henrique Schaumann, à Pinheiros, sont ouverts tard dans la nuit. On y écoute essentiellement de la musique pop et folklorique brésilienne. Le Clube do Choro et le Cathedral do Choro sont les plus populaires.

Les pubs anglais sont également très fréquentés. La London Tavern, dans l'hôtel Hilton du centre, a été la première à s'établir à São Paulo. Clyde's et Blend, à Itaim, l'ont rapidement imitée.

Les *Paulistas* ont une prédilection pour les piano-bars. Le Baiuca à Faria Lima est le favori des célibataires. L'un des plus coquets est le San Francisco Bay, avec ses lumières tamisées et son décor de glaces teintées. L'Executive Piano Bar, au dernier étage de l'immeuble Itália, est plutôt bruyant, mais il jouit d'une vue incomparable sur la ville.

De nombreux artistes de classe internationale se produisent régulièrement à São Paulo. Au cours d'une même saison artistique typique, les ballets du Bolchoï, le Philharmonique de New York, Miles Davis, Sting, James Taylor et bien d'autres encore, peuvent se succéder sur les scènes du Centro Anhembi, du Ginasio do Esportes à Ibirapuera, du Teatro Municipal, ou du Palace Night Club à Moema. Le Palladium, au centre commercial l'Eldorado, et le 150 Night Club, au Maksoud, sont des salles de dimensions plus modestes.

São Paulo mène une compétition acharnée avec Rio en ce qui concerne les plaisirs classés X. Le quartier chaud s'étend de la Rua Augusta, près du Caesar Park Hotel, à la Rua Nestor Pastana, dans le centre. Le Kilt, le Puma Chalet, le Vagão et l'Estação proposent des go-go girls et des spectacles érotiques dans des décors surchargés de miroirs, de dorures et de strass.

Les autres se situent dans la Rua Bento Freitas, près du Hilton. A cinq rues de là, dans la Rua Major Sertório, se trouve la Licorne, réputée pour son cadre scintillant et ses spectacles érotiques osés.

Les stations de montagne

Comme les *Cariocas*, les habitants de São Paulo peuvent se reposer à la montagne ou au bord de la mer sans quitter leur État. **Campos do Jordão**, une ville située à 1 700 m d'altitude, est la station à la mode de São Paulo. En dépit de son éloignement relatif de la métropole (160 km), ses petits chalets, son climat vigoureux et son festival de musique attirent de nombreux visiteurs. Le festival, qui se tient pendant tout le mois de juillet, propose des programmes de musique classique et moderne dans l'Auditorium municipal. Tout près de là se trouve le **jardin Felícia Leirner**, avec de superbes statues de bronze et de granit.

Le centre de Campos do Jordão se compose de quelques rues bordées de chalets abritant des restaurants et des boutiques. L'artisanat local propose des objets en métal, en bois et en cuir, du mobilier rustique et des œuvres d'art primitif.

Le centre se trouve à proximité d'un lac tranquille, autour duquel on peut se promener en calèche ou encore dans un vieux trolley brinquebalant.

Autour du centre, cinquante-quatre hôtels accueillent les visiteurs. Ils sont entourés de douzaines de résidences privées, parmi lesquelles le **Boa Vista Palace**, le palais d'hiver du gouverneur. Une partie de la demeure abrite un musée qui expose du mobilier du XIXe siècle et quelques toiles d'artistes *paulistas*. A 12 km du centre, le **Pico de Itapeva** offre une vue impressionnante sur la vallée du Parabia, là où les premiers caféiers ont été plantés voilà plus d'un siècle

Plus près de São Paulo, à 60 km par l'autoroute São Paulo-Santo André, se trouve le village de **Paranapiacaba**, où le temps paraît s'être arrêté. Construit en 1867 par des cheminots britanniques, la gare et les maisons en briques rouges semblent sortir tout droit de l'Angleterre victorienne. Situé à 800 m d'altitude, le village était autrefois le terminus de la ligne de chemin de fer Jundiai-Santos. Un vieux train essoufflé grimpe jusqu'au sommet de la montagne, d'où l'on découvre une vue spectaculaire sur les plaines de Santos.

Cependant, Paranapiacaba (qui signifie « vue sur la mer » en tupi-guarani) n'est pas un endroit touristique. Il n'y a ni hôtel ni restaurant, seuls quelques étalages de fruits frais et de boissons. Un petit musée expose des wagons de chemin de fer du XIXe siècle.

La petite ville d'**Atibaia**, capitale des pêches et des fraises de São Paulo, sur l'autoroute Fernão Dias, est mieux équipée pour recevoir les visiteurs. Un festival y est organisé chaque hiver, où les fraises sont vendues sous toutes leurs formes, de la confiture à la liqueur.

A 820 m d'altitude, l'air vivifiant d'Atibaia change agréablement du smog de São Paulo. La Société brésilienne des amateurs d'astronomie, avec ses douzaines de télescopes et quelques observatoires miniatures, a élu domicile à Atibaia, en raison de la pureté de l'air propice à l'étude des cieux.

Le **Parque Municipal** d'Atibaia abrite des sources d'eau minérale, des lacs et un récent musée ferroviaire. Le **Museu Municipal**, construit en 1836, se situe près du centre. Il expose surtout des objets d'art religieux.

A la sortie d'Atibaia, deux grands hôtels, le Village Eldorado et le Park Atibaia, proposent à leurs clients de nombreux loisirs et activités sportives.

Les excursions

Le petite ville d'**Itu**, à 100 km de São Paulo par l'autoroute Castello Branco, est un autre paradis d'air pur.

Dans les années 70, la municipalité a lancé une campagne publicitaire pour encourager le tourisme. Son slogan était : « Tout est Grand à Itu ». Pour le prouver, des cabines téléphoniques et un feu rouge géants ont été installés sur la place, dans le centre, tandis que dans les restaurants, la bière était servie dans des chopes d'un litre.

Aujourd'hui, hormis les téléphones, rien ne subsiste de cette campagne, et les visiteurs peuvent savourer en toute quiétude les délices de la ville, le secteur piétonnier, bordé de coquettes maisons des XVIIIe et XIXe siècles, quelques magasins d'antiquités et deux musées. Le **musée républicain** abrite du mobilier et des objets des époques coloniale et impériale. Le **Museu de Arte Sacra** expose des objets d'art religieux et des œuvres d'un artiste local, Almeida Júnior.

Plus près de São Paulo, à 20 km seulement par l'autoroute Regis Bittencourt, se trouve **Embu**, petite ville historique, édifiée dans le style colonial du XVIIe siècle. Une intéressante foire d'artisanat se tient chaque dimanche sur la place du marché. On peut y acheter des céramiques, des articles en cuir ou en métal, des objets en bois, de la dentelle, des tricots et des batiks multicolores.

Dans le **Largo dos Jesuitas**, les sculpteurs sur bois pratiquent leur art en plein air. Les maisons du XVIIe siècle abritent aujourd'hui des magasins de meubles anciens et rustiques. La chapelle **Nossa Senhora do Rosário**, de style primitif, a été bâtie en 1690 par les Indiens. C'est dans son annexe que se trouve le musée d'Art sacré.

Des étals en plein air proposent aux promeneurs des bonbons à la noix de coco et des friandises de Bahia comme le *vatapa*. Par ailleurs, la ville dispose d'une douzaine de restaurants intéressants. Le Senzala, par exemple, occupe la terrasse supérieure d'une fort belle demeure coloniale. Non loin, l'Orixás sert des spécialités culinaires de Bahia et une excellente *feijoada*.

Le Patação est également spécialisé dans la cuisine brésilienne. Ses longues tables de bois sombre et sa grande chemi-

Boutiques et restaurants dans une rue piétonne de Campos do Jordão.

née restituent l'atmosphère des anciennes tavernes coloniales.

Les plages

Tout comme Rio, São Paulo possède quelques très belles plages. La côte s'étend sur 400 km, d'Ubatuba dans le nord, à Cananéia près de la frontière de l'État de Paraná.

Ubatuba, distante seulement de 70 km de Paraty, au sud de Rio de Janeiro, est une station balnéairetrès à la mode, réputée pour la pureté de ses flots. C'est l'endroit idéal pour la plongée sous-marine. La municipalité possède, sur 85 km de côte, plus de soixante-dix plages dont beaucoup demeurent désertes en raison de leur accès encore difficile. Des excursions en bateau permettent de visiter les ruines de la **prison Anchieta**, sur l'une des îles principales, et de découvrir les vestiges de la plantation de sucre **Lagoinha**, partiellement détruite par le feu au siècle dernier.

Caraguatatuba, à 50 km au sud d'Ubatuba par l'autoroute d'État 55, et à 190 km de São Paulo, compte autant de plages que sa voisine mais elle est moins richement pourvue en attractions historiques. Un hôtel de première classe, la Pousada Tabatinga, propose à ses clients de nombreuses activités sportives, y compris le golf.

Le pont de l'immigration mène vers la côte.

En continuant la descente vers le sud, on arrive à **São Sebastião**, une agréable petite ville historique, d'où partent les ferries pour Ilha Bela. Sa forêt tropicale, ses rochers, ses cascades et ses plages désertes en font l'une des îles les plus sauvages et les plus pittoresques de la côte.

Encore plus bas se trouve **Bertioga**, un tranquille petit village de pêcheurs. Le **Forte do São João**, avec ses murs blanchis et ses tours miniatures, monte la garde à l'entrée de l'étroite baie. Il a été édifié en 1547.

Encore plus au sud, on arrive à **Guarujá**, la station chic de São Paulo. La plupart des hôtels ont construit de petits villages de bungalows, directement sur la plage. Des serveurs vêtus de blanc servent des boissons en plein air. **Enseada** est la plage la plus populaire de Guarujá. Ses hôtels rappellent ceux de Copacabana. La plage de **Pernambuco**, toute proche, est plus isolée et convient mieux à ceux qui recherchent la tranquillité. C'est là, dans de superbes propriétés privées entourées de pelouses et de hauts murs, que la bourgeoisie de São Paulo se réfugie pendant les vacances.

Comme São Paulo, distante seulement de 90 km, Guarujá est une ville pour les amateurs de bonne chère. Elle compte en effet un certain nombre de restaurants de première qualité. Le Delphin est spécialement recommandé pour ses crustacés, Il Faro et Rufino's pour leurs spécialités italiennes, et le bar-restaurant du Casa Grande Hotel, sur la Praia da Enseada, pour son architecture coloniale.

A quelques rues du Casa Grande se trouve l'étroite **Praia da Pitangueiras**. Les rues qui jouxtent cette plage sont interdites aux automobiles, et permettent aux piétons de circuler sans danger parmi les douzaines de boutiques.

Du centre, les visiteurs peuvent prendre le ferry pour découvrir **Santos**, le port principal de São Paulo, et le premier du Brésil, situé sur une île. Avec quinze millions de tonnes de marchandises traitées, il assure 50 % du total des exportations brésiliennes et 40 % des importations. C'est la plage des *Paulistas* de classe moyenne.

Malheureusement, le centre historique de la ville a beaucoup souffert du passage du temps. Malgré tout, on peut encore y admirer l'**Igreja do Carmo**, qui date de la fin du XVIIe siècle. Non loin se trouvent l'**Igreja São Bento** et le **Museu de Arte Sacra**, datant de 1650.

La face océane de Santos est plus coquette. L'Aquarium municipal, dans l'Avenida Bartolomeu de Gusmão, vous permettra d'admirer de nombreuses espèces de poissons tropicaux, des tortues, des anguilles et même une otarie.

Le **Musée maritime** dans la Rua Equador, près du débarcadère des ferries, expose des requins empaillés, capturés au large de l'île, un immense coquillage de mer (148 kg) et d'étranges formations coralliennes. Santos abrite également l'**Orquidário**, un superbe jardin d'orchidées, dans le district de **José Menino**, près de São Vicente.

São Vicente est l'une des villes les plus anciennes du Brésil — elle fut fondée en 1532 par les Portugais, soit onze ans avant Santos — mais elle a, en grande partie, perdu son caractère historique.

La plage principale de Gonzaguinha est bordée par une rangée d'immeubles bas aux nuances pastel, entrecoupée par quelques bars et des restaurants de plein air.

São Vicente est la porte d'entrée pour la plage la plus fréquentée du Brésil, **Praia Grande**, une étendue infinie de sable brun au bord d'une mer calme. La plage d'Itanhaém, 60 km plus au sud, lui fait cependant une sévère concurrence. Itanhaém est une ville historique où l'on peut visiter la très belle chapelle **Nossa Senhora da Conceição**, construite en 1534.

Il existe encore une multitude de plages au sud de São Vicente, parmi lesquelles Peruíbe, Iguape, Ilha Comprida, et Cananéia sont les plus belles.

[…] côte dans [l]es environs de São Paulo.

LE MINAS GERAIS

Bahia est peut-être l'âme du Brésil, mais le Minas Gerais en est le cœur. Aucun autre État du Brésil n'est aussi poétique, et source d'un folklore aussi important, que celui-là.

Le Minas Gerais est un géant de 587 000 km² (un peu plus grand que la France), peuplé de quinze millions d'habitants. Le plateau central se dresse dans le prolongement d'un escarpement qui délimite la frontière est de l'État. Le sol de ce pays, autrefois recouvert de forêts, est désormais nu et désolé et ne constitue plus qu'une terre sauvage et aride.

Minas Gerais signifie « Mines générales ». Les filons, apparemment inépuisables, ont approvisionné le monde entier en or, en diamants et en minerai de fer. Aujourd'hui encore, les rues de ses villes et le cours de ses rivières sont roses de la poussière de fer.

Les *Mineiros* forment presque un peuple à part au sein du Brésil, tant ils sont différents de leurs compatriotes. Le *Mineiro* se situe à des années-lumière de l'extravagant *Carioca* ou de l'industrieux *Paulista*. Le *Mineiro* est obstiné, prudent, méfiant et peu enclin à montrer ses émotions. Courageux et économe, il est en outre doté d'un solide sens du devoir.

Le *Mineiro* est un conservateur convaincu. Il a réussi l'exploit de préserver intactes les merveilleuses églises baroques de son passé colonial. Les habitants de São João del Rei ont ainsi conservé les instruments et la musique du XVIIIe siècle, et ils organisent chaque année des concerts liturgiques pendant la semaine sainte. Pourtant, le *Mineiro* est également un homme de progrès. Si le Minas Gerais abrite les villes coloniales les mieux préservées du Brésil, il possède également la première ville construite sur plans, Belo Horizonte. Et ce sont encore les *Mineiros*, sous la férule du président Juscelino Kubitschek, qui ont construit Brasília.

Le traditionnalisme de cet État trouve sans doute ses origines dans son isolement pendant la période coloniale. Le Minas Gerais n'a été fondé qu'en 1698, au début de la ruée vers l'or, et jusqu'au XIXe siècle, ses seules voies de communication avec le reste du monde étaient des chemins muletiers souvent hasardeux. L'isolement était tel que les *Mineiros* ont bientôt mis sur pied leur propre système agricole et industriel. Cette faculté d'adaptation les sépare depuis toujours des autres Brésiliens. Elle est également à l'origine de leur vocation démocratique. Autrefois, les maîtres et les esclaves du Minas Gerais travaillaient côte à côte dans les champs, sans distinction de classe ni de race. Cette mentalité s'est perpétuée jusqu'à aujourd'hui.

La statue du Prophète, sculptée par Aleijadinho à Congonhas do Campo.

La fièvre de l'or et des diamants

Au XVIIIe siècle, l'or du Minas Gerais a envahi le monde entier. Entre 1700 et 1820, plus de 1 200 tonnes du précieux métal ont été extraites des mines, c'est-à-dire 80 % de la production mondiale d'or pendant cette période. La richesse était telle que les prospecteurs habillaient leurs esclaves — arrachés aux plantations de canne à sucre — d'or et de diamants, décoraient leurs demeures de dentelles et d'argent et submergeaient leurs maîtresses de bijoux.

Le marchand de diamants João Fernandes fit même construire un lac artificiel et un petit navire pour son esclave favorite, Xica da Silva, parce qu'elle n'avait jamais vu la mer.

Certains esclaves ont même réussi à faire fortune. Le légendaire Chico Rei, ancien roi d'une tribu africaine, avait juré de reconquérir sa couronne dans le Nouveau Monde. Il a effectivement gagné assez d'or pour racheter sa liberté et celle de tous ses frères.

La fièvre de l'or ne s'est pas arrêtée aux frontières du Minas Gerais, mais s'est étendue jusqu'à l'autre côté de l'Atlantique. Lisbonne était submergée de pièces d'or, frappées à Ouro Prêto par la *Casa dos Contos*. Pourtant, au lieu d'investir ces nouvelles richesses, les rois ont préféré dilapider leur fortune en coûteuses « améliorations. »

Lorsque en 1728, l'or céda le pas devant les diamants, le Portugal avait tiré la leçon de ses erreurs. Les mines de diamants de Tijuco furent interdites aux prospecteurs, une garnison s'y installa, et un gouverneur fut nommé par la Couronne. Toutefois, cette tentative de contrôle se solda par un échec car les gouverneurs successifs se lancèrent bientôt dans la contrebande, et la nouvelle opulence due aux diamants ne fut que de courte durée.

Ouro Prêto

Si la richesse a fui le Minas Gerais, l'art, en revanche, est resté. Ouro Prêto en est aujourd'hui la preuve vivante. Située à une centaine de kilomètres de Belo Horizonte, la capitale de l'État, Ouro Prêto était au centre de la ruée vers l'or au XVIIIe siècle. Tout d'abord baptisée Vila Rica (ville riche), elle n'était qu'un petit village de montagne lorsque les premiers aventuriers, les *bandeirantes*, sont arrivés, à la recherche d'or et d'esclaves. Près du village, ils trouvèrent une étrange pierre noire dont ils envoyèrent quelques échantillons au Portugal. La réponse ne tarda pas : ils avaient trouvé de l'or. La coloration noire était le résultat de l'oxydation du fer contenu dans le sol. Vila Rica devint Ouro Prêto (or noir), et la ruée vers l'or débuta. En 1760, la ville comptait quatre-vingt mille habitants, elle n'en compte aujourd'hui plus que quarante mille.

Des prêtres jésuites s'y installèrent, apportant les idées et les concepts artistiques en vogue en Europe. Ils insistèrent pour que leurs églises, financées grâce à l'or des mines, soient construites en style baroque.

A l'heure actuelle, Ouro Prêto présente la plus belle collection d'art et d'architecture baroque du Brésil. Les rues tortueuses bordées de maisons aux magnifiques balcons en bois ou en fer forgé, les vieilles fontaines sculptées, les musées et les églises innombrables, séduisent d'emblée. C'est pourquoi, en 1981, l'UNESCO déclara Ouro Prêto tout entière « monument historique ».

Au centre de la ville s'étend la **Praça Tiradentes**, bordée par le **Museu Inconfidência**. Cette vaste place rectangulaire pavée a un passé lourd d'histoire. C'est là que fut exposée, en 1792, la tête

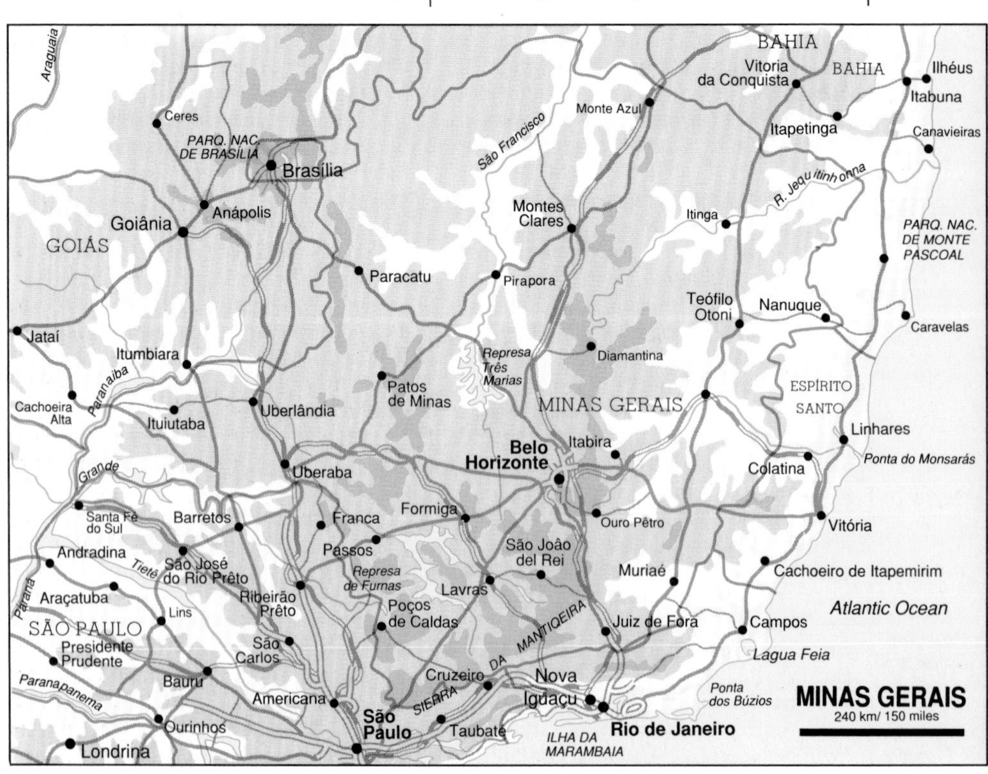

de Tiradentes, de son vrai nom Joaquim da Silva Xavier, chef d'un mouvement de révolte, le *Mouvimento des Inconfidênta* (mouvement des infidèles), réclamant l'indépendance du Brésil. Mais le complot échoua et Xavier fut exécuté. Aujourd'hui encore il reste le symbole du premier cri pour la liberté et l'indépendance.

Le musée d'Art et d'Histoire abritait autrefois l'hôtel de ville. Les instruments de torture qui servirent à l'exécution de Tiradentes y sont exposés, ainsi que la copie de son arrêt de mort. Certains de ses hommes sont enterrés sous de lourdes dalles au premier étage de l'édifice. Une galerie séparée contient les sculptures sur bois richement ouvragées du célèbre artiste d'Ouro Prêto, Antônio Francisco Lisboa, surnommé Aleijadinho (petit estropié) en raison de la mystérieuse maladie qui rongeait l'extrémité de ses membres.

L'**Igreja do Carmo** et la collection d'art sacré, situées non loin du musée, abritent d'autres œuvres d'Aleijadinho. L'église, conçue en 1766 par Manuel Francisco Lisboa, le père d'Aleijadinho, est ornée de deux grosses tours carrées et d'un magnifique portail sculpté. Le style de l'ensemble oscille entre le rococo et le baroque.

La collection d'art sacré comporte des sculptures, des manuscrits enluminés et des autels d'or ou d'argent. Un fragment d'os baptisé « Saint-Clément » gît dans un reliquaire d'or et de verre.

A trois rues de là se trouve l'**Igreja Nossa Senhora do Pilar**, construite en 1731. Sa façade simple, presque austère, cache un extravagant intérieur baroque. Partiellement dus au sculpteur Francisco Xavier de Brito, les murs de l'église sont recouverts de saints et d'angelots aux joues roses, dont les robes aériennes flottent sur fond de dorures. La légende raconte que 400 kg de poussière d'or ont été mélangés à la peinture qui a servi à la décoration de l'église.

L'**Igreja Nossa Senhora do Rósario dos Prêtos** produit l'effet inverse. Son audacieuse façade baroque, toute en lignes courbes, n'abrite qu'un intérieur sans grand intérêt. L'église a été construi-

Façade d'une maison coloniale à Ouro Prêto.

te par des esclaves qui avaient juste assez d'or pour la décoration extérieure.

Deux autres musées, proches de la Praça Tiradentes, sont dignes d'intérêt. La **Casa dos Contos** (la maison des contrats), au bas de la Rua Rocha Lagoa, abritait la Trésorerie royale au début du XIXe siècle. Le four pour la fonte de l'or a été installé en 1820. C'est aujourd'hui un petit musée qui retrace l'histoire de la ville et de la grande époque de la ruée vers l'or. A l'autre extrémité de la rue se trouve le **Museu de Mineralogia**, installé dans l'ancien palais des gouverneurs, cet édifice à la façade de marbre est l'un des plus beaux musées de pierres précieuses, de minerais et de cristaux du monde; cette ancienne forteresse édifiée au milieu du XVIIIe siècle abrite aussi l'École des mines la plus ancienne du pays.

L'**Igreja São Francisco de Assis**, construite en 1776, est le chef-d'œuvre architectural d'Aleijadinho. La façade aux tours rondes, ornée de médaillons en *pedra-sabao*, a été entièrement conçue et réalisée par le sculpteur. A l'intérieur, les sculptures du chœur, les chaires et les caissons ovales du plafond sont également de la main de l'artiste. Le plafond de la nef, peint par Manuel da Costa Ataide (1762-1837), présente une vierge ayant les traits d'une mulâtre.

L'**Igreja Nossa Senhora da Conceição de Antônio Dias**, à deux rues de là, fait également office de musée. Les restes d'Aleijadinho y sont enterrés près d'un petit autel. Les galeries derrière la sacristie abritent ses sculptures sur bois et sur pierre, des documents relatifs à sa carrière, ainsi que les bibles et les missels richement ornés qu'il avait coutume d'étudier.

Mariana

A 12 km d'Ouro Prêto se dresse la petite ville coloniale de Mariana, où le peintre Ataide vit le jour. Les églises **Nossa Senhora do Carmo** et **São Francisco de Assis** ont de remarquables façades, inspirées de celles d'Aleijadinho. L'intérieur de la superbe cathédrale **Nossa Senhora da Assunção** est orné de fresques opulentes, de la main d'Ataide. Il ne faut pas

Deux églises coloniales, joyaux architecturaux du Minas Gerais.

manquer d'admirer, *la Passion* et *la Mort de saint François*.

Le peintre est enterré dans le fond de l'Igreja do Carmo. La cathédrale contient un orgue superbe, construit en 1720, et apporté de Rio de Janeiro à dos de mulets. Des concerts gratuits y sont organisés chaque mois.

Derrière la cathédrale se trouve le **Museu de Arte Sacra** qui contient la plus grande collection de peintures et de sculptures baroques du Minas Gerais.

Belo Horizonte

L'État du Minas Gerais, après avoir vécu au XVIIIe siècle la fièvre de l'or, était en train de vivre celle du fer, mais Ouro Prêto, encastrée dans les montagnes, ne pouvait s'agrandir, aussi fut-il décidé qu'une nouvelle capitale devait voir le jour. Ouro Prêto resta donc la capitale du Minas Gerais jusqu'en 1897, date à laquelle Belo Horizonte fut fondée sur un plan semblable à celui de Washington : rues à angles droits représentant un vaste échiquier. Mais le plan initial fut très vite dépassé et de nombreux bâtiments se construisirent de façon anarchique pour faire face aux impératifs de développement de la ville, le Minas Gerais devenant la première région productrice de fer et de pierres précieuses du Brésil.

Comparée à Ouro Prêto, cette métropole agitée ne comporte que peu de monuments anciens, mais elle est un excellent point de départ pour visiter les villes historiques des environs.

A **Pampulha**, le quartier résidentiel et touristique de Belo Horizonte, l'architecte Oscar Niemeyer, à la demande du maire de la ville Juscelino Kubitschek, construisit la chapelle **São Francisco de Assis**, en collaboration avec le plus grand peintre brésilien moderne, Candido Portinari, responsable des représentations de saint François et du chemin de croix. Avec son toit ondulant et ses tuiles bleues, cette chapelle qui fit scandale à l'époque fait aujourd'hui figure de précurseur dans le domaine de l'art religieux moderne.

Dans une vallée ombragée, à 23 km au nord de Belo Horizonte, se cache un autre

Ouro Prêto dans son écrin de montagnes.

joyau de l'art baroque, la petite ville coloniale de **Sabará**, avec son étrange **Igreja Nossa Senhora do O**. Ce nom de Notre-Dame du O vient d'un chant latin dont le refrain finissait par « O Maria ». L'extérieur modeste contredit l'exubérance de son décor intérieur. Chaque centimètre de mur et de plafond est recouvert de sculptures en bois, de dorures, de peintures, et de médaillons peints de chinoiseries, avec des saints aux yeux tirés en amande. Les médaillons retracent les expériences des jésuites portugais en Orient. Cette petite chapelle fut probablement exécutée par des artistes ayant séjourné quelque temps à Macao, enclave portugaise en Asie.

Quelques rues plus loin se dresse l'église paroissiale **Nossa Senhora da Conceição**, dont la façade très simple cache, elle aussi, une somptueuse décoration intérieure. Les thèmes orientaux sont fréquemment utilisés, en particulier sur la porte de la sacristie.

Sur la place, dans le centre de Sabará, s'élève la fantomatique **Igreja do Rosário dos Prêtos**, désertée depuis l'abandon de l'exploitation des mines d'or. Sa voisine, l'**Igreja do Carmo**, est un véritable sanctuaire à la gloire d'Aleijadinho qui sculpta le portail et tout le décor intérieur.

Diamantina

Au nord de Belo Horizonte, sur la route qui mène à Brasília, s'étend une ville que d'aucuns considèrent comme l'égale d'Ouro Prêto pour sa beauté, Diamantina.

Bordant le *sertão* brésilien semi-aride, Diamantina est située à 1 260 m d'altitude dans une belle région montagneuse. Des maisons aux murs blanchis et des églises aux flèches élancées bordent les rues tortueuses de la ville.

C'est à Diamantina que le diamantaire João Fernandes s'était établi avec sa maîtresse esclave, Xica da Silva, dont la demeure de style colonial est située sur la Praça Lobo Mesquita. De l'autre côté de la place se dresse l'**Igreja do Carmo**, cadeau de Fernandes à sa bien-aimée. Il donna l'ordre de déplacer le clocher vers l'arrière de l'église car le tintement des

L'église moderne de Pampulha.

cloches empêchait sa belle de dormir. Le plafond de l'église est recouvert de fresques bibliques exécutées par le peintre José Soares de Araujo. Les peintures dans l'Igreja do Amparo toute proche, sont également de lui et rappellent étrangement le style d'Ataide.

La pittoresque **Igreja Nossa Senhora do Rosário**, une rue plus loin, a été entièrement construite par des esclaves, et les statues des saints présentent des traits négroïdes.

En face de l'église, le **Museu do Diamante** abrite des équipements miniers, des documents et des meubles anciens, ainsi que les instruments de torture utilisés autrefois contre les esclaves. Un superbe balcon orné d'un grillage en bois délicatement ouvragé, fort semblable aux moucharabiehs des pays musulmans, court le long du second étage de la bibliothèque municipale. La Rua Direita, a vu naître le plus grand des présidents brésiliens, Juscelino Kubitschek, fondateur de Brasília. La **Casa da Glória**, ancienne demeure des gouverneurs royaux de Diamantina, est un édifice superbe dont les deux parties, l'une blanche et l'autre bleue, sont reliées entre elles par une passerelle en bois.

Congonhas do Campo

L'est du Minas Gerais, plus développé économiquement que la région du *sertão,* abrite de véritables joyaux du baroque *mineiro*. Congonhas do Campo, située à 80 km de Belo Horizonte, en est un exemple parfait. La **Basilica do Nosso Senhor Bom Jesus do Matozinhos**, construite en 1758, est célèbre pour son parvis orné des statues des prophètes annonçant la venue du Christ, sculptées par Aleijadinho dans de la pierre à savon, entre 1795 et 1805. Ce dernier a également exécuté les scènes de la Passion qui se trouvent dans les chapelles extérieures, ainsi que le relief de la porte de la Matriz.

Entièrement sculptées dans la stéatite, les douze statues hiératiques des prophètes dégagent une impression d'immobilité quasi mythique.

Les scènes de la Passion, en revanche, débordent de vie et d'émotion vibrante. Les six petites chapelles symbolisent en effet les six étapes de la Passion du Christ. La première chapelle abrite *la Cène,* la statue du Christ semble étrangement humaine, et les apôtres, avec leurs visages soucieux, ont sans doute été inspirés par les habitants de l'endroit; dans la deuxième chapelle on retrouve une représentation du *Jardin des Oliviers*, dans la troisième *l'Arrestation*, dans la quatrième *la Flagellation* et *le Couronnement d'épines*, dans la cinquième *Jésus portant sa croix*, et dans la dernière chapelle *le Christ est mis en croix.* Cette église est le dernier chef-d'œuvre de l'Aleijadinho, il mourra dix ans plus tard aveugle et paralysé.

A 135 km au sud de Belo Horizonte se trouve **Tiradentes**, la ville qui vit naître, en 1746, le héros de l'indépendance brésilienne, Joaquim da Silva Xavier. Ici, l'atmosphère coloniale a été mieux préservée que dans toutes les autres villes du Minas Gerais. Les maisons aux toits roses, ornées de rideaux en dentelle et de volets peints de couleurs vives n'ont pas changé depuis les origines.

Le vaste **Museu Padre Toledo** contient du mobilier d'époque et des objets d'art religieux. La façade de l'**Igreja de Santo Antônio** est l'une des dernières œuvres d'Aleijadinho. L'intérieur baroque et rococo abrite un grand orgue du XVIIIe siècle.

São João del Rei

A 13 km seulement de Tiradentes se trouve la charmante petite ville coloniale de São João del Rei. On peut y accéder par un petit train à vapeur datant du début du siècle. La gare de São João, construite dans le style victorien, a été transformée en musée ferroviaire et abrite de nombreuses curiosités d'époque.

La ville a réussi à se développer et à se moderniser tout en conservant ses vieux quartiers. L'**Igreja Nossa Senhora do Carmo** rappelle les chefs-d'œuvre de l'art baroque d'Ouro Prêto. Derrière une façade modeste, la **Cathedral do Pilar** cache des murs et des plafonds richement décorés. La plus belle des églises de la ville est l'**Igreja São Francisco de Assis**, triomphe architectural d'Aleijadinho. Une double rangée de palmiers mène jusqu'au parvis entouré de balustrades, et à une imposante volée de marches.

LE BAROQUE BRÉSILIEN

L'exubérante tradition d'art et d'architecture baroque au Brésil est l'une des merveilles de l'Amérique latine. Contrairement aux lourdes structures qui dominent les avenues et les places de nombreuses capitales latines, les vestiges des premiers édifices brésiliens témoignent d'un art empreint de fraîcheur, de simplicité et de vivacité. Dans le Brésil du XVIIIe siècle, le mouvement baroque s'est développé essentiellement à Salvador, à Rio de Janeiro et dans le Minas Gerais, où il a trouvé son expression la plus accomplie.

Les jésuites qui financèrent l'explosion du baroque colonial à Bahia étaient réputés pour leur ouverture d'esprit envers les idées nouvelles et les tendances locales, favorisant « l'opulence séculaire » du baroque. Ces missionnaires avaient compris que l'exubérance de l'art baroque était propre à attirer les Indiens et les métis convertis, tout en leur inspirant le respect. Au milieu du XVIIIe siècle, des thèmes plus brésiliens commencèrent à s'insinuer dans les œuvres d'art religieux de Bahia. Des saints aux visages d'Indiens, des grappes de fruits tropicaux et des palmiers formaient désormais un cadre incongru aux scènes bibliques traditionnelles des peintures et des sculptures qui ornent encore les grandes églises coloniales de Salvador.

A Rio de Janeiro, l'expérience baroque fut moins intense qu'à Salvador. Le meilleur exemple de cette tendance artistique est la superbe petite Igreja da Glória do Outeiro. C'est donc dans le Minas Gerais que le baroque brésilien a atteint son apogée. Mais s'il est omniprésent, il n'est jamais écrasant. A Ouro Prêto, il n'y a pas de cathédrale, mais la ville, classée monument historique, regorge d'édifices religieux ou privés exécutés dans un style très pur.

Le secret de l'architecture baroque *mineira* se trouve dans la substitution des lignes droites par les courbes. Le plus bel

Détail d'une fontaine sculptée au XVIIIe siècle.

exemple en est l'Igreja Rosario dos Prêtos à Ouro Prêto, qui présente une architecture toute en lignes courbes. La façade, légèrement convexe, se termine par deux clochers à la courbure gracieuse. La nef est de forme ovale, tandis que les portes et les fenêtres sont surmontées de voûtes.

L'œuvre d'un seul homme

L'unité artistique frappante des églises du Minas Gerais est due à la prédominance d'un seul artiste, Antônio Francisco Lisboa (vers 1730-1814). Fils illégitime d'un ingénieur portugais et d'une esclave noire, il devint un architecte et un sculpteur à l'individualisme prononcé. Atteint vers le milieu de sa vie par une obscure maladie qui lui dévorait l'extrémité des membres, il fut condamné à faire attacher ses outils à ses poignets pour pouvoir continuer à travailler. C'est à cette époque qu'il termina les douze statues des prophètes et les soixante-six sculptures de la Passion à Congonhas do Campo, dans l'est du Minas Gerais

Lisboa, plus connu sous le nom d'Aleijadinho (« petit estropié »), appliqua puis étoffa les principes du baroque européen qu'il découvrit dans des livres et par l'intermédiaire des missionnaires. Sa première œuvre a été l'Igreja Nossa Senhora do Carmo à Ouro Prêto. Cette église se caractérise par ses deux élégants clochers qui prolongent la façade, et par ses portes massives, entièrement sculptées. Lisboa poursuivit son expérience artistique par l'Igreja de São Francisco à Ouro Prêto, avant de se consacrer à la chapelle et à l'église de São Francisco de Assis à São João del Rei — ses plus grands chefs-d'œuvre. Ces deux édifices se composent uniquement de lignes courbes, et les balustrades du parvis forment un dessin sinueux. Les fenêtres circulaires sont ornées de grillages en bois délicatement ouvragés, tandis que d'exubérantes sculptures s'enroulent autour des ouvertures.

Ces deux églises, entièrement conçues par Lisboa, représentent l'apogée du baroque brésilien, et comptent parmi les plus beaux édifices religieux du monde.

L'église de Nossa Senhora do Carmo.

BRASILIA

Pendant plus de deux siècles, les visionnaires brésiliens ont rêvé de construire une nouvelle ville dans le centre désertique de leur territoire. En 1891, le premier gouvernement de la république envoya une équipe de scientifiques dans le Goías, à l'endroit où jaillissent l'Amazone, le Paraná et le São Francisco, afin de déterminer des sites possibles. En 1946, une commission fut chargée d'effectuer un repérage aérien dans la région à cette même fin. Il fallut pourtant attendre l'élection du président Juscelino Kubitschek, en 1955, pour que ce projet se réalise.

Kubitschek fit du développement de Brasília le fer de lance de sa politique de modernisation du pays; il promit même de *« faire progresser le pays de cinquante ans en cinq ans »*. Pour que cette ville voie le jour, il savait qu'elle devrait être terminée avant la fin de son mandat de cinq ans, ce qui explique le rythme effréné de sa construction. Il confia la réalisation de son projet à l'architecte Oscar Niemeyer, communiste notoire et émule de Le Corbusier. C'est lui qui a dessiné les plans des principaux édifices publics. Pour le plan d'ensemble de la ville, un jury international a sélectionné le projet d'un ami de Niemeyer, le professeur Lúcio Costa.

Le début des travaux

Les travaux ont commencé en septembre 1956 sur le site le plus élevé et le plus plat identifié par le repérage aérien de 1946. La première tâche fut de construire une piste d'atterrissage pour que les premiers matériaux et les équipements lourds puissent être acheminés. Brasília est ainsi la première ville du monde à avoir été conçue sans qu'il existe la moindre voie de communication terrestre. Ce n'est qu'après le début des travaux qu'une route de 800 km fut enfin construite en direction de Belo Horizonte. Un barrage fut ensuite édifié, donnant naissance au lac artificiel de Paranoa. En avril 1960, la ville abritait déjà cent mille personnes et était enfin prête pour son inauguration.

La plupart des visiteurs arrivent à Brasília par la voie des airs. Après un survol du plateau central, semi-aride et chichement peuplé, la ville émerge tout d'un coup du néant, avec ses grands immeubles blancs surplombant le lac. Par la route, l'approche la plus spectaculaire de Brasília se fait par le nord-est. Après des kilomètres à travers la poussière rouge et la maigre végétation du *cerrado*, on arrive sur une arête bordée d'eucalyptus, juste après avoir traversé Planaltina, la plus vieille ville de la région. De là, on découvre Brasília qui s'étend en arc de cercle au fond de la vallée

La **tour de la télévision**, située à l'extrémité de l'axe des Monuments publics (Eixo Monumental) qui traverse la ville d'est en ouest, n'a pas d'intérêt architectural particulier. C'est néanmoins un point de passage à ne pas négliger, car les touristes découvriront une vue splendide sur la cité, du haut de sa plateforme située à plus de 75 m au-dessus du sol.

Certains voient dans le plan de la ville une croix, un arc, ou un avion, mais Lúcio Costa se défend d'avoir conçu Brasília selon un symbole. Il a en fait choisi la forme en fonction de la courbure du terrain surplombant le lac, en donnant l'avantage aux monuments publics du centre de la ville. Le plan de Costa a été sélectionné en raison de sa simplicité et de son adéquation aux impératifs de la nouvelle capitale.

Le secteur gouvernemental

A l'ouest de la tour de la télévision s'élève le **Monumento a Juscelino Kubitschek**, construit en 1981. Il s'agit du premier monument que Niemeyer ait été autorisé à construire à Brasília après le coup d'État militaire de 1964. A l'intérieur du monument se trouvent la tombe du président ainsi que des documents relatifs à sa vie et à la construction de Brasília. On y découvre notamment les projets architecturaux concurrents, refusés lors de la sélection finale.

Au pied d'une colline, non loin de la gare routière, l'**Eixo Monumental**

Pages ...écédentes : statue ...u président Kubitschek avec en ...rière-plan ...e ministère ...la Justice. Ci-contre, statue érigée ...a mémoire ...es ouvriers qui ...struisirent Brasília.

s'ouvre sur l'esplanade des Ministères, où sont alignés les seize pavillons des différents ministères. Dérogeant au plan pilote, selon lequel ils devaient tous être identiques, deux d'entre eux se détachent particulièrement. Il s'agit du ministère des Affaires étrangères, entouré d'un vaste plan d'eau, et du ministère de la Justice, dont la façade est ornée de gargouilles qui déversent de l'eau dans un bassin — ces gargouilles sont placées à différentes hauteurs entre les arcades.

Les plus belles réussites de Niemeyer

Au-delà de l'Eixo Monumental se trouve la **Praça dos Três Poderes**, baptisée d'après les trois divisions du pouvoir prévues par la constitution brésilienne. L'exécutif est représenté par le **Palácio do Planalto**, qui abrite les bureaux de la présidence, tandis que le pouvoir judiciaire est représenté par le **Palácio da Justicia**.

Ces deux édifices sont dominés, architecturalement aussi bien que politiquement, par le **Congresso**, siège de l'organe législatif. Ce bâtiment symbole de l'architecture audacieuse de Brasília abrite la Chambre des députés et le Sénat. Cet ensemble est constitué par deux tours jumelles, très rapprochées, de vingt-huit étages et par deux immenses coupoles inversées — celle retournée symbolisant le Sénat, l'autre regardant le ciel symbolisant la Chambre des députés. La place abrite, en outre, de nombreuses statues.

Le petit **Museu Histórico de Brasília**, dont la façade est ornée d'une tête en bronze du président Kubitschek, réunit toutes les informations sur la construction de la ville, ainsi que les meilleures citations du président, dont l'art de l'hyperbole n'avait d'égal que ses talents de constructeur.

Devant le Palácio da Justicia se dresse une statue de *la Justice aveugle*, réalisée par le sculpteur Alfredo Ceschiatti. La célèbre statue en acier des deux *Guerreiros* (guerriers) de Bruno Giorgi s'élève, elle, sur la Praça dos Três Poderes, en hommage aux milliers d'ouvriers qui construisirent Brasília. Le

A gauche, soldat montant la garde devant le bâtiment du gouvernement ; ci-dessous, la statue de la Justic devant le palais de Justice.

Pombal, pigeonnier conçu par Oscar Niemeyer, ajoute une touche de frivolité à cette place par ailleurs austère

Le monument le plus récent de la place est le **Pantheon Tancredo Neves**, édifié à la mémoire du père fondateur de la nouvelle république, mort en avril 1985 avant d'avoir pu accéder à la présidence. A l'intérieur se trouve l'une des œuvres d'art les plus extraordinaires et les plus troublantes du Brésil, la grande fresque de João Camara. Elle retrace, sur sept panneaux, l'histoire de la révolte de Tiradentes au XVIIIe siècle. Entièrement réalisée en noir et blanc, la fresque est lourde de symboles maçonniques. Le premier panneau montre un cadavre allongé sur le sol, représentant la jeune industrie brésilienne assassinée par le commerce portugais et britannique. Sur le panneau final, la figure de Tiradentes se fond dans la figure du Christ.

La zone résidentielle de Brasília

Pour apprécier Brasília à sa juste valeur, il faut quitter l'Eixo Monumental et le secteur hôtelier adjacent. Cette ville devait symboliser le mode de vie idéal; aussi les brasiliens furent-ils installés dans des quartiers résidentiels ultramodernes, bien à l'écart de la circulation et du bruit, les *quadras*, au nord et au sud de la ville.

Chaque *quadra* se compose de six à huit noyaux résidentiels, pouvant accueillir environ trois mille personnes. Tous sont équipés de marchés, d'églises, d'écoles, de postes, etc., regroupés autour de pelouses et de petites cours. Les *quadras* peuvent varier légèrement en fonction de leur concepteur et de leur date de construction, mais elles assurent néanmoins un cadre de vie équivalent à travers toute la ville. Pour de nombreux résidents, cet ordre est le bienvenu après la jungle urbaine des villes côtières du Brésil.

Le plan pilote de Lúcio Costa prévoyait une forme urbaine rigide, aussi lorsque toutes les *quadras* de la zone nord furent achevées, Brasília ne pouvait-elle plus grandir. La croissance de la ville passa donc par une véritable explosion de cités

Coucher de soleil sur la cathédrale de Brasília.

satellites, au-delà de sa grande ceinture de verdure. A l'origine, ces cités ont été conçues pour les ouvriers venus du Nord-Est construire la nouvelle capitale, mais ces derniers refusèrent de retourner chez eux une fois le travail terminé. Leur nombre a grandi avec l'arrivée de nouveaux migrants et de résidents de classe moyenne qui ont vendu leurs appartements de Brasília, alloués gratuitement par le plan pilote.

Aujourd'hui, Brasília ne compte que 22 % de la population totale du District fédéral. En dépit de l'architecture égalitariste prévue par le plan pilote, les barrières sociales dans le District fédéral sont encore plus rigides que dans le reste du pays. La population se répartit, selon ses revenus, dans des mondes complètement séparés : les loyers qui augmentent sans cesse ont chassé les plus démunis à la périphérie de la ville, c'est pourquoi on trouve des bidonvilles à Brasília, pourtant la cité idéale, comme dans toutes les grandes villes du Brésil. Conçue pour accueillir quatre cent mille habitants, Brasília en compte aujourd'hui plus d'un million cinq cent mille.

La vie nocturne

De nombreux projets ne furent jamais réalisés, entre autres les constructions de clubs, bars et cinémas. Aussi les visiteurs qui se cantonnent au secteur hôtelier, dans le centre de Brasília, ont souvent l'impression, fausse, que la ville est morte la nuit. En réalité, la vie nocturne se concentre dans les bars, les restaurants et les clubs de certaines rues commerçantes dans la zone résidentielle, notamment la 109/110 Sud, la 405/406 Sud et la 303/304 Nord. La vie sociale très décontractée de Brasília est caractérisée par une aisance relative de ses habitants et l'absence d'une classe supérieure bien définie. En effet, de nombreux jeunes gens ont cassé leurs liens avec leurs origines sociales en venant s'installer à Brasília.

La vie spirituelle

A Brasília, la vie spirituelle est aussi peu conventionnelle que la vie sociale. La religion traditionnelle est représentée par l'étrange **cathédrale** en béton et verre, construite par Niemeyer : seize arches de béton s'intercalent entre des vitraux de couleur neutre, destinés à laisser passer la couleur naturelle du ciel. Trois anges en aluminium, sculptés par Alfredo Ceschiatti semblent flotter dans l'espace. La surprenante architecture du dôme de la cathédrale rappelle la couronne d'épines du Christ.

Toutefois, le culte de dom Bosco symbolise mieux la foi profonde des habitants de Brasília. Ce prêtre italien avait prophétisé, en 1883, qu'une nouvelle civilisation allait surgir dans un pays de cocagne situé au centre de l'Amérique du Sud, à l'endroit même de la ville actuelle.

Le premier monument construit près du lac artificiel de Paranoa fut une petite pyramide de marbre commémorant la vision de Bosco. La plus belle église de Brasília, **l'Igreja-Santuario Dom Bosco**, située dans la 702 Sud, porte également son nom. Il s'agit d'une belle construction aux murs et aux vitraux de couleur bleu foncé. En fait, la prophétie de dom Bosco a fourni la légitimation spirituelle

Vue plongeante sur les bâtimen du gouvernem

pour la réalisation du rêve du fondateur de Brasília, le président Kubitschek.

Brasília est souvent présentée comme la « capitale du troisième millénaire » en raison des quelque quatre cents cultes différents qui fleurissent en ses murs. L'expérimentation sociale semble encourager l'expérimentation religieuse et, pour beaucoup, ces cultes représentent une alternative personnelle satisfaisante à la réglementation stricte de la vie dans la « cité du futur ».

Plusieurs communautés « new age » ont été fondées aux portes de la ville. La plus accessible est la fameuse vallée de l'Aube, au sud de Planaltina. Tous les dimanches, plusieurs centaines de fidèles se retrouvent dans la vallée pour être initiés aux rites de la secte. L'iconographie de ce temple est librement inspirée des cultures indiennes du Brésil, quant aux rites, ils sont largement influencés par la *macumba* africaine.

La ronde hebdomadaire des initiés, revêtus de robes et de voiles multicolores, paradant autour d'un étang orné de symboles astrologiques, est sans doute le spectacle le plus étrange que Brasília puisse offrir.

Tout au long de sa réalisation, Brasília capta l'imagination du monde entier. Par la suite, les étrangers s'en désintéressèrent, et la ville de Brasília devint synonyme de technocratie sauvage, symbole sud-américain de l'aliénation du XXe siècle. Pourtant, jusqu'à ce jour, la construction de la capitale reste un sujet de fierté pour tous les Brésiliens. C'était le seul projet d'après-guerre destiné à servir les hommes au lieu de l'industrie. De plus, la cité a été financée et bâtie à l'instigation d'un président élu par le peuple, en pleine période de démocratie. Depuis l'instauration du nouveau gouvernement civil, Brasília est devenue le symbole politique des accomplissements passés et des promesses d'avenir.

En dépit de tous les défauts mis en évidence avec le recul, l'urbaniste et créateur de cette ville étrange, Lúcio Costa, exprime certainement l'opinion générale des Brésiliens lorsqu'il dit : *« Le plus important pour moi, c'est que Brasília existe malgré tout. »*

Succession monotone des ministères de Brasília.

L'AUTOBUS MAITRE DES ROUTES

Il est difficile de s'imaginer un voyage en autobus, long d'une semaine, depuis les frontières de l'Argentine jusqu'au Venezuela, traversant l'Amérique latine du sud au nord, depuis la pampa jusqu'aux Caraïbes.

Et pourtant, cela existe. La plus longue ligne d'autobus du Brésil va de Cascavel dans l'État de Paraná, jusqu'à Santa Helena au Venezuela, (la distance est aussi longue que de Lisbonne à l'URSS). L'autoroute BR 364, construite par plus d'un million de migrants à la recherche d'un nouveau départ dans l'ouest sauvage du pays, traverse cinq États et le cœur de l'Amazonie. Le voyage permet de se faire une première idée de l'ouest de l'Amazonas.

Depuis 1971, date à laquelle elle commença à transporter les migrants le long des routes boueuses des nouvelles frontières dans des autocars aménagés pour circuler dans les pires conditions, la compagnie Eucatur, avec sa flotte de six cents véhicules, n'a cessé de dominer le secteur des transports publics dans les États de Rondônia et du Mato Grosso. A l'époque, le voyage de Cuiabá à Porto Velho, long de 1 400 km, durait des semaines. Aujourd'hui, des bus confortables avalent l'asphalte en moins de dix-huit heures et le voyage ne coûte que 120 francs. L'autoroute BR 319, plus précaire, qui relie Porto Velho à Manaus (900 km), contraint les bus à traverser six fleuves en car-ferry au cours d'un voyage long de dix-huit heures qui vous coûtera 110 francs.

A Humaita, cette autoroute croise la Transamazonienne, ou BR 230, construite dans les années 70 avec l'aide de la Banque mondiale. L'idée d'origine était de relier Humaita à Marabá, près de Belém, mais seules quelques portions sont aujourd'hui ouvertes à la circulation en raison de l'avancée inexorable de la forêt vierge. De Manaus, le voyage vers le Venezuela (820 km), via Boa Vista, capitale de l'État de Roraima, est l'affaire de deux jours. En chemin, les arrêts

Une route de l'intérieur du Brésil.

imprévus dus aux crevaisons, aux pannes de moteur, aux troupeaux de bétail ou aux tempêtes tropicales, permettent de découvrir des aspects inattendus de la vie amazonienne, bien mieux que les étapes dans les stations-service ou les gares routières de villages, *rodovarias*, où l'on a juste le temps d'avaler un sandwich sur le pouce dans un *lanchonete*, avant de repartir. Cette succession de gares routières, bondées de passagers en attente, révèle le Brésil comme une nation en mouvement. Les autobus permettent à des millions de personnes d'envahir les espaces inoccupés de l'Ouest sauvage.

Voyager en bus est le meilleur moyen pour briser les barrières sociales. Entassés pendant plusieurs jours dans le même espace étouffant, les voyageurs ne peuvent rester indifférents aux drames des poulets échappés de leur cage ou des disputes familiales, et il est bien plus facile de nouer des amitiés au cours des conversations qui naissent spontanément en ces occasions, toujours burlesques. Souvent, l'étranger se verra offrir une douche ou un lit par ses compagnons de route à l'arrivée.

La compagnie Medianeira, filiale d'Eucatur, opère sur l'autoroute BR 163 qui relie Cuibá à Santarém. Cette route plonge au cœur de la forêt amazonienne et traverse le Brésil du nord au sud. L'autoroute Belém-Brasília, longue de 2 118 km, est la seule voie de communication fiable entre l'Amazonie et le reste du Brésil depuis 1960. Les autobus des compagnies Transbrasiliana et Rapido Marajó quittent la capitale plusieurs fois par jour pour un long voyage de quarante-cinq heures. Le prix est d'environ 180 francs.

Les autoroutes BR 153 et BR 010, qui traversent respectivement les États de Goiás et de Pará, permettent de suivre la lente transition entre le *cerrado* qui entoure Brasília, et la densité humide de l'Amazonas. Cependant, le brûlage des terres a fait reculer la forêt dont on n'aperçoit plus désormais que la ligne verte à l'horizon.

Bien que poussiéreuse et étouffante de chaleur, l'autoroute Belém-Brasília est la plus représentative de ces grands axes qui sillonnent le pays. On y retrouve intact l'esprit pionnier d'autrefois.

Dans ·s stations-service ·nprovisent des parties ·e dominos.

LES ÉTATS DU SUD

Le sud du Brésil diffère beaucoup du reste du pays. Ici, les palmiers cèdent le pas devant les pinèdes, les montagnes verdoyantes sont creusées de tranquilles vallées, la nature est parsemée de chutes d'eau et de canyons monumentaux, et le climat ressemble beaucoup plus à celui de nos latitudes, avec quatre saisons bien distinctes et de la neige occasionnelle en hiver. Les gens aussi sont différents. Les blonds aux yeux bleus remplacent les visages plus sombres du Nord et du Nord-Est, révélant de profondes racines européennes.

Le Sud, garde-manger traditionnel du Brésil, est une région généreuse. Les fermes et les élevages des États de Paraná, de Santa Catarina et de Rio Grande do Sul sont les principaux producteurs agricoles du Brésil. Le Paraná abrite des plantations de café ainsi que les plus grandes pinèdes du pays.

Les vastes pampas du Rio Grande do Sul sont le domicile des plus importants troupeaux de bétail du Brésil. Ces dernières années, le Sud a diversifié ses investissements et, à l'heure actuelle, la région est devenue le premier centre de l'industrie textile et de la chaussure du pays. Une terre fertile et une puissance industrielle en plein essor ont doté les habitants des trois États du Sud d'un niveau de vie égal à celui de São Paulo.

Paraná

Cet État est un mélange équilibré d'environnement urbain et de nature. **Curitiba**, la capitale, est l'une des villes les plus agréables du Brésil, avec ses grands espaces verts, ses larges avenues, ses rues piétonnes décorées de massifs de fleurs, et son train de vie paisible. A une heure d'avion se trouve le plus remarquable phénomène naturel de l'Amérique du Sud, les chutes d'Iguaçú.

Fondée par des chercheurs d'or au XVIIe siècle, au sommet d'un haut plateau (900 m), Curitiba est aujourd'hui une ville de près d'un million et demi d'habitants. Dans la dernière moitié du XIXe siècle et au début du XXe siècle, Curitiba a accueilli des vagues successives d'immigrants en provenance d'Europe (Allemands, Italiens et Slaves), qui l'ont transformée en métropole européenne. La dominance des cheveux blonds et les nombreux festivals organisés par les différentes communautés de la ville sont autant de preuves de la diversité des origines de ses habitants. Le quartier de Santa Felicidade, fondé en 1878 par des immigrants italiens, abrite aujourd'hui les meilleures *cantinas* de Curitiba où l'on sert des spécialités italiennes de grande qualité.

Pages précédentes, les chutes d'Iguaçú. Ci-contre, formations rocheuses à Vila Velha dans le Paraná.

Curitiba, ou « lieu des sapins » dans la langue des Indiens Tupis, qui jouit de la réputation bien méritée de ville la plus propre du Brésil, est le délice des promeneurs. Le meilleur endroit pour commencer la visite est la Rua das Flores, au cœur de la ville, vaste rue piétonne flanquée de boutiques, de cafés, de restaurants et de pâtisseries alléchantes. Non loin se trouve la **Boca Maldita**, version brésilienne du Hyde Park londonien, où les philosophes, les politiciens et les économistes se retrouvaient le matin et le soir pour discourir des dernières crises traversées par le pays.

Le centre historique de Curitiba se situe à proximité du **Largo da Ordem**, une place pavée, dominée par l'**Igreja da Ordem Terceira de São Francisco das Chagas**, construite en 1737. La nuit, la place s'anime et de nombreux musiciens circulent entre les terrasses des cafés. Sur la colline, derrière l'église, le Garibaldi Mini Shopping propose de nombreux articles d'artisanat brésilien.

La **Praça Tiradentes**, non loin de la Rua das Flores, abrite la cathédrale néo-gothique de Curitiba. Sur cette place se déroule, le jeudi et le samedi, une foire d'art populaire. Le Museu Historico est situé quant à lui sur la **Praça Generoso Marques**.

Le train pour Paranaguá

Le Paraná n'est guère réputé pour ses plages, mais le trajet qui y mène est le plus spectaculaire de tout le Brésil. Chaque matin à 8 h 30, le train quitte la gare de Curitiba pour rejoindre la ville

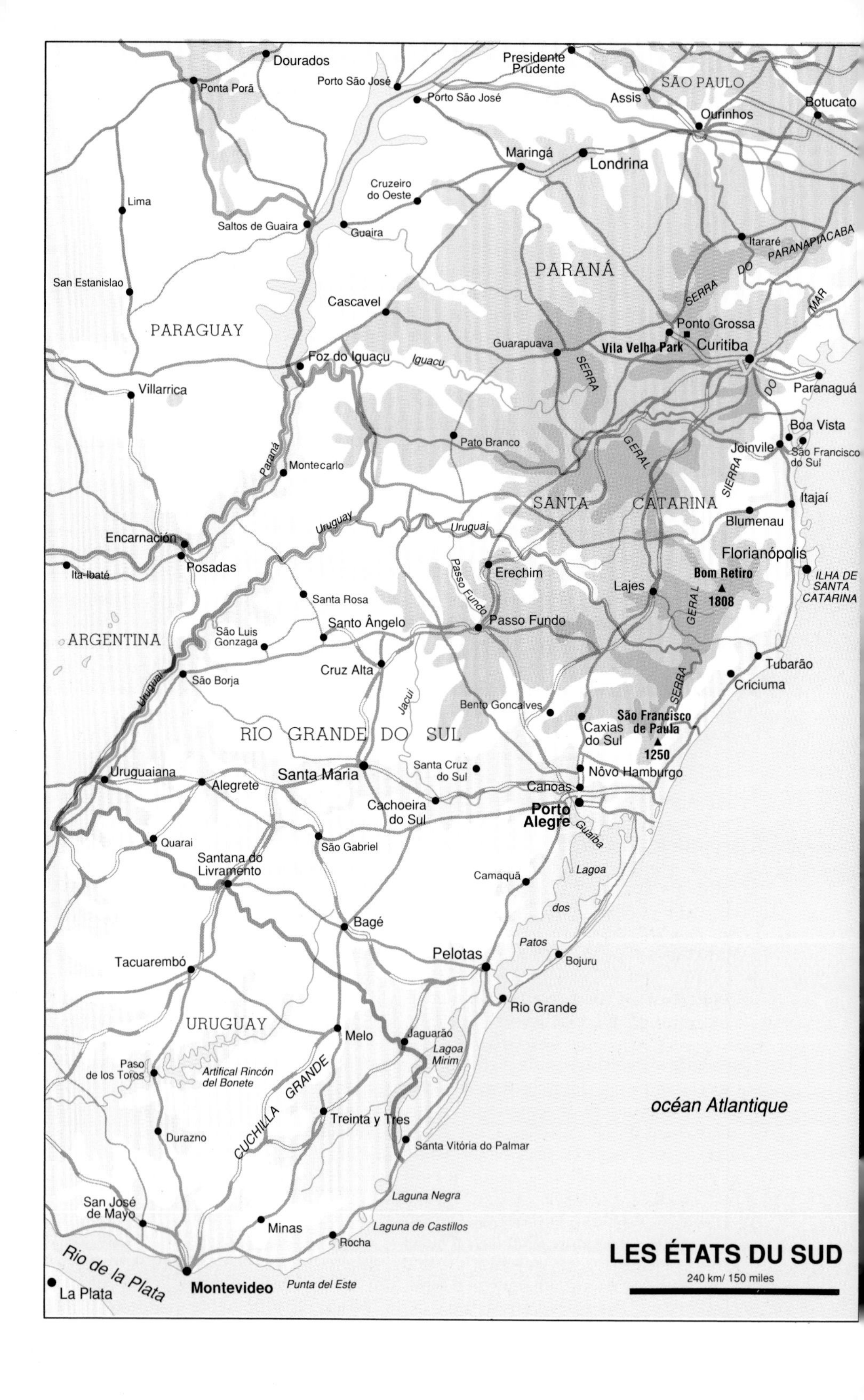
LES ÉTATS DU SUD
240 km/ 150 miles
Dourados
Ponta Porã
Porto São José
Porto São José
Presidente Prudente
SÃO PAULO
Assis
Ourinhos
Botucato
Maringá
Londrina
Cruzeiro do Oeste
Lima
Saltos de Guaira
Guaira
Itararé
SERRA DO PARANAPIACABA
PARANÁ
San Estanislao
Cascavel
PARAGUAY
Ponto Grossa
Vila Velha Park
Curitiba
Guarapuava
SERRA DO MAR
Foz do Iguaçu
Iguacu
Paranaguá
Villarrica
Boa Vista
Joinvile
São Francisco do Sul
Pato Branco
SERRA GERAL
Paraná
Montecarlo
SIERRA
SANTA CATARINA
Itajaí
Blumenau
Uruguay
Uruguai
Encarnación
Posadas
Ita-Ibaté
Florianópolis
ILHA DE SANTA CATARINA
Erechim
Passo Fundo
Bom Retiro
1808
Lajes
GERAL
Santa Rosa
Santo Ângelo
Passo Fundo
ARGENTINA
São Luis Gonzaga
Cruz Alta
Tubarão
Criciuma
São Borja
Uruguai
Jacui
SERRA
Bento Goncalves
São Francisco de Paula
1250
Caxias do Sul
RIO GRANDE DO SUL
Santa Cruz do Sul
Nôvo Hamburgo
Uruguaiana
Alegrete
Santa Maria
Canoas
Cachoeira do Sul
Porto Alegre
Guaiba
Quarai
São Gabriel
Santana do Livramento
Camaquã
Lagoa dos Patos
Bagé
Pelotas
Bojuru
Tacuarembó
Rio Grande
URUGUAY
Melo
Jaguarão
Lagoa Mirim
Paso de los Toros
Artifical Rincón del Bonete
CUCHILLA GRANDE
Treinta y Tres
océan Atlantique
Durazno
Santa Vitória do Palmar
Laguna Negra
San José de Mayo
Minas
Laguna de Castillos
Rocha
Rio de la Plata
La Plata
Montevideo
Punta del Este

portuaire de Paranaguá (le trajet dure environ 2 h). Achevée en 1885, la voie de chemin de fer descend de 900 m jusqu'au niveau de la mer après avoir traversé quatorze tunnels et quarante viaducs : le train longe le flanc de la montagne, menaçant même par endroits de s'élancer dans le vide, au cours de sa lente descente vers la plaine côtière. Le trajet permet de découvrir des vues superbes sur le dense enchevêtrement de la forêt, entrecoupé çà et là de cascades. On pourra notamment admirer la **cascade Véu da Noiva** (voile de la mariée) pour la transparence extraordinaire de son eau. Parfaitement préservée, cette barre forestière donne une idée assez précise de ce qui attendait les premiers colons portugais du Brésil.

Fondée en 1648, Paranaguá est aujourd'hui l'une des principales villes portuaires du Brésil (de nombreux bateaux en partance pour l'étranger sont chargés de café, de bois et même de soja), mais elle a conservé peu de témoignages de son passé historique. Ce qu'il en reste se concentre essentiellement le long de la Rua XV de Novembro, où un musée archéologique expose des objets indiens et coloniaux.

L'attraction touristique principale de la région est l'**Ilha do Mel**, une île paradisiaque à laquelle on accède après une traversée en bateau de 20 mn, au départ de la ville de **Pontal do Sul**, à une heure de route de Paranaguá. Des navettes au départ de Paranaguá effectuent également le voyage qui dure alors deux heures. L'île est une réserve naturelle, parsemée de petits bassins d'eau claire, de grottes et de plages désertes. Elle abrite également les ruines d'un fort construit au XVIIIe siècle ainsi qu'un phare datant, lui, du XIXe siècle. Il n'y a pas de voitures sur l'Ilha do Mel, on s'y déplace uniquement à pied ou en bateau. Sa nature vierge (aucun hôtel n'a encore été construit) attire de nombreux campeurs. Les visiteurs peuvent louer des tentes ou une chambre dans la cabane d'un pêcheur. Il est indispensable de se munir d'une torche électrique et de crème antimoustiques pour y passer une nuit confortable.

Le meilleur moyen de retourner à Curitiba est d'emprunter l'autoroute Graciosa, bordée d'exubérantes fleurs sauvages, qui serpente dans la forêt. En chemin, vous apercevrez des portions de l'ancien chemin muletier, utilisé par les premiers colons portugais pour se rendre à Curitiba.

A environ 80 km à l'ouest de Curitiba, au milieu du grand plateau de **Campos Gerais**, se trouve le **parc national de Vila Velha**. On y voit de très belles formations rocheuses, vingt-trois en tout, sculptées par le vent, la pluie et l'action des glaciers pendant plus de quatre cents millions d'années. Un mini-train circule sur le site, mais il est plus agréable de s'y promener à pied.

Non loin de là, la nature a creusé dans le sol deux énormes trous, les *furnas* ou « chaudières de l'enfer », de 80 m de diamètre sur plus de 100 m de profondeur, à moitié remplis d'eau. Un ascenseur a été installé dans l'un de ces puits naturels pour permettre aux visiteurs de descendre jusqu'au niveau de l'eau.

Les chutes d'Iguaçú

A 650 km de Curitiba, à la frontière avec le Paraguay et l'Argentine, les chutes d'Iguaçú comptent parmi les plus belles mises en scène naturelles de la planète. Elles se trouvent sur le fleuve Iguaçú qui sépare le Brésil de l'Argentine. Le site grandiose se déploie légèrement en arc de cercle sur près de 5 km : Iguaçú en indien guarani signifie « eau grande ». Les eaux des deux cent soixante-quinze cataractes se déversent dans le fleuve Iguaçú 72 m plus bas — les chutes du Niagara n'atteignent, elles, que 56 m.

Des passerelles de visite conduisent au cœur même d'un rideau d'eau et de vapeur. La forêt subtropicale environnante et les arcs-en-ciel permanents ajoutent une aura primitive à ce fabuleux spectacle de la nature. A la **Garganta do Diabo** (ou gorge du diable, la demeure légendaire du dieu-serpent des Indiens), quatorze chutes d'eau séparées s'unissent pour s'écraser 90 m plus bas dans un fracas assourdissant. Le déchaînement de la nature y est si puissant qu'on a presque l'impression d'assister à la naissance du monde.

Les chutes d'Iguaçú font partie d'un parc national du même nom, partagé entre le Brésil et l'Argentine. Ce parc de plus de 170 000 ha est la plus grande réserve forestière du pays, et n'a rien à envier à la luxuriante forêt amazonienne ; on peut même y observer de nombreux animaux sauvages. Aucun visa n'est exigé pour visiter la partie argentine. Pour les amateurs de photographie, il est préférable de visiter le côté brésilien le matin et le côté argentin l'après-midi. C'est pendant les mois de janvier et février, lorsque le fleuve atteint son débit le plus puissant, que les chutes sont les plus impressionnantes. Malheureusement, à cette période, le taux d'humidité et la chaleur sont presque insupportables, tandis que le parc naturel est bondé de visiteurs. En septembre-octobre, le niveau d'eau est plus bas, mais la température est agréable et le parc, désert. Du côté brésilien, vous pourrez atteindre les passerelles de visite soit à pied, soit en ascenseur. Cependant, le meilleur moyen de découvrir les chutes reste l'hélicoptère (au départ de l'aéroport).

Le Macuco Boat Safari est un parcours d'une heure et demie qui commence par une traversée de la jungle en jeep, jusqu'au fond du canyon, où vous pourrez vous baigner dans un petit lac naturel. Un bateau vous emmènera ensuite au pied des chutes que vous pourrez admirer tout à loisir de ce point de vue inhabituel, mais humide.

Vous pourrez bénéficier d'une vue similaire du côté argentin où une piste, qui traverse une étonnante végétation tropicale, mène jusqu'au fond du canyon. Une courte traversée en bateau vous mènera à la petite île de **San Martin** couronnée par une formation rocheuse avec vue directe sur les impressionnantes cataractes. Cette excursion de toute beauté s'adresse plutôt aux personnes bien entraînées physiquement, car la descente et la remontée dans le canyon sont très fatigantes.

Une lutte constante existe entre le Brésil et l'Argentine à propos des chutes : la plupart des vingt et un sauts se trouvent en Argentine, mais le site est nettement plus spectaculaire du côté brésilien !

Le barrage hydro-électrique d'Itaipú

Au cours de ces dernières années, la ville voisine de **Foz do Iguaçú** a connu une explosion démographique et économique importante, en raison de la construction du barrage hydro-électrique d'Itaipú (Itaipú signifie en indien « la pierre qui chante »). Commencé en 1975 — pendant la grande période d'industrialisation à outrance — il devrait être terminé cette année et fournir douze mille mégawatts, trois fois la puissance du barrage d'Assouan en Égypte ; des études montreraient que le Brésil et le Paraguay (partenaire à 50 %) ne pourront jamais absorber l'énorme quantité d'énergie produite ! Mais le barrage, les déversoirs et le réservoir attirent d'ores et déjà de nombreux touristes. En plus des chutes et du barrage, vous pourrez visiter les petites villes de **Puerto Stroessner**, au Paraguay (l'un des grands paradis de la contrebande), et de **Puerto Iguazu**, en Argentine.

Au carrefour de trois pays, Foz de Iguaçú est une ville cosmopolite où les Argentins, les Brésiliens et les Paraguayens se mêlent librement aux touristes américains et européens. La construction du barrage et la notoriété croissante des chutes ont entraîné l'appa-

Architecture allemande à Blumenau.

rition de plusieurs hôtels de luxe dans la région. Seul l'hôtel das Cataratas est situé dans le parc naturel et bénéficie d'une vue imprenable sur les chutes. En raison de sa situation privilégiée, il est souvent complet. Mieux vaut donc réserver longtemps à l'avance.

Santa Catarina

Santa Catarina est le plus petit des États du Sud, mais aussi le plus animé. Son héritage germanique transparaît dans l'architecture bavaroise de la ville de **Blumenau** qui accueille chaque année la plus célèbre Oktoberfest de toute l'Amérique latine. Ce festival draine près d'un million de touristes dans la région. Munich elle-même pourrait en être fière.

Santa Catarina possède un littoral de toute beauté, avec des kilomètres de plages vierges qui s'étendent au nord et au sud de la capitale d'État, **Florianopolis**. Cette petite ville est située en majeure partie sur l'île de Santa Catarina, reliée au continent par le nouveau pont **Colombo Sales**, et ne compte pas moins de quarante-deux plages à elle seule.

La **Praia Joaquina**, très célèbre, est le siège de compétitions internationales annuelles de surf. A quelques minutes de là se trouve la **Lagoa da Conceição**, superbe lac d'eau douce, tapi entre la montagne et l'océan. Cette région de l'île est la plus fréquentée, aussi bien par les touristes que par les résidents. Les restaurants et les bars y abondent, certains de première catégorie, comme le modeste Martin Pescador qui sert pourtant des plats de fruits de mer de classe internationale.

Les plages du sud de l'île sont les plus belles mais aussi les moins accessibles. Compeche et Armação vous surprendront par leur tranquillité. Non loin, se trouve le pittoresque village de **Ribeirão da Ilha**, site de la première colonie portugaise sur l'île.

Au Nord s'étendent les plages à la mode d'Ingleses, Canavieiras et Jureré, où les hôtels et les immeubles remplissent rapidement l'espace libre. Florianopolis est une ville décontractée

Vila Velha.

LE PAYS DES VIGNOBLES

Si elle n'est arrivée que tardivement au Brésil, la production viticole s'est solidement implantée dans les montagnes côtières de Rio Grande do Sul. Aujourd'hui, la région produit 90 % du total national. Les vignobles s'alignent sur les pentes et dans les vallées des environs de Caxias do Sul, Bento Gonçalves et Garibaldi.

Les immigrants italiens

Les premiers ceps sont arrivés à Rio Grande do Sul en même temps que les immigrants italiens, dans les années 1880. Depuis lors, leurs descendants ont perpétué la tradition viticole. Les villes et les villages de la région ont tous un petit air d'Italie. Les caves à vin des petits producteurs locaux abritent également des fromages et des salamis. Et ces fromages et ces salamis sont les mets favoris des restaurants de la région, fortement imprégnés par la cuisine italienne.

Le meilleur point de départ pour un circuit dans la région du vin est **Caxias do Sul**, ville industrielle en pleine expansion, cachée dans la montagne. C'est là, au mois de mars, que se tient le festival de la vigne.

Les festivals sont un élément important au pays du vin. Garibaldi organise chaque année un festival du champagne, et Bento Gonçalves, un festival du vin. Pendant les réjouissances, qui durent plusieurs semaines, le vin coule à flots. Le principal vignoble de Caxias est le Château Lacave, établi dans la réplique d'un château européen doté d'un véritable pont-levis. C'est dans la ville même que se trouve la *cantina* du vignoble Granja União.

Les *cantinas* sont en fait des endroits de dégustation de vin. Il y en a dans toutes les villes importantes de la région. Cependant, c'est aux alentours de Garibaldi et de Bento Gonçalves que se trouvent les meilleurs crus.

Les vendanges dans l'État de Rio Grande do Sul.

Une production en pleine expansion

La Maison Forestier, premier producteur brésilien de vin de table de qualité, s'est établie aux portes de Garibaldi. Cet établissement détermine les tendances de la production viticole brésilienne. Jusqu'au début des années 70, la consommation nationale se limitait à quelques vins de table de qualité très médiocre. Depuis lors, la Maison Forestier s'est associée à d'autres vignobles et a commencé à investir sur la qualité, en raison de l'intérêt croissant des consommateurs pour les bons vins.

Utilisant des cépages importés d'Europe, la production s'améliore sans cesse. Il reste encore des progrès à faire, mais les vins blancs ont déjà atteint un bon niveau.

Quelques grandes marques sont d'ores et déjà exportées, essentiellement vers les États-Unis, mais à la fin de ce siècle, les vins brésiliens seront tout à fait à la hauteur des productions chiliennes et argentines.

Les visites de dégustation

La Maison Forestier et quelques autres vignobles proposent d'intéressantes visites de dégustation. La plupart des viticulteurs perpétuent encore l'ancienne tradition des fûts de chêne, mais certains ont déjà franchi le pas de la modernité en s'équipant de cuves en acier inoxydable et en effectuant de sévères contrôles de qualité. La visite des caves se termine bien évidemment par une séance de dégustation. Pour une présentation exhaustive des vins brésiliens, le mieux est de commencer le circuit chez Forestier avant de continuer vers Bento Gonçalves et visiter la Coopérative Aurora

Bento compte également quelques petits producteurs intéressants, tels que Salton, Monaco, Riograndense et Embrapa. Pour finir, c'est à Garibaldi que l'on trouve les meilleurs champagnes brésiliens. Les principaux producteurs sont Peterlongo, Moët et Chandon, Georges Aubert, Château d'Argent et Vinícola Garibaldi.

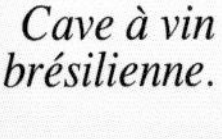

Cave à vin brésilienne.

où la vie s'articule autour de plaisirs simples : baignade, soleil et restaurants. Sans moyen de locomotion, vous pourrez néanmoins circuler facilement, grâce à l'amabilité des habitants qui n'hésiteront pas à vous prendre en stop.

Laguna

Au nord de Florianopolis se trouve la station balnéaire de **Camboriu**, dont la longue plage semble une copie conforme de Copacabana à Rio. Sur le littoral sud, les plages principales sont celles de Garopaba, Laguna et Morro dos Conventos. Laguna, petite ville coloniale du XVIIe siècle, a su préserver les vestiges de son passé ainsi que la beauté de ses plages. Véritable joyau de la côte sud du Brésil, Laguna est encore peu connue des touristes.

Rio Grande do Sul

Cet État, le plus méridional du Brésil, est aussi le plus différent. Bordant l'Uruguay et l'Argentine, le Rio Grande do Sul a développé une culture qui lui est propre, mélange de portugais, d'espagnol, d'italien et d'allemand. La culture *gaucho* est le signe distinctif de cet État, où les cowboys basanés parcourent sans cesse les pampas avec leurs chapeaux plats, leurs pantalons bouffants, ou *bombachas*, leurs foulards rouges, leurs ponchos pour se protéger du vent et leurs bottes de cuir, s'abreuvant de temps à autre à leur *chimarrão*, gourde remplie de maté chaud et amer, symbole du pays *gaucho*. Ici, le machisme est de mise et un homme se doit d'être viril, mentalité acquise lors d'un passé souvent violent. Plus que tout autre État du Brésil, le Rio Grande do Sul a souffert des ravages de la guerre. Aux XVIIIe et XIXe siècles, armées, révolutionnaires, aventuriers et Indiens s'y sont affrontés sans relâche, imprimant au pays une marque sanglante, aujourd'hui transformée en légende.

Indépendants et fiers, les *gauchos* de l'époque moderne ont canalisé leur furie guerrière vers des conquêtes nettement plus raffinées. Le Rio Grande est le premier producteur brésilien d'articles

A gauche, formations rocheuses à Vila Velha; ci-dessous, les chutes d'Iguaçú.

en cuir, ainsi que de vin. De plus, les grands troupeaux de bovains et de moutons qui paissent sur les anciens champs de bataille, fournissent de la laine et de la viande au reste du pays.

Les paysages du Rio Grande do Sul sont aussi âpres que ses habitants. Les plages du littoral, long de 200 km, sont bordées par des escarpements rocheux et des falaises. Les plus belles se trouvent près de la station balnéaire de **Torres**. Si l'eau y est plus froide, le soleil est aussi chaud et les maillots sont aussi provocants qu'à Rio de Janeiro. Les villes de Tramandaí et Capão da Canoa possèdent également de très belles plages. Plus au sud se trouve la **Lagoa dos Patos**, la plus grande lagune d'eau douce de l'Amérique latine, dont les rives, de Tapes à Laranjal, sont bordées de sable fin.

A quelques kilomètres à l'intérieur des terres se trouve la **Serra Gaúcha**, une chaîne de montagnes qui attire de nombreux touristes. Pinèdes, vallées verdoyantes, cascades solitaires, rivières scintillantes et canyons raviront le visiteur lors de ses excursions. Ce même paysage a attiré des milliers d'immigrants allemands et italiens au XIXe siècle. Les vallées abritent toujours leurs caractéristiques maisons de bois et de pierre.

Gramado et Canela

Les joyaux de la Serra Gaúcha sont les villes jumelles de Gramado et de Canela. Gramado, qui accueille chaque année le festival du film brésilien, est une petite ville de montagne où les résidents des grandes métropoles viennent retrouver le plaisir de ne rien faire. Gramado, tout comme Canela, offre des douzaines de petits hôtels et auberges, cachés dans les pinèdes, aux touristes fatigués.

A une quinzaine de minutes de Gramado, se trouve la petite ville de **Novo Petrópolis** à l'architecture typiquement bavaroise. Le parc de l'immigration abrite la reproduction d'une colonie allemande du XIXe siècle, ainsi que des kiosques à musique et un zoo qui accueillent de nombreuses festivités pendant les mois de janvier, février et juillet. Pendant ces périodes de vacances, les

Danse folklorique et costume gaucho.

hôtels et les auberges de Novo Petrópolis, de même que ceux de Gramado et de Canela, se remplissent de touristes. L'influence germanique se fait sentir non seulement dans les noms et l'architecture, mais aussi dans les avenues et les parcs soigneusement entretenus. Le vert est la couleur dominante de ces trois villes. A la périphérie de Canela se trouve le **parc naturel de Caracol**, célèbre pour ses chutes d'eau de plus de 131 m.

Après trois heures de route à travers la forêt et les pâturages, on atteindra le **Canyon d'Itaimbézinho**, aussi appelé Taimbezinho. Ce canyon, aux parois verticales de 500 m de profondeur, long de plus de 7 km et large de 2 km par endroits, est le plus grand de toute l'Amérique latine. Jusqu'à maintenant, l'endroit était peu connu des touristes en raison des difficultés d'accès. Contrairement au Grand Canyon d'Amérique du Nord, situé dans une zone désertique et aride, Itaimbézinho est remarquable par sa végétation luxuriante. Il se trouve au centre du **parc national des Aparados da Serra**, une des dernières forêts de pins du pays, où certains arbres peuvent atteindre 50 m de hauteur. Quelques cascades ajoutent la dernière touche à ce chef-d'œuvre de la nature.

Les Missions

A l'ouest de la Serra Gaúcha s'étend une zone chargée d'histoire, la région des Missions. Au XVIIe siècle, les jésuites édifièrent des missions autour desquelles s'organisèrent des villages indiens. Leur premier objectif était de protéger les tribus guaranis des marchands d'esclaves. Les jésuites contrôlèrent ainsi la région pendant plus d'un siècle, supervisant la construction de cités indiennes qui atteignaient parfois cinq mille habitants. En 1756, les missions furent attaquées et vaincues par les esclavagistes, les jésuites expulsés, et les Indiens en grande partie exterminés.

Aujourd'hui, les ruines de ces missions, notamment celle de **São Miguel** construite en 1740 par les Indiens Guaranis, s'élèvent solitaires dans la plaine, derniers vestiges d'une communauté indienne autrefois prospère. La mission de São Miguel propose chaque soir un très beau spectacle « son et lumière » qui retrace l'histoire de la région. On trouvera d'autres missions en ruine de l'autre côté de la frontière, en Argentine et, plus au Nord, vers les chutes d'Iguaçú. Pour les visiter, le mieux est de s'installer pour quelques jours dans la ville de **Santo Angelo**, située au cœur de la région des Missions à plus de 50 km de São Miguel.

Le pays des cow-boys

Pour le *gaucho*, l'esprit de son pays réside dans la *campanha*, région qui borde la frontière avec l'Uruguay et l'Argentine. Le *gaucho* chevauche toujours à travers les prairies balayées par le vent, ces *pampas* de légende, surveillant ses immenses troupeaux de bovains et de moutons qui firent la richesse de l'État. Pour le *gaucho*, les villes de São Gabriel, Rosário do Sul, Bagé, Lavras do Sul, Santana do Livramento et Uruguaiana semblent toujours retentir des coups de canon des batailles d'autrefois. C'est là, et dans les *estancias* (ranches) de la *campanha*, que la tradition et la culture *gaucho* se sont le mieux conservées.

Bien que fort éloignée de la *campanha*, la capitale de l'État, **Pôrto Alegre** fut édifiée en 1742 par soixante familles de colons arrivant des Açores. Le village reçut d'abord le nom de Portos dos Casais avant d'être bâptisé Pôrto Alegre « port joyeux ». La capitale de l'État du Rio Grande do Sul, le plus méridionnal du pays, permet aux visiteurs de découvrir les danses et les musiques traditionnelles des *gauchos* dans de nombreux bars et restaurants folkloriques.

Avec près d'un million et demi d'habitants, Pôrto Alegre est la plus grande ville du Sud. Située près de la côte, à l'extrémité nord de la Lagoa dos Patos, Pôrto Alegre est le point de départ idéal pour visiter les régions environnantes. Gramado, Canela, la région des vignobles et les plages de Rio Grande do Sul n'en sont que peu distantes, et quelques heures de route seulement la séparent de l'Argentine et de l'Uruguay. Comme il se doit pour la capitale d'un État producteur de bétail, Pôrto Alegre compte de nombreuses boutiques d'articles de cuir et d'excellents restaurants où l'on sert le vrai *churrasco* brésilien.

Paysan du Sud.

L'OUEST SAUVAGE

« Une terre sans hommes pour des hommes sans terre », ainsi le président militaire Emílio Medici avait-il décrit les grands territoires sauvages de l'ouest du Brésil au début des années 70. La population, essentiellement rurale, venait en effet des métropoles surpeuplées du Sud. Jusqu'à une période récente, la traversée des États de l'ouest jusqu'à l'Atlantique était encore l'une des grandes aventures du Brésil.

Les États de l'ouest s'étendent sur un immense plateau qui fait environ trois fois la France, où jaillissent les sources des tributaires de l'Amazone, du Paraná, du Paraguay et du Plata. Ce n'est qu'au cours des vingt dernières années que des routes goudronnées ont fait leur apparition dans la région, amenant la civilisation moderne jusque dans les endroits les plus reculés.

Les États du Mato Grosso, du Mato Grosso do Sul et de Rondônia représentent toujours le mythe de la Frontière ultime, là où les immenses richesses des territoires vierges attendent les forts et les courageux. La réalité est bien différente, et les cent mille nouveaux arrivants par an trouvent les meilleures terres déjà occupées et bien défendues contre les squatters par les *pistoleiros*. Pourtant, cela ne les décourage pas et ils continuent à venir tenter leur chance.

De nouvelles villes, bruyantes et sales, avec leurs rues couvertes de poussière rouge, sortent de terre presque d'un jour à l'autre pour accueillir les nouveaux venus. Pourtant, nombreux sont ceux qui abandonnent leurs illusions et retournent vers les bidonvilles de São Paulo, vaincus par la malaria et la difficulté de se frayer un chemin, à mains nues, à travers la forêt.

La région a toujours été habitée. Lorsque les premiers *bandeirantes* arrivèrent à Cuiabá, la capitale du Mato Grosso, dans les années 1720, la forêt était peuplée de tribus indiennes souvent hostiles. Aujourd'hui, les tribus du Mato Grosso et de Rondônia regroupent la plus grande partie des Indiens survivants au

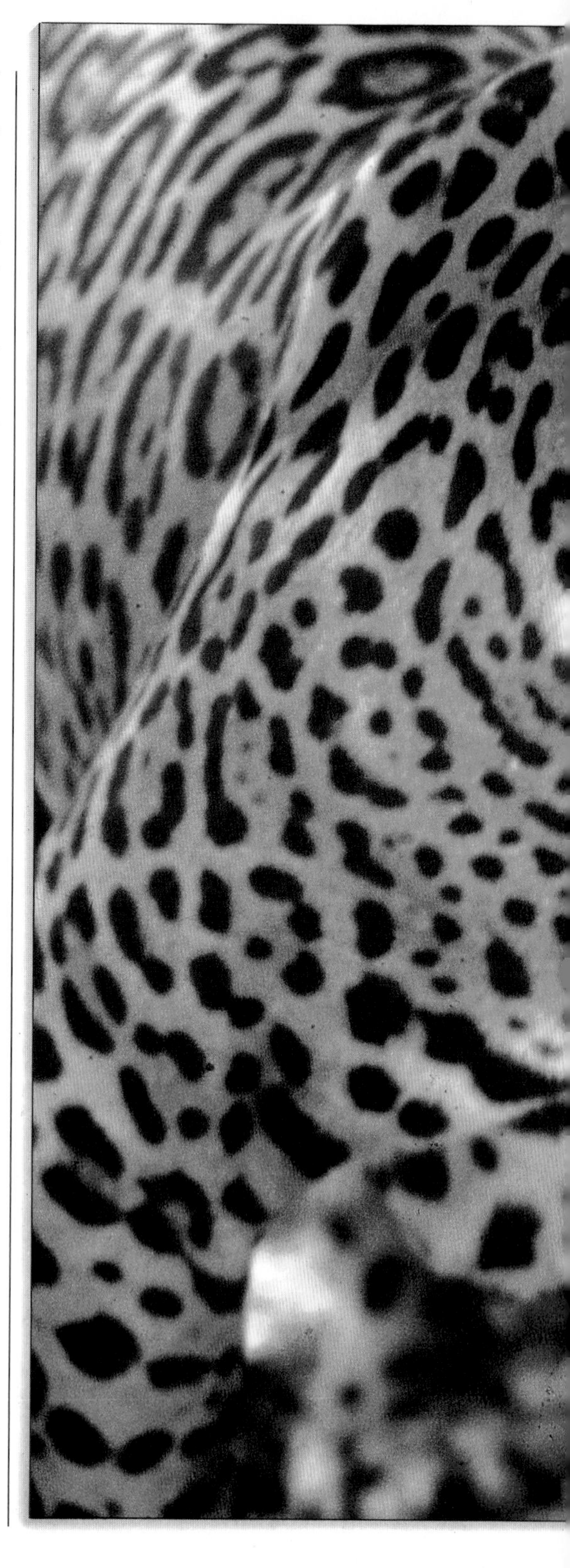

Brésil. Des affrontements occasionnels se produisent entre les Blancs et les tribus indiennes, réfugiées au fin fond de la forêt, dont une ou deux ne sont encore jamais entrées en contact avec l'homme moderne. Quant aux Indiens qui vivent dans la réserve de Xingu, interdite aux étrangers, dans le nord du Mato Grosso, ils s'adaptent à la civilisation à leur propre rythme.

En 1890, Cândido Mariano da Silva Rondon lança une mission militaire destinée à relier Cuiabá à la côte par le télégraphe, un effort herculéen qui allait changer l'opinion publique sur la forêt et ses habitants indiens. En 1907, il accepta de relier Cuiabá à Pôrto Velho, la capitale de Rondônia, à travers des territoires indiens encore inconnus, à la condition de pouvoir doubler cette mission de reconnaissance, qui allait durer huit ans, par une étude complète des hommes, des animaux et des plantes rencontrés en chemin. La selle de Rondon, criblée de flèches, témoigne encore de ses premiers contacts avec les Indiens. Pourtant, son idéalisme ne tarda pas à venir à bout de l'hostilité des indigènes, et il réussit même à pacifier une quinzaine de tribus.

Ses exposés enthousiastes sur la forêt, ainsi que la notoriété qu'il allait atteindre plus tard en accompagnant l'ancien président américain Théodore Roosevelt dans une étonnante expédition en Amazonie, lui permirent de mettre sur pied le premier Service de protection des Indiens en 1910.

L'État de Rondônia fut baptisé d'après Rondon, qui est devenu l'un des personnages les plus marquants dans l'histoire moderne du Brésil.

En 1935, l'anthropologue français Claude Lévi-Strauss décida de suivre la ligne télégraphique de Rondon, faisant étape dans les minuscules villages de Pimenta, Bueno et Vilhena, où vivaient encore les télégraphistes oubliés depuis plus de huit ans. Ces villages sont aujourd'hui des villes bruissantes d'activités, desservies par l'autoroute BR 364. Avant sa construction en 1984, les bus et les camions mettaient parfois des mois à traverser les 1 400 km séparant Cuiabá de Pôrto Velho.

Pages précédente[s] : jaguar dan[s] la région du Pantana[l]. Ci-dessous, le Brésil abrite de nombreuses espèces de singes.

Cuiabá

Cuiabá, fondée en 1719 par un groupe de *bandeirantes* de São Paulo après la découverte de gisements d'or par Miguel Sitel, fut la première colonie portugaise des régions de l'ouest. Attirés par l'appât du gain, les prospecteurs s'y établirent en nombre sans cesse grandissant, faisant de Cuiabá la troisième grande ville du Brésil. Il y a un siècle, Cuiabá devint célèbre en vendant des plumes d'oiseaux exotiques aux plus grands couturiers parisiens.

Lévi-Strauss a bien résumé l'État d'esprit qui règnait dans cette ville dans les années 30: *« De sa gloire ancienne, Cuiabá conserve un style de vie lent et cérémonieux. »*

Aujourd'hui, cette ville prospère de deux cent quatre-vingt-cinq mille habitants est devenue la capitale d'un immense État minier, agricole et sylvicole. La division du Mato Grosso en deux États, en 1979 à réduit son rôle économique. En effet Cuiabá, capitale d'un immense État réunissant le Mato Grosso et le Mato Grosso do Sul, n'est plus depuis 1979 que la capitale du Mato Grosso, Campo Grande devenant la capitale du Mato Grosso do Sul.

Il ne reste, malheureusement, que peu de vestiges de son passé colonial. La cathédrale **Bom Jesus de Lapa** s'élève auprès d'un petit musée d'art religieux. L'ancienne cathédrale de la ville, sur la place centrale, a été dynamitée. La **Praça da Republica** abrite les bureaux de la Turimat, l'office de tourisme national, ainsi qu'un centre d'accueil pour les touristes.

Le **Museu do Indio** (ou **Museu Marechal Rondon**) expose des objets de la vie quotidienne des tribus Xingus, Xavantes, Karajas et Bororos. Certains articles sont en vente dans la boutique dirigée par le FUNAI — le bureau brésilien des affaires indiennes. La résidence du gouverneur et la **Fundação Cultural do Mato Grosso** valent également le détour

Le poisson est la spécialité culinaire de Cuiabá. D'après la légende, la soupe de piranha aurait des pouvoirs aphrodi-

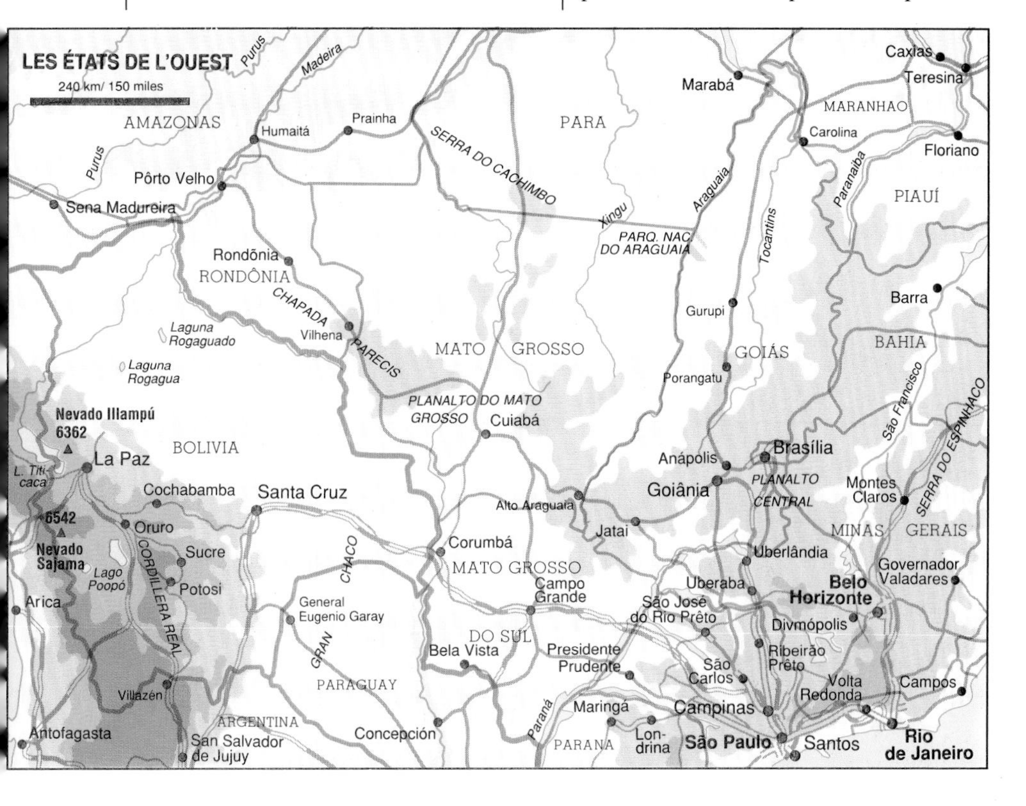

siaques. Le meilleur endroit pour goûter le *caldo de piranha* est le Beco do Candeiro, dans la Rua Campo Grande, un restaurant dont les murs sont ornés d'anciennes photographies de la ville. L'autre spécialité régionale est la *pôxada*, ou grillade de poisson.

Après l'étouffante chaleur des plaines, vous retrouverez la fraîcheur dans la **Chapada dos Guimarães**, une éminence rocheuse située à une soixantaine de kilomètres de Cuiabá. A 800 mètres d'altitude, elle surplombre le Pantanal et la vallée du fleuve Paraguay. Ce magnifique site naturel en forme d'amphithéâtre abrite des formations rocheuses, des grottes et de nombreuses cascades. Ces hautes terres forment un réservoir naturel d'eau pour les plaines marécageuses du Pantanal.

Le centre touristique de **Salgadeiro** a été construit sur le point de passage de plusieurs rivières qui forment de petites cascades et des bassins naturels propices à la baignade. Le centre Salgadeiro est très fréquenté le week-end par les habitants de Cuiabá.

La route s'incurve ensuite à travers le **Portáo de Inferno** (la porte de l'enfer) un ravin profond qui marque l'extrémité d'une grande falaise. Les visiteurs pourront y admirer la Véu da Noiva, une chute d'eau de près de 86 m de haut. Un chemin descend dans le canyon jusqu'au pied de la cascade à travers une dense végétation. La **Casa de Pedra**, une grotte naturelle surmontée d'une immense dalle de pierre, et la **Caverna do Francés** dont les murs sont recouverts de peintures primitives, vous attendent un peu plus loin. Ces grottes et leurs voisines, que l'on atteint après plusieurs heures de marche, sont parfois inondées. Il vaut donc mieux faire appel à un guide et se munir de lampes et d'un équipement bien adapté pour les visiter.

La ville historique de Chapada dos Guimarães, avec son **Igreja Santa Ana**, vieille de deux cents ans, a été fondée au XVIIIe siècle par les jésuites. A l'extérieur de la ville, un monument marque l'endroit exact du centre géodésique de l'Amérique du Sud. On y découvre une vue panoramique splendide.

A gauche, le Pantanal est le paradis des ornithologues ; ci-dessous, le « jabiru » à col rouge.

Pôrto Velho

Au nord, l'autoroute BR 364 mène vers Pôrto Velho, située sur le Rio Madeira, à peu de distance de Manaus et de l'Amazone. Tout comme l'État de Rondônia dont elle est la capitale, Pôrto Velho a grandi trop vite. Dans les années 50, la population du Rondônia était de trente-sept mille habitants, pour la plupart des survivants de la grande époque du caoutchouc.

En 1987, l'État comptait près d'un million de résidents, attirés par les programmes de colonisation qui allouaient des parcelles de terre fertile pour la culture du café et du cacao. Les principales ressources de cet État proviennent des mines d'étain et d'or, où travaillent les malheureux *garimpeiros*.

Pôrto Velho est née il y a un siècle, lors de la construction de la ligne de chemin de fer Madeira-Mamoré, destinée à évacuer vers Manaus le latex produit en Bolivie et dans la région, les rapides du Madeira empêchant tout trafic par voie fluviale. De 1867 à 1912, le chantier nécessita l'intervention de firmes anglaises et américaines, et causa des pertes énormes en vies humaines — près de six mille disparus — d'où son surnom de « petit train de la mort ». Les travaux un temps abandonnés en raison d'hécatombes dues à la fièvre jaune et au béribéri furent repris en 1907. Le dernier rail de la voie, longue de 370 km, fut posé en 1912, alors même que le commerce du caoutchouc d'Amazonie s'écroulait définitivement.

Tous les dimanches, le petit train à vapeur emmène des passagers jusqu'aux chutes d'eau de **Santo Antônio do Rio Madeira**, et parfois même jusqu'au petit village de pêcheurs de **Teotônio**. Le **Museu do Rondônia** et la **Casa do Artesão**, à Pôrto Velho, exposent des reliques datant de l'époque de l'exploitation du caoutchouc.

Les caïmans du Pantanal.

La vie sauvage à l'État naturel

Au sud-est du Mato Grosso, le **Pantanal** est constitué de 230 000 km^2 de terres plates (ce qui représente la moitié de la France environ), inondées tous les ans par deux à trois mètres d'eau durant les périodes de crues du fleuve Rio Paraguay et de ses affluents.

A l'automne, lorsque les eaux quittent la plaine et que les rivières reprennent leur tracé normal, la nature explose en reprenant ses droits. Seule l'Afrique connaît une densité de vie tropicale similaire à celle du Pantanal, car *« contrairement à l'apparence, l'eau du Pantanal est légèrement courante; elle entraîne des coquillages et du limon qui s'accumulent en certains points où la végétation s'enracine. Le Pantanal se trouve ainsi parsemé de hérissons de verdure appelés* capões... *»* (*Tristes Tropiques*, Claude Lévi-Strauss).

Ces immenses terres marécageuses forment une des plus riches et des plus vastes réserves naturelles d'animaux du monde. Les cigognes, les aigrettes, les ibis, les flamants roses, les autruches et les jabirus à col rouge se mêlent librement aux alligators, aux buffles, aux zèbres, aux singes, et aux serpents. Le Pantanal accueille les oies et les canards sauvages qui migrent entre l'Argentine et l'Amérique centrale, mais la plupart des six cents espèces d'oiseaux recensées à cet endroit sont sédentaires et se contentent de suivre les variations du niveau d'eau à la recherche des trois cent cinquante espèces de poissons qui forment la base de la chaîne alimentaire.

Les cycles de pluie sont un élément clé du Pantanal. D'octobre à avril — janvier et février sont à éviter absolument — la pluie arrose les régions montagneuses du nord de l'État, tandis que le sud reste plus sec. Des bancs entiers de poissons remontent alors les cours d'eau, recherchant des eaux calmes pour pondre en toute sécurité. C'est le phénomène de la *piracema*. Lorsque le niveau d'eau monte dans le Nord, le Sud devient le paradis des oiseaux échassiers mais, après le mois d'avril la situation s'inverse et les oiseaux s'établissent dans le Nord jusqu'au mois de septembre.

Le nord du Pantanal est accessible en voiture ou en avion à partir de Cuiabá. Là, les visiteurs devront contacter une agence de voyages qui leur fournira un guide, un moyen de transport (un bateau, le plus souvent), et un hébergement dans le Pantanal.

La plupart des agences ont des accords avec des *fazendas* transformées en hôtels. Elles proposent même des excursions en montgolfière vers les lacs et les sites de nidation des oiseaux. Le départ se fait souvent avant le lever du soleil afin d'éviter les moustiques, féroces dans la journée. Les agences de tourisme Samariana et Expeditur à Cuiabá sont réputées pour l'excellence de leurs prestations.

Huit hôtels et quelques *pôrtos de pesca*, terrains de camping, accueillent ainsi les visiteurs et les amateurs de pêche sportive dans le nord du Pantanal. Une nuit dans l'un de ces hôtels, accessibles par bateau ou par la route, coûte 360 francs environ. La Pouso de Garça, accessible uniquement par avion, propose un forfait de cinq nuits à 3 400 francs par personne.

Santo Antônio de Leverger marque la fin des marécages à 28 km au sud de Cuiabá sur l'autoroute 040. C'est de là que décollent les avions pour les hôtels et les *fazendas*. On peut également louer des bateaux pour aller jusqu'à Barão de Melgaço qui était autrefois le centre de la production sucrière de la région. Non loin se trouve **Baia Chacororé**, où un lac immense et peu profond abrite une population d'alligators, d'échassiers et de gros mammifères.

Cette tranquille petite ville est le point de départ pour un circuit complet d'une ou deux semaines en bateau jusqu'à la ville de Corumbá, sur les rivières Cuiabá, São Lourenço et Paraguay. Là vous attend le Cidade Barão de Melgaço, un charmant hôtel flottant de huit chambres doubles à air conditionné de l'agence Melgatur. La directrice est une allemande naturalisée qui vous donnera de passionnantes leçons sur la faune et la flore de la région.

Le bateau met sept jours pour descendre jusqu'à Corumbá et dix jours pour le retour à Cuiabá. Des circuits plus courts, à partir de 2 300 francs, sont également très prisés par les touristes européens.

L'agence Melgatur travaille également avec la Passargada Pousada, un hôtel de seize chambres, situé sur un petit affluent

Chute d'eau dans la Chapada dos Guimarães.

de la rivière Cuiabá. Il n'est accessible qu'en bateau.

Au sud de Cuiabá, la ville de **Poconé** où se trouve le point de départ de l'autoroute Transpantaneira. Poconé, surnommée la « ville rose du Pantanal » est situé dans une région agricole. Les marécages alentour ont été appauvris par l'installation de mines d'or, le braconnage et la pêche. C'est néanmoins un excellent point de départ pour visiter certaines parties du Pantanal.

Pôrto Cercado, à 200 km de Cuiabá, vous permettra de découvrir la vie sauvage dans les lacs environnants. Située près de la rivière, la Pousada Pôrto Cercado peut accueillir jusqu'à quarante-deux visiteurs. L'hôtel Cabanas do Pantanal, sur le Rio Piraim dispose, lui, de onze chambres. Dans ces deux hôtels, une nuit coûte environ 360 francs. La location d'un bateau avec un moteur de vingt-cinq chevaux coûte environ 150 francs pour une heure. En amont, l'hôtel Baias do Pantanal, est plus simple et également nettement moins coûteux que les deux précédents.

De Poconé, la Transpantaneira descend vers le Sud jusqu'à Pôrto Joffre. Le trajet, long de 145 km, traverse cent vingt-six ponts. Commencée dans les années 70, l'autoroute devait à l'origine relier Cuiabá à Corumbá, mais des différends politiques et la pression des écologistes ont mis un terme au projet. De grandes étendues d'eau stagnante se sont formées sur les bords de la route qui longe les rivières, et permettent d'apercevoir en chemin des alligators et de nombreuses espèces d'oiseaux. La route est en très mauvais état, mais elle permet aux gardes forestiers de contrôler une partie du Pantanal.

Plusieurs hôtels se sont construits le long de l'autoroute, la Pousada das Araras, la Pousada Pixaim et le Santa Rosa Pantanal Hotel. Sur le Rio São Lourenço, au cœur du marécage, se trouvent l'hôtel Pirigara et la Pousada Garça, accessibles uniquement en avion. Un village d'Indiens Borôros se trouve à peu de distance de cette dernière.

A **Cáceres**, sur le Rio Paraguay, des autobus partent chaque jour vers la

Embouteillage sur la route.

Bolivie ou le nord du Brésil par la BR 364. La Pousada Pirigara, très appréciée des amateurs de pêche, se trouve près de l'Ilha Camargo sur le São Lourenço, un ranch immense appartenant à l'homme le plus riche du Brésil, le promoteur immobilier Sebastião Camargo.

Campo Grande et Corumbá sont les portes d'entrée pour le sud du Pantanal. Si vous n'êtes pas pressé, prenez le train à São Paulo pour Bauru, attrapez la correspondance pour Corumbá, où vous arriverez vingt-sept heures plus tard environ, après avoir traversé une grande partie du Pantanal.

Campo Grande, la capitale du Mato Grosso do Sul depuis 1979 est à 420 km à l'est. La ville fut fondée en 1889 et a toujours gardé son aspect primitif. Cette petite ville de trois cent mille habitants est aujourd'hui l'un des plus gros centres agricoles du Brésil. Le **Museu Regional Dom Bosco** y expose d'intéressants objets indiens.

Corumbá, sur la frontière bolivienne, en face de Puerto Suarez, fut fondée en 1778 par Luis de Albuquerque. Elle connut ensuite, de 1801 à 1865, une courte période de domination espagnole, avant d'appartenir au Paraguay de 1865 à 1867. Cette petite ville de cent mille habitants est aujourd'hui la véritable capitale du Pantanal et est surtout très connue des grands trafiquants de drogue internationaux.

Des circuits et des excursions sur les rivières environnantes sont organisés au départ du port. Les voyageurs les plus intrépides se laisseront certainement tenter par un voyage sur les petits bateaux de commerce ou les barges de bétail — qui peuvent charger jusqu'à trois cents animaux — qui descendent jusqu'à Pôrto Cercado et Barão de Melgaço. La **Casa do Artesão**, l'ancienne prison de la ville, a été transformée en magasin de souvenirs : on y trouvera des articles en cuir, des céramiques et des objets indiens.

Les *hôtels-fazendas* les plus proches sont Santa Clara, Santa Blanca et Cabana do Lontra. Cependant, le meilleur hôtel du sud du Pantanal est certainement la Fazenda Caiman, située non loin de

Un chercheur d'or au travail.

Miranda, sur l'autoroute qui relie Campo Grande à Corumbá. Le propriétaire a transformé ses 53 000 ha de terrain en une superbe réserve naturelle et a engagé plusieurs guides expérimentés. Il accueille de nombreux naturalistes, étudiants et professeurs, qui se mêlent aux touristes.

La *fazenda* propose quatre circuits différents : le premier est un parcours sur la rivière Aquidawana ; le deuxième est une découverte du ranch ; le troisième est une promenade à cheval jusqu'à la réserve des biches, et le dernier est une excursion dans une réserve naturelle de plus de 7 000 ha, où il est tout à fait possible de camper.

L'Araguaia

Le fleuve sert aussi bien au transport des marchandises qu'à celui des personnes.

L'Araguaia est un fleuve de près de 2 600 km de long. Il coupe le Brésil en deux depuis les marécages du Pantanal jusqu'à l'océan Atlantique à Belém, et traverse le *cerrado*, la vaste plaine centrale. Le fleuve, qui abrite plus de deux cents espèces de poissons et attire de nombreux oiseaux, a cessé d'être un secret. Lorsque le niveau d'eau baisse au mois d'août, révélant d'immenses plages de sable banc, plus de deux cent mille vacanciers brésiliens se précipitent à Aruana et à Barra dos Garças, dans le Sud de l'État de Goiás.

Le fleuve prend sa source dans le Sud du Goías, dans le **Parque Nacional das Emas**, avant de plonger vers le nord, séparant les États de Mato Grosso, de Goiás et de Para, se divisant enfin pour former l'**Ilha do Bananal**, la plus grande île fluviale du monde (près de 20 000 km2). C'est sur cette superbe île que se sont réfugiés une centaine d'Indiens Carajás (leur façon de pêcher à l'arc est tout à fait étonnante) et Javaés. Il faut obtenir une autorisation de la FUNAI pour pouvoir aller leur rendre visite.

Longue de 340 km et large de 70 km, l'île abrite aujourd'hui le **Parque Nacional de Araguaia**. Pendant la saison des basses eaux, plusieurs hôtels flottants circulent sur les tributaires du grand fleuve, attirant de nombreux amateurs de pêche sportive.

COURO
BAHIA Nº 10

CASA DE COUROS

BAHIA

Dans cet État du Nordeste, plus que partout ailleurs au Brésil, les cultures et les races se sont mélangées, donnant naissance à l'authentique âme brésilienne.

C'est à Pôrto Seguro, sur la côte méridionale de Bahia, que l'explorateur portugais Pedro Alvarez Cabral a tout d'abord accosté en l'an 1500. Un an plus tard, le jour de la Toussaint, un groupe de colons, envoyés par la Couronne portugaise s'installa à l'emplacement de l'actuelle Salvador, capitale de l'État. Jusqu'en 1763, Salvador était également la capitale du Brésil.

Bahia abrite la première école de médecine du pays, les plus vieilles églises, les monuments coloniaux les plus importants, et la plus grande collection d'objets d'art sacré. Bahia est également le lieu de naissance des meilleurs écrivains, politiciens et compositeurs du Brésil. L'œuvre de Jorge Amado, par exemple, natif de Bahia, a été traduite en plus de quarante langues, et certains de ses livres ont même été adaptés au cinéma, comme *Dona Flor et ses deux maris* et *Gabriela, girofle et cannelle*. Quant à la musique des Bahianais João Gilberto, Baden Powell et Gilberto Gil, elle a déclenché des passions dans le monde entier.

Bahia possède encore un autre visage qui s'adresse à l'esprit et aux sens. Le mysticisme est si fort à Bahia qu'il est présent dans tous les aspects de la vie quotidienne. On le ressent dans la manière dont les gens s'habillent, dans leur façon de parler, leur musique, leurs relations, et même dans leur cuisine.

Ce mysticisme trouve sa source dans la culture des anciens esclaves africains. Aujourd'hui encore, la religion panthéiste de la tribu africaine Yoruba se perpétue à Bahia, où de nombreux Blancs de confession catholique sacrifient néanmoins aux déités du *candomblé*. Ce syncrétisme religieux est né lorsque, pour pouvoir continuer à adorer leurs dieux, les esclaves ont été obligés de les travestir en saints catholiques. Aujourd'hui, les fidèles rendent hommage à la déesse Yemanjá ou au dieu Oxumaré en priant la Sainte Vierge ou saint Antoine.

La religion et le mysticisme qui tiennent une place tellement importante dans la vie à Bahia, transparaissent dans le nom de la capitale : Salvador signifie le Sauveur. La ville a été édifiée sur une péninsule, découverte par Amerigo Vespucci aux alentours du 1er novembre 1501, face à la Bahia de Todos os Santos, ou baie de Tous les Saints. D'après la légende, Salvador a trois cent soixante-cinq églises, une pour chaque jour de l'année.

Salvador est une ville où les sens sont sollicités en permanence : par la vue des églises surchargées de dorures, le goût exotique des boissons et des plats traditionnels, l'odeur alléchante des épices et des aromates, les cris des vendeurs de rues, le grondement de la circulation aux heures de pointe, les hurlements enthousiastes des spectateurs de football et, surtout, le rythme caractéristique de la musique bahianaise.

A chaque coin de rue et sur toutes les plages, le week-end est le temps de la

Pages précédentes une rue de Salvador ce Bahianais porte autour du cou les couleurs de son orixá *(dieu africain) ; une rue de Bahia au siècle précédent. Ci-dessous, façade de l'époque coloniale.*

musique. Si elle est devenue beaucoup plus commerciale, cette musique prend néanmoins ses racines dans les pratiques du *candomblé* où son rythme syncopé et hypnotique permet d'entrer en contact avec les déités. Les Bahianais se réunissent en petits groupes, devant les terrasses des cafés, pour chanter leurs airs favoris, avec une boîte d'allumettes en guise de tambourin, quelques petits tambours ou un *cavaquinho*, guitare à quatre cordes.

La musique et la religion sont aussi importantes pour le Bahianais que le boire et le manger. L'année s'organise autour des fêtes religieuses, célébrées par de longues et superbes processions. Le calendrier religieux atteint son apogée avec le carnaval qui a lieu juste avant le carême.

Officiellement, le carnaval dure quatre jours, du samedi au mardi précédant le mercredi des Cendres, mais à Salvador, il se prépare pendant tout l'été. Les clubs organisent des bals de précarnaval, et le week-end, les rues se remplissent de danseurs qui s'entraînent pour le grand jour. Le carnaval de Salvador ne ressemble en rien à la fête organisée de Rio de Janeiro ou de São Paulo, où les écoles de samba s'affrontent pour obtenir des subventions gouvernementales.

A Salvador, le carnaval c'est la fête et le plaisir à l'état pur. Les *Trios Elétricos*, groupes de musique installés sur le toit de camions, circulent dans les rues et assurent l'animation. Ils sont généralement bien pourvus en barils de *cachaça* qu'ils distribuent généreusement aux noceurs.

Le carnaval trouve ses origines dans la religion catholique, mais d'autres influences religieuses y sont également présentes. A Salvador, les *afoxés*, groupes de fidèles du *candomblé*, descendent dans la rue avec des bannières et des statues de déités africaines auxquelles ils dédient leurs chants et leurs offrandes.

L'un de ces *afoxés*, basé dans le quartier historique de Pelourinho, s'est baptisé *Filhos de Gandhi* et s'est choisi le grand sage indien comme saint patron.

Hormis le carnaval, Salvador connaît de nombreuses autres célébrations reli-

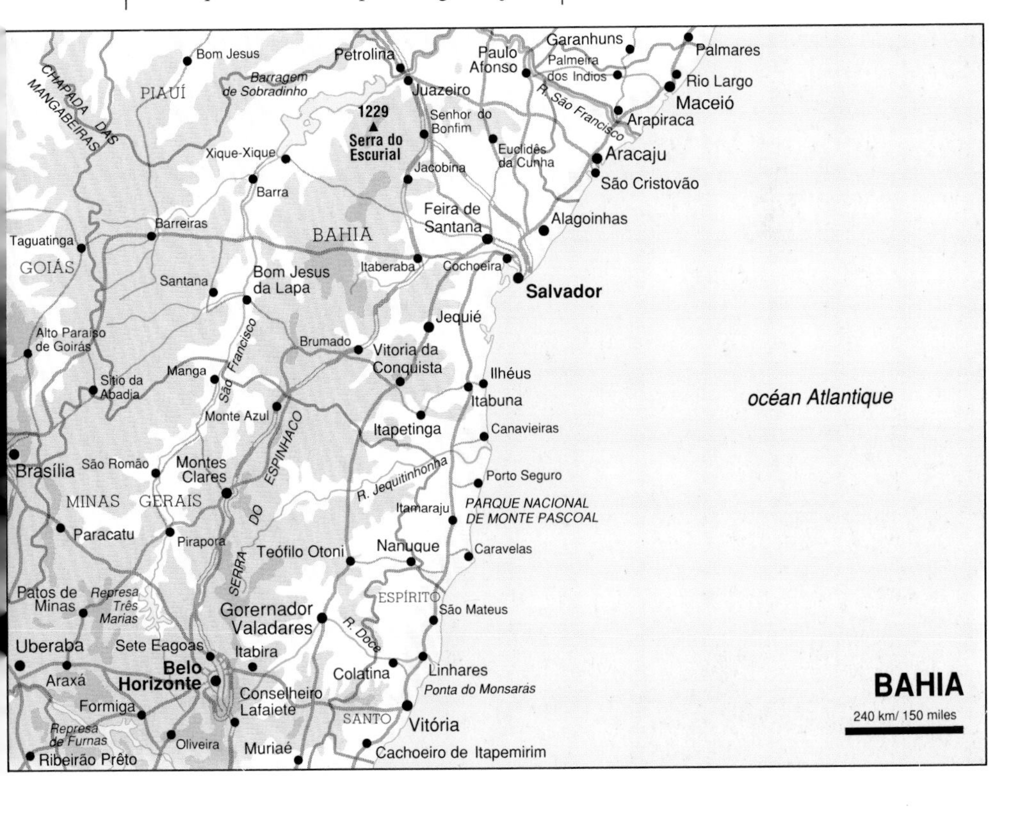

gieuses ou parareligieuses — une par mois, au moins. S'il n'y en avait pas pendant la durée de votre séjour, vous pourriez toujours assister à une séance de *candomblé* ou un spectacle de *capoeira*. Les agences de voyages et certains hôtels se chargent des réservations pour les spectacles folkloriques et les séances de *candomblé* ouvertes au public. Vous pouvez également contacter l'office du tourisme, le Bahiatursa, qui vous aidera dans vos démarches.

Si le *candomblé* est une cérémonie animée et brillante, faite de chants et de danses, il ne faut pas oublier qu'il s'agit avant tout d'un service religieux. L'assistance est donc priée de garder une attitude respectueuse et discrète. Shorts et décolletés ne sont pas tolérés, et les appareils photo sont interdits. Les cérémonies se déroulent surtout la nuit et peuvent durer deux à trois heures.

La *capoeira*, d'origine africaine, est à la fois une danse et un art martial. Les esclaves, qui avaient autrefois l'interdiction formelle de se battre, ont été obligés de travestir leurs exercices de lutte en mouvements de gymnastique pour pouvoir continuer à s'adonner à leur passetemps favori. Aujourd'hui, la *capoeira* est associée au folklore et, bien que restant un moyen d'attaque et de défense très efficace, elle est présentée au public sous forme de danse acrobatique. La musique qui l'accompagne et rythme les mouvements s'apparente à celle du *candomblé*.

Au nouvel an, Salvador s'apprête pour la fête de *Boa Viagem*, en l'honneur de *Nossa Senhora dos Navegantes*, Notre-Dame des Navigateurs. Ce jour-là, une procession de bateaux escorte la statue de la sainte jusqu'à la **Praia Boa Viagem**, où des marins et leurs familles attendent pour l'apporter à l'église.

Le troisième jeudi du mois de janvier marque le début de la fête de *Bonfim*. C'est la plus grande fête religieuse de Salvador. A cette occasion, les Bahianaises, revêtues de leurs chatoyants costumes traditionnels, lavent le parvis de l'église de Nosso Senhor do Bonfim, pour préparer l'arrivée de la statue du Christ Rédempteur.

Farniente à l'ombre des cocotiers.

Yemanjá, la déesse de la mer, est honorée le 2 février. La fête se déroule principalement sur les plages de Rio Vermelho, où les femmes déposent des peignes, des miroirs et des savonnettes parfumées sur la grève en guise d'offrandes. Ces dons sont destinés à apaiser la déesse et à garantir des eaux calmes pour les pêcheurs.

Les *festas juninas* sont célébrées au mois de juin en l'honneur de saint Antoine, saint Jean et saint Pierre. Les Bahianais fêtent dignement l'événement par des bals et de nombreux feux d'artifice.

Nossa Senhora da Conceição da Praia, Notre-Dame de la Mer, est honorée le 8 décembre avec une procession à travers les rues de la ville.

La baie de Tous les Saints

Salvador fut fondée quelque trente ans après la découverte du Brésil. En 1530, le roi Jean III y envoya un groupe de colons pour affirmer la présence portugaise contre les envahisseurs hollandais et français. C'est en 1549 que Salvador devint la capitale du Brésil et la résidence du premier gouverneur général, Tomé de Souza.

Perchée sur des falaises surplombant la **Baia de Todos os Santos** — à l'époque chaque nouveau site était baptisé du nom d'un saint, mais la baie de Salvador était si grande qu'on la nomma baie de Tous les Saints — la petite colonie faisait une capitale idéale en raison de ses protections naturelles. Depuis cette époque, Salvador a perdu de son importance politique et économique, mais elle est devenue célèbre en sa qualité de centre de la culture brésilienne. Avec près de deux millions d'habitants, Salvador est aujourd'hui la quatrième ville du Brésil.

Elle se divise en quatre parties essentielles : les plages, les banlieues, la ville haute et la ville basse. Le centre de Salvador comprend à la fois la ville haute historique, la Cidade Alta, et la ville basse nettement plus moderne, la Cidade Baixa

La visite de la **Cidade Alta** commence à la **Praça da Sé**, une grande place qui

Danseurs de capoeira.

s'ouvre sur le **Terreiro de Jesus**, une deuxième place plus petite, dominée par les trois églises les plus célèbres de Salvador. La plus grande des trois, la **Catedral Basilica da Sé**, fut construite entre 1657 et 1672 par les jésuites. Elle est entièrement recouverte de marbre du Portugal et possède treize autels. On pourra admirer dans les deux premières chapelles latérales les plus anciens retables en bois du Brésil. Le superbe plafond de la nef, réalisé en 1700, présente en son centre le symbole de l'ordre des Jésuites.

A côté de la cathédrale s'élèvent l'**Igreja da Ordem Terceira de São Domingos**, construite au XIXe siècle, et l'**Igreja São Pedro dos Clérigos**.

Le dimanche matin, le Terreiro de Jesus accueille une foire artisanale où l'on peut acheter des articles en cuir, des dentelles faites à la main et de ravissantes peintures naïves. Les trois églises sont ouvertes au public de 9 h à 10 h 30 et de 14 h à 17 h du mardi au samedi. La cathédrale est également ouverte de 9 h à 10 h le dimanche.

Sur la **Praça Anchieta** toute proche, s'élève l'une des plus opulentes églises baroques du monde, paradoxalement dédiée à un saint qui prêcha la simplicité et la modestie tout au long de sa vie. L'**Igreja de São Francisco** est un impressionnant édifice du XVIIIe siècle, entièrement bâti en pierres importées du Portugal. L'intérieur est recouvert de sculptures et de dorures; le plafond peint et doré fut exécuté entre 1736 et 1738. L'un des autels abrite la superbe statue de *Saint-Pierre d'Alcãntara*, (chef-d'œuvre de l'art baroque) sculptée dans un énorme tronc de jacaranda par Manoel Inácio da Costa, l'un des plus importants artistes baroques du Brésil. Il ne faut pas manquer d'admirer à l'entrée de l'église les superbes panneaux d'azulejos; celui de gauche représente saint François renonçant aux biens matériels.

Le **Convento de São Francisco**, construit entre 1686 et 1748, est un monastère franciscain accolé à l'église. Ce joyau de l'art baroque abrite un ravissant cloître décoré d'immenses fresques d'azulejos offertes par le roi du Portugal

Des rodéos sont organisés à Feira de Santana.

en 1730. Seuls les hommes ont le droit de le visiter, les femmes doivent se contenter de l'admirer au travers d'une vitre. L'église et le monastère sont ouverts au public de 8 h à 11 h 30 et de 14 h à 17 h 30 du lundi au samedi, et le mardi toute la journée.

Juste à côté, dans la Rua Inácio Aciole, se trouve l'**Igreja da Ordem Terceira de São Francisco**, édifiée en 1703 et réputée pour sa façade baroque d'influence espagnole. Cette magnifique église fut recouverte de plâtre jusqu'au début des années 30 : un ouvrier voulant poser un cable creusa dans la façade et, quelle ne fut pas sa surprise de découvrir que le plâtre cachait une superbe façade en pierre. Cette église est en général fermée le samedi après-midi.

De l'autre côté du Terreiro de Jesus, au bout de la Rua Alfredo Brito, se trouve le **Conjunto de Pelourinho**, la place du Pilori, entourée de maisons coloniales parfaitement conservées. La couleur noire des pierres de la place viendrait, dit-on, du sang des esclaves que l'on suppliciait ici.

Aujourd'hui, le Conjunto de Pelourinho est considéré par l'UNESCO comme le plus important vestige de l'architecture coloniale des XVIIe et XVIIIe siècles du continent américain. Autrefois bourgeois, le quartier est désormais le refuge des plus démunis, mais cela n'entame en rien son charme.

Au centre de la place s'élève la **Casa de Jorge Amado**, un musée-bibliothèque qui contient la totalité de l'œuvre de cet écrivain le plus célèbre du Brésil. On peut également y voir ses objets personnels et des photographies (on verra Jorge Amado en compagnie de Fidel Castro, Jean-Paul Sartre, Yves Montand et même Jack Lang) ; un film vidéo retrace la vie de l'auteur. Le musée est ouvert de 9 h à 17 h tous les jours.

Non loin, le **Museu da Cidade** abrite des objets du folklore afro-brésilien. A l'étage sont exposés des mannequins représentant les plus importants *orixás* (dieux) du *candomblé*. Ils sont identifiés par leurs noms africains ainsi que par leurs équivalents catholiques. Le musée est ouvert de 8 h à midi et de 14 h à 18 h

Pourquoi ne pas parcourir le sertão *monté sur un âne.*

pendant la semaine, mais il est fermé le samedi et le dimanche après-midi.

Sur la place, le restaurant Senac, qui fait partie d'une école hôtelière, vous permettra de goûter à la cuisine locale et d'assister à un spectacle folklorique. Ce self-service est ouvert tous les jours, midi et soir, sauf le dimanche. A l'heure du thé, entre 17 h et 20 h, on peut également y déguster un assortiment de pâtisseries et de confiseries bahianaises, accompagnées de café.

Le Largo do Pelourinho abrite l'**Igreja Nossa Senhora do Rosário dos Pretos**, construite au XVIIe siècle par des esclaves noirs à qui l'entrée des autres églises était interdite. Elle contient de nombreuses statues (on notera que tous les saints représentés sont noirs).

A l'extrémité du Conjunto do Pelourinho se trouve une volée de marches, le **Ladeira do Carmo**, qui mène au **Largo do Carmo**, la rue des Carmes. C'est à cet endroit que les envahisseurs hollandais (qui occupèrent la ville de 1624 à 1625) ont rendu les armes aux Portugais. L'édifice le plus intéressant de l'endroit est l'**Igreja da Ordem Terceira do Carmo** et son couvent, construits en 1585. Le couvent a été partiellement transformé en musée et en petit hôtel, sans toutefois rien perdre de ses qualités et de son charme originels.

Plus près du centre se trouvent deux musées fascinants que l'on peut aisément visiter dans la même journée. Le **Museu de Arte Sacra**, dans la Rua do Sodré, s'est installé dans l'**Igreja Santa Tereza** et le couvent adjacent, datant du XVIIe siècle. Les Bahianais affirment qu'il s'agit là de la plus importante collection d'objets d'art sacré de toute l'Amérique latine. On pourra admirer plusieurs statues en bois polychrome, en ivoire, ou en pierre à savon, de superbes peintures murales du XVIIIe siècle, de l'argenterie, des céramiques, des objets cultuels et même plusieurs pierres tombales.

Les objets d'art baroque et rococo sont exposés dans de grandes pièces ornées de céramiques bleues, jaunes ou blanches, importées du Portugal au début du XVIIe siècle. Certaines statues des XVIIe et XVIIIe siècles, sculptées dans le bois, ont été creusées sur l'ordre du clergé, pour y dissimuler des bijoux et de l'or de contrebande. Ces statues portent le nom de *santo do pau oco*, ou saint de bois creux. Le musée est ouvert du mardi au samedi de 10 h à 11 h 30 et de 14 h à 17 h 30.

En vous dirigeant vers les plages de Barra, le long de l'Avenida 7 de Setembro, l'une des avenues principales du quartier Vitória, vous trouverez le **Museu Costa Pinto**. Cette magnifique demeure abrite une intéressante collection d'objets d'art, de porcelaines, de bijoux, de cristaux de baccarat et de meubles. Le sol des pièces du rez-de-chaussée est recouvert de marbre rose de Carrare. Maison et objets d'art étaient la propriété du collectionneur Costa Pinto. Le musée est ouvert tous les après-midi, excepté le mardi, de 13 h à 19 h.

La ville basse

La visite de la ville basse débute également à la Praça da Sé. Tournez cette fois le dos au Terreiro de Jesus, et empruntez la Rua da Misericórdia jusqu'à la **Santa Casa da Misericórdia**, une église-hôpital de la fin du XVIe siècle, décorée de céra-

Ci-dessous, ces vieilles maisons du quartier de Pelourinho à Salvador sont toujours habitées ; à gauche, un garçon et son âne au travail.

miques portugaises du XVIIIe siècle. La Santa Casa est ouverte en semaine de 14 h à 17 h.

La rue débouche un peu plus loin sur la Praça Municipal où se trouvent deux très beaux édifices à l'architecture coloniale, l'un étant l'hôtel de ville, l'autre servant de lieu de réunion au conseil municipal. Plus loin, sur la Praça Cairú, se trouve le célèbre **Elevador Lacerda de Salvador**, une grande tour d'ascenseurs construite au XIXe siècle pour relier la ville haute et la ville basse. Une tour bleue de style Arts déco lui a été ajoutée en 1930.

Droit devant le **Mercado Modelo**, est installé dans l'ancienne maison des Douanes depuis 1915. Reconstruit après un incendie qui eut lieu en 1983, ce bâtiment de trois étages est aujourd'hui le principal centre d'artisanat de la ville. Ce marché transformé en galerie commerçante, où se succèdent de nombreuses boutiques de souvenirs, est surtout destiné aux touristes !

Le mieux est de se faire accompagner par un ami brésilien, pour pouvoir marchander avec les vendeurs. Le marchandage est une des traditions de ce marché, et il est généralement possible de faire baisser les prix annoncés d'au moins 25 %.

A l'étage se trouve le restaurant Camafeu de Oxossi, l'un des meilleurs de la ville, où vous pourrez déguster des jus de fruits frais très rafraîchissants. De la terrasse du restaurant, on a une belle vue sur le port, toujours très animé.

A gauche du marché, une rue descend vers l'**Igreja Nossa Senhora da Conceição da Praia**. Cette église, édifiée au Portugal au début du XVIIIe siècle, a été transportée ici pièce par pièce. C'est là que se déroule chaque année la fête religieuse de Yemanjá. L'église est ouverte tous les jours de 7 h à 11 h et de 15 h à 17 h, sauf le dimanche après-midi.

De la ville basse, en continuant vers le nord, on arrive à la grande péninsule d'Itapagipe où s'élève la célèbre **Igreja Nosso Senhor do Bonfim**. Sur la route se trouve la Feira de São Joaquim, le marché le plus pittoresque de Salvador. Il est ouvert tous les jours de 6 h à 18 h, et propose aussi bien des figurines de céra-

Cette jeune bahianaise porte le costume traditionnel.

mique que des poulets, des fruits ou des légumes.

L'Igreja do Bonfim, construite en 1754 — spécialement pour abriter la statue du Christ en croix rapportée du Portugal — est un haut lieu de dévotion populaire. Des croyants de tout le Brésil y viennent pour demander des faveurs ou pour rendre grâce aux miracles attribués à Notre-Seigneur. A l'entrée de l'église, des enfants et des femmes assaillent les visiteurs pour leur vendre de petits rubans multicolores sur lesquels sont inscrits les mots suivants : *Lembrança do Senhor do Bonfim da Bahia* (souvenir de Notre-Seigneur de Bahia). La longueur du ruban est égale à l'écartement des bras de la statue du Christ en croix. D'après la légende, un ami doit vous nouer le ruban autour du poignet en faisant trois nœuds qui représentent trois vœux. Il faut alors attendre que le ruban se détache de lui-même pour que l'un des trois vœux, ou même les trois se réalisent.

Plus dépouillée que les autres églises de Salvador, Bonfim reste néanmoins le lieu de culte favorit des catholiques aussi bien que des adeptes du *candomblé*. Il ne faut pas omettre de visiter la **Sala dos Milagres** (salle des miracles), remplie d'ex-voto. Au plafond sont supendus des objets en cire, symbolisant tous les organes que le Senhor do Bonfim a guéris. L'église est ouverte tous les jours de 6 h à midi et de 14 h 30 à 18 h.

Un peu plus bas dans la même rue se trouve l'**Igreja de Monte Serrat**, simple petite église du XVIe siècle ornée de céramiques portugaises. Elle est toute proche de l'**Igreja Boa Viagem**, construite au XVIIIe siècle par les franciscains. Cette dernière est le point de départ de la procession maritime qui a lieu chaque année le 1er janvier : l'arrivée du « Seigneur des Navigateurs ». L'église est ouverte tous les jours de 6 h 30 à 11 h et de 16 h à 20 h.

Les plages

Les rues de Salvador permettent de longer le front de mer, depuis Barra, près du centre, jusqu'aux plages du nord de la ville, considérées comme les plus belles de tout le Brésil.

La **plage de Barra** est moins célèbre pour son aspect que pour la convivialité de ses bars et de ses restaurants. On y trouve également une série de boutiques et d'ateliers à la mode, ainsi que des résidences-hôtels généralement moins chères que les hôtels traditionnels. L'inconvénient majeur de cette petite plage est qu'elle est en général bondée le week-end. L'entrée de la plage est gardée par le **Forte Santo Antônio da Barra** qui abrite un phare et un musée océanographique ouvert tous les jours, sauf le lundi, de 11 h à 17 h.

La plage d'Ondina, la suivante en remontant vers le nord, abrite quelques hôtels de classe internationale. Non loin de là se trouve le parc zoologique **Getúlio Vargas**. Ensuite vient la plage de Rio Vermelho, quartier élégant où l'écrivain Jorge Amado s'installe six mois de l'année. Des cocoteraies bordent les plages de Mariquita et Amaralina, où l'on trouve quelques très bons restaurants. A **Pituba**, vous pourrez admirer les pêcheurs au travail, dans leurs primitives *jangadas*, sortes de radeaux en bois

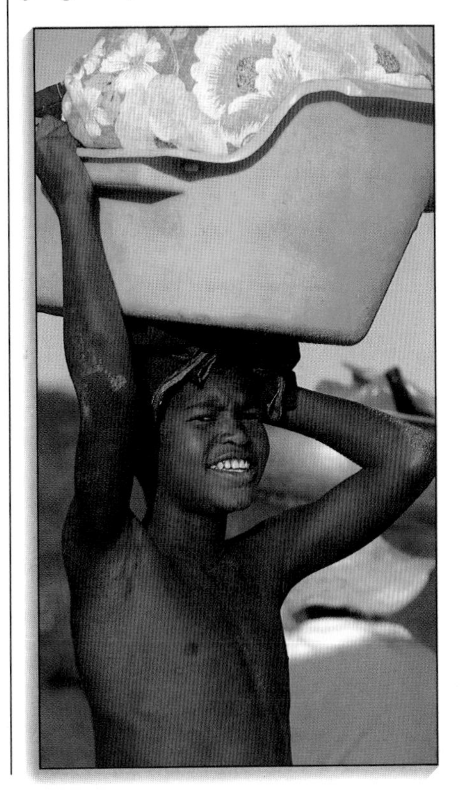

Un grand sourire malgré une lourde charge.

munis d'une petite voile. En poursuivant votre chemin, vous passerez par les plages de Jardim de Alá, Armação de Iemanjá, Boca do Rio, Corçario, Pituaçu, Patamares, et Piatã.

Piatã et **Itapuã**, la dernière plage avant l'aéroport, sont les meilleures de Salvador. Itapuã est un peu moins fréquentée que Piatã pendant la semaine, mais elles sont équivalentes pour la beauté de leur site et la qualité de leurs restaurants. La statue d'une sirène (Yemanjá) marque la séparation entre les deux plages. Elle est en outre le point de rendez-vous favori des jeunes de la ville. Le week-end, les deux plages se remplissent de musiciens qui passent l'après-midi à chanter et à jouer des musiques traditionnelles.

Vie nocturne : les plaisirs de la nuit

La vie nocturne de Salvador se concentre dans les bars et les restaurants du quartier de Barra, et le long du front de mer. Il existe quelques discothèques, pour la plupart dans les grands hôtels, mais on n'y joue que rarement de la musique brésilienne.

Le **Teatro Castro Alves**, dans le **Parque Campa Grande**, en face de l'hôtel de Bahia, présente des ballets, des pièces de théâtre et des concerts de musique classique ou moderne. Les meilleurs compositeurs brésiliens, tels que Caetano Veloso, Maria Bethania, Gal Costa ou Gilberto Gil s'y produisent réguilèrement.

Le football est un des passe-temps favoris à Salvador comme dans le reste du Brésil. Les matches se disputent au **stade Otávio Mangabeira** le mercredi soir et le dimanche après-midi. Il est toujours intéressant d'assister à une rencontre.

La zone du port et Pelourinho forment le quartier chaud de la ville. Il vaut mieux l'éviter la nuit, sinon pour se rendre sur la place, au restaurant Senac, ce qui ne présente aucun danger.

Les meilleurs endroits de Salvador, de nuit comme de jour, sont les petits bars au toit de chaume sur les plages de Piatã et de Pituba. Vous y dégusterez une *batida* ou une *caipirinha*, en écoutant de la musique et en regardant les vagues se briser sur la grève.

Excursions dans les environs

l'**Ilha de Itaparica** est une île superbe de la Baia de Todos os Santos. Cette véritable merveille tropicale fait à peine 36 km de long sur près de 20 km de large. Ses vingt mille habitants sont pour la plupart des pêcheurs ou de riches vacanciers, dont les villas de bord de mer ne sont souvent accessibles qu'en bateau. Dans le souci de préserver leur tranquillité, les habitants refusent de construire des voies d'accès à l'autoroute qui traverse l'île en son milieu.

Il y a plusieurs moyens d'accéder à l'île. Des ferries quittent régulièrement le port de Salvador pour effectuer la traversée de 45 mn. De l'autre côté de la baie, un pont relie Itaparica à la terre ferme. Le trajet qui dure trois heures permet de traverser les fascinantes villes historiques de Santo Amaro et Cachoeira. Sur l'île, il est possible de louer des bicyclettes pour explorer les innombrables plages.

L'une des « trois cent soixante-cinq » églises de Salvador

Si le temps vous est compté, optez pour une croisière d'une journée qui permet de visiter les principales îles de la baie. Le billet coûte environ 120 francs par personne et comprend le transport depuis l'hôtel, ainsi que des rafraîchissements à bord.

En quittant Salvador, la plupart de ces bateaux font deux étapes. L'une, en fin de matinée, à l'**Ilha dos Frades**, une petite île quasi déserte, peuplée de quelques pêcheurs. Le bateau jette l'ancre au large et les passagers sont débarqués sur l'île par petits canots de dix personnes. Après une heure d'exploration, quelques emplettes et un en-cas vite avalé dans l'un des bars de fortune, l'excursion reprend vers Itaparica, où un déjeuner et une promenade attendent les visiteurs. Le retour s'effectue en fin de soirée et permet d'admirer le soleil couchant sur la ville.

L'**Estrada de Coco**, la route des cocotiers, mène vers le nord et la plage de Salvador la plus éloignée du centre, Itapuã. Cette route longe ensuite les superbes plages de Jaua, Arembepe, Jucuípe, Abaí et Itacimirim, et se prolonge encore pendant 80 km avant d'arriver à l'un des plus beaux endroits de Bahia, **Praia do Forte**.

Là, cent mille cocotiers bordent une plage de sable blanc, de 12 km, protégée du tourisme et des atteintes à l'environnement par une fondation privée. La construction d'hôtels et de terrains de camping est sévèrement contrôlée. Pour chaque cocotier abattu, quatre autres doivent être replantés. Praia do Forte est également un sanctuaire pour les tortues de mer. Les œufs sont recueillis la nuit sur la plage et mis en lieu sûr jusqu'à leur éclosion. Les petites tortues sont relâchées lorsqu'elles sont assez grandes pour rejoindre la mer toutes seules.

La route qui mène de Salvador vers l'État d'Espirito Santo traverse la ville de **Valença**, vieille de quatre siècles. On y trouve la première manufacture de textile du Brésil et le premier barrage hydro-électrique de Bahia. L'une des plus belles plages de la région, **Guaibim**, se trouve à une quinzaine de kilomètres de Valença. Elle abrite de très bons res-

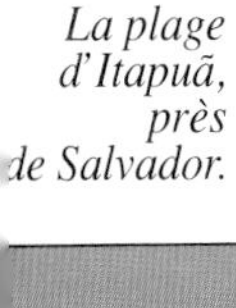

La plage d'Itapuã, près de Salvador.

LA CUISINE DE BAHIA

Pour un étranger non initié, la cuisine bahianaise peut sembler un peu lourde et très relevée. Cependant, après l'avoir goûtée, la plupart des gens s'accordent à dire qu'elle est délicieuse.

Bien qu'influencée par des traditions culinaires portugaise et indienne, la cuisine de Bahia doit toute sa saveur aux esclaves noirs qui ont non seulement importé leurs propres recettes, mais ont également modifié certains plats portugais à l'aide d'herbes et d'épices africaines.

Quelques spécialités

La cuisine bahianaise est caractérisée par l'usage généreux de piments *malagueta* et d'huile de *dendê*, extraite d'une espèce africaine de palmier qui s'est très bien adaptée au climat de Bahia. Certaines des spécialités que l'on peut également déguster à Bahia sont faites à base de fruits de mer — généralement des crevettes — de lait de noix de coco, de banane et d'okra.

La *moqueca* — l'un des plats traditionnels bahianais les plus appréciés — est un mélange de crevettes, de noix de coco, d'ail, d'oignon, de persil, de poivre, de tomates et d'huile de *dendê*, rissolé à feu doux et servi accompagné de riz cuit dans du lait de noix de coco. A l'époque coloniale, ce ragoût était enveloppé dans de grandes feuilles de bananier et cuit dans la braise.

Le *vatapá*, généralement confectionné avec des fruits de mer, peut également être préparé avec du poulet. En dehors de l'inévitable *dendê* et de la noix de coco, ce plat contient aussi des cacahuètes, du gingembre, des noix de cajou et des poivrons verts hachés.

Le *carurú de camarão* est un plat mijoté, fait à base de crevettes fraîches et de crevettes séchées et broyées, de noix de cajou, de cacahuètes, d'okra et d'huile de palme bien sûr.

Déjeuner baihanais : fruits de mer, huile de palme, lait de coco et piments.

Dans les bons restaurants, ces plats sont généralement servis accompagnés de sauce de *malagueta*. Parfois, cette sauce est directement ajoutée au plat. Il vaut mieux alors être habitué à manger *quente* (épicé). A moins de réussir à s'habituer aux saveurs fortes du *dendê* et de la *malagueta*, il est plus prudent de s'abstenir.

Tous les cuisiniers de Bahia se servent de récipients en terre cuite pour préparer leurs plats. Cette vieille tradition africaine s'explique par le fait que la poterie retient beaucoup mieux la chaleur que les autres matériaux. Les mets sont d'ailleurs souvent servis dans les plats de cuisson.

Pour se familiariser avec la cuisine bahianaise, le mieux est de commencer par aller dîner dans les restaurants des hôtels, où le *dendê* (qui est pourtant très digest) est utilisé avec nettement plus de parcimonie.

L'un des meilleurs établissements de Salvador est le Camafeu de Oxossi, dont les cuisiniers réussissent à préserver l'authenticité des plats sans rajouter trop de condiments. Ce restaurant, dirigé par une famille angolaise, est situé à l'étage du Mercado Modelo et est ouvert tous les jours de 11 h à 18 h. Il est doté d'une très agréable terrasse avec vue sur la baie, où vous pourrez siroter la traditionnelle *batida*, jus de fruits mélangé à de la *cachaça*, et déguster une cuisine d'excellente qualité.

Les Bahianaises sont réputées pour faire les meilleurs desserts du monde. Elles les concoctent à partir d'ingrédients fort simples, tels que noix de coco, œufs, gingembre, lait, cannelle et citron. La *cocada*, friandise à la noix de coco bouillie dans de l'eau sucrée additionnée de gingembre ou de citron, est l'une des plus populaires.

L'ambrosia, à base de jaune d'œuf et de vanille, le tapioca, les beignets et le *quindim* — petit flan rond aux œufs et à la noix de coco saupoudré de sucre — sont également très appréciés. Vous pourrez les acheter le long des plages de Rio Vermelho, Piatã et Itapuã.

Les Baihanaises, revêtues de leurs amples jupes blanches et de leurs blouses traditionnelles, ornées de colliers multicolores, tiennent boutique chaque jour dans des kiosques à toit de chaume ou sur des étals improvisés, le long du front de mer. Elles servent des gâteaux faits maison, ainsi que des *acarajés* les fameux hamburgers de Bahia.

L'*acarajé* est un beignet à base de *fradinhos*, des haricots doux que l'on épluche avant de les écraser avec des crevettes hachées et de l'oignon. Cette pâte est ensuite plongée dans de l'huile de *dendê* bouillante.

Lorsque les beignets sont cuits, les Bahianaises les coupent en deux pour les remplir d'une sauce qui ressemble au *vatapá*. L'*acarajé* est un en-cas délicieux que l'on savoure mieux avec un verre de bière bien fraîche.

Les meilleurs restaurants de cuisine bahianaise de Salvador sont la Casa da Gamboa, Bargaço, Agdá, Praiano et Senac. Les hôtels abritent également des établissements de très bonne qualité, tels le Quatro Rodas, le Bahia Othon Palace et la Pousada do Carmo. Certains bons restaurants allient cuisine traditionnelle et spectacles folkloriques, comme le Solar do Unhao, Tenda dos Milagres et A Moenda.

*Friture d'*acarajé.

taurants de fruits de mer et des bars agréables.

Ilhéus, sur le littoral sud de Bahia est la capitale du cacao et l'un des principaux ports exportateurs du Brésil. Située à 400 km de Salvador, Ilhéus, fondée en 1534, est aujourd'hui une ville moderne qui a su préserver les trésors de son passé. Les plages y sont nombreuses, et le carnaval est l'un des plus animés de Bahia. Il est possible de faire le tour des îles en bateau. Les hôtels et les terrains de camping situés sur la plage sont agréables. En dehors du carnaval, les fêtes principales d'Ilhéus sont la Saint-Sébastien, du 11 au 20 janvier, l'anniversaire de la ville, le 28 juin, et la fête du cacao qui se déroule pendant tout le mois d'octobre.

A la pointe sud de l'État de Bahia, presque à mi-chemin de Rio de Janeiro, **Pôrto Seguro** s'élève à l'endroit même où Pedro Alvarez Cabral découvrit le Brésil le 22 avril 1500. La ville a résisté à la marche du temps et a conservé son authentique atmosphère coloniale. Pour une petite ville (cinq mille habitants), Pôrto Seguro compte un nombre impressionnant d'hôtels et de restaurants. Ils accueillent les visiteurs l'été et pendant le carnaval, réputé pour être l'un des meilleurs du pays. De nombreux artisans, vivent toujours à Pôrto Seguro. Il ne faut pas manquer d'aller voir la colonne de marbre érigée en 1503, pour marquer la découverte du Brésil.

A 200 km des côtes, vers l'intérieur, s'étend la région aride du Nordeste, appelée *sertão*. De longues périodes de sécheresse poussent régulièrement les paysans du *sertão* vers les villes de la côte à la recherche de nourriture et de travail. Lorsque revient la pluie, les *Sertanejos* retournent chez eux. Pourtant, la pluie provoque souvent des inondations graves, car la terre craquelée est incapable de l'absorber.

Le meilleur point de départ pour visiter le *sertão* est le **Recôncavo da Bahia**, la région qui entoure la baie de Salvador. L'autoroute BR 324 conduit jusqu'à la ville coloniale de **Santo Amaro** qui vit naître, entre autres, Caetano Veloso et Maria Bethania.

Les eaux transparentes de l'Océan derrière le récif de corail.

Le long des rues pavées et des petites places de Santo Amaro, les maisons coloniales aux façades roses et blanches alternent avec des demeures plus modernes, de ce style Arts déco que l'on retrouve dans de nombreuses autres villes du Brésil. Ces dernières témoignent du développement de la région au début de ce siècle.

De Santo Amaro, vous pourrez prendre la BR 101 qui mène àCachoeira, ou bien poursuivre sur la même route jusqu'à **Feira da Santana**, à 120 km de Salvador. Cette ville est connue pour sa foire aux bestiaux hebdomadaire, qui se tient chaque lundi. Le Mercado de Arte Popular, ouvert du lundi au samedi de 7 h à 18 h, propose de très intéressants objets d'artisanat local. La ville compte quelques petits hôtels, souvent fort simples, ainsi que des restaurants de bonne qualité.

Églises et monuments de l'époque coloniale abondent à **Cachoeira**, situé à 120 km de Salvador. Le Bahiatursa, l'office de tourisme de l'état, a fléché un parcours qui permet de découvrir les édifices et les sites historiques les plus importants de la ville.

Le trajet passe par l'**Igreja Nossa Senhora da Conceição do Monte**, une belle église du XVIIIe siècle d'où on a une vue superbe sur le fleuve Paraguaçu et le village de São Félix sur l'autre rive. Elle est habituellement ouverte l'après-midi, ainsi que les autres édifices historiques de la ville. Le bâtiment du **Correios e Telégrafos**, le bureau de poste, a une très belle façade de style Art déco. Cachoeira compte également un certain nombre de boutiques de souvenirs, de restaurants et d'auberges. La Pousada do Convento est particulièrement intéressante : les chambres sont les anciennes cellules des religieuses, quant à la crypte, elle a été transformée en salle de télévision…

De l'autre côté du pont se trouve le paisible village de São Félix qui se réveille seulement une fois par semaine, le dimanche, pour les frénétiques compétitions de *samba-de-roda*. Le centre culturel de São Félix, la **Casa da Cultura Américo Simas**, est situé dans une manu-

Morro de São Paulo est un paradis pour les propriétaires de résidences secondaires.

facture de cigares du XIXe siècle, entièrement restaurée.

Le *recôncavo* est l'un des centres économiques et agricoles les plus importants de Bahia. Céréales, canne à sucre, noix de coco et 95 % de la production de cacao du pays sont récoltés ici. La ville de **Camaçari** abrite aujourd'hui l'un des trois complexes pétrochimiques du Brésil, et l'industrie se développe rapidement dans la région.

A quelques kilomètres seulement du *recôncavo* commence le *sertão*, une région aride à la végétation pauvre et à la chaleur étouffante. La seule richesse de cette terre sont les hommes. Certains sont devenus de véritables héros de folklore, tel Lampião, sorte de Robin des Bois brésilien, tué en 1938 après une vingtaine d'années de lutte à la tête d'une bande de hors-la-loi et d'aventuriers appelés *cangaceiros*.

Le *sertão* a également sa propre musique, bien différente de la samba ou de la *bossa nova* du reste du Brésil. La *música sertaneja* ressemble à la country américaine. Le rythme à deux temps est simple et linéaire, les accords peu variés et les thèmes évoqués parlent de l'amour perdu, du mal du pays, du mauvais temps et de la mort.

Au centre de l'État de Bahia, à 450 km de Salvador, se trouve la petite ville historique de **Lençóis**, nichée au pied du contrefort montagneux du plateau de Diamantina. Fondée en 1844, la ville a connu la fièvre de l'or et du diamant. Elle a attiré des milliers de prospecteurs qui se sont installés dans des abris de fortune, fabriqués à l'aide de grandes bâches en toile appelées *lençóis*. Le nom est resté. Grâce à ses richesses minières, Lençóis a rapidement connu un développement extraordinaire. La bourgeoisie de la ville était vêtue à la dernière mode parisienne, et envoyait ses enfants étudier en France. Le gouvernement français avait même ouvert un consulat à Lençóis.

Aujourd'hui, le bâtiment consulaire est l'une des principales attractions touristiques de la ville, au même titre que le marché municipal. Cet édifice de style indien servait autrefois de comptoir aux prospecteurs de diamants.

Le folklore de Lençóis est typiquement bahianais, mais il présente un certain nombre de particularités. Ses fêtes et ses danses sont différentes de celles du reste de l'État. Le carnaval n'est pas un événement majeur, en revanche, les *Lamentação das Almas* pendant la période du carême ont une grande importance. Lençois a également sa propre version du *candomblé*, appelée *Jarê*. Les célébrations de *Jarê* ont lieu essentiellement aux mois de septembre, décembre et janvier.

La région connue sous le nom de **Chapada Diamantina** est l'une des plus belles de Bahia. De nombreuses sources de montagne luttent efficacement contre la sécheresse et permettent à une végétation luxuriante de pousser. La Chapada est une zone montagneuse sauvage qu'il est plus sage d'explorer en compagnie d'un guide averti. Des orchidées poussent à profusion près des cascades, dont certaines ne sont accessibles qu'à pied. La **Chute de Verre**, par exemple, à 10 km de Lençóis, s'écoule d'une hauteur de 400 m. On ne peut l'atteindre qu'après une marche de 7 km à travers un paysage souvent grandiose. En chemin, on ren-

A gauche, cocoteraies le long des plages de Bahia ; à droite, la statue du Christ de l'Igreja da Ordem Terceira do Carmo.

contre de nombreuses grottes qu'il est possible de visiter. Le sommet du **Morro do Pai Inácio**, recouvert d'une multitude de plantes exotiques, permet de découvrir un somptueux panorama sur l'ensemble de la Chapada.

L'artisanat local s'est spécialisé dans la fabrication de petites bouteilles en verre remplies de sable coloré, dans la dentelle, les travaux de crochet et la poterie. Pour l'hébergement, Lençóis a deux terrains de camping et quelques auberges très simples dont la meilleure est la Pousada de Lençóis.

A l'ouest de Lençóis, par l'autoroute 242, et à 650 km de Salvador, se trouve la petite ville d'**Ibotirama**, sur le légendaire fleuve São Francisco. C'est le paradis des pêcheurs par excellence. Les huit mille habitants d'Ibotirama élèvent du bétail et plantent du manioc, du blé, des haricots et du riz, mais lorsqu'arrive la sécheresse, le fleuve devient leur seule source de nourriture.

Le São Francisco abrite des douzaines d'espèces de poissons, dont le terrible piranha, considéré ici comme un met délicat. Bateaux et canots peuvent être loués sur le port. De mars à octobre, pendant la saison sèche, le niveau de l'eau baisse, découvrant les larges bancs de sable des îles fluviales de **Gada Bravo** (à 40 mn en amont) et d'**Ilha Grande** (à 25 mn en aval).

A partir d'Ibotirama, le São Francisco s'écoule vers le nord et le **barrage de Sobradinho**. Son vaste réservoir en fait l'un des plus grands lacs artificiels du monde, et attire de nombreux pêcheurs.

Au nord de ce lac se trouve la ville de **Juazeiro**, à la frontière entre l'État de Bahia et celui de Pernambouc. Pendant la période coloniale, Juazeiro était l'étape favorite des voyageurs et des pionniers en route vers Salvador. A l'origine, la ville était une simple mission, bâtie en 1706 par des moines franciscains au cœur d'un village indien Cariri. A la fin du XVIIIe siècle elle est devenue le principal centre commercial et social de la région.

Aujourd'hui, la ville compte soixante-dix mille habitants. La fête du saint patron de Juazeiro est célébrée pendant la première semaine de septembre par des

Les pêcheurs préparent leurs filets.

messes et des processions. Le dernier dimanche d'octobre ou le premier dimanche de novembre est consacré à la fête de Nossa Senhora do Rósario. La fête du Saint-Esprit a lieu en mai ou en juin : pendant une journée, un petit garçon est nommé « empereur » de Juazeiro, après une cérémonie religieuse à la prison locale, le petit garçon a le droit de faire libérer le prisonnier de son choix.

Le **Museu Regional do São Francisco,** situé sur la Praça da Imaculada Conceição, est l'un des plus importants musées de l'État de Bahia. Ouvert tous les jours sauf le lundi, il abrite des documents et des objets relatifs à l'histoire du fleuve São Francisco. Les sifflets à vapeur, les vieilles lampes à pétrole, les ancres et les bouées, les instruments de musique et les différents objets anciens exposés dans les vitrines du musée proviennent des villages qui ont été inondés au moment de la construction du barrage de Sobradinho.

Le folklore dans la région de Juazeiro est dominé par la *carranca*, créature fabuleuse mi-homme, mi-dragon, censée éloigner le diable. Les *carrancas*, avec leur gueule menaçante figée dans un éternel rugissement silencieux, sont sculptées dans le bois et peintes en couleurs vives. Elles servent souvent de figure de proue aux bateaux qui naviguent le long du São Francisco. Les boutiques de souvenirs proposent aux touristes des *carrancas* miniatures, sculptées par le célèbre Xuri, qui vit et travaille dans la ville voisine de Carnaíba.

A 100 km de Juazeiro se trouve la **grotte do Convento**, cachée dans la vallée de la Salitre, l'un des plus beaux affluents du São Francisco. Cette grotte mesure plus de six kilomètres de long et abrite deux lacs d'eau douce. Il est plus prudent de louer les services d'un guide dans la petite ville d'Abreus, non loin de là, pour visiter la grotte.

La **Caverna do Padre**, longue de 15 km, est la plus vaste d'Amérique du Sud. Elle attire de nombreux spéléologues. Cette grotte, découverte récemment, se trouve près de la ville de Santana, au cœur du *sertão*, à quelque 200 km au sud-ouest d'Ibotirama.

Le sable blanc des plages du Nordeste.

LE NORDESTE

Pour les Brésiliens qui vivent dans les États prospères du Sud et du Sud-Est, le Nordeste semble un pays étranger. L'accent est différent, de même que l'argot et les expressions populaires, quant aux habitants, ils s'apparentent plus aux *mestiços* qu'aux *mulattos*. La nourriture est inhabituelle, la culture et l'histoire paraissent étrangères et la terre, le *sertão* aride des légendes du Nordeste, ressemble plus à un désert africain qu'au paradis tropical qui forme le reste du Brésil.

Le Nordeste couvre 1 million de km^2 (trois fois la surface de la France) et représente 12 % du territoire national. Les huit États du Nordeste (Sergipe, Alagoas, Pernambuco, Paraíba, Rio Grande do Norte, Ceará, Piauí et Maranhão) comptent une population de trente millions d'habitants, c'est-à-dire près de 23 % du total brésilien. Par sa situation géographique, l'État de Bahia avec ses dix millions et demi d'habitants, fait partie du Nordeste, mais il est très différent de ses voisins en raison de ses racines africaines.

Premier centre de la colonisation portugaise, le Nordeste a connu une brève expansion économique fondée sur le sucre. Ses plantations, qui faisaient autrefois la fierté du Portugal, étaient la principale source de revenus de la Couronne. Le déclin du Nordeste s'est fait sentir dès le début du XVIIIe siècle, et s'est poursuivi jusqu'à l'époque moderne.

Aujourd'hui, le Nordeste est synonyme de pauvreté et de famine, semblable en cela aux nations les plus pauvres d'Afrique. Le Nordeste est cause d'embarras national, en particulier pour les Brésiliens des États du Sud qui voient dans leurs industries modernes l'avenir d'un Brésil économiquement fort et politiquement puissant. Il n'y a pas de place dans ce rêve pour une région telle que le Nordeste.

Les problèmes du Nordeste ont tous la même origine: une terre incapable de nourrir ses habitants. Hormis la longue bande de terre fertile qui borde la côte de Bahia à Rio Grande do Norte, la région est une vaste steppe semi-aride, peuplée d'arbres rabougris et de cactées, appelée *sertão*. La vallée du fleuve São Francisco qui traverse la région du Minas Gerais jusqu'à Pernambuco, est l'une des rares zones fertiles de tout le Nordeste.

Des sécheresses récurrentes et souvent dramatiques ont stoppé la croissance économique du Nordeste dont les habitants s'exilent aujourd'hui en nombre sans cesse croissant vers le sud, espérant trouver un emploi à Rio de Janeiro ou à São Paulo. A l'heure actuelle, la région dépend entièrement des subventions d'État pour financer ses projets de développement.

En dépit de cette situation catastrophique, le Nordeste est loin d'être une cause perdue. Plusieurs projets d'irrigation menés à bien à Bahia ont démontré qu'il était possible d'arracher le *sertão* à sa condition. Par ailleurs, le littoral fertile abrite de nombreuses villes, dont Recife et Fortaleza, les deux centres urbains les plus importants de la région. Là, la nature s'est montrée beaucoup plus clémente, comme pour se faire pardonner les rigueurs du *sertão*.

Les plages du Nordeste comptent parmi les plus belles et les plus sauvages de tout le Brésil. Elles attirent de plus en plus de visiteurs, aussi bien brésiliens, qu'étrangers, et transforment peu à peu le littoral en un pôle d'attraction touristique important. La douceur du climat et la beauté des paysages, la décontraction du style de vie et les vestiges historiques, la cuisine à base de poissons, de crevettes et de homards, tout cela ajouté à des prix défiant toute concurrence, contribuera certainement à sauver le Nordeste de la faillite.

Recife ou la Venise du Brésil

Recife, la capitale de l'État de **Pernambuco**, est une métropole de moins d'un million et demi d'habitants. Son nom vient de l'arabe et signifie à l'origine « mur fortifié ». En portugais, ce terme a pris le sens de « récif ». A cet

Pages précédentes maison en torchis dans le sertão.

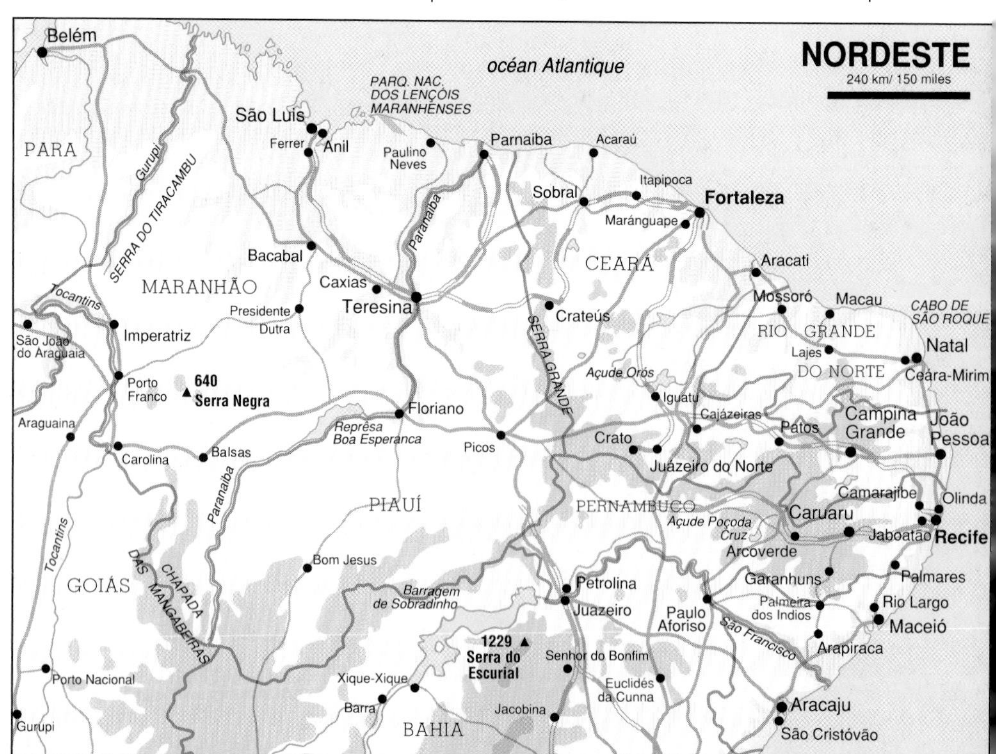

endroit, comme un peu partout dans le Nordeste, le littoral est caractérisé par de larges récifs coralliens sur lesquels se brisent les vagues venant du large. Et sur la Praia Boa Viagem, lorsque la mer est assez basse, on peut marcher jusqu'à la barre de corail sans jamais perdre pied.

Les Portugais colonisèrent le littoral de Pernambuco en 1537. Près d'un siècle plus tard, une invasion hollandaise conduite par le prince Maurice de Nassau marqua le début d'une nouvelle ère en matière d'art, de culture et d'urbanisation.

Recife, la « Venise du Brésil », qui était autrefois un vaste marécage parsemé d'îles, fut en grande partie assainie par les Hollandais. Aujourd'hui, trente-neuf ponts enjambent les rivières et les canaux, reliant les trois îles principales de la ville.

La promenade à travers le quartier historique de Recife commencera à la **Praça da República** avec le **Teatro Santa Isabel** (construit en 1850) de style néo-classique, l'un des plus beaux édifices de la ville. Il est ouvert au public du lundi au vendredi de 14 h à 17 h. La place abrite également quelques bâtiments du XIXe siècle, le Palacio do Governo, le Palacio da Justicia et le Tribunal qui accueille par ailleurs la plus ancienne faculté de droit du Brésil.

De l'autre côté de la place se trouve la **Capela Dourada** — chapelle dorée — qui, d'après la légende, contient plus d'or que toutes les autres églises du Brésil hormis l'Igreja de São Francisco à Salvador. Construite à la fin du XVIIe siècle par des moines franciscains, cette chapelle baroque est l'un des plus beaux exemples d'architecture religieuse de tout le pays. Les fresques du plafond représentent *la Vie de saint François*. La chapelle et son musée d'art sacré, le **Museu Franciscano de Arte Sacra**, sont ouverts en semaine de 8 h à 11 h 30 et de 14 h à 17 h, ainsi que le dimanche matin.

Recife conserve plusieurs autres superbes églises baroques. L'**Igreja de Santo Antônio**, construite en 1607, abrite de superbes azulejos du XVIIIe siècle.

La plage de Jenipabu à Bahia.

L'**Igreja** et le **Couvento Nossa Senhora Rosario dos Pretos**, furent construits près d'un siècle plus tard par des esclaves noirs. L'**Igreja** et le **Couvento Nossa Senhora do Carmo** furent édifiés en 1675 sur les ruines du palais du gouverneur hollandais, Maurice de Nassau. L'**Igreja São Pedro dos Clerigos** est l'exemple le plus saisissant de l'art baroque. Cette église construite au milieu du XVIIIe siècle devait être entièrement revêtue d'or mais, malheureusement, les fonds ont manqué. Elle abrite néanmoins un très beau plafond en trompe l'œil réalisé au XIXe siècle.

A quelques minutes de marche du Teatro Santa Isabel, dans la Rua do Sol, se trouve la **Casa da Cultura**, un bâtiment de trois étages qui servit de prison pendant plus d'un siècle. En 1975, il fut aménagé en centre artisanal et folklorique. Les articles en cuir et en paille, les figurines d'argile, les T-shirts de mauvais goût rebrodés de soie et les liqueurs de fruit, sont exposés dans les anciennes cellules, du rez-de-chaussée au troisième étage. La Casa da Cultura est ouverte tous les jours de 9 h à 20 h, et le dimanche, de 15 h à 20 h.

Il y a des douzaines de musées à Recife, mais l'un d'entre eux est particulièrement intéressant. Il s'agit du **Museu do Homen do Nordeste** (ou Museu Joaquim Nabuco), fondé par Gilberto Freyre (1900-1987), le plus célèbre anthropologue et sociologue du Brésil, qui fut de plus le chef de file de l'intelligentsia brésilienne. Le Museu do Nordeste est certainement le musée le plus intéressant et le plus riche en documents sur l'histoire de la civilisation brésilienne.

Ce musée se divise en trois grandes parties : le **Museu do Açúcar** où est expliqué tout le processus de production du sucre (photos anciennes, machines, maquettes...) ; le **Museu do Antropologia**, réservé à l'étude des races qui composent la population brésilienne et le **Museu do Arte Popular**, où l'on trouvera une étude assez complète de l'histoire artisanale et folklorique du Nordeste. Les horaires d'ouverture sont variables, il convient donc de se renseigner avant la

Les pêcheurs de Salvador.

visite. Le musée est situé dans le quartier de Casa Forte à une dizaine de kilomètres du centre.

L'**Oficina Cerâmica Francisco Brennand** est également très intéressante. Ce musée, installé dans une ancienne fabrique de tuiles et de briques, est en fait l'atelier de l'artisan Francisco Brennand, célèbre dans tout le Nordeste. Ses céramiques peintes à la main, sa poterie et ses statuettes vaguement érotiques sont très appréciées à Recife. L'atelier est ouvert au public de 8 h à 11 h et de 14 h à 17 h pendant la semaine, et de 8 h à 11 h 30 le samedi. En prévenant à l'avance de votre visite, vous aurez peut-être le privilège d'avoir M. Brennand lui-même pour guide.

Les meilleurs bars et restaurants, ainsi que tous les grands hôtels de Recife sont regroupés auprès de la **Praia Boa Viagem**, la plus belle plage de la ville, qui s'étend sur plusieurs kilomètres. Cette superbe plage est même éclairée la nuit.

La **Praça da Boa Viagem** accueille tous les week-ends une foire artisanale. Plusieurs excellents restaurants de fruits de mer entourent la place, et réunissent aussi bien les touristes que les résidents autour de leurs tables. La vie nocturne se concentre le long de la plage et dans l'Avenida Conselheiro Aguiar. Les plages de Pina, Piedade et Candeias sont également très animées la nuit.

Les plages des environs

La plage de Pôrto de Galinhas, dans la ville d'**Ipojuca** à une cinquantaine de kilomètres au sud de Recife, est l'une des plus belles de la région. Des compétitions de surf s'y déroulent pendant l'été. Son camping, dirigé par l'office national du tourisme Empetur, est planté de cocotiers et d'anacardiers. C'est dans cette ville que le gouverneur de Pernambuco a sa résidence d'été.

Au nord de Recife, les plus belles plages se trouvent essentiellement sur l'**Ilha Itamaracá**. A mi-chemin du pont qui relie Itamaracá au continent il y a un poste de police qui rappelle qu'une partie de l'île sert de prison ouverte pour les détenus modèles du pénitencier. Les prisonniers mariés ont le droit de vivre avec leur famille, et exercent tous une profession. De petites boutiques de cartes postales ou de souvenirs bordent la rue principale de l'île. Elles sont tenues par des prisonniers, identifiés par un numéro matricule imprimé sur leur T-shirt. Ces détenus ne sont pas dangereux, ils chérissent leur statut plus que tout et ne feraient rien pour risquer de le perdre.

Avant d'atteindre **Fort Orange** construit par les envahisseurs hollandais en 1631, prenez la route secondaire pour **Vila Velha**, la première colonie de l'île, fondée en 1534. La vie de ce charmant petit village, caché au fond d'une cocoteraie, tourne autour de la place où la seule télévision de l'endroit trône dans un meuble en bois.

Quelques demeures coloniales et la très belle **Igreja Nossa Senhora da Conceição**, construite au XVIIe siècle, entourent la place du village. Le restaurant Port o Brasilis, ouvert à l'heure du déjeuner, réserve une agréable surprise aux visiteurs. Les plats y sont aussi admirables que les toiles du propriétaire, le peintre brésilien Luis Jasmim. Le centre d'Itamaracá et Fort Orange ont quelques

Un bateau de pêche.

bons hôtels et restaurants. Il y a également un camping à Fort Orange.

Le joyau de la culture brésilienne

Le temps semble s'être arrêté à **Olinda**, l'ancienne capitale du Pernambuco, qui s'étend tel un grand musée à ciel ouvert sur les hauteurs de Recife. Cette ville est un joyau de l'art baroque et a reçu le titre de « héritage de la nature et de la culture de l'Humanité » par l'UNESCO. Le gouvernement brésilien à pris cette distinction très au sérieux et pour repeindre le moindre volet, il faut obtenir l'autorisation préalable de la commission.

La légende raconte que le premier gouverneur portugais de la région a été tellement bouleversé par la beauté de ces collines qu'il se serait exclamé: *« O linda situação para uma vila »*, ou *« quel site merveilleux pour une ville. »* C'est ainsi qu'Olinda a été baptisée.

Cette charmante petite ville, située à 6 km de Recife, fut fondée en 1537; elle connut rapidement un essor important et devint un centre économique primordial pour le Pernambuco. Les plus beaux trésors architecturaux de la ville furent détruits lors de l'invasion hollandaise en 1630. Mais un grand nombre de couvents et d'églises furent par la suite reconstruits. Au XVIIIe siècle, les grands producteurs de sucre s'installèrent à Recife, détrônant Olinda dans son rôle de capitale d'État. La ville s'endormit alors pour apparaître aujourd'hui comme un véritable joyau de la culture brésilienne.

La meilleure façon de découvrir cette petite ville est de s'y promener à pied. Les ruelles étroites, du XVIIe siècle, sont bordées de maisons coloniales aux couleurs vives, d'églises, de cafés et de boutiques.

En partant de la **Praça do Carmo**, qui abrite la plus vieille église carmélite du Brésil (1588), et en empruntant la Rua São Francisco on arrive à la **Capela de São Roque**, construite en 1811 et décorée de fresques baroques retraçant la vie de la Sainte Vierge.

Le séminaire d'Olinda se trouve à gauche, dans la Rua Bispo Coutinho, ainsi que l'**Igreja Nossa Senhora da Graça**, ancien collège de jésuites créé en 1561, dont l'architecture est un exemple parfait du baroque brésilien du XVIe siècle. Au sommet de la colline, cette rue s'ouvre sur la **Praça Alto da Sé** qui permet de découvrir l'océan Atlantique et la ville de Recife distante de 6 km.

L'**Igreja da Sé**, la première église paroissiale du Nordeste, construite en 1537, est aujourd'hui la cathédrale de l'archevêché. Le musée d'art sacré installé dans le **Palácio Episcopal** (construit en 1696), en face de la cathédrale, est consacré à l'histoire d'Olinda et à la culture afro-brésilienne. On pourra aussi admirer de petites sculptures religieuses en bois polychrome.

Le **Couvento São Francisco**, édifié en 1585, fut le premier couvent franciscain du Brésil. En partie détruit par les Hollandais, il fut reconstruit entre 1715 et 1755. Il ne faut pas manquer d'admirer la décoration intérieure: un autel de bois doré, de superbes panneaux d'azulejos et de belles peintures au plafond.

Les sculptures et les dorures de l'**Igreja da Misericórdia**, l'une des plus anciennes églises du Brésil fondée en 1540, rappellent l'école française de Boucher. Le **Mercado da Ribeira**, dans la Rua Bernardo Vieira de Melo, était autrefois le marché aux esclaves. Il abrite aujourd'hui des ateliers de peinture et des boutiques d'artisanat. A l'angle de la Rua 13 de Maio se dresse le musée d'Art contemporain, un édifice construit au XVIIIe siècle pour accueillir les prisonniers de l'Inquisition. La plupart des bâtiments historiques sont ouverts tous les jours au public.

Le sertão

De Recife, l'autoroute BR 232 serpente à travers la montagne vers les petites villes de Gravatá, Caruaru et Fazenda Nova. A mi-chemin de Gravatá, près de **Vitória de Santo Antão**, vous apercevrez une énorme bouteille ornée d'une écrevisse, le symbole de la distillerie de *cachaça* Pitú. La distillerie est ouverte au public et la visite se termine traditionnellement par une dégustation.

Il reste encore une trentaine de kilomètres à parcourir sur une route sinueuse avant de parvenir à Gravatá. L'air se fait

Les ruines d'une mission catholique dans l'État de Rio Grande do Sul.

LE FLEUVE SÃO FRANCISCO

Le São Francisco, troisième fleuve du Brésil, a été l'un des plus importants catalyseurs pour le développement économique et culturel du pays.

Au XIXe siècle, ce fleuve de 3 000 km de long, aux eaux brunâtres, a joué un rôle vital dans le développement du Nordeste qu'il traverse de part en part. Il a été longtemps la seule voie de communication dans une région chichement pourvue en routes et voies de chemin de fer. Ce rôle lui a conféré dans l'histoire et les légendes du Brésil une place équivalente à celle que tient le Mississippi aux États-Unis. Au siècle dernier, de nombreux bateaux à vapeur croisaient sur le São Francisco, chargés de vivres destinées à approvisionner les régions et les villes les plus reculées.

Le São Francisco prend sa source dans les hauts plateaux du Minas Gerais et traverse quatre États, Bahia, Pernambuco, Alagoas et Sergipe, avant de se jeter dans l'océan Atlantique. Les campements et les villages qui surgirent le long de ses rives à l'époque coloniale devinrent, vers le milieu du XIXe siècle, des centres commerciaux de plus en plus importants. Aujourd'hui encore, sa vallée est la seule oasis dans une région par ailleurs aride et désolée.

Les esprits du fleuve

L'une des formes artistiques les plus curieuses du Brésil est née grâce au São Francisco. Surnommé *Velho Chico* (vieil homme) par les riverains, le fleuve est à la fois admiré et craint pour les esprits malfaisants qu'il abrite. Afin de se protéger de ces esprits, les marins du XIXe siècle fixaient à l'avant de leurs bateaux des figures de proue au faciès grimaçant. Ces figures de proue sculptées dans le bois, appelées *carrancas*, n'existent qu'au Brésil.

Aujourd'hui, seuls les vieux marins croient encore au pouvoir de leurs *car-*

Jour de lessive au bord du São Francisco.

rancas. Les bateaux modernes ne les utilisent plus que comme curiosités pour les touristes.

Selon la légende, les *carrancas* éloignent non seulement les mauvais esprits et les alligators, mais ils sont aussi dotés de pouvoirs de communication. Lorsqu'ils sentent que le bateau est en danger, ils émettent trois gémissements assourdis pour alerter l'équipage.

Si cette superstition a désormais largement disparu, elle survit néanmoins dans l'art folklorique brésilien. C'est à Petrolina, dans l'État de Pernambuco, et à Juazeiro, dans l'État de Bahia, que sont vendues les authentiques figures de proue, sculptées dans du bois de cèdre. Des versions miniatures, sous forme de décoration de table ou de porte-clés, sont vendues dans toutes les boutiques et les foires d'artisanat du pays. Les meilleurs sculpteurs de la vallée du São Francisco sont Mestre Guarany, son élève Afrânio, ainsi que Sebastião Branco et Moreira do Prado.

La plupart des marins qui vivent dans les villes bordant le fleuve proposent aux touristes des croisières peu onéreuses qui durent une journée. On peut ainsi embarquer à Ibotirama (Bahia), à Januária et Pirapora (Minas Gerais), ou encore à Penedo (Alagoas), Paulo Alfonso (Bahia), Juazeiro (Bahia) et Petrolina (Pernambuco). Ces dernières villes sont situées à l'endroit où le fleuve s'élargit pour former une sorte de vaste lac.

Un élégant bateau à vapeur, construit en 1913 aux États-Unis pour naviguer sur le Mississippi, propose des croisières de quelques jours sur le São Francisco. Pendant des années, ce bateau a fait la navette entre Pirapora et Juazeiro (1 370 km), transportant à la fois les touristes et les habitants du fleuve.

Aujourd'hui, sa vocation est essentiellement touristique. La croisière, de Pirapora à Januária, dure cinq jours. Les départs ont lieu tous les dimanches. Le vapeur peut accueillir jusqu'à vingt-quatre passagers dans douze cabines doubles, équipées de couchettes confortables. Les réservations se font à l'agence Unitur à Belo Horizonte, capitale du Minas Gerais.

Ci-dessous, figure de proue typique du São Francisco ; à droite, satuettes et carrancas *en bois sculpté.*

plus frais et la végétation plus rare. **Gravatá** est la villégiature favorite des habitants de Recife. Au-delà de cette ville commence véritablement le *sertão*.

Caruaru est la capitale de l'**Agreste** et la ville natale de Mestre Vitalino, le célèbre artisan qui donna toute leur valeur aux figurines d'argile peinte, typique du Nordeste. Le mercredi et le samedi, la ville s'anime avec la *feira*, la foire artisanale, qui attire aussi bien les touristes que les habitants des environs, venus acheter qui un service à thé peint à la main, qui quelques sacs de riz, de haricots et de sucre.

Les figurines d'argile sont très populaires, et les vendeurs en profitent pour tenter de les vendre au prix fort, alléguant qu'elles ont été faites par le Maître lui-même. En réalité, Vitalino n'a jamais été très prolifique, et ce sont ses étudiants qui les ont réalisées. La foire artisanale débute à 5 h du matin et se poursuit jusqu'à 19 h. Elle est considérée comme l'une des meilleures et des plus belles de toute l'Amérique du Sud. La richesse de la production est telle que Caruaru est considéré par l'UNESCO comme le plus grand centre d'art figuratif populaire d'Amérique latine.

Fazenda Nova est un village paisible qui a survécu pendant des années en travaillant une terre peu fertile. Il a trouvé sa place sur les cartes en 1968, lorsque la famille Pacheco y a inauguré la **Nova Jerusalém** avec l'aide du gouvernement de l'État. Le plus grand spectacle de théâtre en plein air du Brésil s'y déroule chaque année pendant la semaine sainte. Les sites des scènes de la Passion ont été reconstituées dans une ville-décor de 7 ha, qui reproduit fidèlement la Jérusalem de l'an 33 de notre ère.

Plus de cinq cents acteurs, pour la plupart des habitants du village, prennent part à ce superbe spectacle son et lumière, présentant environ soixante tableaux vivants. Le spectacle, joué en play-back, atteint son apogée lorsque Ponce Pilate se tourne vers la foule et demande : *« Qui doit mourir... le roi des Juifs ou Barabbas ? »*

Non loin de là se trouve le non moins impressionnant **Parque das Esculturas**,

Recife, la ville des canaux.

véritable temple à la gloire du Nordeste. Pour le moment, trente-huit immenses statues de pierre, représentant les héros et les simples habitants de la région, ornent le parc. Elles seront cent lorsque l'aménagement sera terminé. On peut y voir la lavandière, le cueilleur de coton, le coupeur de canne à sucre, la dentelière... Plus loin, se dresse Lampião, le légendaire Robin des Bois du Nordeste, et sa bien-aimée, Maria Bonita.

Le secteur quatre du parc est réservé aux statues représentant les danses folkloriques et les fêtes rituelles de l'État de Pernambuco. On y verra, entre autres, le célèbre *jaragúa*, mi-homme, mi-dragon, et le danseur de *frevo*.

Le *frevo* est la danse principale du carnaval de Pernambuco. Ici, il n'y a ni écoles de samba comme dans le Sud, ni instruments électriques comme à Salvador. Les gens dansent simplement dans la rue en brandissant des parasols pour garder leur équilibre. Certains interprètent la *maracatu*, une légende typique du Nordeste qui mêle des personnages religieux à des artistes de cirque. C'est à Olinda que se déroule le principal carnaval de la région.

Le littoral nord

A une centaine de kilomètres au nord de Recife, sur la côte atlantique, se trouve la ville de **João Pessoa** (quatre cent mille habitants). Les douzaines de plages qui l'entourent sont protégées des vagues du large par une barrière de corail, et abritées du soleil par des rangées de cocotiers. Capitale du petit État de **Paraíba** (56 400 km^2), João Pessoa est la troisième plus vieille ville du Brésil. Elle a fêté le quatre centième anniversaire de sa fondation en 1985.

En 1585, le Portugal appartenait à la couronne d'Espagne, aussi, le petit village qui fut construit près de l'embouchure du fleuve Paraíba reçut-il le nom de Filipeía en l'honneur de Philippe II d'Espagne. En 1640, le Portugal retrouvant son indépendance, le village fut débaptisé et renommé Paraíba. Ce n'est qu'en 1930, qu'il prit son nom définitif. Pour rendre hommage à João Pessoa, un

Le quartier de Boa Viagem à Recife.

célèbre gouverneur de Paraíba assassiné à Recife, la petite ville Paraíba prit le nom de João Pessoa.

Palmiers, bougainvillées, flamboyants et autres plantes tropicales ornent ses rues en abondance. Le **lac du Parque Solon de Lucena**, dans le centre, est bordé de superbes palmiers royaux.

L'architecture baroque de la très belle **Igreja de São Francisco**, construite entre 1589 et 1591, offre un contraste saisissant avec le design futuriste de l'hôtel Tambaú, une énorme soucoupe volante qui surplombe l'Océan. A marée haute, les vagues atteignent presque les rebords des fenêtres.

L'une des plus belles plages de toute la région est la **Praia do Poço**, à une dizaine de kilomètres au nord de l'hôtel Tambaú. A marée basse, la mer découvre l'**île d'Areia Vermelha**. Les pêcheurs sont toujours prêts à emmener les visiteurs sur l'île à bord de leurs *jangadas*. Il n'y a pas de végétation sur Areia Vermelha, il est donc plus prudent de se munir d'un chapeau et de crème solaire. Le soleil et la réverbération sur le sable peuvent infliger de sévères brûlures en quelques minutes.

A gauche, ce vendeur de noix de coco a trouvé [l]e bon moyen pour ne pas transporter sa marchandise ; ci-dessous, le petit village colonial d'Olinda.

L'État de **Rio Grande do Norte**, qui borde le fleuve Paraíba, est l'un des principaux endroits stratégiques du globe de par sa situation à l'angle le plus à l'est du continent sud-américain. **Natal**, sa capitale, est célèbre pour la beauté de ses plages et de ses grandes dunes de sable. La **Praia Genipabu** attire des visiteurs du monde entier. Il est possible de louer des voitures tout-terrain pour explorer le site.

En portugais, Natal signifie Noël. C'est en effet le 25 décembre 1599 que la ville fut fondée. Le **Forte dos Reis Magos** (fort des rois mages), qui abrite le **Museu de Arte Popular**, tire son nom du 6 janvier 1599, date à laquelle fut commencée sa construction. Ce fort, qui est l'un des mieux conservés du Brésil, est relié à la terre ferme par une immense passerelle de 200 m de long.

Natal compte un certain nombre de musées. Le plus intéressant est certainement le **Museu Câmara Cascudo**, consacré à l'anthropologie et à l'art indigène. Situé dans l'Avenida Hermes da Fonseca, il est ouvert du mardi au vendredi de 8 h à 11 h et de 14 h à 16 h.

C'est à 20 km au sud de Natal qu'a été construite la première base de recherche spatiale et de lancement de fusées du Brésil, **Barreira do Inferno** (barrière de l'Enfer). Cette base fait partie des stations qui suivent les vols de la fusée Ariane. Elle est ouverte au public le premier mercredi de chaque mois. Non loin se trouve la superbe **Praia Cotovelo**, d'où l'on découvre une vue sur la rampe de lancements.

Natal appartient depuis longtemps à l'histoire de l'aviation. Car c'est dans cette petite ville que Mermoz atterrit en 1930, après avoir effectué le premier vol sans escale entre la France et l'Amérique du Sud. Il y établit ensuite l'une des têtes de pont de l'Aéropostale — Natal étant le point du Brésil le plus proche des côtes africaines. Pendant la Seconde Guerre mondiale, les Alliés installèrent une importante base aérienne à Natal (pour les mêmes raisons que l'Aéropostale).

La route qui mène de Natal à la **Praia Touros**, au nord, longe d'innombrables plages de dunes et de cocotiers, parmi lesquelles Genipabu, Maxaranguape et Ponta Gorda, ou encore Caraúbas, Maracajaú, Pititinga, Rio do Fogo, Peroba et Carnaubinha. Des huttes de pêcheurs se dressent çà et là au bord de l'eau.

Touros, petite ville de vingt mille habitants, a été nommée ainsi parce que des taureaux vivaient là autrefois en pleine liberté. Il y a deux petites auberges et une poignée de bars et de restaurants où l'on peut déguster des crevettes grillées ou du homard.

Visite de la réserve naturelle

Jusqu'à une période récente, l'archipel **Fernando de Noronha** était une zone militaire. Il est désormais ouvert au public. Seule la plus grande des vingt îles qui composent l'archipel, créé il y a plus de dix millions d'années lors d'une éruption volcanique, est habitée.

Fernando de Noronha est une réserve naturelle où dauphins et tortues de mer géantes ont élu domicile. De nombreux plongeurs viennent régulièrement explorer les fonds et admirer la faune et la flore.

L'unique moyen de visiter l'île est de participer à un voyage organisé d'une semaine proposé par l'agence Bancor, basée à São Paulo. Les départs ont lieu chaque samedi. Le seul hôtel de l'île est un ancien bâtiment de la NASA. La nourriture y est simple, essentiellement à base de poisson.

Une mer d'émeraude

Plus de 800 km de côtes séparent Recife et Salvador, les deux plus grandes villes du Nordeste. Au nord de Bahia s'étend **Alagoas**, l'un des plus petits États du Brésil, dont la capitale, Maceió, est en train de devenir un important centre touristique. La ville, fondée en 1815, est née d'une plantation de canne à sucre établie à cet endroit au XVIIIe siècle. L'État d'Alagoas est aujourd'hui l'un des premiers producteurs de canne à sucre du Brésil.

Maceió, ville de cinq cent mille habitants, est pratiquement encerclée par la

A gauche, la récolte de la canne à sucre ; ci-dessous, planche de surf artisanale à Maceió.

superbe **lagune de Mundau**, le long de laquelle se trouvent de nombreux villages de pêcheurs. Les plages environnantes sont réputées pour la clarté de leur eau. A **Praia Pajuçara**, la mer forme, en se retirant, une grande piscine d'eau verte, peu profonde. La ville est régulièrement débordée par les flots de touristes qui s'abattent sur elle chaque été. Le mois de décembre est particulièrement agité lors du *Festival do Mar* qui se déroule sur la plage de Pajuçara.

L'une des plages les plus populaires est la **Praia do Francês**, non loin de la ville historique de **Marechal Deodoro** qui fut la première capitale de l'État. A l'origine, elle portait le nom d'Alagoas, mais elle fut rebaptisée d'après le maréchal Manuel Deodoro da Fonseca, premier président du Brésil (1891), natif de la ville.

Marechal Deodoro abrite quelques superbes exemples de l'architecture coloniale brésilienne, parmi lesquels le **Convento** et l'**Igreja de São Francisco** (construits en 1684), l'**Igreja Nossa Senhora da Conceição** (1755), ainsi que l'**Igreja Nossa Senhora de Bonfim**, édifiée au XVIe siècle.

La frontière entre les États d'Alagoas et de Sergipe est marquée par le fleuve São Francisco. C'est là que se dresse la petite ville de **Penedo**, construite entre le XVIIe et le XVIIIe siècle. En continuant vers le sud, on arrive à **Aracajú**, capitale de **Sergipe**, le plus petit État du Brésil. L'**Igreja Nossa Senhora dos Anjos** (construite en 1759) et l'**Igreja Nossa Senhora da Corrente** (1764) sont très intéressantes.

Pour descendre le São Francisco jusqu'à son embouchure à **Brejo Grande**, adressez-vous à la capitainerie du port. Le village de **Carrapicho**, de l'autre côté du fleuve, abrite des boutiques d'artisanat. La nourriture et l'hébergement dans la région sont très simples.

La région des festivals

Fondée en 1855, **Aracajú** est célèbre pour la beauté de ses plages et l'hospitalité de ses habitants. Le calendrier de ses

Ci-dessous, l'église São Pedro de Recife.

festivals est l'un des plus remplis du Nordeste.

Ces festivals, liés aux principales fêtes religieuses, donnent lieu à de nombreuses réjouissances. Le 1er janvier est la date de la procession maritime en l'honneur de Bom Jesus dos Navegantes. La Sainte Bénédicte, célébrée par des danses folkloriques et des combats simulés, a lieu le premier week-end de janvier. Les *Festas Juninas*, au mois de juin, se tiennent en l'honneur de saint Antoine et de saint Pierre. Le mois de juillet est celui de l'*Expoarte*, une grande foire artisanale. Le 8 décembre a lieu une procession religieuse en l'honneur de la déesse de la mer.

Aracajú saura vous séduire par ses nombreuses spécialités culinaires. Les fruits de mer sont à l'honneur dans tous les restaurants, en particulier la grosse crevette d'eau douce, semblable à l'écrevisse, pêchée dans le São Francisco, ainsi que le crabe. Les desserts vont de la compote de fruits exotiques à la noix de coco cuite. Le **Morro de Santo Antônio**, premier site de la fondation de la ville, offre une excellente vue panoramique sur le fleuve Sergipe et la plage d'Atalaia en contrebas. Les visiteurs peuvent se rendre en bateau à moteur sur l'**Ilha Santa Lucia**, petit paradis tropical de cocotiers et de dunes. On trouve également de très belles plages à Abaís, Caueira et Pirambu.

A quelques kilomètres au sud de Santo Antônio se trouve la ville historique de **São Cristóvão**, la première capitale du Sergipe, fondée en 1590 par Cristóvão de Baros. Il y subsiste encore de nombreuses constructions coloniales, le **Convento de São Francisco** (construit en 1693), l'**Igreja da Ordem Terceira do Carmo** (construite en 1743) et l'**Igreja Nossa Senhora da Vitoria** (construite à la fin du XVIIe siècle), ainsi que le **Museu de Arte Sacra** et le **Museu Sergipe.**

Laranjeiras est un petit village colonial, célèbre pour ses sept églises juchées sur les sept collines avoisinantes, d'où son surnom de « petite Rome ». L'**Igreja Comandaroba** (construite en 1734) et l'**Igreja Sant'Aninha** (construite en 1875), sont les plus intéressantes.

Étalage de fruits multicolores à Salvador.

L'architecture portugaise

C'est au nord de la région, entre le bassin amazonien et le *sertão* que se trouve **São Luis**, capitale de l'État de **Maranhão**. Cette « ville musée » de cinq cent mille habitants, située sur une île, fut fondée par un groupe de Français, commandés par Daniel de la Touche, seigneur de la Ravardière. Sur les conseils de deux de ses compatriotes, Jacques Ruffault et Charles des Vaux, qui avaient fait naufrage à cet endroit-là en 1594, Daniel de la Touche fonda la ville de São Luis en 1612, en l'honneur de son souverain Louis XIII. Mais les Portugais chassèrent les Français trois ans plus tard. Les Hollandais envahirent alors l'île en 1641, pour être repoussés à leur tour, trois ans après.

São Luis a gardé toute son atmosphère coloniale, avec ses rues tortueuses et ses vieilles constructions aux magnifiques azulejos. Les céramiques, importées du Portugal à l'origine, sont devenues le signe distinctif de la ville. Il est très intéressant de visiter la **Catedral da Sé**, construite en 1763, avec un superbe intérieur baroque, l'**Igreja dos Remédios** sur la place du même nom, la **Capela Santo Antônio**, édifiée en 1624, l'**Igreja do Desterro**, bâtie en 1641 et l'intéressant **Museu Historico do Maranhão**, établi dans une demeure du XIXe siècle.

Les plus belles plages sont Calhau et Ponta d'Areia, où se trouvent les ruines du **Forte Santo Antônio** (construit en 1691). Le courant peut être très fort sur ces plages, mieux vaut donc se renseigner avant de se baigner.

La ville d'**Alcântara** est située en face de l'île de São Luis, sur la terre ferme. Fondé en 1648, cet ancien village Tupinambá, aujourd'hui en ruine, était au XVIIe siècle la résidence favorite de l'aristocratie foncière du Maranhão. L'essor de São Luis, grâce à la canne à sucre, devait entraîner son déclin.

La visite d'Alcântara commence à la Praça da Matriz, où se trouvent les seuls hôtels de la ville, et se poursuit avec le **Museu de Alcântara** (ouvert tous les jours), la **villa du Cheval de Troie** dans la Rua Grande, l'**Igreja Nossa Senhora**

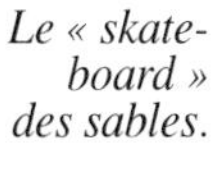

Le « skate-board » des sables.

do Carmo (construite en 1633) et les ruines du **Forte São Sebastião**.

La traversée de la baie pour atteindre Alcântara dure un peu moins de deux heures en bateau, et moins de dix minutes en avion-taxi.

L'État de **Ceará** a des kilomètres de plages bordées de palmiers, de dunes et de lagons d'eau douce. Fortaleza, la capitale avec plus d'un million et demi d'habitants, est le troisième centre urbain du Nordeste. Son port s'est spécialisé dans la pêche à la langouste.

Les villages du littoral, rafraîchis en permanence par le vent du large, abritent encore des dentelières et des brodeuses qui exercent leur art dans le respect de la tradition. Cependant, le tourisme fait rapidement changer le visage de la côte et même les villages les plus reculés, comme Jericoacoara, sont désormais reliés à la ville.

L'arrière-pays est régulièrement victime de sécheresses qui ont fait de l'État de Ceará le plus pauvre et le plus désolé de tout le Brésil. Lorsque les récoltes sont ruinées et que les propriétaires congédient leurs *vaqueiros*, il ne leur reste plus alors qu'à faire leurs bagages et à se diriger vers les grandes villes du pays dans l'espoir d'y trouver un emploi pour survivre.

La population

Nombreux sont ceux qui quittent leur terre à la recherche d'une vie meilleure dans les villes de la côte ou les usines de São Paulo. Ceux qui restent sont les gardiens d'une culture ancienne transmise oralement depuis des siècles. Les poètes des villages, les *repentistas*, s'affrontent pendant des heures, faisant assaut de tournures et d'expressions originales. Ils racontent les conditions de vie difficile, les miracles religieux et les exploits des *cangaceiros*, ces bandes de hors-la-loi, mi-bandits, mi-justiciers, qui pillèrent et mirent la région du Nordeste à feu et à sang jusqu'en 1940.

La difficulté de la vie a donné naissance à une succession de mouvements religieux, totalement réfractaires à toute tentative de contrôle venant de l'extérieur. Des milliers de pèlerins viennent toujours rendre hommage au Padre

Cícero qui, s'il n'a pas encore été officiellement canonisé, est pourtant bien le saint patron du Nordeste.

Fortaleza dans l'histoire

La première tentative de colonisation du *sertão*, qui séparait les colonies du Rio Grande et celles de Maranhão, eut lieu en 1603. Une expédition composée de soldats portugais et de guerriers indiens explora la région à la recherche d'esclaves. Une seconde expédition, partie en 1606, fut repoussée par une effroyable sécheresse.

Martim Soares Moreno, qui avait fait partie de la première expédition, reçut l'ordre du gouverneur général du Brésil de conquérir la région et de pacifier les Indiens. En 1611, il fut promu capitaine du Ceará et fonda Fortaleza à l'embouchure du fleuve.

La même année, avec l'aide des tribus Tapuia et Tupinambá, il résista victorieusement à une attaque française. Il succomba, en revanche, aux charmes d'Iracema, séduisante princesse indienne qui est encore aujourd'hui la sainte patronne et la muse de la ville.

En 1649, les envahisseurs hollandais bâtirent le **Fort Schoonenborch** à l'emplacement du centre actuel de Fortaleza. Il abrite aujourd'hui une caserne. En 1654, les Hollandais furent chassés de la ville par les Portugais qui rebaptisèrent le bâtiment, **Fort Nossa Senhora da Assunção**. Fortaleza s'est ensuite peu à peu imposée comme centre commercial.

De nombreux *bandeirantes* venus de São Paulo s'établirent dans la région et fondèrent d'immenses élevages de bovains qui existent encore à l'heure actuelle. Contrairement aux plantations de l'État de Pernambuco, les ranches du Ceará n'avaient pas besoin d'esclaves. La culture de la région est donc plus influencée par ses origines indiennes et portugaises que par ses racines africaines.

Le front de mer

Rien ne reste aujourd'hui de la forteresse en bois qui donna son nom à la capitale

Pages précédentes pêcheurs près de Fortaleza. Ci-dessous, les marais salants près de Fortaleza

de l'État. Fortaleza est une ville moderne, ainsi que le prouvent les nombreux immeubles et hôtels qui bordent ses plages.

Les grands hôtels de Fortaleza se situent sur l'Avenida President Kennedy, parallèle à la Praia do Meirelles, la plage la plus fréquentée de la ville. La nuit, les bars et les terrasses de l'avenue sont bondés de promeneurs, attirés par le marché artisanal.

Les fruits de mer, en particulier les langoustes, sont la spécialité des très nombreux restaurants qui bordent l'Océan. Trapiche et Peixada do Meio sont réputés pour l'excellente qualité de leur table. Les habitants de Fortaleza finissent volontiers la nuit dans des salles de bal telles que le Clube do Vaqueiro, où les couples se font et se défont au rythme endiablé du *forró.*

La plage de Fortaleza

La plage de **Meirelles** s'étend de Mucuripe, près du port et de son phare, jusqu'à la jetée de Volta de Jurema. La partie centrale, qui porte le nom de **Praia de Iracema**, est ornée d'une sculpture moderne représentant le fondateur de la ville et sa princesse indienne.

Un seul regard aux détritus remontés chaque matin par les filets des pêcheurs prouve bien que la plage est beaucoup trop polluée pour que l'on puisse s'y baigner.

Visite de Fortaleza

Le **Centro do Turismo do Ceará**, appelé aussi **Casa da Cultura**, est installé dans les locaux d'une ancienne prison. Plus de deux cents boutiques se sont installées dans les cellules et proposent différents objets réalisés par des artisans locaux (travaux de dentelle et de broderie, petites bouteilles et flacons remplis de sable coloré, hamacs...). Le Mercado Central, situé près de la nouvelle cathédrale et du bureau de poste central, vend souvent les mêmes articles à des prix nettement moins élevés.

Le **Museu Historico** est consacré à la vie des tribus indiennes de la région, éradiquées par les éleveurs et l'évolution de la ville. Il abrite également les restes de l'avion qui s'écrasa en 1967, tuant le président Humberto Castelo Branco. Les Brésiliens pensent que sa mort n'a pas été accidentelle. En face du musée se trouve le **Teatro José de Alencar**, dont la structure d'acier a été directement importée de Grande-Bretagne en 1910.

Les plages du sud

Le principal attrait touristique de Fortaleza, ce sont les plages qui l'entourent. En prenant la direction du sud, après la **Praia do Futuro** — le rendez-vous à la mode des jeunes de Fortaleza — la première étape est la station balnéaire de **Pôrto das Dunas**. Aquiraz, ancienne capitale du Ceará au XVIIe siècle, abrite les ruines d'une mission jésuite, ainsi qu'une église du XVIIIe siècle, dédiée à São José do Ribamar, le saint patron de l'État.

Non loin se trouve la très belle plage de **Prainha**, bordée par quelques cafés et restaurants de fruits de mer. Le petit village de Prainha s'est spécialisé dans l'artisanat de dentelles.

La Maternité, *sculpture en bois de R. P. Athyde, au musée Folklorique et culturel de Fortaleza.*

Les pêcheurs locaux proposent volontiers aux touristes des sorties en *jangada*. Ces petites embarcations faites de rondins de bois sont aujourd'hui couvertes de placards publicitaires car, au mois de juillet, leurs propriétaires participent à la célèbre régate du « Dragon de la Mer ».

Iguape est célèbre pour ses dentelles et ses flacons remplis de sable coloré. Les falaises de grès du **Morro Branco** fournissent la matière première aux artisans. Les plages des environs sont très agréables et peu fréquentées. Dans les années 70, les dunes lunaires de **Canoa Quebrada**, à 150 km au sud de Fortaleza, ont attiré de nombreux hippies qui se sont installés dans les huttes primitives des pêcheurs, adoptant un style de vie qui avait bien peu changé en trois siècles. En dépit de développements récents, Canoa Quebrada n'a rien perdu de sa magie originelle.

Les plages du Nord

Au nord-ouest de Fortaleza, les plages commencent à **Barra do Ceará**, à l'embouchure du fleuve. Le petit village de **Cumbuco** a de très belles plages de surf, et des dunes qui s'étendent vers l'intérieur jusqu'aux rives du **lagon de Parnamirim**. Pour une sortie en mer ou une excursion en tout-terrain vers le lagon, renseignez-vous auprès des différents bars de la plage. Contre un petit pourboire, les enfants du village apprendront aux visiteurs à descendre les dunes jusqu'à l'eau fraîche sur un étrange « skate-board » des sables.

Paracuru, à 85 km de Fortaleza, n'est accessible que par l'intérieur car aucune route ne longe la côte. Cette ville, qui accueille de nombreuses régates et compétitions de surf, et où le carnaval dure toute une semaine, est en général très fréquentée le week-end. A quelques kilomètres de là se trouve **Lagoinha**, moins sophistiquée, où l'on peut louer des chambres chez l'habitant. A partir de la petite ville de Trairi, on atteint les très belles plages de Freixeiras, Guajiru et Mundáu.

La route qui mène à **Icarai** contourne Itapipoca et les dunes de Mundáu, avant

Il faut toucher la statue de Padre Cícero.

de traverser le fleuve Trairi et d'atteindre les plages de Praia do Pesqueiro, Praia do Inferno et Praia de Baleia.

Acaraú, située à 230 km environ de Fortaleza, est une station balnéaire très populaire. La plage d'Almofala, près de laquelle se dresse une charmante église du XVIIIe siècle, récemment rénovée, est restée entièrement vierge de toute civilisation.

La plus belle des plages du Ceará est celle de **Jericoacoara**. Une alliance entre les pêcheurs et les écologistes de la région a réussi à empêcher la réalisation de nouvelles constructions et le développement d'infrastructures touristiques. Ici la plage n'est bordée que de superbes cocotiers et, dans le village, les habitants se passent fort bien d'électricité et de voitures.

L'effort de protection s'étend également à la faune qui a élu domicile dans les dunes et les lagons. L'extrême simplicité de la vie a mis le village à l'abri des hordes de touristes. L'hébergement se réduit à un hamac accroché entre deux cocotiers, quant à la vie nocturne, elle se résume au *forró* local.

Le village de Jericoacoara est difficile d'accès car il est totalement isolé par une barrière de dunes. Pour s'y rendre, il faut d'abord prendre le bus, puis terminer le voyage en jeep. La Casa do Turismo organise de courtes excursions au départ de Fortaleza le mardi, le jeudi et le samedi matin.

L'intérieur aride

Lorsqu'on s'enfonce dans le *sertão*, les terres arides où seule pousse la *caatinga* semblent bien incapables de subvenir aux besoins de l'homme pendant les longues périodes de sécheresse. Pourtant, dans ce pays où le ciel bleu est considéré comme un ennemi et où les nuages sont annonciateurs de « beau temps », plus de six millions d'êtres humains arrachent péniblement leur nourriture à la terre avec l'aide de systèmes d'irrigation identiques à celui du grand réservoir d'Oros.

Icó, à 360 km au sud de Fortaleza par l'autoroute BR 116, a conservé de nombreux monuments historiques très intéressants. Cette ville est située non loin d'**Oros**, le plus grand réservoir d'eau du Nordeste, construit dans les années 50, et dispose d'un hôtel et d'un centre d'artisanat. L'hôtel de ville et la plupart des édifices datent du XVIIIe siècle. Le théâtre, lui, a été construit en 1860.

Juazeiro do Norte, à près de 500 km de Fortaleza, est un important centre religieux où les pèlerins viennent rendre grâce au Padre Cícero Romão Batista. En 1889, ce prêtre accomplit un miracle qui fut refusé par l'église et qui lui valut d'être excomunié quelques années plus tard. Padre Cícero s'engagea alors dans la voie du pouvoir temporel et fonda un mouvement politique très populaire. Ses fidèles *cangaceiros* défirent en 1911 les troupes fédérales envoyées pour l'arrêter. Il mourut en 1934 mais le Vatican n'a toujours pas prononcé sa béatification.

Cela n'empêche pas les pèlerins, ou *romeiros*, de venir par milliers, le 24 mars et les 1er et 2 novembre, se recueillir devant la grande statue du Padre Cícero (25 m de haut). Le pèlerinage débute dans la **Capela do Perpétuo Socorro** où il est enterré, avant de se poursuivre dans différentes églises et la **Casa dos Milagres** (maison des Miracles). On peut également visiter le **Museu Civico Religioso Padre Cícero** ainsi qu'une intéressante imprimerie.

La **vallée du Cariri** abrite encore deux autres villes, **Crato**, avec son université, ses musées et sa vie culturelle intense, et **Barbalho**, dont les sources d'eau chaude offrent des plaisirs plus physiques. Le lundi est le meilleur jour pour visiter la petite ville coloniale de Crato, car ce jour-là s'y retrouvent tous les *vaqueiros* de la région, montés sur de superbes chevaux et habillés de cuir de la tête aux pieds.

La **Chapada do Araripe**, une chaîne montagneuse qui se dresse à l'ouest de Juazeiro à 700 m d'altitude, abrite une réserve naturelle parsemée de cascades et de bassins d'eau claire, propices à la baignade. Non loin, dans la **Serra da Ibiapaba**, la région la plus verdoyante de l'État de Ceará, se trouve le **Parque Nacional Ubajara** dont les grottes contiennent de très belles formations minérales. Un funiculaire emmène les visiteurs admirer de superbes chutes d'eau, entourées d'une dense végétation.

L'AMAZONIE

« L'Amazonie était un monde à part, une terre embryonnaire, énigmatique et tyrannique, faite pour étonner, pour détraquer le cerveau et les nerfs. Dans cette forêt monstrueuse l'ARBRE n'existait pas : ce terme était concrétisé par l'enchevêtrement végétal, dément, vorace. L'esprit, le cœur, les sentiments s'égaraient. On était victime d'une chose affamée qui vous rongeait l'âme. Et la forêt vierge montait étroitement la garde autour des victimes perdues dans son immensité, silencieuse, impénétrable... emprisonnant les hommes, les ravalant au rang d'esclaves, les tenant. »

Ferreira de Castro, *Forêt vierge*

S'il n'est pas le plus long fleuve du monde, l'Amazone est sans aucun doute le plus grand. Au terme d'un long voyage d'environ 7 000 km, le fleuve qui prend sa source dans le lac andin de Lauricocha, près de l'océan Pacifique, déverse à son embouchure, l'océan Atlantique, près du quart de l'eau douce de la planète, donnant à la mer une coloration brunâtre sur plus de 100 km.

L'Amazonie est une vaste serre naturelle abritant plus de dix millions de formes de vie : deux mille cinq cents espèces de poissons, cinquante mille espèces de plantes supérieures et un nombre infini d'insectes.

L'Amazone, avec plus de mille tributaires, dont le Rio Negro, le Tapajos et le Xingu, draine un immense bassin de 8 millions de km^2, et traverse plusieurs pays d'Amérique latine — le Pérou, le Venezuela, la Colombie, l'Equateur et la Bolovie . Le fleuve domine le Brésil, pourtant les Brésiliens commencent seulement à le découvrir.

Pages précédentes : jeune indien Carajás de l'Amazonie. Ci-contre, la transamazonienne.

Histoire d'un fleuve

Le fleuve est né il y a près de deux millions d'années. Les eaux de la grande mer amazonienne intérieure, emprisonnées par les Andes, réussirent à se frayer un chemin à travers les gorges d'Obidos, près de l'actuelle Santarém, et à s'écouler entre les deux anciens « boucliers » géologiques qui forment la surface du Brésil. Les affluents nord et sud, qui drainent les plaines de l'ancienne mer intérieure, sont pauvres en alluvions et en vie organique. Ce sont les fleuves « noirs », comme le Rio Negro. Le Rio Marañón, qui charrie les neiges fondues et les sédiments des Andes, et devient le Rio Solimões en traversant la frontière brésilienne, appartient à la catégorie des fleuves « blancs ». Ses alluvions enrichissent le grand bassin inférieur de l'Amazone qui nourrissait autrefois une population de près de quatre millions d'indigènes.

L'explorateur italien Amerigo Vespucci, qui a donné son nom au continent américain, prétendit avoir remonté l'Amazone en 1499. Il fut imité, un an plus tard, par l'Espagnol Vicente Pinzon, mais le mérite du premier voyage de découverte revint à Francisco de Orellana. C'est en 1542 qu'il s'aventura sur le fleuve pour le compte de Gonzalo Pizarro, le *conquistador* du Pérou, à la recherche de l'Eldorado. Il navigua pendant six mois, découvrant les tribus indiennes dont les guerrières aux seins nus lui inspirèrent le nom du fleuve : Amazone.

L'Amazonie commença à susciter l'intérêt des scientifiques du monde entier un siècle après sa découverte, lorsque le jésuite espagnol Cristóbal de Acuña publia un livre sur les coutumes indiennes, les méthodes agricoles et l'usage des herbes médicinales. Il concluait en disant que, les moustiques mis à part, l'Amazonie était *« un vaste paradis »*.

La recherche scientifique en Amazonie fut amorcée par le savant britannique Alfred Russel Wallace, dont les travaux sur la diversité de la faune et de la flore amazoniennes influencèrent Charles Darwin pour son ouvrage *De l'origine des espèces par voie de sélection naturelle*. Son expédition, en 1848, lui permit de recenser quinze mille espèces nouvelles pour la science.

C'est encore un Britannique qui provoqua la débâcle économique de la région en brisant le monopole du Brésil sur le caoutchouc. En 1876, pour le salaire modeste de 1 000 livres, l'aventurier Henry Wickham chargea à son bord soixante mille graines d'*hevea brasiliensis* qu'il passa à la douane de Belém en prétendant qu'il s'agissait de spécimens très rares destinés à la reine Victoria. Quelques semaines plus tard, les graines avaient germé dans les serres de Kew Gardens à Londres. En 1912, les plantes adultes prospéraient dans les grandes plantations de Malaisie, mettant ainsi un terme à la grande époque du caoutchouc brésilien.

Belém, porte de l'Amazone

Avec ses jardins publics, ses kiosques à musique en fer forgé, ses édifices Arts déco et ses avenues bordées de manguiers, Belém a gardé intacte son élégance d'autrefois. Pendant sa « belle époque », les visiteurs français la comparaient volontiers à Marseille ou à Bordeaux. C'est aujourd'hui une ville d'un million d'habitants, située sur la rive sud du fleuve, à 145 km de l'Océan. Belém est la porte de l'Amazone. Les pluies y sont abondantes entre novembre et avril, mais une brise venue du large rend le climat humide plus tolérable. Belém est la capitale de l'État de Pará, aussi grand que l'Europe occidentale. Elle est reliée au sud du Brésil par l'autoroute Belém-Brasília, construite en 1960, et reste le port principal pour l'exportation de bois tropicaux, de jute et autres matières premières.

La visite de la vieille ville, dont les ruelles étroites sont encore bordées de maisons anciennes décorées de céramiques portugaises, commence au **Forte Castelo**, le premier bâtiment de la colonie de Santa Maria do Belém do Grão Pará, construit en 1617. La forteresse abrite aujourd'hui le restaurant Circulo Militar qui sert des spécialités régionales comme le *pato no tucupi*, un canard farci aux feuilles de manioc.

La **Catedral Nossa Senhora da Graça**, en face du fort, contient de belles sculptures en marbre de Carrare ainsi que des peintures de l'artiste italien De Angelis. L'**Igreja Santo Alexandre**, ancien collège de jésuites (ordre créé par

La tombée de la nuit ne ralentit pas la vie du fleuve.

saint Ignace de Loyola) construite au XVIIIe siècle, est aujourd'hui un musée d'art sacré.

La plus importante église de Belém, la **Basilica de Nazaré**, édifiée en 1909 sur le modèle d'une église de Rome, est remarquable pour son intérieur en marbre de Carrare, ses mosaïques et ses vitraux. On pourra aussi admirer un superbe balcon en bois sculpté.

Cette église est le centre du *Cirio de Nazaré*, une procession religieuse instaurée par les jésuites pour catéchiser les Indiens, qui attire encore aujourd'hui plus d'un million de fidèles le deuxième dimanche d'octobre. La statue de la Vierge que l'on peut y admirer a été trouvée dans la forêt près de Belém en 1700.

L'office national du tourisme Paratur, sur la Praça Kennedy non loin de la maison des Douanes, organise une visite guidée du centre avec une étape dans un petit zoo abritant des toucans et des perroquets. On peut également y voir une exposition de poterie locale.

S'il est moins célèbre que le Teatro Amazonas de Manaus, le **théâtre de Belém**, construit en 1874, est tout aussi élégant. Le **Teatro da Paz** est proche de la Praça da Republica, de l'hôtel Hilton et de l'Avenida Presidente Vargas, la principale rue commerçante de la ville. Le théâtre, entièrement restauré, est situé au cœur d'un parc agréable, où l'on peut déguster une *cerpa*, la bière locale, au Bar do Parque.

Le **Ver-O-Peso**, le grand marché de Belém, installé sur le port, permet de découvrir la prodigieuse variété de poissons et de fruits tropicaux que renferme l'Amazonie. De fascinantes petites boutiques couvertes vendent quantité d'herbes médicinales et de grigris utilisés lors des rituels de l'*umbanda*. Hippocampes, dents de crocodile, queues de tatous, carapaces de tortues et petits ananas utilisés pour la contraception s'empilent près des herbes, souveraines, paraît-il, contre les rhumatismes et les problèmes cardiaques. On y trouve également des parfums capables d'attirer les hommes, les femmes, l'argent et même la chance… Le Ver-O-Peso est certainement le marché le plus attrayant

Ci-dessous, 'abondante végétation de la forêt 'azonienne ; à droite, coucher le soleil sur 'Amazonie.

de tout le Brésil et symbolise à lui seul toute la ville: mélange de constructions de style baroque et Arts déco.

Le **Museu Emilio Goeldi**, dans la Rua Magalhães Barata, est entouré d'un très beau jardin zoologique qui abrite des lamantins, des jaguars et des oiseaux de la forêt amazonienne. Le musée, fondé en 1866, contient une superbe collection anthropologique et organise régulièrement des expositions sur la vie de la région. La partie du musée consacrée aux civilisations indiennes est particulièrement intéressante. Il est également intéressant de visiter le **Jardim Bosque**, vaste parc naturel doté d'un petit zoo.

La *Feira do Artesanato*, foire artisanale organisée par l'agence Paratur, propose de nombreux souvenirs aux visiteurs. **Icoaraci**, à moins d'une heure de la ville, est un centre de fabrication de céramiques selon les traditions des Indiens Maroajara de l'ère précolombienne, dont les motifs élaborés ont sans doute été empruntés à la civilisation Inca.

Plusieurs agences de voyages, notamment Ciatur et Neytur, organisent des expéditions sur le fleuve Guajará, avec hébergement (à des prix modestes) à l'hôtel Acará.

L'**Ilha de Marajó**, à l'embouchure du fleuve, est plus grande que la Belgique, mais ne compte que deux cent mille habitants, moins nombreux que les hordes de buffles qui vivent dans les marécages du nord de l'île. Elle a gardé quelques vestiges de son passé (des civilisations indiennes se seraient installées sur cette île en l'an 1000 av. J.-C.), mais ce sont surtout ses superbes plages qui ont fait sa réputation.

Tous les soirs, un ferry effectue la traversée — qui dure cinq heures — pour accoster à Soure, à l'extrémité est de l'île. Là, l'hôtel Marajoara organise des excursions vers le ranch Santa Caterina (où l'on pourra admirer un impressionnant élevage de buffles), et les plages d'Araruna et la Praia do Pesqueiro dont les eaux sont moitié océanes, moitié fluviales.

Tout d'abord baptisée Ilha Grande do Joanes, Marajó fut colonisée en 1617 par des moines capucins. Les ruines de l'église qu'ils construisirent en 1665, se dressent aujourd'hui près du phare. A Monserrat, se trouve une autre église en pierre ornée de statues baroques.

Il est très facile de visiter l'élevage de buffles de Providencia, non loin de Soure, mais les ranches de l'intérieur, accessibles uniquement en bateau ou à cheval, ont une faune bien plus variée que ceux de la région côtière. Les *fazendas* Laranjeira et Tapeira ont chacune un musée archéologique privé, contenant des objets trouvés dans les anciens sites indiens.

Macapá, au nord de l'embouchure de l'Amazone, est très fréquentée par les touristes qui aiment se faire prendre en photo sur la *marca zero*, la ligne qui symbolise l'équateur. On peut y admirer un fort en briques de Lisbonne, bâti en 1764 par les Portugais. L'économie de la ville repose sur la pêche aux crevettes et les mines de manganèse.

A la recherche de nouveaux trésors

Le bassin amazonien occupe une place à part dans les rêves de grandeur écono-

Manaus a gardé son aspect de vieille ville coloniale.

mique qui hantent les gouvernants de Brasília, rêves qui sont devenus des cauchemars pour les défenseurs de la nature. Des projets grandioses de développement, réunis sous le nom de projet Carajás, ont vu le jour dans la région et ont déjà englouti des milliards de dollars. Conçu autour de la mine d'or des monts Carajás, le projet comprend déjà le barrage hydro-électrique de Tucuruí, une voie ferrée de 900 km à travers la jungle, une gigantesque fonderie d'aluminium et un important complexe portuaire. Il prévoit en outre la construction de villes, d'autoroutes, d'aciéries et d'industries agro-alimentaires.

Tucuruí et les mines de Carajás à Serra Norte sont reliées par avion à Belém. Il existe une mine plus primitive dans la **Serra Pelada**, « la montagne nue », qui ressemble à un cauchemar babylonien sorti tout droit de l'imagination fertile d'un D.W. Griffiths : pendant la saison sèche, soixante mille mineurs, ou *garimpeiros*, cherchent, drainent et transportent plus de 25 tonnes d'or, dans un immense cratère creusé par l'homme.

Santarém se trouve exactement à mi-chemin entre Belém et Manaus, au confluent du Solimões et du Tapajós. Fondée en 1661, la ville était, avant l'arrivée des Portugais, un haut lieu de la culture indienne. Elle est aujourd'hui la ville des *garimpeiros* et des bûcherons.

Santarém est une escale agréable sur la route de Manaus. Chaque jour, des bateaux apportent leurs marchandises au marché qui se tient au bord du fleuve. Les circuits touristiques emmènent généralement les touristes jusqu'à la superbe plage de **Alter do Chão**, située à 40 km de Santarém. Cette plage de sable blanc forme un grand arc de cercle qui sépare presque le Lago Verde du fleuve. Le village, également accessible en voiture, est doté d'un restaurant de poissons, modeste mais de bonne qualité et d'une *pousada*.

Les eaux claires et les grandes plages du Tapajós forment, pendant la saison sèche, un véritable paradis pour les amateurs de baignade et les pêcheurs.

Manaus est une bizarrerie, une extravagance urbaine qui tourne le dos aux

Plantes médicinales et élixirs sont en vente libre sur le marché de Ver-O-Peso.

richesses de la forêt environnante et préfère vivre des subsides de l'État et, plus récemment, du tourisme, en se souvenant avec nostalgie de sa gloire passée. Jadis, elle jouissait d'une certaine grandeur, aujourd'hui ce n'est plus qu'un port-franc délabré et grouillant de monde. En raison de sa situation privilégiée au confluent des trois grands fleuves qui forment l'Amazone, le port concentrait autrefois toute la production forestière de la région.

Manaus est devenue l'une des villes les plus riches du monde grâce au caoutchouc dont les propriétés, qui fascinèrent tant les voyageurs français du XVIIIe siècle, avaient déjà été découvertes par les Indiens Omagua. La découverte de la vulcanisation par Charles Goodyear en 1844, et l'invention du pneu par Dunlop en 1888, provoquèrent une véritable explosion commerciale : le prix du caoutchouc augmenta de manière considérable tandis que la production passait de 156 tonnes en 1830 à près de 21 000 tonnes en 1897. Les villes voisines se vidèrent alors rapidement de leur main-d'œuvre et des milliers de personnes vinrent s'installer dans la région pour devenir saigneurs d'hévéas ou *seringeiros*.

Ce fut le début de l'ère des princes du caoutchouc, tellement riches qu'ils envoyaient leur linge sale à Paris pour le faire nettoyer et buvaient de l'eau de Vichy lorsqu'ils se lassaient du champagne. Leurs palais étaient remplis de pianos à queue inutilisés, de chandeliers de cristal et de toutes sortes d'objets de luxe. Les œufs, à l'époque, coûtaient un dollar pièce. Le premier tramway du continent sud-américain fut construit à Manaus.

En 1906, des ingénieurs britanniques bâtirent l'**Alfândega** (bâtiment des Douanes) en briques d'Écosse, dans le style Renaissance. Ils construisirent également un port et des docks flottants pour faire face aux crues régulières du fleuve, qui pouvaient atteindre les 12 m (en raison des pluies abondantes dans cette région).

La construction du **Teatro Amazonas** débuta en 1881 pour permettre aux plus grands artistes européens de se produire dans un cadre à la hauteur de leur renommée. L'édifice de sept cents places a été conçu et entièrement préfabriqué en Angleterre mais les tuiles sont françaises, les encadrements en marbre des portes viennent de Vérone, la ferronnerie des escaliers d'Angleterre et les lustres de Murano.

Un certain nombre de fresques et de panneaux décoratifs représentent les légendes amazoniennes. Le plafond, qui a pour thème les arts, la danse, la musique, la tragédie et l'opéra, fut peint en France avant d'être apporté en entier à Manaus.

A l'extérieur, une monumentale sculpture représente des navires de commerce, probablement chargés de caoutchouc, prêts à appareiller vers les quatre continents. Le théâtre, conçu dans le style de la Renaissance italienne, a été reconstruit en 1929, puis entièrement restauré en 1974.

Malheureusement le Teatro Amazonas n'a connu qu'une très courte période de gloire : entre 1896, date de son inauguration, et 1910, date à laquelle les Brésiliens entendaient pour la dernière

Chez le boucher on apprend les dernières nouvelles du jour.

fois un opéra dans la jungle. La chute des cours du caoutchouc faisant fuir tous les gros planteurs, le théâtre se trouva sans ses spectateurs les plus assidus; durant la Seconde Guerre mondiale, il fut même transformé en hôtel et en bureaux.

Le théâtre est ouvert au public du mardi au samedi de 11 h à 17 h. Il ne faut pas oublier de mettre des chaussons pour visiter les salles du premier étage (les parquets faits avec douze mille morceaux de bois servaient autrfois de salles de bal). Le **Palácio Rio Negro**, ancien palais du caoutchouc, est aujourd'hui le siège du gouvernement de l'État.

En dépit d'une brève remontée de l'industrie du caoutchouc pendant la Seconde Guerre mondiale, ce n'est qu'en 1967, avec la création de la Zona Franca (zone franche), que Manaus commença à retrouver un certain dynamisme. Cette décision permit l'ouverture de plus de deux mille boutiques de produits importés dans le centre, ainsi que l'installation d'une zone industrielle très active. On y fabrique aujourd'hui des montres, des ordinateurs, du matériel optique et des mobylettes.

Le **Museu do Indio**, dans la Rua Duque de Caxias, et le **Museu do Homen do Norte**, dans l'Avenida Sete de Setembro, donnent un très bon aperçu de la vie des tribus indiennes et des problèmes de l'Amazonie.

A 20 mn de la ville par l'Estrada Ponta Negra, se trouve le CIGS, une base d'entraînement militaire installée dans la jungle. Le zoo de la base est rempli de jaguars, de boas et d'autres animaux capturés par les élèves de l'école militaire. Il est ouvert du lundi au samedi de 8 h à 17 h. L'INRA, l'Institut national pour la Recherche en Amazonie, dans l'Estrada do Aleixo, effectue des études sur la faune et la flore amazoniennes avec l'aide des meilleurs scientifiques étrangers. L'institut est ouvert au public du lundi au vendredi, de 8 h à midi et de 14 h à 16 h.

L'hôtel Tropical, sur la Praia da Ponta Negra, à une vingtaine de kilomètres de Manaus, est le lieu de rencontre favori des habitants de la ville. Il est doté de jar-

Le chant des sirènes.

CROISIÈRE SUR L'AMAZONE

Le voyage de Belém à Manaus peut être effectué confortablement dans l'un des deux bateaux de la compagnie nationale ENASA. Ces bateaux peuvent accueillir jusqu'à cent trente-huit passagers dans des cabines de deux ou quatre personnes, et disposent d'une piscine, d'une discothèque, d'un restaurant et d'un pont d'observation. Ils quittent Belém à la tombée de la nuit, passent au large de Marajó et atteignent les premières îles du fleuve le lendemain matin. Le troisième jour, ils jettent l'ancre dans le Rio Tapajós pour permettre aux passagers de se baigner, d'explorer les plages des environs et de visiter Santarém. Avant d'arriver à Manaus, ils passent le Rio Negro et le Rio Solimões. Au retour, ils font escale à Soure sur l'île de Marajó. Une cabine pour deux personnes coûte environ 3 300 francs.

Cependant, pour découvrir le rythme véritable de l'Amazone, il vaut mieux voyager à bord des bateaux plus petits, appelés *gaiolas*, qui font la navette entre les différentes villes du fleuve. Ces bateaux qui transportent à la fois des passagers et des marchandises font rarement plus de 25 m de long, et ne sont conçus ni pour le confort, ni pour la vitesse. *Gaiola* signifie cage à oiseaux, et définit parfaitement la zone réservée aux passagers et à leurs hamacs. Certains de ces bateaux, plus grands, disposent d'une première classe avec de petites cabines particulières et servent une nourriture plus élaborée. La différence de prix est minime. Si vous souhaitez faire le voyage à bord de ces *gaiolas*, il est conseillé d'arriver en avance afin de réserver les meilleures places.

Les repas à bord, servis deux fois par jour, consistent essentiellement en plats de riz, de haricots, de spaghetti et de manioc accompagnés de poissons ou de viande séchée. L'eau servie à table vient directement du fleuve. Les passagers se munissent donc généralement de bois-

Les bateaux de l'Amazone.

sons, ainsi que de fruits et de biscuits avant d'embarquer. Il est aussi indispensable de se faire vacciner contre la fièvre jaune et la malaria pour visiter l'Amazonie.

Il faut savoir que les retards sont fréquents en raison de pannes de carburant ou de moteur; de plus, les bateaux peuvent rencontrer des difficultés de navigation pendant les périodes de crues. La navigation nocturne peut être dangereuse car il est difficile pour le pilote de repérer les troncs d'arbres responsables de quelques accidents.

Les petits bateaux de commerce, qui n'obéissent à aucun horaire mais peuvent accepter de prendre quelques passagers, sont les meilleurs. Ils font souvent escale dans les villages pour acheter du fromage, du poisson séché ou des tortues. Les Amazoniens les appellent *montarias* et s'en servent couramment comme moyen de transport.

De petits hors-bords peuvent également être loués à Manaus pour de courtes excursions sur le Rio Negro, mais ils sont nettement plus onéreux.

Lorsqu'ils remontent le fleuve, les bateaux restent près des rives où le courant est moins fort, ce qui permet aux passagers de mieux découvrir la faune et la flore. Au retour, ils se placent dans le courant pour avancer plus vite : la forêt ne forme alors qu'une ligne verte à l'horizon. Les bateaux pour Santarém quittent le *cais do porto* de Manaus, près du marché municipal, tous les soirs. Le voyage coûte 200 francs.

Les départs pour Belém ont lieu une fois par semaine et le trajet coûte environ 550 francs en première classe, pour cinq jours. L'excursion sur le Solimões, via Teffé (trois jours pour 150 francs), vers Tabatinga et le Pérou dure de six à quatorze jours et coûte environ 230 francs par personne.

Il est également possible de descendre le Rio Madeira de Pôrto Velho à Manaus. Ce voyage de plus de 800 km est assez fatigant. Hormis l'escale de Manicoré, où les passagers changent de bateau, le parcours est parsemé d'arrêts qui permettent de mieux découvrir le légendaire « Enfer Vert ».

Il ne faut pas être un maniaque du confort pour voguer sur l'Amazone.

dins peuplés de perroquets et autres oiseaux exotiques, et d'une piscine. Pendant la saison sèche, il offre également d'excellentes possibilités de baignade dans le Rio Negro. Il organise des expéditions en bateau vers le Lago Salvador et le Guedes Igarapé, une petite crique isolée au milieu de la forêt. Après la baignade, la pêche ou la promenade, les visiteurs pourront se restaurer dans une auberge flottante appartenant à l'hôtel.

Les agences de voyages de la ville proposent toutes des programmes d'excursions pour la journée. La visite des *iguarapés* (petits bras ou petits affluents) et des *igapos* (méandres), permet de découvrir l'univers de la forêt amazonienne avec ses arbres gigantesques, ses longues lianes, ses nénuphars géants et ses crocodiles.

Le paysage se fait impressionnant à l'**Encontro das Aguas**, la « rencontre des eaux » du Rio Negro (eau noire due au passage du fleuve sur des sols siliceux) avec celles du **Rio Solimões** (eau jaunâtre). Les eaux des deux fleuves parcourent une soixantaine de kilomètres avant de se confondre pour former l'Amazone, qui peut alors atteindre 25 km de large. Certaines excursions font escale sur l'île de Terra Nova, pour permettre aux touristes d'acheter des souvenirs.

Il existe, en pleine jungle, un certain nombre d'hôtels qui proposent des programmes de découverte de la forêt environnante. Le plus luxueux est la Pousada dos Guanavenas sur l'Ilha Silves, accessible par bateau ou par avion depuis Manaus. Il permet de découvrir une vue panoramique sur le Lago Canacari, près d'Itacoatiara.

L'Amazon Lodge, à 80 km au sud de Manaus, sur le Rio Mamori, près de la ville de Careiro, est beaucoup plus modeste. Il organise des excursions de trois jours en bateau, pendant lesquels les visiteurs peuvent s'initier à la pêche au piranha.

L'Archipelogo das Anavilhanas, sur le Rio Negro, attire de nombreux visiteurs. L'agence Ecological Safari organise des excursions d'une semaine sur un bateau confortable. Le long voyage à travers les quatre cents îles de l'archipel, vers Nova Airao, qui comprend également une incursion sur l'Apuau, affluent de l'Amazone, permet de découvrir de très beaux paysages.

Il est également possible de partir à la découverte de la jungle de manière beaucoup plus rustique. L'agence Wagon Lits Tur, située dans l'Avenida Eduardo Ribeiro, à Manaus, organise des excursions en canot avec hébergement chez l'habitant. Si l'on veut un minimum de confort, il est indispensable de se munir d'un hamac.

Il faut prévoir un peu plus de temps pour remonter le Rio Solimões jusqu'à Letícia, à la frontière péruvienne, là où il prend le nom de **Rio Marañón**. Les rives du fleuve sont bordées de petits villages où les *caboclos* survivent en cultivant quelques arpents de terre et en vendant des cœurs de palmier ou des tortues aux touristes sur les bateaux. Les bateaux partent de Manaus, mais ils sont souvent retardés.

Au nord de **São Gabriel de Cachoeira**, accessible en bateau ou en avion depuis Manaus, se trouve le **Pico de Neblina**, la plus haute montagne du Brésil (3 000 m).

Le Rio Branco arrose l'État de **Roraima** qui est le plus septentrional du Brésil. Cet État est le dernier fragment inconnu d'Amérique latine. Il est constitué par la vallée du fleuve, encadrée par un ensemble de *serras* dont la plus haute culmine à près de 3 000 m, et constitue une frontière naturelle avec le Venezuela.

Jusqu'en 1977, date de la constructon d'une autoroute vers Manaus, la capitale de l'État, **Boa Vista**, était complètement isolée du reste du Brésil. Elle reste encore aujourd'hui d'un accès difficile pendant la saison des pluies. Administrativement, le territoire dépend de Brasília, et les visiteurs doivent se munir d'une autorisation spéciale pour pénétrer dans les réserves indiennes.

La tribu Yanomani, qui est la plus importante et la plus sauvage des tribus du Brésil, vit à la frontière du Venezuela, dans les **montagnes Parima**. Cette terre vierge dispose de ressources minières (or, diamant, uranium) quasiment inexploitées, qui en font bien l'Eldorado de la légende.

L'étonnant opéra de Manaus.

PEPSI

LA FÊTE AU BRÉSIL

Les Brésiliens sont réputés dans le monde entier pour leur joie de vivre et leur amour de la musique. Ce trait de caractère, dont l'expression la plus accomplie est le carnaval, « la plus grande fête de la terre », est le résultat de plusieurs siècles de brassages ethniques. Les racines du carnaval sont européennes, mais les linguistes divergent quant à l'origine du mot. D'après les uns, carnaval viendrait de l'expression latine *Carrum Novalis*, qui désignait un char de fête romain. D'autres pensent qu'il viendrait de l'italien *Carne Vale*, « adieu à la viande », puisque le carnaval marque les derniers jours avant le jeûne du carême.

Les Romains célébraient plus de cent fêtes durant l'année, mais les plus populaires étaient les saturnales de décembre, caractérisées par la disparition temporaire des distinctions de classes. Maîtres et esclaves dînaient alors à la même table, se régalaient des mêmes vins et couchaient avec les mêmes femmes.

Le carnaval disparut au Moyen Age, pour revenir ensuite plus brillant que jamais, sans rien avoir perdu de la licence sexuelle et de la chute des barrières sociales qui le caractérisaient.

Depuis l'époque coloniale, la période précédant le carême a toujours été fêtée au Brésil mais, jusqu'au XXe siècle, il s'agissait plutôt de pitreries que de véritables célébrations religieuses. Ces quelques jours de folie, avec la fameuse fête de l'*entrudo*, consistaient à jeter n'importe quoi sur n'importe qui (eau, farine, peinture, etc.).

L'*entrudo* dégénérait parfois en bataille rangée et les honnêtes citoyens préféraient passer le carnaval enfermés chez eux. Ce n'est qu'au début du XXe siècle que les autorités réussirent à mettre un terme à cette pratique. Aujourd'hui, seuls les confettis et les serpentins sont encore autorisés.

En Europe, à Paris et à Venise notamment, le bal masqué était une tradition du carnaval depuis le XVIIIe siècle. Ce n'est qu'en 1840 que le premier bal masqué eut lieu à Rio, à l'hôtel Itália sur la Praça Tiradentes. Après cette première tentative, le deuxième bal ne fut organisé qu'en 1846 dans le quartier chic de São Cristóvão. Le premier bal masqué de ce siècle eut lieu dans un hôtel de Copacabana en 1908; les invités y dansèrent la polka et des valses viennoises. L'ouverture du premier bal officiel à Rio de Janeiro eut lieu en 1932 au Teatro Municipal et, depuis lors, on compte à Rio plus d'une centaine de bals masqués pendant la période du carnaval.

Pages précédentes : le char des « Amazones » pendant le carnaval de Rio ; les travestis du carnaval ; feu d'artifice du nouvel an sur Copacabana. Ci-contre, le bal « rouge et noir ».

Pour les pauvres de Rio, la musique, la danse et l'alcool étaient, et sont toujours, les principaux ingrédients du carnaval. Un certain José Nogueira Paredes, surnommé Zé Pereira, est à l'origine du premier club de carnaval. Son idée était de regrouper les gens dans un endroit et de leur faire jouer le même air, sur les mêmes tambours, pour créer un rythme puissant et unifié. Cette technique est devenue la base de la *bateria*, les percussions, des écoles de samba modernes.

Les clubs des pauvres et des classes moyennes s'appelaient *blocos ranchos* ou *cordões*, et jouaient des *choros*, ballades d'origine européenne dont certaines sont encore aujourd'hui très populaires. En plus de l'organisation du carnaval, ces clubs exerçaient souvent, au XIXe siècle, des activités caritatives ou politiques — comme dans le cas du Clube dos Socialistas —, et étaient ouverts toute l'année. La plupart de ces clubs, essentiellement fréquentés par des Blancs, existent encore aujourd'hui, tel le Clube dos Democráticos qui ouvre chaque année le carnaval par un grand défilé dans le centre de la ville.

Les défilés du carnaval

La principale contribution des clubs au carnaval reste le défilé, avec ses chars, ses costumes élaborés et sa musique. Les thèmes de défilé étaient tirés de la Bible, de la mythologie et de la littérature. Le premier défilé fut organisé en 1855 par un groupe pompeusement baptisé *O Congresso das Sumidades Carnavalescas*. Il se déroula devant des spectateurs triés sur le volet et en présence de l'empereur. Dès 1900, les défilés organisés par des dizaines de groupes, appelés *Grandes Sociedades*, devinrent le clou du carnaval.

A la fin du XIXe siècle, après la sécheresse de 1877 qui dévasta le Nordeste, poussant les esclaves affranchis vers les villes du Sud, les

Noirs participèrent pour la première fois à l'élaboration du carnaval. Ils enrichirent les manifestations par leurs musiques et leurs danses traditionnelles.

Le carnaval de Rio

Aujourd'hui, le carnaval de Rio s'articule en trois parties : les fêtes de rues, les bals traditionnels dans les clubs et le défilé des écoles de samba.

Les festivités commencent le vendredi qui précède la semaine sainte lorsque le maire de Rio remet une « Clé de la Ville » géante au roi Momo, lors d'une cérémonie animée dans l'Avenida Rio Branco. Momo, le roi de la fête, est le symbole de la polygamie et de l'indulgence, qui règne à Rio jusqu'au mercredi des Cendres.

Le samedi est le jour du défilé des *blocos* — une vingtaine de groupes regroupant les habitants d'un même quartier. Ce carnaval de rue attire des milliers de personnes, travesties en clowns, en personnalités de la télévision ou du monde politique, en animaux... Les hommes se déguisent le plus souvent en femmes. Les membres du *Bloco das Piranhas*, par exemple, s'habillent en prostituées. Ceux du *Bloco dos Sujos* se barbouillent de peinture et paradent dans les rues, costumés en Indiens ou en vagabonds.

Plusieurs prix sont distribués par des juges, récompensant les plus beaux costumes.

La nuit, le carnaval se passe essentiellement dans les clubs, où les bals attirent autant de *Cariocas* que de touristes. Les plus réputés sont les clubs de Sírio-Libanés, Flamengo, Fluminense et Monte-Líbano. Ce dernier organise en particulier le superbe bal de la « Nuit à Bagdad » qui a lieu le dernier jour du carnaval (le mardi). Il est tellement célèbre que de véritables émirs arabes viennent parfois y assister.

Certains bals organisent également un concours du meilleur costume. C'est dans une ambiance surexcitée que l'on voit défiler les déguisements les plus extravagants, allant du troubadour médiéval à l'archevêque catholique.

Cependant, l'événement le plus attendu du carnaval de Rio est le défilé des écoles de samba, qui a lieu le dimanche. Ce défilé est une innovation du XXe siècle. La première école s'appelait *Deixa Falar* (Laisse-Les Dire) et avait été créée par les habitants noirs du quartier Estácio de Rio de Janeiro en 1928. *Deixa Falar* a défilé pour la première fois en 1929. Les participants ne suivaient pas d'itinéraire pré-établi et n'étaient que médiocrement organisés, mais leur nombre ainsi que leurs danses les différenciaient des autres groupes. En peu de temps, les autres quartiers noirs mirent sur pied des écoles concurrentes. En 1930, elles étaient au nombre de cinq et leurs spectateurs étaient si nombreux que la police dut dégager la Praça Onze pour leur défilé. Et en 1932 l'*Escola de Samba estaço primeria de Mangueria* (qui depuis a été dix fois championne) gagna le premier concours. Le premier concours officiel aura lieu en 1935.

La samba moderne naquit au XIXe siècle, lorsque les rythmes primitifs des anciens esclaves noirs se mêlèrent aux sons plus élaborés de la musique européenne de Rio. Le mot « samba » viendrait de l'angolais *semba* qui désigne une cérémonie de danses rituelles au cours de laquelle les hommes choisissaient leurs femmes. Pendant l'époque coloniale, la musique du *semba* et les danses qui l'accompagnaient furent interdites par les jésuites pour leur érotisme torride.

A gauche, des danseuses aux costumes multicolores ; ci-dessus, plumes, strass et glamour.

Aujourd'hui, les quatorze écoles de samba qui défilent dans l'Avenida Marques de Sapucai sont jugées par un jury nommé par le gouvernement. Chaque représentation doit s'articuler autour d'un thème central, l'*enredo*: un événement historique (la découverte du Brésil ou la lutte des esclaves au XVIIIe siècle), une personnalité connue ou une légende indienne — en période électorale les thèmes sont souvent politiques. Les costumes correspondent à l'époque et au lieu choisis. La musique et les chants racontent et développent le thème, tandis que les énormes chars qui descendent majestueusement l'avenue en illustrent les détails les plus marquants par le biais de peintures et de mannequins en papier mâché.

Les représentations des écoles de samba s'articulent en plusieurs volets. Elles débutent par *l'Abre-Alas* — un groupe de *sambistas* aux costumes bariolés défile lentement auprès d'un premier char annonçant le thème. Derrière les *sambistas* vient la *Comissão de Frente*, ou « comité directeur », composée d'hommes en costumes officiels (le directeur de l'école, les compositeurs...).

Le clou de la fête : les écoles de samba

Les festivités ne commencent réellement qu'avec l'arrivée de la *Porta Bandeira* (porte-drapeau) et du *Mestre Sala* (maître de danse), revêtus de superbes costumes du XVIIIe siècle. La *Porta Bandeira* porte le drapeau aux couleurs de l'école tout en exécutant une chorégraphie compliquée avec son partenaire. Ils sont suivis par le reste des danseurs et la *bateria*, le groupe responsable des percussions, qui maintient un rythme constant afin que la troupe puisse suivre le tempo.

Derrière les percussions arrivent les *Alas*, groupes de danse constitués par les meilleurs *sambistas* de l'école. Leurs costumes illustrent différents aspects du thème. Par exemple, s'ils ont choisi de représenter une légende amazonienne, certains seront habillés en Indiens, d'autres déguisés en animaux de l'Amazonie.

Certains *Alas*, comme le *Ala das Baianas*, doivent obligatoirement être représentés par chaque école. Ce groupe est constitué d'une douzaine de femmes âgées, revêtues des costumes traditionnels de Bahia. Elles honorent, par leur présence, l'histoire de la samba depuis ses débuts.

Les principaux *Alas* sont séparés par des danseurs isolés, revêtus de costumes flamboyants, représentant les personnages les plus importants du thème. Ce sont les *Figuras de Destaque*. Ces rôles sont en général tenus par des femmes aux formes voluptueuses. Il y a également des groupes de danseurs appelés *passistas* qui exécutent des danses complexes tout au long du défilé.

Enfin arrivent les chars géants, les *Carros Alegôricos*, faits de papier mâché et de polystyrène, qui représentent les éléments majeurs du thème. Pour reprendre l'exemple de la légende amazonienne, les chars pourraient alors dépeindre des personnages ou des événements célèbres ayant trait à l'Amazonie. Les chars ont un impact visuel extraordinaire, trop même au goût de certains pour qui la musique devrait rester le clou du spectacle.

L'homme qui inventa pratiquement le « look » contemporain du défilé de samba, Joãozinho Trinta de l'école Beija-Flor, attaqua ce point de vue il y a quelques années, dans un commentaire devenu célèbre : *« Les intellectuels veulent de la pauvreté, mais pas le public. Ce que veut le public, c'est du luxe. »* Il développait ensuite son argumentation en soulignant que des éléments visuels étaient nécessaires pour attirer les touristes étrangers et, surtout, les télespectateurs. C'est encore lui qui a eu l'idée d'agrémenter les chars de superbes jeunes femmes dansant les seins nus.

L'annonce des écoles gagnantes, faite le jeudi suivant le carnaval, est l'un des événements les plus importants de l'année à Rio. Les juges notent l'homogénéité du groupe, la musique sur lequel ce dernier évolue, la qualité de l'orchestre, les costumes, l'agilité et la grâce des danseurs... Il faut savoir que les perdants s'estiment rarement satisfaits des résultats et les accusations de fraude sont courantes.

Les deux écoles de classe 1-A qui récoltent le moins de points descendent en classe 1-B, tandis que les deux écoles de classe 1-B qui gagnent le plus de points (lors de compétitions séparées) montent en classe 1-A l'année suivante. Quant aux vainqueurs, ils fêtent la victoire jusqu'au dimanche suivant la remise des prix.

Actuellement une douzaine d'écoles évoluent dans le premier groupe (le groupe 1-A). Mais il existe en fait une quantité innombrable de petites écoles, la plus petite accueillant une quinzaine de personnes tandis que la plus grande regroupe près de cinq mille participants.

Toutes les écoles de *samba* sont depuis fort longtemps fidèles aux mêmes couleurs. Ainsi, les *sambistas* de *Margueria* sont revêtus d'habits vert et rose; ceux de *Portela* (la plus grande des écoles de samba, avec près de cinq mille participants, fondée en 1923) sont habillés en bleu et blanc; ceux de l'école *Mocidade Indepêndente de Padre Miguel* (école créée en 1955) sont en vert et blanc; tandis que les danseurs de *Imperatriz Leopoldinense* sont en vert, or et blanc.

A gauche, le défilé d'une école de samba ; ci-dessus, les enfants se déguisent en paysans pour la fête de la Saint-Jean.

Rien n'est trop beau pour une nuit de carnaval

Pour connaître pendant une nuit ou même une heure le vertige de la gloire, les Brésiliens sont prêts à sacrifier une grosse part de leur maigre fortune. Un costume revient à plus de 1 300 francs alors que le salaire moyen à Rio est de 600 francs. Une place sur la fameuse passerelle *do samba*, construite par l'architecte Oscar Niemeyer en 1983 et d'où l'on a une superbe vue sur le défilé des écoles de samba coûte environ 500 francs (au marché noir ces places bon marché peuvent atteindre de dix à quinze fois leur prix).

Mais cette folle semaine — où l'ordre établi de la société semble renversé —procure aux pauvres des *favelas* des rêves magnifiques pour le reste de l'année.

Le carnaval dans le Nordeste

Rio de Janeiro n'est pas la seule ville de carnaval du Brésil. Nombreux sont ceux qui lui préfèrent les carnavals de Salvador et de Recife, dans le Nordeste, plus simples mais aussi plus authentiques.

Le clou du carnaval de Salvador est un festival musical ambulant animé par les *Trios Elétricos*. Le concept est né en 1950 lorsque le duo *Dodô é Osmar* eut l'idée de traverser les rues de la ville dans une vieille camionnette débâchée, en jouant et en chantant les airs à la mode pour tous ceux qui voulaient les écouter.

Cette idée originale a été perfectionnée par la suite, et les Baihanais utilisent depuis 1960 des camions équipés d'une sonorisation démentielle et transformés en podium sur lesquels sont installés des orchestres. Les *trios Elétricos* déambulent dans les rues de Salvador, suivis d'une foule de danseurs en transes.

Il y a aujourd'hui des douzaines de *Trios Elétricos* qui suivent des itinéraires minutieusement établis. Ils font tous une étape à la Praça Castro Alves, le cœur traditionnel du carnaval de Salvador.

La samba, le *frevo*, le *deboche* et le rock'n'roll font partie du répertoire des *Trios Elétricos*.

Le carnaval de Salvador présente également un autre aspect, plus folklorique, avec les *afoxés*, ou cortèges de *candomblé*. Les participants portent de grandes robes de satin et brandissent des drapeaux tout au long des processions, accompagnés par une musique monocorde et des chants africains (en langue nago).

La musique du carnaval de Recife est le *frevo*, d'origine plus récente que la samba. Ce terme vient du portugais *fervura* qui signifie « bouillant ». En d'autres termes, cette musique enflamme les passions de tous ceux qui l'écoutent. Les musiciens parcourent les rues, suivis par des foules de danseurs déchaînés.

Le *frevo* s'est développé comme accompagnement musical de la *capoeira*, cette danse diabolique du Nordeste, qui est également un art martial ; cette danse à caractère défensif fut longtemps interdite au Brésil. La version moderne du *frevo* a été considérablement simplifiée du point de vue musical et les danseurs inventent des pas à leur guise et présentent un spectacle très acrobatique. Les danseurs professionnels de *frevo* sont appelés *passistas* et, si leurs danses peuvent varier, ils portent tous le même costume : des culottes courtes, des bas, une chemise vague et un parapluie multicolore.

Comme à Salvador, les groupes religieux de Recife organisent leurs propres célébrations parallèlement au carnaval officiel. Le *maracatu*, à l'instar de l'*afoxé*, est une procession profane qui mêle des prestations théâtrales et musicales. Le personnage central est la *Rainha do maracatu*, la reine de la fête, protégée par un dais et entourée de toute une cour brillamment costumée qui compte bien sûr sa courtisane, la *Dama-do-poco*.

Les origines indiennes ne sont pas oubliées à Recife, où de nombreux participants s'enduisent le corps de peinture de toutes les couleurs et arborent de magnifiques coiffures à plumes.

Noël au Brésil

Le carnaval est sans doute la fête la plus fatigante du monde, mais cela n'entame en rien l'énergie des Brésiliens pour les autres célébrations du calendrier catholique. Noël au Brésil est une grande fête religieuse et familiale.

La plupart des petits Brésiliens croient que le Père Noël, *Papai Noel*, distribue des cadeaux aux enfants du monde entier. Il entre dans chaque maison par une fenêtre ouverte et dépose ses présents dans les chaussures placées sur le sol ou sur le rebord de la fenêtre. Il porte le traditionnel costume rouge et voyage dans un grand traîneau tiré par des rennes. Il ne diffère en rien du Père Noël européen ou nord-américain, en raison d'influences relativement récentes.

Au XIXe siècle, Noël était au Brésil une fête plus religieuse et familiale qu'aujourd'hui. La coutume était de savourer un grand dîner de réveillon avant d'assister à la messe de minuit et à la procession. Une crèche, appelée *presépio*, remplaçait alors le sapin.

La célébration de la fête de la nativité a changé au début du XXe siècle au Brésil, sous l'influence des immigrants allemands qui introduisirent le sapin de Noël, l'échange des cadeaux et la croyance au Père Noël. Le mercantilisme a fait le reste.

Une chose, en revanche, n'a pas changé : le dîner du réveillon. Il consiste en une variété de noix et de fruits secs, figues, noisettes, amandes, châtaignes, raisins et dattes. La dinde, le *rabanada* (sorte de toast français), et le jambon forment le plat de résistance traditionnel.

Si Noël est la fête de la table, le nouvel an est celle de la boisson. C'est à Rio de Janeiro que cet événement est fêté avec le plus de panache. Les discothèques sont pleines à craquer et les gens se déchaînent au rythme de la samba, stimulés par la chaleur de l'été. A minuit, la nouvelle année est saluée par un immense feu d'artifice. Le meilleur endroit pour observer les célébrations est la plage.

A gauche, soirée de carnaval dans une discothèque ; ci-dessus, Trio Elétrico *pendant le carnaval de Salvador.*

Des centaines de *Filhas-de-Santo*, les prêtresses des diverses religions africaines, se retrouvent à Copacabana pour rendre hommage à Yemanjá, la déesse de la Mer. Bougies et offrandes s'alignent le long de la grève et des fleurs sont jetées à l'eau pour tenter d'apaiser la divinité.

Un calendrier des fêtes

Le 1er janvier à Salvador a lieu la fête de *Bom Jesus dos Navegantes*, pendant laquelle une procession de bateaux transporte la statue de Jésus du port principal à la plage de Boa Viagem. Des milliers de personnes se réunissent sur la grève pour assister au spectacle. Selon la légende, les pêcheurs qui participent à la procession ne mourront jamais noyés. Une procession similaire a lieu le même jour à Angra dos Reis, une petite ville située à 150 km au sud de Rio.

A la mi-janvier, Salvador célèbre la *Festa do Bonfim*, la plus grande fête religieuse de la ville. Pendant une semaine les croyants apportent leurs offrandes à l'Igreja Nosso Senhor do Bonfim, et le jeudi a lieu l'événement le plus marquant de cette fête : la cérémonie du lavage du parvis de l'église de Bonfim (autrefois on lavait même l'intérieur) par les *Mães de Santo*, des Baihanaises en costume traditionnel, pour préparer l'arrivée de la statue du

Christ Rédempteur. Car le deuxième dimanche de janvier, une superbe procession, conduit la statue de l'Igeja Nosso Senhor da Conceição à l'Igreja Nosso Senhor do Bonfim.

La veille du dimanche de Pentecôte est le jour de la *Festa do Divino*. C'est à Alcãntara, dans le Nordeste, et à Paraty, à 250 km au sud de Rio, que les célébrations sont les plus pittoresques. Les habitants revêtent des vêtements de l'époque coloniale ou se déguisent en personnages historiques importants pour défiler dans les rues.

Le clou de la fête est la visite de l'empereur, qui arrive entouré de sa cour pour participer à la procession et assister à la messe sur le parvis de l'église. Des musiciens ambulants, les *Folias do Divino* parcourent nuit et jour les rues de la ville pendant toute la durée des célébrations.

Les fêtes de juin

Peu après la Pentecôte débute l'un des cycles de festivités les plus intéressants du Brésil, les *Festas Juninas*. Les fêtes de saint Antoine, saint Jean et saint Pierre ont toutes lieu en juin — un bon prétexte pour passer le mois entier en célébrations ininterrompues. Saint Antoine, le patron des objets perdus et des femmes à la recherche de maris, est fêté le 12 juin. La journée se passe en cérémonies strictement religieuses.

En revanche, la Saint-Jean, fêtée les 23 et 24 juin, et la Saint-Pierre, les 28 et 29 juin, sont des fêtes beaucoup plus temporelles, marquées par des feux de joie, des feux d'artifice, de grands banquets et bien sûr de la musique. Saint Pierre est tout spécialement honoré par les veuves qui placent des bougies allumées sur le pas de leur porte pendant les festivités.

Les fêtes du mois de juin se déroulent essentiellement dans les rues. Les participants s'habillent en paysans, ou *caipiras*. Musique folklorique, quadrilles et fausses cérémonies de mariage font partie du programme des réjouissances.

A Osasco, dans la banlieue de São Paulo, les habitants allument, la dernière semaine du mois de juin, le plus grand feu de joie du Brésil (22 m de haut). Les troncs d'eucalyptus utilisés pour construire ce feu mettent une semaine entière à se consumer.

Les fêtes d'octobre

Octobre est le mois de nombreuses cérémonies d'inspiration religieuse, parmi lesquelles la célèbre *Festa de Nossa Senhora de Aparecida*, qui coïncide avec une fête nationale, le 12 octobre.

Le « miracle d'Aparecida » a eu lieu en octobre 1717 dans la petite ville de Guaratingueta, située à mi-chemin entre Rio de Janeiro et São Paulo. Le gouverneur de São Paulo, accompagné de quelques amis, traversait le village à l'heure du déjeuner lorsqu'il s'arrêta auprès d'un pêcheur pour lui demander de quoi se restaurer. Le pêcheur et deux de ses amis sortirent donc leurs bateaux pour aller pêcher sur le fleuve Paraiba, mais, aucun poisson ne voulant se prendre dans leurs filets, ils décidèrent de prier. A la tentative suivante, ils tirèrent de l'eau une statuette de la Sainte Vierge. Dès lors, leur pêche fut miraculeuse.

L'histoire fit rapidement tout le tour de la région et, en 1745, une petite chapelle rustique fut construite pour abriter la statuette. Le culte de Notre-Dame d'Aparecida se répandit alors et, au milieu du XIXe siècle, une deuxième église, plus grande et plus belle, fut bâtie. Elle se dresse toujours non loin de la nouvelle basilique. En 1931, le Vatican fit de Notre-Dame d'Aparecida la sainte patronne du Brésil.

L'idée de construire une troisième église, encore plus grande, naquit dès 1900, lorsque l'Année Sainte décrétée par le Vatican attira plus de cent cinquante mille pèlerins à Aparecida. La première pierre de la nouvelle basilique fut posée en 1955, et les travaux furent terminés en 1978.

Cette basilique à la structure massive accueille chaque année plus de huit millions de pèlerins venus se recueillir devant la statuette. Pendant le seul mois d'octobre, elle attire près d'un million de fidèles.

L'Igreja de Nossa Senhora da Penha, à Rio de Janeiro, est beaucoup moins imposante mais tout aussi pittoresque. Située au sommet d'une petite colline, Penha représente l'une des plus anciennes organisations laïques du Brésil.

L'ordre de Penha fut fondé au Portugal au XVIIe siècle par un certain Baltazar Cardoso, persuadé d'avoir été sauvé d'un accident de chasse par une intervention divine. L'ordre transféra ses activités au Brésil dans le courant du siècle. La première église fut construite en 1635, la deuxième en 1728. Cette année-là, les membres de l'ordre commencèrent à tailler dans le roc de la colline les trois cent soixante-cinq marches qui mènent à l'église.

Chaque année, au mois d'octobre, des milliers de pénitents grimpent ces marches à genoux. Devant l'afflux des fidèles, une troisième église, plus grande, fut édifiée au même endroit en 1871.

Les célébrations de Penha sont uniques à Rio. Elles mêlent les cérémonies religieuses et les « fêtes laïques » qui se déroulent sur l'esplanade, au pied de la colline. Ces dernières sont réputées pour leurs banquets qui offrent nourriture, bière et musique à profusion.

Les fêtes de l'Amazonie

C'est également au mois d'octobre que se déroule la plus importante cérémonie religieuse de l'Amazonie : la procession et la fête de Círio (« cierge ») de Nazaré à Belém. Le deuxième dimanche d'octobre, la procession de Belém attire des dizaines de milliers de pénitents et de touristes. Celle-ci dure plus de quatre heures et se déroule à travers les 6 km de rues du centre de la ville.

Une grosse corde, longue de quelques dizaines de mètres, est utilisée pour tirer un char somptueusement décoré, transportant la statue de Notre-Dame de Nazareth — la patronne de la ville. Ceux qui réussissent à toucher la corde voient leurs vœux exaucés par la sainte. Lorsque la statue atteint enfin la basilique débute une fête qui va durer quinze jours, fort semblable à celle de Penha à Rio.

Depuis sa découverte au beau milieu de la forêt, la statue a, paraît-il, accompli de nombreuses guérisons miraculeuses. La première procession eut lieu en 1763. La corde ne fut ajoutée qu'au XIXe siècle.

Les fêtes du Círio de Nazaré, de Bom Jesus dos Navegantes et même du carnaval ont plusieurs traits communs. Elles correspondent toutes à des dates importantes du calendrier religieux et s'articulent toutes autour de thèmes traditionnels et folkloriques. Et, surtout, elles permettent à leurs participants de bien s'amuser.

Lors de quelques grandes fêtes civiles on assiste aussi à d'importantes manifestations populaires. Ainsi, le 21 avril, les Brésiliens célèbrent l'anniversaire de la mort de Tiradentes ; le 13 mai est commémorée l'indépendance du Brésil et le 15 novembre la proclamation de la République.

Les enfants de Gandhi, *un groupe* afoxé *à Salvador.*

LE RYTHME AU BRÉSIL

La musique est une seconde nature pour les Brésiliens. Tous, jeunes ou moins jeunes adorent danser. C'est le moyen d'expression le plus populaire au Brésil, car accessible à tous, riches ou pauvres.

Le samedi soir au Brésil, lorsque la fête se prépare, le choix musical est très vaste. On peut suivre le battement des tambours lors des répétitions d'une école de samba, taper des mains dans une *pagode*, danser au rythme simple d'un *forro* — exécuté par un accordéon, un tambour, une guitare et un triangle — dans une salle de bal remplie en général de Nordestinos, s'essayer à la *gafiera*, une danse proche du tango, écouter les sons déchirants des mandolines et des violes qui jouent le *choro*, ou encore essayer d'aller écouter les décibels de l'un des nouveaux groupes de rock brésiliens.

Dans les bars de nuit, le jazz alterne avec le mélancolique *fado* portugais et les rythmes plus brésiliens de la *samba-cançáo* et de la *bossa nova*. Dans les discothèques on peut aussi bien écouter Madonna, les Rolling Stones et Bob Marley que les derniers tubes brésiliens. Dans les clubs et les salles de bal des banlieues, on retrouve la complainte des *duplas sertanejas*, les duos de musique folklorique.

Les premiers *duplas* ont vu le jour au début de ce siècle et se sont hissés depuis lors à la tête des ventes de musique populaire. Couplets romantiques et adieux déchirants réveillent chez tous les Brésiliens la nostalgie de la vie à la campagne. Le message doit être universel, car le duo Millionário e José Rico vend de grandes quantités de disques, en portugais, à la Chine populaire.

En dehors des grandes villes, les musiques régionales sont toujours aussi appréciées qu'autrefois. Dans l'État de Rio Grande do Sul, les *gauchos* écoutent toujours les mêmes airs d'accordéon que leurs ancêtres allemands il y a près de soixante-dix ans. Dans le Mato Grosso do Sul, les *boleros* se mêlent à la musique folklorique. Les rythmes du Nordeste comme le *baião*, le *forro*, le *maracatu*, ou le *frevo* beaucoup plus rapide, dominent non seulement dans leur région d'origine, mais aussi partout où les Nordestinos se sont exilés à la recherche de travail et d'une vie meilleure.

Le spectacle est dans la rue.

Petite histoire musicale

L'hétérogénéité de la nation elle-même explique la multitude des genres musicaux qui coexistent aujourd'hui au Brésil. Des premiers colons portugais aux réfugiés politiques et économiques du XXe siècle — anarchistes italiens, catholiques polonais, juifs allemands et, plus récemment, Palestiniens, Japonais,

Coréens et chrétiens du Moyen-Orient, en passant par les esclaves africains des siècles derniers — des vagues successives d'immigration ont laissé leur empreinte sur l'histoire musicale du pays.

Par le brassage des cultures et la hiérarchisation de sa société le Brésil est à la fois le pays de l'avenir et du passé. Sa population est urbaine à plus de 70 %, mais elle a pour une large part gardé les traditions culturelles du *sertão*. Cette culture, essentiellement orale, est néanmoins exposée au reste du monde par le biais de la radio et de la télévision.

Les anciennes chansons folkloriques côtoient les dernières productions musicales internationales dans les boutiques de disques des grandes villes. Et le son de ces villes, jazz, pop, rock, ne s'est imposé que récemment sur le son traditionnel des campagnes. Dans une génération, l'électronique aura peut-être homogénéisé ces styles différents, mais pour le moment, le Brésil reste l'un des endroits les plus fertiles du monde en matière d'innovation musicale.

La musique brésilienne depuis ses origines

Le Brésil est le pays du rythme, ou plutôt des rythmes. Sa musique est marquée par de nombreuses fusions.

Le premier choc musical a eu lieu entre la civilisation amérindienne et les jésuites. En 1500, environ cinq millions d'Indiens peuplaient le Brésil. Les jésuites découvrirent rapidement l'importance de la musique pour les rituels des tribus indiennes. Ils adaptèrent donc la liturgie catholique aux chants et aux danses indigènes pour former un nouvel instrument de catéchisation. Peu à peu, le chant grégorien fut assimilé par la population indienne.

Quatre siècles plus tard, alors que les Indiens n'étaient plus que deux cent cinquante mille, le même processus s'est répété dans d'autres régions du Brésil. Si l'église catholique prêche aujourd'hui le respect de la culture indienne, elle n'en continue pas moins à utiliser la musique liturgique pour pacifier les derniers sauvages. Dans le Nord-Ouest de l'Amazonas, près de la frontière vénézuélienne, les Indiens Tucanos chantent encore les credos et les glorias grégoriens qui leur furent enseignés par les missionnaires. La musique amérindienne est complexe par le rythme mais pauvre par la mélodie. Les principaux instruments utilisés sont les *maracas*; certaines tribus indiennes utilisent également des pipeaux primitifs et des flûtes de Pan. Le chant était un art sacré, généralement réservé au rites religieux. Au fil du temps, les paroles de ces chants ont perdu leur signification, devenant de simples incantations magiques. La seule exception à cette règle semble être les berceuses et les comptines que les femmes chantonnaient à leurs enfants.

Certaines cérémonies animistes pratiquées à l'heure actuelle au Brésil, telles que le *catimbo* dans le Nordeste, et le *pajelança* en Amazonie, doivent plus au rituel indien — en particulier dans leur chorégraphie — qu'aux cérémonies africaines de la côte, plus riches visuellement et musicalement. Quelques danses folkloriques, comme le *caiapos* et le *cabochlinhos* qui survivent encore dans les régions reculées, sont d'inspiration amérindienne directe.

L'héritage indien dans la musique populaire apparaît dans les instruments à percussion, la nasalisation des paroles, les chœurs répétitifs et l'habitude de terminer chaque vers sur une note plus basse. Les Indiens du Brésil ont également assimilé dans leurs chants le thème de l'amour perdu si cher aux Portugais.

L'importance de l'influence portugaise

Pendant quatre siècles, l'influence musicale dominante a été celle des colonisateurs du Brésil : les Portugais. Ils ont défini l'harmonique brésilienne, établi le rythme à quatre temps et la syncope qui allait si bien se mêler, plus tard, aux rythmes africains.

Ils apportèrent le *cavaquinho* (sorte de ukulélé : petite guitare à quatre cordes héritée des Portugais), la *bandolin* (ou mandoline), la guitare portugaise à dix cordes, la cornemuse portugaise et tous les autres instruments européens, tels la flûte, le piano, la viole et la harpe.

Pourtant, ce n'est pas la guitare portugaise qui allait devenir la base de la musique populaire brésilienne, mais la guitare espagnole. De même, la mandoline italienne remplaça la mandoline portugaise, et l'accordéon prit rapidement une place importante dans la musique folklorique. Dans le Nordeste, l'accordéoniste est toujours le pivot des fêtes traditionnelles, se déplaçant de village en village avec son instrument, particulièrement pendant le mois de juin pour les fêtes de la Saint-Jean. Ces derniers temps, les *festas juninas* ont connu un regain de popularité extraordinaire à travers tout le Brésil, à tel point que les accordéonistes sont désormais trop peu nombreux. Au fil du temps, les Nordestinos ont développé un style musical pour l'accordéon, bien éloigné du son européen.

Le roi indiscuté de l'accordéon est Luis Gonzaga, l'inventeur du rythme *baião*. Presque toutes les chansons de Gonzaga racontent les vicissitudes de la vie dans le Nordeste. Le morceau intitulé *Asa Branca* — la complainte déchirante d'un paysan ruiné par la sécheresse — est quasiment devenu l'hymne de cette région. Paradoxalement, cette chanson se joue sur un rythme enjoué.

Les Portugais ont fourni la base des danses folkloriques brésiliennes, mais seules ont survécu celles qui ont le mieux intégré les rythmes africains. La plupart de ces danses ont d'importantes connotations religieuses, comme le *reisados* — exécuté six jours après Noël pour célébrer la visite des Rois mages à l'enfant Jésus —, les *pastoris*, chants et danses de la Nativité, ou la *Festa do Divino* qui a lieu à la Pentecôte.

Les danses les plus échevelées sont profanes : les *congadas*, parfois appelées *embaixadas*, représentent les batailles entre les Maures et les chrétiens, tandis que la *Bumba meu Boi* est une parodie des corridas portugaises. Aujourd'hui, c'est dans les États de Pernambuco, Maranhão et Bahia, que la *Bumba meu Boi*, danse brillante, rythmée et essentiellement noire, reste le plus authentique.

A gauche, Gilberto Gil ; ci-dessus, Caetano Veloso.

Un apport africain

Si ce sont les Portugais qui ont fourni le cadre lyrique, poétique et émotionnel de la musique populaire brésilienne, ce sont les Africains, en revanche, qui l'ont animée de leur immense joie de vivre et de leur énergie.

La majorité des esclaves noirs du Brésil provenaient de l'ouest de l'Afrique — Angola, Congo et Soudan —, et appartenaient aux tribus Nagos, Jejes, Fantis, Axantis, Gas, Txis, Fulos, Mandingues, Haussas, Tapas, Bornus, Grumans, Calabars et Malés.

Contrairement aux États-Unis où les rites religieux africains ont été complètement éradiqués, le Brésil ne réprimait pas systématiquement les rituels animistes chez les esclaves. Aussi longtemps que ces cérémonies ne se déroulaient pas à proximité de la maison des maîtres, elles étaient tolérées. Ce n'est que plus tard, lorsque les Noirs tentèrent d'organiser leurs réunions religieuses dans les villes, que la répression policière s'abattit sur eux. Ils durent alors travestir leurs déités en saints catholiques pour pouvoir continuer à les adorer.

Les instruments utilisés lors des fêtes religieuses et païennes sont les précurseurs de ceux des écoles de samba modernes : *atabaque, ganza, cuica* et *agogo.*

Lors de danses populaires comme l'*umbigada*, les Noirs formaient une ronde, tapaient dans les mains, chantaient et battaient des instruments à percussion, tandis qu'un danseur isolé tournait au milieu. Lorsque son temps était écoulé, le danseur se plaçait devant la personne de son choix et d'un mouvement suggestif des hanches lui signifiait de prendre sa place. Différentes versions survivent encore dans toutes les communautés noires du Brésil. Elles ont aujourd'hui pour nom *samba de roda, jongo, tambor-de-crioulo, batuque* et *caxambu.*

Longtemps rejetée par l'élite portugaise comme trop lascive, l'*umbigada* s'est finalement imposée parmi les Blancs, sous la forme édulcorée du *lundu*, à la fin du XVIIIe siècle. Le *lundu* se dansait alors en couple au son des violes et des cithares.

Domingos Caldas Barbosa, né à Rio de Janeiro aux environs de 1740 d'une mère noire et d'un père blanc, suivi les cours d'une école jésuite et s'enrôla dans l'armée avant de devenir le compositeur de *lundus* et de *modinhas* le plus célèbre et le plus prolifique du pays. La forme musicale de la *modinha* s'est maintenue jusqu'à notre siècle.

En 1967, le chanteur Chico Buarque a lui-même composé et enregistré une *modinha* intitulée *Até Pensei*. Proscrites à l'origine pour leur capacité à *« corrompre les femmes vertueuses »*, les romantiques *modinhas* de Caldas Barbosa devinrent rapidement si populaires que leur auteur fut invité à se produire au Portugal en 1775.

Dès le milieu du XIXe siècle, les *modinhas* étaient devenues les favorites de la cour sous la forme d'arias proches de l'opéra classique.

A la fin du siècle, elles étaient redescendues dans la rue avec les *serenatos* des guitaristes ambulants.

Ceux qui connaissent le thème musical du film *Love Story* ont goûté à la saveur de la *modinha*. En effet, cette mélodie est identique à celle de la chanson *Dores de Coraçao*, composée en 1907 par Pedro de Alcantarem, et reprise ensuite sous le titre de *Ontem, Ao Luar* par le chanteur Catulo da Paixao Cearense.

Dans la seconde moitié du XIXe siècle, les orchestres d'esclaves des villes et des campagnes furent invités par leurs maîtres à copier les danses à la mode venues d'Europe,

tel la polka, le tango, la valse ou la mazurka. Cependant, lorsqu'ils jouaient ces mélodies entre eux, les esclaves les agrémentaient de leur propre rythmique, donnant ainsi naissance au *maxixe*, une danse beaucoup plus sensuelle.

Tout comme le *lundu*, cette danse fut tout d'abord interdite avant d'acquérir droit de cité dans la haute société brésilienne. En 1907, au cours du bal donné en l'honneur d'une délégation militaire allemande, le commandant prussien demanda à l'orchestre de jouer un *maxixe* très populaire à l'époque. Choqué par l'entrain avec lequel son orchestre exécuta le morceau, le ministre brésilien de l'armée, le maréchal Hermes da Fonseca, bannit cette danse du répertoire militaire. Mais cinq ans plus tard, il fut contraint d'admettre sa défaite lorsque sa femme se livra à un *maxixe* endiablé lors d'une réception officielle qui avait lieu sous son propre toit.

A gauche, quelques pas de danse ébauchés dans la rue ; ci-dessus, Milton Nascimento.

Un dentiste brésilien raté, Lopes de Amorin Diniz, plus connu sous le nom de « Duque », se tailla un franc succès à Paris au début du XXe siècle comme danseur et professeur du « vrai tango brésilien ». Cependant, au Brésil, le *maxixe* était toujours fermement combattu par le clergé.

En 1934, Fred Astaire lui-même dansa le *maxixe* dans un film produit à Hollywood, mais déjà au Brésil, cette danse cédait le pas devant la *samba*. Cette danse plus agressive et plus simple fut popularisée par le carnaval. Il existe encore aujourd'hui des salles de danse, les *ngafieras*, où l'on peut voir des couples exécuter des *maxixes*, des *choros* et des *sambas* langoureuses avec toute la virtuosité d'un « Duque ».

La célèbre samba

Deux autres formes musicales allaient se développer parallèlement au *maxixe* : le *tango brasileiro*, plus élitiste, influencé par la *habaneira* cubaine et immortalisé par le pianiste Ernesto Nazaré, et le *choro*, au rythme plus rapide, joué à la flûte, à la guitare et au *cavaquinho*.

La *samba* est née des *umbigadas* des esclaves noirs. Le premier morceau du genre fut le fameux *Pelo Telefone*, écrit en 1916 par un compositeur *carioca* du nom de Donga. L'année suivante, la chanson fut le grand succès du carnaval, et par la suite, la

samba allait mettre un terme à la diversité des rythmes qui avaient jusqu'alors caractérisé le carnaval.

Au cours des cinquante années suivantes, la *samba* allait se diversifier, de la *samba do morro*, la forme la plus pure, jouée exclusivement sur des percussions, à la *samba enredo*, la version chantée du carnaval, en passant par *la samba do breque,* plus syncopée, et la *samba-canção*, version chanteur de charme.

Aujourd'hui, avec l'explosion des frontières musicales, de nouveaux genres se sont développés, la *samba-rock*, la *samba-jazz-funk*, et même la *samba-reggae*.

Le monde a découvert la *bossa nova* le 22 novembre 1962, lors du fameux concert de Tom Jobim au Carnegie Hall de New York, avec des morceaux tels que *A garota de Ipanema* et *Samba de uma nota só*.

La *bossa nova* était née cinq ans plus tôt au Brésil, et plus précisément à Copacabana. Ses précurseurs étaient la *samba-jazz*, très en vogue dans les discothèques de Rio de Janeiro, et le cool jazz américain qui venait lui-même de la *samba-bebop* des années 1940.

Le personnage clé de la *bossa nova* n'était pas réellement Tom Jobim mais un tout jeune guitariste de l'intérieur des terres de l'État de Bahia, nommé João Gilberto. Il fut découvert dans une boîte de Copacabana par un groupe de jeunes étudiants qui expérimentaient eux-mêmes une forme plus tempérée de *samba*.

Ainsi, la *bossa nova* prit forme dans les appartements et les bars de la Zona Sul de Rio de Janeiro. Le poète Vinicius de Moraes allait en devenir le pape avec des textes tels que *Eu seu que vou te amar* (Je sais que je vais t'aimer), même si le plus souvent les paroles se résumaient à *« pam, bim-bam, bim-bam »*. Le minimalisme était alors de rigueur.

Pourtant, si le style de João Gilberto allait influencer toute une génération de musiciens brésiliens, la *bossa nova* elle-même devait rester la musique d'une certaine élite, comme le cool jazz aux États-Unis. Jouer la *bossa nova* à la guitare est extrêmement difficile. La mélodie s'écoule sans heurts mais change de gamme toutes les deux notes.

La naissance d'un nouveau style musical

Le mouvement musical brésilien suivant fut le tropicalisme, en réaction contre le rythme trop sage de la *bossa nova* et des *sambas* engagées des années 60. Ces dernières ont vu le jour pendant la dictature militaire, période de censure et de répression accrues. En 1968, par exemple, Geraldo Vandré, le compositeur de la chanson anti-militariste *Pra nao dizer que nao falei de flores* fut arrêté, torturé puis exilé par le régime.

Le tropicalisme explosa sur scène en 1967 lorsque les Bahianais Gilberto Gil et Caetano Veloso présentèrent respectivement les morceaux *Domingo no Parque* et *Alegria, Alegria* à l'occasion du festival de musique de São Paulo. Le tropicalisme choqua les puristes de la même façon que Bob

Dylan lorsqu'il apparut pour la première fois sur scène avec une guitare électrique. C'était une musique puissante, anarchique et impertinente qui mêlait les thèmes brésiliens traditionnels à des éléments de la culture musicale internationale. Après le premier choc, le tropicalisme déclencha le délire des foules au Brésil.

En 1969, Caetano et Gil furent arrêtés et exilés par le gouvernement militaire. Ils s'installèrent provisoirement à Londres. A leur retour en 1972, le tropicalisme s'était imposé, et chaque groupe utilisait désormais des instruments électriques.

Plus de vingt ans après, trois auteurs-compositeurs de cette génération dominent toujours le devant de la scène musicale brésilienne : Caetano Veloso, avec ses thèmes poétiques, toujours en avance d'un pas sur ses contemporains, Gilberto Gil, plus direct, plus africain, plus rythmé, et le celèbre Chico Buarque, l'intellectuel de la bande.

De nombreux artistes brésiliens se sont frayé un chemin sur la scène internationale : Milton Nascimento, Hermeto Paschoal et Egberto Gismonti pour le jazz, ainsi que les chanteurs Gal Costa, Maria Bethania — la sœur de Caetano Veloso —, Elba Ramalho et Jorge Ben, dont l'une des *sambas* a été « empruntée » par Rod Stewart, donnant naissance au tube *D'ya think I'm sexy.*

Ce mouvement s'est amorcé dans les années 1970, lorsque les groupes de danse *afoxés* se sont peu à peu imposés lors du carnaval. Revêtus de grandes robes blanches, ils défilaient non au son frénétique de la *samba* ou des *trios elétricos* mais au rythme africain des *agogos* et des tambours utilisés lors des cérémonies religieuses du *candomblé.*

Les *afoxés* se sont multipliés, étendant leur influence au-delà du carnaval et devenant le centre d'un mouvement de prise de conscience noire. Parallèlement, les disques de Bob Marley, introuvables par ailleurs, se frayèrent un chemin jusqu'à Bahia.

Le début des années 1980 a marqué l'explosion du *rock brasileiro* avec l'arrivée de nouveaux groupes et de nouveaux chanteurs. Du point de vue musical, le *rock brasileiro* n'est pas très novateur. Son originalité réside surtout dans son langage : direct, souvent humoristique, moqueur ou ironique, parlant ouvertement d'amour et de sexe.

La véritable innovation vient de Salvador qui exécute, depuis le milieu des années 80, un retour aux origines africaines de la musique et des rythmes.

A gauche, concert en plein air dans un parc de Rio ; ci-dessus, Chico Buarque.

L'identification avec le reggae fut immédiate. Le concert de Gilberto Gil avec le célèbre Jamaïcain Jimmy Cliff remporta un succès sans précédent. Dès lors, les Bahianais s'intéressèrent de plus près à la musique des Caraïbes et de l'Afrique. Chaque année, le carnaval découvre désormais de nouveaux rythmes afro-bahiano-antillais, de nouvelles danses et de nouvelles idoles.

En 1989, la musique populaire brésilienne connut une nouvelle vague de succès dans tous les pays du monde avec la célèbre *lambada.* Qui n'a pas un jour dansé au son de cette musique suggestive et très sensuelle ?

Let's

LE FOOTBALL

Les Brésiliens n'ont pas inventé le football, mais ils l'ont très certainement perfectionné. Aujourd'hui le Brésil est célèbre à travers le monde autant pour ses joueurs que pour son café ou son carnaval.

Le football a fait son apparition au Brésil au début de ce siècle, importé tout d'abord à São Paulo par un jeune Anglais né au Brésil, Charles Miller, qui en avait appris les règles pendant ses études en Grande-Bretagne. Son père était l'un des nombreux techniciens britanniques qui ont construit les voies ferrées, les ports et les centrales électriques du Brésil à la fin du XIXe siècle. Passionné par ce sport, le jeune Charles Miller en enseigna les rudiments à ses amis du São Paulo Athletic Club (SPAC) à son retour au Brésil en 1895. Une fédération de football fut créée en 1901 à São Paulo, et le SPAC, club de la communauté britannique, devint la première équipe du Brésil à remporter trois championnats à la suite en 1902, 1903 et 1904.

Néanmoins, les Brésiliens furent rapides à apprendre toutes les subtilités du football et battirent rapidement les Britanniques à leur propre jeu. La pratique de ce sport se répandit alors à travers tout le pays comme une traînée de poudre.

La passion du football

Aujourd'hui, quatre-vingts ans plus tard, le football est bien plus que le « passe-temps national » brésilien : c'est devenu la passion de millions de supporters. L'excitation atteint son comble tous les quatre ans lors de la Coupe du Monde. Le Brésil compte des millions de joueurs et des milliers d'équipes. Chaque ville, chaque école, chaque quartier a son propre terrain de football. Même les villages indiens les plus reculés de l'Amazonie ont des terrains, où les joueurs utilisent le plus souvent une noix de coco en guise de ballon.

Lorsque l'équipe nationale du Brésil dispute une rencontre de Coupe du Monde, le pays est paralysé plus sûrement que lors d'une grève générale. D'ailleurs, de nombreux patrons d'entreprises ont désormais installé des postes

Au Brésil, le football déclenche les passions.

de télévision sur les chaînes de production pour tenter de réduire l'absentéisme. Cependant, la plupart des entreprises préfèrent fermer pendant la durée des matches.

Le *futebol* a désormais des racines aussi profondes que la samba. Ce sport est tellement populaire que certains des plus grands stades du monde ont été construits au Brésil. A Rio de Janeiro, le gigantesque stade de Maracana peut accueillir jusqu'à cent quatre-vingt mille spectateurs. Le stade Morumbi à São Paulo arrive juste derrière avec une capacité de cent vingt mille personnes. Le Brésil compte encore cinq autres stades capables de contenir quatre-vingt mille à cent mille spectateurs.

originaire d'une petite ville de l'État de São Paulo, Pelé n'avait jamais possédé une seule paire de chaussures lorsqu'il est entré, à l'âge de quinze ans, au club de football de Santos. Un an plus tard, en 1958, il donnait à l'équipe nationale brésilienne sa première victoire en Coupe du Monde. Quatre ans plus tard, associé à une autre légende du football brésilien, le célèbre Garrincha, il décrocha le titre de champion du monde pour son équipe, pour la seconde fois consécutive.

La locomotive brésilienne fut freinée lors de la Coupe du Monde de 1966 lorsque les équipes adverses découvrirent qu'elles pouvaient neutraliser les Brésiliens en coupant

L'une des raisons pour lesquelles le *futebol* est devenu si populaire au Brésil est qu'il est accessible aux jeunes de toutes les catégories sociales. Ce sport a attiré d'innombrables jeunes joueurs des bidonvilles, qui voient en lui le seul moyen de sortir de la misère. Ils sont encouragés dans leurs efforts par les nombreuses histoires d'enfants pauvres devenus riches grâce à leur talent sur le terrain.

Le roi du football

Le joueur brésilien le plus riche et le plus célèbre du monde est Edson Arantes do Nascimento, plus connu sous le nom de Pelé, le roi du football. Adolescent d'aspect fragile,

Pelé de ses partenaires. Victime d'une défense resserrée et de coups bas, Pelé dut sortir du championnat. Néanmoins, quatre ans plus tard, il était de retour et conduisit le Brésil au troisième titre de champion du monde. Il fut nommé meilleur joueur à cette occasion. Pelé a pris sa retraite en 1977 après avoir marqué mille trois cents buts au cours de sa carrière. Aucun autre joueur n'a encore atteint les mille buts.

Le rêve de millions de jeunes est de suivre l'exemple de Pelé et de jouer pour l'un des grands clubs brésiliens, tels le Flamengo, le Vasco, le Botafogo ou le Fluminense de Rio, le São Paulo Futebol Club, le Santos, le Corintians, le Gremio ou l'Internacional de

Pôrto Alegre, l'Atletico Mineiro ou encore le Cruzeiro de Belo Horizonte.

L'honneur suprême pour un joueur est d'être sélectionné pour faire partie de l'équipe nationale, formée uniquement de professionnels. La carrière de cette équipe, et de ses joueurs, est suivie avec passion par des millions de supporters. Une seule action réussie au cours d'un match important peut aussitôt accorder la gloire à son auteur.

La Coupe du Monde

En fait, c'est l'humeur du pays entier qui peut être altérée par le succès ou l'échec de l'équipe nationale au cours d'une rencontre importante. En 1970, par exemple, la troisième victoire du Brésil en Coupe du Monde entraîna un formidable regain de popularité pour la dictature militaire du président Emilio Medici. A l'époque, le gouvernement traversait une période difficile, luttant contre d'importants mouvements de guérilla urbaine. Aujourd'hui, le nom du général Medici est plus facilement associé à la victoire de l'équipe brésilienne qu'à ses accomplissements politiques.

A gauche, jour de match au stade de Maracana à Rio ; ci-dessus, tous les enfants du Brésil s'adonnent à la même passion.

La plupart des commentateurs de football considèrent que l'équipe de 1970 a été la meilleure de toutes. Les supporters du monde entier ont été éblouis par la précision des attaques, le toucher exceptionnel et les facéties de l'équipe brésilienne lors du championnat de Mexico. Les noms des joueurs de cette équipe, Pelé, Tostao, Gerson, Carlos Alberto et Jairzinho, sont encore évoqués aujourd'hui avec nostalgie. Cette victoire a certainement marqué l'apogée du football brésilien, culminant dans la remise de la Coupe Jules Rimet pour avoir remporté le troisième titre de champion du monde.

Cependant, depuis cette date mémorable de 1970, aucune autre équipe brésilienne n'a plus jamais atteint les finales de la Coupe du Monde. Il est vrai, par ailleurs, que le Brésil a toujours été sélectionné pour participer à ce championnat. Selon les experts, cette période noire n'est pas due à une baisse de la qualité des joueurs mais à la compétition accrue à laquelle se livrent les propriétaires de clubs et les politiciens pour participer aux sélections nationales.

Peu importe, car le style brésilien, avec ses dribbles superbes et son incroyable virtuosité, continue à étonner le monde entier.

Les supporters

Si les joueurs brésiliens sont considérés comme les meilleurs du monde, leurs supporters sont également réputés pour leur enthousiasme.

Si le jeu en lui-même n'est pas intéressant, le spectacle qui se déroule dans les gradins vaut bien, à lui tout seul, le prix du billet d'entrée. Lors d'une rencontre Flamingo-Flumineuse, les supporters font autant partie de l'action que les joueurs. Organisés en petits groupes, ils brandissent de gigantesques banderoles, chantent et dansent avec une énergie inégalée et tirent un feu d'artifice après l'autre, avant, pendant et après le match, atteignant l'hystérie lorsqu'un but est marqué.

Au terme du championnat national brésilien, qui dure six mois et englobe quarante-quatre équipes, le jour de la finale est quasiment devenu une fête nationale. Si vous vous trouvez dans la ville de l'équipe championne le soir de la victoire, préparez-vous à une expérience inoubliable. Des centaines de milliers de fans envahissent les rues pour une nuit de fête ininterrompue faisant paraître le carnaval bien pâle en comparaison.

NORBIM
80

DE L'IMPRESSIONNISME AU PRIMITIVISME

L'art brésilien est intimement lié à la lumière brésilienne. Le lourd soleil tropical crée une ambiance visuelle dans laquelle les couleurs sont plus intenses, le clair et l'obscur plus nettement séparés. Il a même été dit que l'impressionnisme était né au Brésil quand Manet, alité à bord d'une frégate française dans le port de Rio de Janeiro, captura sur une toile la vibration lumineuse du ciel au-dessus de la baie de Guanabara et des montagnes voisines.

Comment cet art s'intègre-t-il dans le monde artistique international?

L'art brésilien n'est pas un univers à part, il s'inspire largement des tendances et des modes venues de l'étranger. Cependant, les artistes brésiliens sont uniques en leur genre, créant des styles personnalisés qui expriment merveilleusement leur vision de l'art et du monde.

L'art brésilien se caractérise d'abord par sa lumière, ensuite par l'originalité de ses auteurs, originalité particulièrement évidente depuis 1922. Cette année-là, les artistes brésiliens s'écartèrent de la tradition académique européenne après la Semaine d'Art moderne à São Paulo, qui est restée dans les annales comme le tournant de l'histoire culturelle du pays.

Les thèmes artistiques locaux furent favorisés par rapport aux modèles européens dans un mouvement appelé « Anthropophagie », en une allusion non voilée à la coutume de certaines tribus indiennes qui avaient l'habitude de dévorer leurs ennemis. Tarsila do Amaral était à la tête de ce mouvement qui s'est développé parallèlement au mouvement moderniste dirigé par Rego Monteiro, Segall et Di Cavalcanti (1897-1976). Ce dernier glorifia la séduisante *mulatta* dans tout son œuvre pendant plus d'un demi-siècle car, comme la plupart des Brésiliens, il considérait cette femme comme le modèle parfait de la beauté et de l'érotisme.

Gros plan sur une toile primitive, réalisée par Norbim.

Le mouvement Arts déco venu d'Europe influença fortement Monteiro ainsi que le sculpteur Brecheret, dont le *Visage du Christ* témoigne d'une impressionnante tension intérieure. Son *Ève* révèle, quant à elle, les influences mêlées de Rodin et de Michel-Ange. Cette sculpture, symbole de la femme éternelle, est dotée de muscles dignes d'un culturiste. Plus tard, Brecheret mêla le style Arts déco à celui créé sous Mussolini pour réaliser son étonnant *Monument aux Bandeirantes* que l'on peut admirer aujourd'hui dans le parc Ibirapuera à São Paulo.

L'impressionnisme

Lorsque les artistes brésiliens empruntent à l'Europe, ils le font généralement avec une ou deux générations de retard. L'impressionnisme, qui débuta en France vers le dernier quart du XIXe siècle, ne prit d'importance au Brésil que dans la première moitié du XXe siècle avec des artistes tels que Manuel Santiago.

L'impressionniste José Pancetti, ancien marin atteint de tuberculose, est l'auteur de paysages et de marines dont la mélancolie est plutôt le reflet de sa disposition d'esprit que de la réalité qui l'entoure.

Cependant, c'est dans l'œuvre de Candido Portinari (1903-1962) que l'originalité brésilienne éclate véritablement au grand jour. Ce Brésilien d'origine italienne, dont la famille s'était expatriée pour venir travailler dans les plantations de café de São Paulo, est considéré comme le plus grand artiste du Brésil du XXe siècle. Il est mort jeune d'un cancer occasionné par les peintures hautement toxiques qu'il utilisait. Sa fresque *Guerre et Paix* est exposée aux Nations unies à New York, tandis que sa toile intitulée *Découverte et Colonisation* est accrochée dans la bibliothèque du Congrès à Washington.

Concerné par la vie difficile des paysans brésiliens, il les représentait toujours avec des mains et des pieds démesurés, comme pour dire : *« C'est tout ce que j'ai. Sans mes pieds et sans mes mains je ne suis rien. »* La faim est le thème central de la toile intitulée *Enfant mort*, qui représente une famille squelettique pleurant sur le corps inanimé d'un enfant au milieu d'un paysage aride. D'une manière générale, les hommes et les femmes de Portinari racontent la douleur et la souffrance des déracinés et des gens privés de leur terre. Son tableau les *Favelas* en est le meilleur exemple.

Par contraste, les paysages d'Orlando Terluz évoquent la joie de vivre, avec leurs bruns riches et veloutés et leurs personnages remplis d'innocence, semblables à ceux de Fulvio Pennacchi. Pennacchi s'est spécialisé dans la représentation des joies de la campagne avec ses kermesses et ses bals villageois. Les villages dépeints par Pennacchi sont parfois de style brésilien mais ils évoquent le plus souvent sa Toscane natale.

Alfred Volpi, également natif de Toscane, passa rapidement de l'art figuratif de ses premières toiles à la représentation de formes géométriques et à la technique minimaliste. Volpi ne connut le succès que lorsqu'il se lança dans l'art abstrait, attirant l'attention des marchands d'art internationaux. Aujourd'hui, à plus de quatre-vingt-dix ans, il se contente désormais de signer des sérigraphies de ses premières peintures à l'huile. Il en existe actuellement quelques milliers sur le marché international. Volpi est en 1990 le plus grand représentant vivant de l'art brésilien et les amateurs d'art qui ont reconnu son talent assez tôt ont gagné des fortunes considérables en accumulant ses plus belles toiles. La cote de Volpi a grimpé en flèche tandis que déclinait la popularité d'un autre genre appelé réalisme social.

Les influences sociales

Le réalisme social a été un mouvement artistique important dans les années 40 et jusqu'au début des années 50. Si le Brésil n'a pris qu'une part minime à la Seconde Guerre mondiale, le conflit a néanmoins changé les valeurs artistiques et culturelles du pays de manière radicale.

Le réalisme social, avec à sa tête les artistes mexicains Diego Rivera et Orozco, était soutenu par la gauche. Certaines fresques et huiles de Portinari s'inscrivent aussi dans ce mouvement. Carlos Scliar suivit cette même tendance pendant quelque temps, peignant les dures conditions de vie des ouvriers agricoles du Rio Grande do Sul. Par la suite, il élimina progressivement toute connotation sociale de ses œuvres pour se concentrer sur des paysages, des villes, des marines ou des natures mortes aux formes géométriques. Sa toile la plus connue représente une théière massive aux tons pastel, dans une perspective à deux dimensions, caractérisée par l'utilisation minimaliste de l'ombre et de la lumière.

Un deuxième mouvement d'art abstrait se développa parallèlement tandis que le réalisme social atteignait son apogée. La première biennale de São Paulo, en 1951, permit de faire connaître cette nouvelle tendance. Depuis lors, la Biennale a toujours appuyé les mouvements d'avant-garde, du célèbre *Guernica* de Picasso aux artistes du mouvement constructiviste.

C'est dans les années 50 que Volpi abandonna la peinture figurative au profit de l'art abstrait. De même, Milton da Costa commença à utiliser des éléments géométriques pour exprimer son symbolisme, tandis que Rubem Valentim, natif de Bahia, ornait ses toiles de signes semi-abstraits et de symboles tirés de la *macumba* et du *candomblé*. Parmi les principales figures de l'art abstrait des années 60 aux années 80, il faut citer les frères Ianelli : Thomaz, qui utilisait des dégradés subtils de brun, de bleu et de rose, et Arcangelo, réputé pour ses carrés et ses triangles imbriqués d'un étonnant jaune vif.

Dans un autre contexte géométrique, Arthur Piza créait la texture et les reliefs de ses gravures en suivant la même inclination que Sacilotto, Fernando Lemos et Ferrari. A l'inverse, Cicero Dias, peintre brésilien exilé à Paris, évoquait les chaudes couleurs de son pays dans une forme de surréalisme quasi magique, ajoutant çà et là quelques personnages en lévitation.

A gauche, fresque de Portinari dans l'église de Pampulha ; ci-dessus, les Pêcheurs *de Di Cavalcanti, 1951.*

« Le groupe des 19 »

Certains des plus grands peintres brésiliens d'aujourd'hui ont participé à un mouvement artistique hétérogène baptisé « le groupe des 19 ». Leurs premières expositions eurent lieu dans la galerie Prestes Maia à São Paulo, vers la fin des années 40.

Le surréalisme fantastique était également la forme d'expression choisie par deux des meilleurs artistes de ce groupe, Mario Gruber et Otavio Araujo.

Mario Gruber a toujours été fasciné par les visages de son pays, y compris ceux des Noirs et des Nordestinos avec leurs chapeaux en cuir typiques du *sertão*. Quant à Otavio Araujo, on peut sans hésiter lui donner le titre de plus grand surréaliste du Brésil.

Découvert à São Paulo, il reçut par la suite des bourses qui lui permirent de voyager en Chine et en Union soviétique. Il passa dix ans de sa vie en Union soviétique, où il rencontra sa femme Clara qui lui servit souvent de modèle. Il l'entourait le plus souvent d'emblèmes ésotériques, de signes mystérieux et de serpents.

Marcelo Grassman, également membre du « groupe des 19 », est l'auteur de centaines de gravures représentant des chevaliers du Moyen Age armés de lances. Lena Milliet, peintre surréaliste du même groupe, a été la

L'ARCHITECTURE MODERNE

Un petit groupe d'architectes brésiliens, créateurs d'une esthétique « tropicale » et de techniques novatrices, figurent parmi les meilleurs représentants de la profession.

L'urbaniste Lúcio Costa, le paysagiste Roberto Burle-Marx et l'architecte Oscar Niemeyer ont légué des douzaines de monuments aux plus grandes villes du Brésil. Niemeyer a également signé de nombreuses parmi lesquels se trouvait déjà Niemeyer. Ses idées furent appliquées pour la construction du premier grand monument de l'ère architecturale moderne au Brésil, le ministère de l'Éducation à Rio.

La plupart des grands thèmes qui dominent désormais l'architecture brésilienne ont fait leur apparition dans cette première construction. L'impression d'ouverture est donnée par un vaste patio, réalisé en surélevant la structure principale de neuf mètres à l'aide de piliers de béton appelés pilotis. Les fenêtres ont été protégées de la lumière trop violente par de grands contrevents appelés brise-soleil. Les espaces intérieurs sont restés ouverts pour per-

œuvres à l'étranger : le siège du parti communiste français à Paris, le campus de l'université d'Alger et la façade du building des Nations unies à New York.

Cependant, le point culminant de l'architecture brésilienne moderne a été atteint avec la construction de Brasília en 1960. Les premiers jalons de cette extraordinaire réalisation ont été posés en 1931 lorsque Lúcio Costa, directeur de l'Académie des beaux-arts de Rio, invita le légendaire architecte français Le Corbusier pour une importante série de conférences.

Le maître transmit son goût du fonctionnalisme, de la simplicité, de l'économie et des espaces ouverts aux étudiants venus l'écouter, mettre l'aménagement de bureaux paysagés, et la vue superbe sur la baie de Guanabara a été obtenue en doublant presque la taille des fenêtres. A l'extérieur, l'esplanade a été aménagée par Roberto Burle-Marx, tout juste arrivé d'Allemagne où il avait été l'élève de Walter Gropius.

Juscelino Kubitschek, qui était maire de Belo Horizonte à l'époque, fut impressionné par leur travail. Aussi décida-t-il de réunir de nouveau l'équipe Costa-Niemeyer-Marx dans les années 40 pour créer le parc de Pampulha, un agréable espace vert construit autour d'un lac artificiel. Pampulha est un chef-d'œuvre du paysagisme et de l'intégration architecturale, avec son musée d'Art moderne, son kiosque à musique et sa chapelle qui ornent discrètement l'ensemble.

Fasciné par la plasticité du béton, Niemeyer a créé d'élégants monuments faits de courbes, de dénivelés, de toits ondulants, et agrémentés de patios et d'esplanades. L'impression d'ensemble, renforcée par la légèreté des structures utilisées, est celle d'une architecture aérienne parfaitement adaptée à l'environnement naturel du parc.

Le parc de Pampulha, composé par Lúcio Costa, paysagé par Burle-Marx et dessiné par Niemeyer, a été le principal point de départ du développement de l'architecture brésilienne moderne.

Brasília

C'est en 1956 que Kubitschek fut élu président du Brésil. L'une de ses premières décisions fut de réunir l'équipe de Pampulha pour un projet encore plus ambitieux : la création d'une nouvelle capitale. Brasília était l'expression de la confiance illimitée que Kubitschek plaçait en Costa et en Niemeyer. Un concours international fut organisé pour sélectionner le plan de la ville mais, selon les propres termes de Burle-Marx, *« tout le monde savait à l'avance qui allait gagner »*. En effet, le projet soumis par Lúcio Costa au jury ne consistait qu'en quelques esquisses au crayon griffonnées sur un bloc. Cela suffit néanmoins à lui faire gagner le contrat. Kubitschek lui-même recruta Niemeyer pour construire les principaux édifices publics et, quelques semaines plus tard, Brasília avait déjà pris forme sur le papier.

A gauche, le palais Itamaraty à Brasília ; ci-dessus, une fontaine moderne à Salvador, avec en arrière-plan la tour des ascenseurs.

La nouvelle capitale représentait la dernière étape de Niemeyer dans sa recherche de l'austérité et du dépouillement. Les murs incroyablement blancs des bâtiments de la Praça dos Tres Poderes se reflètent dans de larges baies vitrées, et rappellent la texture des nuages qui emplissent le ciel au-dessus de Brasília. Ainsi, la ville et le ciel semblent se fondre en une seule entité.

« J'ai créé des formes légères et aériennes, donnant l'impression que les bâtiments ne faisaient qu'effleurer le sol », déclara Niemeyer des années plus tard. *« Personne n'avait jamais rien vu de tel auparavant. »* Niemeyer est toujours considéré comme le premier architecte du Brésil. Il a récemment créé le Sambodrome de Rio (une gigantesque passerelle de plus de 700 m de long sur 13 m de large, où peuvent s'entasser plus de cinquante-trois mille spectateurs) où se déroule chaque année le célèbre défilé des écoles de samba.

première femme à obtenir la reconnaissance artistique au Brésil.

Carlos Araujo, surréaliste plus récent, était destiné à l'origine à prendre la tête de l'entreprise de construction créée par son père. Lorsque l'affaire fit faillite, il se retrouva enfin libre de se consacrer à sa peinture. Pour réaliser ses immenses panneaux représentant des formes vaguement humaines, l'artiste étalait sa peinture directement avec ses mains, ou à l'aide de spatules, utilisant neuf couches pour obtenir cette luminosité caractéristique de son œuvre, la *velatura*. Nora Beltram peut également être classée parmi les surréalistes fantastiques. Avec ses danseurs de tango obèses, ses femmes ultra-sophistiquées et ses généraux couverts de médailles, elle ridiculise les classes dirigeantes et les hommes politiques de l'Amérique latine.

Gustavo Rosa, s'il garde la dimension humoristique, n'est pas un peintre surréaliste. Son art s'exprime par cycles thématiques : garçonnets jouant avec des cerfs-volants, chats, chevaux, baigneurs, vendeurs de glaces et de fruits, formes humaines chapeautées ou fumant la pipe.

La Biennale

La Biennale a fait de São Paulo le centre du monde artistique de toute l'Amérique latine. Tous les deux ans, des centaines d'artistes y exposent leurs œuvres. La manifestation dure trois mois et accueille de très nombreuses peintures et sculptures ainsi que des vidéos, des conférences, des films et des pièces de théâtre.

Fondée par Cicillo Matarazzo, la Biennale a eu un impact important sur l'art international, et a accueilli des expositions d'artistes tels que celles de Picasso, Delvaux ou Tamayo. Paradoxalement, les artistes internationaux jouissent d'une plus grande reconnaissance que leurs confrères brésiliens. L'art brésilien souffre en effet d'un manque de promotion et de marketing sur le plan international. La plupart des marchands d'art voient en São Paulo l'occasion de faire connaître leurs protégés plutôt que de promouvoir les courants artistiques du Brésil.

La grande exception est l'artiste brésilien-japonais Manabu Mabe, qui n'a pas seulement à son actif une réussite éclatante mais qui est également à l'origine d'un extraordinaire échange culturel entre le Brésil et son pays natal. Mabe est le seul artiste brésilien à bénéficier d'un marché international. Ses tableaux mêlent l'harmonie des formes inspirées de l'Orient aux couleurs et à la luminosité brésiliennes. Chacune de ses toiles est un véritable plaisir visuel, avec ses audacieux éclairs blancs qui zèbrent des champs de rouge, de bleu et de vert vifs.

Tomie Ohtake a une démarche plus intellectuelle, plus géométrique, et construit ses toiles autour de deux ou trois couleurs seulement. Elle ne s'est lancée dans la peinture que tardivement, lorsque sa famille, employée dans les grandes fermes de l'intérieur (comme celles de Mabe et de Portinari), est venue s'installer à São Paulo. Ses décors pour *Madame Butterfly* au théâtre municipal de Rio l'ont propulsée au rang des meilleurs artistes brésiliens.

Takashi, fils de Tikashi Fukushima, a un style plus dépouillé et ses premiers paysages ont peu à peu cédé le pas devant des œuvres plus abstraites, exécutées selon la plus pure tradition orientale.

Le fils de Mabe, Hugo Mabe, a débuté sa carrière en peignant des paysages figuratifs empreints de vigueur expressionniste, mais dernièrement son œuvre est devenue plus abstraite. De même, Taro Kaneko a progressivement atteint la limite où la peinture figurative fusionne avec l'art abstrait. Le Corcovado, le Pain de Sucre ou la courbure de la baie de Guanabara ne sont plus que vaguement reconnaissables dans ses toiles aux couleurs inattendues. Les mers de Kaneko sont rouges ou dorées, ses cieux, verts ou orangés, ses montagnes, jaunes ou noires. Les masses de couleurs lui servent à créer les textures si particulières de son œuvre.

Le peintre d'origine chinoise Fang est également très représentatif de l'énergie créatrice des Orientaux du Brésil. Il a été contraint de quitter la Chine peu après la révolution communiste. Avant cela, il avait reçu une certaine éducation dans un monastère bouddhiste où il apprit les traditions des arts martiaux et de la peinture. Ses natures mortes sont de véritables tours de force du ton-sur-ton, avec leurs dégradés subtils de gris et de blancs, dont les harmonies rappellent parfois l'Italien Morandi.

Les centres artistiques

São Paulo et Rio, bien que les plus importants centres artistiques du pays, n'ont pas le monopole de la créativité. Les marchands d'art allemands et américains se donnent depuis peu rendez-vous dans l'État de Goiás pour acheter les œuvres de Siron Franco, un peintre obsédé par les animaux sauvages qu'il restitue sur des toiles débordant d'énergie et de couleurs. Serpents et *capivaras* sont ses préférés. Certains le comparent à Francis Bacon, mais son style est plus frappant. Les yeux de ses personnages et de ses animaux sont toujours soulignés de lignes blanches, jaunes ou orangées.

Recife est représentée par João Camara et Gilvan Samico. Camara a acquis sa notoriété en peignant sur plusieurs de ses toiles des personnages torturés, pour protester contre l'oppression du régime militaire. Son œuvre a, par la suite, perdu toute connotation politique, mais ses personnages ont gardé leur allure de martyrs.

Gilvan Samico, établi à Olinda, est un graveur issu de la tradition populaire. Il a illustré, entre autres, les ballades de Charlemagne et les légendes de nombreux héros locaux telles que celles du Padre Cícero, de Lampião et de Maria Bonita. Les gravures de Samico sont très recherchées par les musées. Reynaldo Fonseca a choisi de peindre dans le style néo-Renaissance, et ses modèles aux poses rigides ne se distinguent que par leurs yeux, exagérés et tristes.

Le Minas Gerais a donné au Brésil son sculpteur sur bois le plus original et le plus créatif en la personne de Maurino Araujo, dont l'œuvre s'inscrit dans la filiation du plus grand sculpteur brésilien du XVIIIe siècle, Aleijadinho. Il s'est spécialisé dans la création d'anges, d'archanges, de chérubins et de séraphins borgnes, loucheurs ou à lunettes. Son confrère GTO est connu pour ses sculptures sur bois primitives qui comptent parmi les meilleures réalisations de l'art folklorique. Guignard, Babinski, Iara Tupinamba et Chico Ferreira sont autant d'artistes dont les œuvres ont considérablement enrichi les traditions du Minas Gerais.

Idilio na Noite, *toile réalisée en 1963 par Mario Gruber.*

Aldemir Martins, originaire du Ceará, se consacre essentiellement à la faune et à la flore de son Nordeste natal. Ses sujets préférés sont les fruits exotiques tels que le *jenipapo*, le *jaboticaba* et le *maracuja*. Également natif du Ceará, Servulo Esmeraldo exploite une veine totalement différente et plus abstraite.

La ville de Brasília et l'architecture superbe d'Oscar Niemeyer ont attiré de nombreux artistes venant de tout le Brésil. Ainsi, les météores de Bruno Giorgi ornent le bassin du Palacio dos Arcos, et la sculpture en bronze de Ceschiatti, représentant deux femmes peignant leurs cheveux, se dresse au milieu de la fontaine du Palais présidentiel.

L'art de Bahia

Rita Loureiro, peintre de l'Amazonie, illustre les légendes indiennes avec une prédilection pour les scènes de crue, où le fleuve engloutit presque entièrement le bétail.

Le Rio Grande do Sul est surtout connu pour ses sculpteurs, tel Vasco Prado, fasciné par les chevaux. Les guerriers de bronze et de métal aux membres et aux visages à peine esquissés, réalisés par Francisco Stockinger, ont un aspect étrange, tandis que ses sculptures d'hommes et de femmes nus suggèrent un érotisme extraordinaire. De même, les sculptures d'aluminium de Beth Turkeniez sont un vibrant hommage aux forces de l'amour.

Cependant, le meilleur de l'art bahianais réside dans les remarquables sculptures de Mario Cravo Junior, faites d'un mélange de bois et de résine artificielle. Son fils, Mario Cravo, crée lui aussi des formes bizarres à partir de résine et de fibre de verre. Les sculptures abstraites en bois et en fer d'Emanoel Araujo se caractérisent par leur effet minimaliste. Les peintures et les gravures de Raimundo de Oliveira, représentant le plus souvent des scènes bibliques, se distinguent par la rigueur et l'exactitude de leurs formes géométriques, qui contrastent étrangement avec la vie torturée de l'artiste. Il s'est en effet suicidé en 1966.

L'un des meilleurs artistes du Paraná, Rubens Esmanhotto, fortement influencé par Scliar au début de sa carrière, peint désormais des maisons auréolées de la lumière mélancolique du Sud brésilien.

Les artistes modernes

Les artistes brésiliens d'origine étrangère ont eu une grande influence sur la culture de leur pays. La sculpture en acier de Toyota qui trône à l'entrée de l'hôtel Sheraton de São Paulo est aussi extraordinaire que son mobile suspendu dans la réception du Maksoud Plaza Hotel.

Domenico Calabrone, artiste italo-brésilien, crée des sculptures en granit, acier et bronze pour les espaces publics comme la Praça dos Franceses à São Paulo ou la place Saint-Pierre à Rome.

Beccheroni s'est spécialisé dans la sculpture du bronze, tandis que Dolly Moreno, d'origine égyptienne, taille l'acier à l'aide d'un chalumeau à acétylène dans son atelier de São Paulo. Plusieurs de ses œuvres sont exposées au rez-de-chaussée du musée d'Art de São Paulo, non loin d'une sculpture en céramique de la main de Jan Trmaal, natif de Rio de Janeiro.

Franco de Renzis a débuté sa carrière en sculptant des monuments rendant hommage aux morts de la Seconde Guerre mondiale pour le cimetière des Alliés, situé à Lucca en Italie. Au Brésil, il a créé une œuvre, intitulée *Impossible équilibre*, faite de chevaux, de ballerines et de gymnastes dans des positions défiant toutes les lois de la pesanteur. Il est devenu, dans les années 80, l'un des sculpteurs les plus considérés et les plus connus du Brésil.

Un autre Italien, nommé Renato Brunello, réalise des sculptures aériennes dans du bois

et du marbre blanc. Madeleine Colaco et sa fille, Concessa, utilisent, elles, des motifs tirés de la faune et de la flore brésiliennes pour exécuter leurs tapisseries. C'est Madeleine Colaco qui inventa une technique spéciale, enregistrée au Musée international de la Tapisserie de Lausanne, sous le nom de « point brésilien ».

Quant à Jacques Douchez, d'origine française, et Norberto Nicola, originaire de São Paulo, ils ont modernisé la tapisserie brésilienne par leurs dessins abstraits et l'utilisation d'éléments non brodés.

A gauche, Equador N° 2 *peint en 1973 par Manabu Mabe ; ci-dessus,* São Paulo, *tableau réalisé en 1975 par Lena Milliet.*

L'art primitif

En matière d'art primitif, le Brésil a fait preuve d'une grande originalité, tant dans les couleurs que dans les thèmes. Les monstres de Chico da Silva, créés à partir de *pinga*, un alcool de canne, sont peints en couleurs psychédéliques. Francisco Severino Dila et Eduardo Calhado, quant à eux, représentent le plus souvent des fermiers au travail ou au repos.

Rodolfo Tamanini est célèbre au Brésil pour la qualité quasi photographique de ses peintures qui ressemblent à des clichés pris sur le vif.

Iracema Arditi, Nunciata et Madalena se consacrent exclusivement à la nature, tandis que Waldomiro de Deus croque allègrement des anges, des agneaux et des scènes bucoliques. Son œuvre la plus connue reste *Jacob luttant avec l'ange*. Les thèmes de cet artiste reflètent sa « découverte » de la religion lors d'un voyage en Israël. Ivonaldo peint des zébus, des coupeurs de canne à sucre et des couples, tous atteints de strabisme. Sa vision, quant à elle, est parfaite.

Pour acheter des sculptures ou des tableaux primitifs, un détour par les galeries Jacques Ardies à São Paulo et Jean-Jacques à Rio s'impose.

L'art moderne

C'est en 1922 que Paulo Prado organisa la Semaine d'Art moderne qui allait révolutionner le monde artistique du Brésil. Tous les artistes qui y exposaient leurs œuvres avaient proclamé : *« Tout ce qui est barbare est nôtre ! »*

Son petit-fils, qui porte le même nom, dirige aujourd'hui la galerie la plus importante du pays, la célèbre Galeria Paulo Prado, installée à São Paulo. Cette galerie a la particularité de n'exposer que les œuvres d'artistes inconnus, jusqu'à ce qu'ils deviennent célèbres. Après cela, Paulo Prado se sépare de ces nouvelles vedettes pour se remettre à la recherche de nouveaux talents. São Paulo compte plusieurs autres galeries importantes, telles la *Arte Aplicada ou la Galeria Sadala*. Les meilleures galeries d'art de Rio de Janeiro sont *Ipanema* et *Bonino*, ainsi que celles des centres commerciaux de Gavea et Cassino Atlântico.

LE RÊVE AMAZONIEN

L'Amazonie, immense et mystérieuse, parle un langage universel. Son vocabulaire est celui de la science, de l'économie, et surtout de l'aventure. L'Amazonie, attirante, lointaine, est l'univers de l'infini. Un homme peut facilement trouver refuge dans le légendaire « Enfer Vert », y faire fortune ou y disparaître à tout jamais. Cette nature indomptée a séduit des générations d'ambitieux et de rêveurs.

Aujourd'hui, les villes et les villages qui bordent les innombrables fleuves de la région fourmillent de prospecteurs, de géologues et de directeurs de projets de développement. Chacun a sa propre histoire et joue un rôle dans cette légende née il y a quatre siècles. Les explorateurs du XVIe siècle, tels que Francisco de Orellana, le premier Européen à avoir traversé le bassin amazonien dans sa totalité, étaient moins intéressés par la gloire et la conversion religieuse des indigènes que par les richesses de l'Eldorado. Orellana ne trouva pas d'or mais découvrit un mini État indien de type matriarcal en plein cœur de la jungle.

Orellana, capitaine-général de l'ouest de l'Équateur, partageait le gouvernement de sa province avec Gonzalo Pizarro, le jeune frère du célèbre conquistador des Andes, Francisco Pizarro. Les ambitions de ces deux hommes étaient nourries par les rumeurs du légendaire « Royaume de Manoa » dont le roi, dit-on, s'enduisait chaque jour le corps d'une fine pellicule d'or. Les Espagnols le baptisèrent El Dorado, l'Homme d'Or.

Deux expéditions quittèrent l'Équateur à la recherche de Manoa en 1540. Pizarro partit à la tête de deux cent vingt soldats, des douzaines de guides indiens, deux mille chiens de chasse et cinq mille cochons. Orellana, de son côté, se mit en route avec vingt-trois soldats et une poignée de guides. Les deux hommes se rejoignirent et unirent leurs forces en cours de route, dans une montagne lointaine. La débâcle les attendait dès la descente de la face est des Andes. Alourdis par leurs armures, les soldats furent attaqués et décimés par les Indiens, les guides désertèrent, abandonnant les Espagnols à leur sort. Orellana prit la tête d'une partie de chasse et s'enfonça vers l'est, dans la jungle. Il ne réapparut qu'un an plus tard après avoir traversé la totalité du bassin amazonien. Quant à Pizarro, las d'attendre son retour, il leva le camp et retourna honteusement à Quito, accompagné des quatre-vingts soldats que comptait encore son armée.

Un prospecteur d'or de la Serra Pelada.

Pendant son voyage, Orellana ordonna à ses hommes de construire des canots légers, semblables à ceux des Indiens. Il ne trouva jamais d'or, seulement la jungle infinie, peuplée d'animaux sauvages et de tribus hostiles.

Les Amazones

Les Indiens le fascinaient, en particulier la tribu des *« femmes qui vivent seules »*, comme il l'avait nommée. Plus tard, ces remarquables guerrières furent rebaptisées « Amazones » en souvenir de ces femmes de la mythologie grecque qui se coupaient le sein droit pour utiliser plus facilement leurs arcs.

Les hommes d'Orellana affrontèrent les Amazones près du fleuve Nhamunda, le 24 juin 1542. Selon la description de Carvajal, un père dominicain qui avait embarqué avec l'expédition, elles étaient *« blanches, grandes et très musclées, [elles] portaient leurs cheveux tressés et enroulés autour de leur tête ainsi qu'un pagne pour dissimuler leurs parties honteuses, et se battaient, avec leurs arcs et leurs flèches, aussi férocement que dix hommes »*.

Orellana réussit à faire un prisonnier, un Indien mâle répondant au nom de Couynco. Ce dernier s'exprimait dans un dialecte familier à certains des compagnons d'Orellana, et leur décrivit le monde de ces guerrières qui imposaient leur loi aux tribus voisines. Elles vivaient dans un village aux maisons de pierre et de chaume, entouré de hauts murs. Les Indiens des villages environnants leur servaient de domestiques. Une fois par an, les femmes ouvraient leurs portes aux hommes pour se reproduire. Les enfants mâles qui naissaient de ces unions étaient retournés aux tribus de leurs pères, tandis que les fillettes étaient élevées à l'abri de la mystérieuse forteresse.

Orellana rapporta fidèlement l'histoire de Couynco après son retour en Espagne en 1543. Mais ni lui ni aucun autre explorateur ne retrouva jamais la trace de cette tribu de femmes. Néanmoins, les savants qui étudièrent le rapport d'Orellana baptisèrent la jungle et son grand fleuve du nom d'Amazone.

Manoa, Royaume perdu

L'explorateur portugais Francisco Raposo aurait peut-être découvert les vestiges du Royaume de Manoa deux siècles plus tard. Son rapport, rédigé en 1754, décrit *« une cité construite dans la pierre évoquant des âges oubliés »*, fabuleuse relique d'une civilisation perdue. Raposo et ses hommes trouvèrent des rues pavées et des places au dessin complexe, dont l'architecture rappelait celle des Incas par l'absence de mortier entre les blocs de pierre.

Raposo écrivit encore : *« Nous entrâmes craintivement par les portes pour nous retrouver dans les ruines d'une grande cité »*, parfaitement préservée par endroits et *« comme détruite par un tremblement de terre »* en d'autres. *« Nous arrivâmes sur une vaste place au milieu de laquelle se dressait une colonne de pierre noire surmontée par une sculpture. Cette dernière représentait un jeune homme imberbe, nu jusqu'à la taille, portant un bouclier et pointant vers le nord de son doigt. »*

Autour de la place, Raposo découvrit d'autres murs et bâtiments. Certains étaient ornés de hiéroglyphes, d'autres de bas-reliefs dont le motif récurrent était celui d'un jeune homme agenouillé portant un bouclier. Une *« multitude de rats »* et des *« tonnes de fientes de chauves-souris »* attendaient Raposo à l'intérieur, ainsi que des fresques brillamment colorées et quelques pièces d'or. La fascinante cité de pierre de Raposo n'a jamais été redécouverte depuis lors. Elle a néanmoins continué à attirer de nombreux explorateurs jusqu'à notre époque. En 1925, le colonel Percy Fawcett, militaire et aventurier britannique, écrivit : *« Il est certain que les ruines d'anciennes cités, ruines incomparablement plus vieilles que celles de l'Égypte, existent encore au cœur du Mato Grosso. »*

Fawcett est l'un des grands excentriques de l'histoire de la découverte de l'Amazonie. Il passa sa vie à voyager pour le compte de

l'armée. Ses missions l'emmenèrent de Hong Kong au Brésil en passant par Ceylan, la Bolivie et le Pérou. La discipline militaire, qu'il supportait mal, contrariait le plus souvent son intérêt pour les sciences occultes, la télépathie, le bouddhisme, la réincarnation et les civilisations anciennes. Il fut naturellement attiré par « La Cité perdue », surtout après avoir obtenu, par des moyens qu'il ne prit jamais la peine d'élucider, une petite statuette de pierre noire que Francisco Raposo lui-même aurait rapportée de son expédition.

Selon les propres termes de Fawcett, la statuette était *« douée d'une propriété étrange, ressentie par tous ceux qui la tenaient entre leurs mains. Une sorte de courant électrique en émanait et remontait le long du bras. La sensation était parfois si forte que certaines personnes ne pouvaient la supporter »*. La fascination que Fawcett éprouvait pour cette statuette l'entraîna finalement au cœur de la jungle brésilienne.

Le 20 avril 1925, à l'âge de soixante ans, Fawcett entama son dernier voyage. Il quitta Cuiaba, la capitale du Mato Grosso, accompagné de son fils Jack, âgé de vingt-cinq ans, d'un ami de son fils, Raleigh Rimell, et de quelques guides indiens. L'expédition était financée par l'Association de Presse d'Amérique du Nord qui publiait les comptes rendus envoyés par Fawcett à Cuiaba par l'intermédiaire de ses guides. Le dernier rapport de Fawcett, daté du 30 mai 1925, arriva à Cuiaba à la mi-juin. Il était assorti d'une lettre à son deuxième fils Brian, qui vivait alors au Pérou.

Cette lettre disait: *« Je ne te donnerai aucune information précise quant à la localisation car je ne veux pas être responsable de la tragédie qui frappera toute expédition tentant de suivre nos traces. Pour l'heure, personne d'autre ne peut s'aventurer jusqu'ici sans courir à la catastrophe. »* Il ajoutait plus loin: *« Tu ne dois pas t'inquiéter sur mon sort. »* Telles furent les dernières paroles connues du colonel Fawcett.

Pendant plus de dix ans après sa disparition, il fut le sujet de nombreuses histoires, colportées par les missionnaires et les aventuriers. Ils parlaient d'un homme blanc, barbu et boiteux, qui vivait parmi les Indiens. Dans les années 30, certains prétendirent même avoir trouvé un jeune Indien au teint pâle et aux cheveux blonds, le fils présumé de Jack Fawcett, dans un village du Mato Grosso. Cependant, aucune de ces rencontres avec l'un ou l'autre des Fawcett n'a jamais été authentifiée.

A gauche, le minerai est transporté à dos d'homme depuis le cratère; ci-dessus, la fourmilière humaine de la Serra Pelada.

L'ère du caoutchouc

Les véritables richesses de l'Amazonie sont encore plus extraordinaires que tout l'or de l'Eldorado ou les « ruines des cités anciennes » décrits par Raposo et Fawcett. Au début de ce siècle, Manaus est restée pendant vingt-cinq ans l'une des villes les plus prospères du monde. Sa richesse était fondée sur l'or noir du caoutchouc amazonien, récolté par les *seringueiros*.

Au cours des dix premières années du XXe siècle, le Brésil a produit 88 % du caoutchouc mondial. Les Barons du caoutchouc qui contrôlaient Manaus étaient si riches qu'ils allumaient leurs cigares avec des billets de

50 livres et allaient jusqu'à dépenser 1 000 livres sterling *« pour une nuit avec une princesse indienne »*. Dans les fontaines qui ornent la place devant le grand opéra, le champagne remplaçait l'eau les soirs de première. L'opéra de Manaus, construit en 1896, a coûté la bagatelle de 580 millions de francs.

L'ère de prospérité prit fin lorsque le caoutchouc des plantations anglaises de Malaisie inonda le marché à la veille de la Première Guerre mondiale. En l'espace de dix ans, Manaus allait redevenir un trou perdu au milieu de la jungle.

L'industriel américain Henry Ford, qui rêvait d'une intégration verticale de l'industrie automobile, tenta de concurrencer les Britanniques en organisant ses propres plantations de caoutchouc en Amazonie en 1927. Il échoua, notamment par manque de contrôle sanitaire de ses plantes, et perdit quelque 450 millions de francs en dix-neuf ans. Les deux plantations de Ford, Fordlandia et Belterra, situées près de l'Amazone à plus de 800 km de Belém, existent encore aujourd'hui. De vieux camions d'avant-guerre et des générateurs électriques finissent de se rouiller non loin d'une rangée de maisonnettes blanches et désertes, dernières traces d'un rêve amazonien brisé depuis longtemps.

Vingt ans plus tard, un autre industriel américain, le milliardaire Daniel Ludwig, tenta lui aussi de se mesurer à l'Amazonie en un vaste projet agricole et sylvicole. Il devait connaître le même échec que son prédécesseur.

En 1967, Ludwig, alors âgé de soixante-dix ans, paya près de 18 millions de francs pour un morceau de jungle de la taille du Connecticut, situé le long du fleuve Jari dans l'Est amazonien. Principalement connu comme l'inventeur du super-tanker, Ludwig était le propriétaire de l'Universal Tankship Company. Son rêve était de créer une vaste unité de production de papier fondée sur l'exploitation de la forêt environnante.

Pourtant, même après avoir investi 5 milliards de francs, Ludwig ne réussit pas à se rendre maître de la jungle. La couche d'humus du sol amazonien, trop superficielle, se révéla inadaptée pour des plantations de masse. Par ailleurs, la production était sans cesse freinée par les parasites, les champignons et les fourmis. En l'absence de toute assistance gouvernementale, Ludwig fut contraint de construire ses propres routes, écoles et centrales électriques. Il finit par vendre son projet à des sociétés brésiliennes en 1982 pour la somme de 2,5 milliards de francs.

Si la nature se montre souvent cruelle en Amazonie, l'homme l'est encore plus. A la fin du siècle dernier, on avait coutume de dire : *« Il n'y a qu'une constitution en Amazonie. Elle a pour nom Winchester 44. »* Julio Cesar

Arana, l'un des plus célèbres Barons du caoutchouc, aurait, dit-on, assassiné plus de quarante mille Indiens au cours de ses vingt ans de règne sur le fleuve Putumaya. Nicholas Suarez, quant à lui, en a tué trois cents en une seule « partie de chasse ».

Le meilleur exemple pour illustrer le fossé entre le mythe amazonien et la réalité souvent mortelle reste la voie de chemin de fer Madeira-Mamore, construite en 1913, au fin fond de l'État de Rondônia. La réalisation de ce rêve fantastique se solda par la perte de 180 millions de francs et la mort de mille cinq cents ouvriers. Une fois de plus, la nature conjugua tous ses efforts pour faire échouer le projet : le béri-béri, les insolations, la malaria, les tribus indiennes hostiles, tout cela ajouté à la négligence des directeurs lui donnèrent le coup de grâce.

L'un des directeurs du projet, Percival Farquhar, était l'exemple classique du bâtisseur d'empire de l'ère industrielle. Propriétaire de nombreuses compagnies de transport dans le sud du Brésil, il construisit des ports, des ponts et des chemins de fer au Guatemala, à Cuba et à Panama pendant plus d'un quart de siècle d'activité forcenée. Son slogan était : *« Il faut penser en termes de continents. »* Cela ne lui suffit pas pour venir à bout de l'Amazonie.

L'inauguration de la voie de chemin de fer Madeira-Mamore coïncida avec la chute de la production du caoutchouc amazonien. Aujourd'hui, les 375 km de la ligne sont en ruines. De même qu'à Fordlandia, il reste des vestiges de cet exploit, des moteurs des locomotives, les cabanes décrépies des anciens ouvriers et les rangées de pierres tombales du cimetière de Candelaria. Autant de preuves d'un autre rêve amazonien parti en fumée.

Pourtant, comble de l'ironie, la réalité amazonienne est bien aussi fabuleuse que ses mythes. La jungle qui couvre neuf pays est la plus vaste du monde, et comprend le plus grand réseau fluvial d'eau douce de la planète. L'Amazone compte plus de mille tributaires, dont dix-sept mesurent plus de 1 500 km de long. Par endroits, l'Amazone atteint une largeur de 11 km, donnant l'impression d'une vaste mer intérieure.

A gauche, mine de fer à Carajás ; ci-dessus, pêcheur au soleil couchant.

L'expédition Roosevelt-Rondon

A l'heure actuelle, l'Amazonie garde encore bien des secrets. En 1913, l'expédition organisée par l'ancien président américain Théodore Roosevelt découvrit un tributaire de l'Amazone de près de 1 500 km de long, dont l'existence n'était encore que supposée. Le fleuve, qui s'appelait « Fleuve du Doute », porte depuis lors le nom de Roosevelt.

Le président, accompagné par le célèbre explorateur brésilien Candido Rondon et une douzaine de compagnons, quitta le Mato Grosso au mois de décembre 1913. En cinquante-neuf jours, l'expédition couvrit 1 500 km de *cerrado* et de jungle. Les onze premiers jours, les hommes traversèrent la région de la canne à sucre, puis ils s'enfoncèrent dans la forêt amazonienne par des routes inconnues. Roosevelt écrivit à ce sujet : *« Nous étions sur le point d'entrer dans l'inconnu. Aucun homme civilisé, aucun homme blanc, n'avait jamais remonté ou descendu ce fleuve, ni même vu les paysages que nous traversions. Tout peut arriver. »*

Quelques jours plus tard, le président écrivait dans son journal : *« Les moustiques et les fourmis rouges nous persécutent, nous nous entaillons les mains sur les feuilles coupantes des palmiers. Certaines blessures risquent de s'infecter. »*

Le pire de tout était le fleuve lui-même. Roosevelt décrivit leur avancée en ces termes : *« Le fleuve est parfois tellement encaissé dans les montagnes, et ses eaux tellement dangereuses, que la navigation et le portage des canots deviennent impossibles. Il faut pourtant tenter de passer. »* En l'espace de quelques jours, les canots qui avaient été si péniblement traînés à travers le *cerrado* et la jungle s'étaient tous fracassés contre les rochers du canyon. Rondon fit alors tailler de nouvelles embarcations dans des troncs d'arbres.

A deux semaines et demie de marche de Manaus, le président fut terrassé par une soudaine attaque de fièvre. Grâce aux soins attentionnés du médecin, il fut sur pied 48 h plus tard. Cependant, certains ont rapporté qu'il fut victime d'une crise de malaria et qu'il délira pendant deux semaines sans pouvoir marcher. Il aurait même demandé à Rondon de continuer sans lui, mais Rondon aurait répondu : *« Vous oubliez que vous n'êtes plus président et que vous ne pouvez plus donner d'ordres. Permettez-moi de vous rappeler que cette expédition porte nos deux noms. C'est pour cette raison que je ne peux pas continuer et vous laisser mourir. »*

Finalement, Roosevelt passa deux semaines dans un brancard et, lorsque l'expédition arriva au confluent du « Fleuve du Doute » et du Madeira, il put enfin se lever et s'habiller. Une cérémonie eut lieu sur le site et Rondon fit graver une plaque avec ces simples mots, « Rio Roosevelt ».

Le président pouvait être fier. Il écrivit : *« Nous avons ajouté à la carte un fleuve dont aucun géographe européen, américain ou brésilien, n'a jamais voulu reconnaître l'existence.* »

Le grand Enfer Vert

Pourtant, toutes ces expéditions, aussi héroïques aient-elles été, n'ont jamais permis une exploration rationnelle et complète de l'Amazonie. La géographie de la région change constamment, et souvent rapidement, au gré des courants capricieux de l'Amazone. Des « îles fantômes » apparaissent et disparaissent, altérant à tel point la topographie du fleuve que les cartes de navigation ne restent valables que pendant vingt ans.

Et il y a la jungle elle-même, surnommée par les premiers homme « le grand Enfer Vert », vaste et dense étendue de végétation où la lumière pénètre si peu qu'à l'époque du caoutchouc les *seringueiros* devaient, même en plein jour, se munir de lanternes.

Les obstacles sont toujours là, et les rêves aussi. Au début des années 80, de l'or a été découvert dans la montagne de la Serra Pelada. En 1985, plus de cinquante mille prospecteurs avaient déjà creusé de véritables cratères à flanc de montagne à la recherche de leur fortune. La découverte du premier filon a entraîné une ruée vers l'or semblable à celle qui avait tout d'abord attiré l'homme blanc en Amazonie, il y a plus de quatre cents ans.

Mais cet afflux de nouveaux conquérants met sérieusement en danger les Indiens d'Amazonie : le gibier s'est enfui, les rivières sont polluées et de nombreuses maladies jusqu'à lors inconnues des Indiens se répandent dans leurs tribus (épidémies de grippe, d'oreillons, de rougeole...).

Alain Gheerbrant dans *l'Amazone, un géant blessé* lance un appel au secours en faveur de cet extraordinaire Enfer Vert : « *La prospection minière [...] a trouvé toutes sortes de nouveaux gisements qui font appel aux plus grandes entreprises : fer, houille, pétrole, bauxite... La forêt à l'instar de ses habitants se trouve donc menacée, et par ces industries extractives, et par l'exploitation de ses sols trop pauvres — que sucent des colons modernes, petits ou grands, tels les licites planteurs d'oléagineux ou les illicites planteurs de coca —, et par ses plus traditionnels exploitants, les coupeurs de bois... La menace que constitue cette exploitation sauvage de la forêt amazonienne, poumon du monde, concerne l'humanité tout entière.* » En 1987, plus de 8 millions d'hectares de forêt étaient déjà partis en fumée.

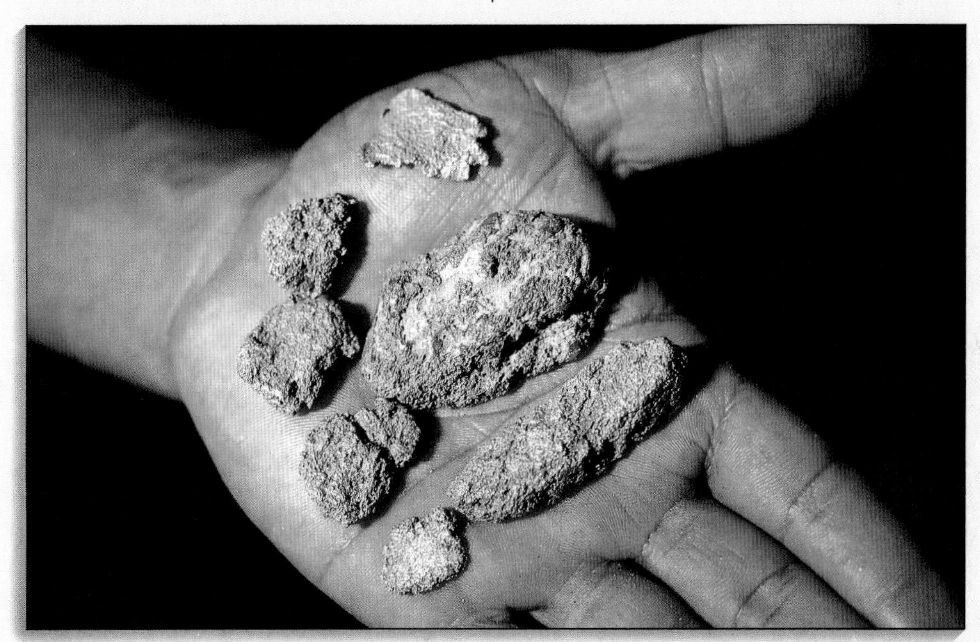

A gauche, le pesage de l'or à la Serra Pelada ; ci-dessus, quelques pépites extraites de la plus grande mine d'or du monde. Page suivante : entretien du réseau électrique.

INFORMATIONS PRATIQUES

Préparatifs et formalités de départ 322
Visas et passeports. Certificat de vaccination. Vêtements à emporter.

Aller au Brésil 323
Par avion. Par la mer. Par la terre.

A l'arrivée 323
Douanes. Décalage horaire. Monnaie et change.

A savoir une fois sur place 325
Heures d'ouverture. Jours fériés. Postes et télécommunications.
Électricité. Poids et mesures. Services religieux. Médias. Santé.

Pour mieux connaître le Brésil 328
Gouvernement et économie. Climat. Us et coutumes.

Comment se déplacer 329
Depuis l'aéroport. Taxis. Autocars. Autobus. Métro. Bateaux.
Trains. Locations de voitures. Compagnies aériennes intérieures.
Compagnies aériennes régionales. Compagnies aériennes internationales.

La langue 334

Musées 335

Sports et loisirs 339
Football. Sports aquatiques. Pêche.
Autres sports. Escalade-randonnée. Capoeira.

Shopping 340

Pour les gourmets 341

Où se loger 346

Adresses utiles 352
Offices du tourisme. Ambassades et consulats.

Bibliographie 353

PRÉPARATIFS ET FORMALITÉS DE DÉPART

Visas et passeports

Le Brésil a adopté une politique de réciprocité : les ressortissants de pays qui demandent un visa aux Brésiliens ont eux-mêmes besoin d'un visa, qui doit être obtenu avant le départ. Cela s'applique aux ressortissants américains et français.

Le visa de tourisme vous permet de rester 90 jours consécutifs dans le pays. Si vous obtenez votre visa avant de partir, il sera valable pendant 90 jours à compter de la date d'émission. A votre arrivée au Brésil, ce visa sera renouvelé, pour vous permettre de rester sur place pendant 90 jours à compter de la date d'entrée figurant sur votre passeport.

Si vous décidez de faire plusieurs étapes avant de vous rendre au Brésil, vous n'avez pas besoin de faire établir votre visa dans votre pays d'origine. Il est bon, toutefois, de vous y prendre à l'avance afin d'éviter des surprises et des désagréments toujours possibles. Le visa de tourisme de quatre-vingt-dix jours peut être renouvelé une seule fois. Il vous est donc possible de rester au Brésil comme touriste pendant 180 jours. Pour obtenir ce renouvellement, il faut s'adresser au service d'immigration de la police fédérale.

Des visas temporaires sont accordés aux étrangers travaillant, ou en voyage d'affaires, au Brésil. Ils permettent des séjours plus longs. Si vous êtes étudiant, journaliste ou chercheur, ou si vous êtes employé par une multinationale, contactez l'ambassade du Brésil ou un consulat bien avant votre départ. En effet, il est habituellement difficile, voire impossible, de changer de visa après l'arrivée au Brésil. Si vous entrez dans le pays avec un visa de tourisme, il vous faudra probablement retourner chez vous pour le faire changer.

Les visas permanents autorisant les étrangers à résider et à travailler au Brésil sans abandonner leur nationalité sont plus difficiles à obtenir. Adressez-vous à l'ambassade du Brésil ou à un consulat pour plus d'informations à ce sujet.

Certificat de vaccination

Le Brésil n'exige pas de certificat de santé ou de vaccination. De même, ces certificats ne sont pas nécessaires pour entrer dans un autre pays à partir du Brésil. Toutefois, si vous avez l'intention de voyager dans des régions telles que le Pantanal ou le Mato Grosso, il est recommandé, pour votre confort et votre sécurité, de vous faire vacciner contre la fièvre jaune (ce vaccin vous protégera pendant 10 ans, mais il ne commence à agir que 10 jours après l'inoculation). Dans ces régions, il est également sage de se protéger contre la malaria. Petrópolis

Vêtements à emporter

Si les Brésiliens suivent la mode de très près, ils ne s'en habillent pas moins avec décontraction. Bien entendu, vous emporterez des vêtements différents selon les régions que vous visiterez et la période de votre séjour. São Paulo aime l'élégance, les petites villes de l'intérieur sont plus conservatrices, quant à la jungle, elle exige des vêtements et des bottes solides.

Certains restaurants dans les quartiers d'affaires des grandes villes exigent le port de la cravate à l'heure du déjeuner, mais la plupart des établissements s'en passent. Cependant, le costume et la cravate sont rarement nécessaires pour sortir. D'une manière générale, les costumes sont très peu portés dans le Nord, tandis qu'au Sud, ils sont indispensables. Evitez cependant toute ostentation : les bijoux attirent parfois trop l'attention.

Dans la plupart des régions, le short est accepté aussi bien pour les hommes que pour les femmes, surtout dans les stations balnéaires ou près de la plage, plus rarement dans la ville même. La plupart des églises et certains musées se réservent le droit de refuser l'entrée aux visiteurs vêtus de shorts. De même, les *gafieiras*, ou salles de bal, refusent l'entrée aux hommes en short.

N'oubliez pas d'emporter votre maillot de bain, ou mieux encore, achetez sur place l'un de ces fameux bikinis brésiliens. Il existe une multitude de boutiques dont c'est la seule spécialité. En dépit de quelques tentatives éparses, le monokini ne s'est jamais imposé au Brésil. Il vaut donc mieux l'éviter pour ne pas s'exposer à des désagréments. En revanche, tandis que tout le monde se promène à la plage à demi-nu (les maillots brésiliens sont vraiment très provocants), les femmes trop couvertes s'attirent, elles aussi, des remarques et des sifflets.

A Rio et à São Paulo, rien n'est jamais trop excentrique. Les villes plus petites, même si elles sont plus conservatrices, sont habituées aux étrangers, y compris les Brésiliens des métropoles. Cependant, quels que soient les vêtements, les Brésiliens semblent capables de repérer n'importe quel étranger.

Si vous allez au Brésil pendant le carnaval, n'oubliez pas qu'il fera très chaud et que vous passerez probablement beaucoup de temps à danser parmi la foule. Les couleurs vives sont toujours de circonstance. Si vous décidez de vous rendre à l'un des nombreux bals organisés pendant cette période, vous trouverez un déguisement sans difficultés dans n'importe quelle boutique. Les femmes ne portent souvent qu'un bikini et un peu de maquillage, parfois même moins. La plupart des hommes portent des shorts, avec ou sans T-shirt. Vous trouverez également des robes de bal sur le thème de « Hawaï » ou des « Mille et Une Nuits ».
Le Sud, les montagnes ou même São Paulo sont des régions froides en hiver. Même dans les régions habituellement les plus chaudes, un sweat-shirt, une veste ou un gilet seront les bienvenus pour les soirées plus fraîches.
Il est sage de prévoir des vêtements de pluie. Les lunettes de soleil sont indispensables, surtout à la plage. Les hôtels de bord de mer vous fourniront les parasols et les serviettes de bain.
Comme dans tout voyage, il est recommandé d'emporter une confortable paire de chaussures de marche. Les chaussures, comme tous les articles en cuir au Brésil, sont relativement bon marché. Vous pouvez donc en profiter pour faire vos achats sur place.
Évitez les matières synthétiques qui ne respirent pas à la chaleur, n'absorbent pas la transpiration et vous tiennent deux fois plus chaud. Le service de nettoyage dans les hôtels est généralement excellent. On ne peut pas en dire autant des pressings brésiliens. Le coton est la matière idéale pour les pays chauds. Le Brésil est un grand fabricant de lin et de coton, vous pourrez donc monter votre garde-robe sur place à des prix défiant souvent toute concurrence.
Les tailles brésiliennes sont les suivantes : *pequeno* = petit, *medio* = moyen, *grande* = grand, *major* = plus grand, *menor* = plus petit.

ALLER AU BRÉSIL

Par avion

Vingt-huit compagnies aériennes au total desservent le Brésil avec une grande variété de destination. La plupart des vols atterrissent à Rio de Janeiro, mais il existe également des vols directs pour São Paulo et Brasília, Salvador et Recife, Belém et Manaus. Les vols internationaux directs relient le Brésil aux côtes est et ouest des États-Unis, à la Floride, au Canada, aux villes principales d'Europe et d'Amérique latine, au Japon et à certains pays d'Afrique. Les vols au départ de l'Europe durent en moyenne 11 à 12 heures. La plupart des vols internationaux s'effectuent de nuit et vous permettent d'arriver tôt le matin.
Il existe de nombreux vols à prix réduits, parfois de véritables affaires. Adressez-vous à votre agence de voyages qui vous proposera les diverses possibilités.
Vous pourrez changer votre argent directement à l'aéroport à votre arrivée, et vous renseigner aux guichets d'information sur les moyens de transport ou les vols de correspondance.

Par la mer

Bien qu'il n'existe pas de croisières régulières à destination du Brésil, il est néanmoins possible de s'y rendre en bateau. Les compagnies maritimes Oremar et Linea C, qui organisent des croisières le long de la côte atlantique sud-américaine pendant l'hiver européen, prennent des passagers transatlantiques au moment du retour. L'une des croisières de la Linea C au départ de Rio de Janeiro va jusqu'à Miami. Plusieurs paquebots effectuant des croisières autour du monde font escale dans les ports brésiliens, et il est possible de prendre un billet s'arrêtant au Brésil. Quelques croisières spéciales sont également organisées sur l'Amazone, ou encore, pour visiter Rio au moment du carnaval. La Blue Star Line, basée à Londres, accepte un nombre limité de passagers sur ses cargos.

Par la terre

Il existe des services d'autobus réguliers entre les plus grandes villes brésiliennes et certaines capitales d'Amérique latine : Asunción (Paraguay), Buenos Aires (Argentine), Montevideo (Uruguay) et Santiago (Chili). Si le bus est certainement le meilleur moyen pour découvrir les plus beaux paysages, n'oubliez pas que les distances sont grandes et que les voyages durent souvent plusieurs jours.

A L'ARRIVÉE

Douanes

Une fiche de douane vous sera distribuée dans l'avion avant l'arrivée. A l'aéroport, les douaniers fouillent 50 % des arrivants qui choisissent la sortie « rien à déclarer ». Les articles

apportés par les touristes pour leur usage personnel ne posent aucun problème. En revanche, comme dans la majorité des pays, certaines denrées alimentaires, les plantes, les fruits et les graines peuvent être retenus.
La valeur maximale autorisée pour les marchandises achetées en duty-free (sans restriction de quantité, de type ou d'âge) est de 1 800 francs, de même que pour les marchandises achetées à l'étranger, à l'exception de l'alcool qui est limité à une bouteille par personne.
Si vous vous rendez au Brésil pour affaires, il est conseillé de vérifier auprès du consulat les limitations et obligations qui vous concernent. Par exemple, le Brésil contrôle sévèrement l'entrée d'ordinateurs sur son territoire. Si vous devez vous déplacer avec ce type d'équipement, sollicitez une autorisation écrite auprès du consulat brésilien avant votre départ, puis faites enregistrer votre appareil par les services de douane pour une entrée temporaire. Vous devez obligatoirement repartir avec votre ordinateur.
Un visa de tourisme normal vous permet d'entrer au Brésil avec des appareils électroniques d'une valeur inférieure à 1 800 francs sans les déclarer à l'arrivée, et de repartir sans eux.
On pourra vous refuser l'entrée de certaines marchandises qui, toutefois, ne vous seront pas confisquées. Elles resteront sous la garde des services douaniers et vous seront restituées au moment du départ. En cas de doute, consultez le consulat brésilien le plus proche, et munissez-vous de sa réponse écrite.
Les bagages des voyageurs quittant le territoire brésilien ne sont pratiquement jamais contrôlés, à l'exception des bagages à main. Même si vous avez acheté des pierres précieuses, il n'y a rien à craindre. Évitez toutefois d'acheter des peaux d'animaux sauvages tels que les alligators, car la chasse est interdite pour ces espèces.

Décalage horaire

En dépit de l'étendue du pays, plus de la moitié du Brésil est soumise au même fuseau horaire. C'est d'ailleurs dans cette zone que se trouvent la plupart des grandes villes brésiliennes. Elle s'étend de l'embouchure de l'Amazone aux États du Sud, en passant par l'État d'Amapá. Ce fuseau horaire, qui comprend les villes de Rio de Janeiro, São Paulo, Belém et Brasília, a trois heures de retard par rapport à l'heure GMT. La deuxième zone qui couvre les États du Pantanal (le Mato Grosso et le Mato Grosso do Sul) et la quasi-totalité du nord du pays a quatre heures de retard par rapport à l'heure GMT. L'État d'Acre et la partie ouest de l'État d'Amazonas ont cinq heures de retard par rapport au méridien de Greenwich. Vous trouverez ci-dessous un tableau des correspondances horaires avec les principales villes du monde.
Quand il est midi à Belém, Brasília, Recife, Rio de Janeiro, Salvador et São Paulo il est :
7 h à San Francisco
9 h à Mexico
10 h à Bogota, Montréal et New York
10 h 30 à Caracas
11 h à Manaus et Santiago
12 h à Buenos Aires
15 h à Londres
16 h à Berlin, Genève et Paris
18 h à Moscou
23 h à Hong Kong
Minuit à Tokyo
1 h à Melbourne

Par mesure d'économie d'énergie, le gouvernement brésilien a adopté le système des heures d'hiver et d'été, qui fonctionne, hémisphère sud oblige, à l'inverse des nôtres.

Monnaie et change

La monnaie brésilienne a changé en 1986, passant du cruzeiro au cruzado, abrégé en Cz$. En 1989, une nouvelle dévaluation a entraîné l'apparition du cruzado novo, ou NCz$. Les trois monnaies ont encore cours, ce qui ne manque pas de dérouter les étrangers. Les anciens billets de banque portent normalement un cachet indiquant leur nouvelle valeur, mais ils n'ont pas tous été tamponnés. Le cruzado vaut 1 000 cruzeiros, le novo cruzado 100 000 cruzeiros, aussi il est facile d'opérer la conversion : il suffit d'ôter trois ou cinq zéros. Les billets et pièces d'une valeur inférieure à 1 000 cruzeiros s'expriment aujourd'hui en centavos.
Malheureusement, le taux de change est tellement fluctuant qu'il est impossible de le définir. Vous trouverez chaque jour dans les journaux les taux de change dollar-cruzado actualisés. En plus du taux de change officiel, il existe un taux parallèle, au marché noir, tout à fait légal. La quantité de NCz$ que les sociétés et les citoyens brésiliens peuvent officiellement changer en dollars est limitée, mais il leur est permis d'acheter des dollars au taux parallèle. La différence entre ces deux taux varie, se réduisant à la saison touristique qui voit un afflux plus important de monnaie forte.
Les hôtels sont habilités à changer votre monnaie en NCz$ au taux officiel. En revanche, ils ne changent pas les traveler's chèques. Les

agences de voyages ou les comptoirs de change appliquent le taux de change parallèle, pour l'achat et la vente de devises. Certains acceptent les traveler's chèques mais ils choisiront alors le taux le plus intéressant pour eux.
Les banques n'appliquent que le taux officiel, aussi bien pour les devises que pour les traveler's chèques, mais elles n'effectuent pas le change inverse, NCz$ en devises étrangères. Seules les agences de la Banco do Brasil, situées dans les aéroports internationaux acceptent de le faire. Par ailleurs, il est impossible d'encaisser les traveler's chèques en dollars.
La plupart des hôtels acceptent des paiements en traveler's chèques ou en cartes de crédit. De nombreux restaurants et boutiques prennent également les cartes de crédit, les plus fréquentes étant la Diners Club, l'American Express, la Mastercard et la Visa. Vos factures seront alors calculées en fonction du taux officiel.
Bien entendu, les dollars sont acceptés partout. Les hôtels, les restaurants, les boutiques, les taxis appliquent alors un taux de change situé, le plus souvent, entre le taux de change officiel et le taux de change parallèle.

A SAVOIR UNE FOIS SUR PLACE

Heures d'ouverture

Dans la plupart des grandes villes, les bureaux sont ouverts de 9 h à 18 h, du lundi au vendredi avec des pauses déjeuner pouvant durer plusieurs heures…
Les banques ouvrent de 10 h à 16 h 30 du lundi au vendredi, quant aux comptoirs de change, ils opèrent généralement de 9 h à 17 h ou 17 h 30.
La plupart des magasins sont ouverts de 9 h à 18 h 30 ou 19 h mais peuvent également fermer plus tard en fonction de leur situation géographique. Les centres commerciaux sont ouverts du lundi au samedi de 10 h à 22 h. Cependant, les boutiques de ces centres ne se tiennent pas toujours aux mêmes horaires. Les grands magasins ouvrent habituellement de 9 h à 22 h du lundi au vendredi, et de 9 h à 18 h 30 le samedi. Les supermarchés ouvrent de 8 h à 20 h. Certains ferment même plus tard.
Les horaires des stations-service sont variables. Certaines sont maintenant ouvertes 24 h sur 24, sept jours sur sept.
Les bureaux de poste sont ouverts au public de 8 h à 18 h en semaine, de 8 h à midi le samedi. Dans certaines grandes villes, une agence reste ouverte 24 h sur 24.
De nombreuses pharmacies restent ouvertes jusqu'à 22 h et les grandes villes disposent généralement de pharmacies ouvertes toute la nuit.
Vous verrez souvent les heures d'ouverture suivies des expressions *da manha*, *da tarde* ou *da noite* qui signifient respectivement « du matin », « de l'après-midi » et « du soir ».

Jours fériés

En dehors du nouvel an, du carnaval, de Pâques et de Noël, les fêtes nationales brésiliennes ont toutes été déplacées au lundi précédant ou suivant leur date d'origine. En dehors de ces fêtes, de nombreux événements religieux ou historiques sont célébrés localement. Chaque ville fête, par exemple, le jour de son saint patron et la date de sa fondation.
Certaines fêtes folkloriques régionales n'ont pas de date fixe mais se déroulent au cours d'un mois donné. Les villes et les villages organisent alors leurs propres réjouissances, généralement des festivals de danse et de musique, autour de boissons et de plats spécialement préparés pour l'occasion. Ces fêtes sont trop nombreuses pour être énumérées ici. Le calendrier ci-dessous ne fait donc mention que des fêtes nationales et des fêtes régionales les plus importantes.
- **1er janvier** : nouvel an et fête nationale.
- **6 janvier** : Épiphanie et fêtes régionales, surtout dans le Nordeste.
- **3e dimanche de janvier** : fête des Marins à Salvador. La fête dure quatre jours et débute par une procession de bateaux. *Festa do Bonfim* (l'une des fêtes les plus importantes de Salvador).
- **2 février** : festival Yemanjá à Salvador (la déesse afro-brésilienne correspond, dans la religion catholique, à la Sainte Vierge).
- **Février/mars** (mobile) : le carnaval (fête nationale célébrée dans tout le Brésil au cours des quatre jours précédant le mercredi des Cendres. C'est à Rio, Salvador et Recife/Olinda qu'il est le plus spectaculaire).
- **Mars/avril** (mobile) : Pâques (le vendredi saint est une fête nationale). Ce jour-là, la ville d'Ouro Prêto organise une gigantesque procession. Les scènes de la Passion sont représentées dans le grand amphithéâtre naturel de Nova Jerusalèm.
- **21 avril** : jour de Tiradentes (fête nationale en l'honneur du martyr de l'indépendance brésilienne, célébrée plus spécialement à Ouro Prêto et dans le Minas Gerais).

- **1er mai** : fête du Travail (fête nationale).
- **Mai/juin** (mobile) : Corpus Christi (fête nationale).
- **Juin/juillet** : *Festas juninas* (séries de festivals en l'honneur de saint Jean, saint Pierre et saint Antoine. Feux de joie, danses, parodies de mariages).
- **15-30 juin** : festival de l'Amazone à Manaus.
- **Juin/juillet** : *Bumba-Meu-Boi* (processions et danses dans les rues de Maranhão, de la seconde moitié de juin au mois de juillet).
- **7 septembre** : fête de l'Indépendance (fête nationale).
- **Octobre** : *Oktoberfest* à Blumenau (organisé par les descendants des immigrants allemands de la région).
- **12 octobre** : Nossa Senhora de Aparecida (fête nationale en l'honneur du saint Patron du Brésil).
- **2 novembre** : la Toussaint (fête nationale).
- **15 novembre** : proclamation de la République (fête nationale, également jour d'élections).
- **25 décembre** : Noël (fête nationale).
- **31 décembre** : saint Sylvestre (les *cariocas* se réunissent sur les plages de Rio pour offrir des cadeaux à Yemanjá).

Postes et télécommunications

Les bureaux de poste sont généralement ouverts de 8 h à 18 h du lundi au vendredi, de 8 h à midi le samedi. Ils sont fermés le dimanche et les jours fériés.
Dans les grandes villes, certaines agences restent ouvertes plus tard le soir. (La poste de l'aéroport international de Rio de Janeiro est ouverte 24 h sur 24). Les bureaux de poste sont habituellement signalés par un panneau indiquant *correios* ou « ECT » (*Empresa de Correios e Télegrafos* = Compagnie des postes et télégraphes).
Une lettre par avion à destination ou en provenance de l'Europe met environ sept jours pour arriver à bon port.
A l'intérieur du Brésil, le courrier arrive un ou deux jours après l'envoi. Il existe un service postal rapide national et international, ainsi qu'un service de courrier et de paquets recommandés (les postes vendent des boîtes à cet effet). Il est possible de se faire envoyer son courrier à son hôtel.

• Télégrammes

Vous pouvez envoyer un télégramme de n'importe quel bureau de poste, ou par téléphone (composez le *135*). Les hôtels acceptent de s'en charger pour leurs clients.

• Téléphone et télex

Les cabines téléphoniques utilisent des jetons vendus par les marchands de journaux, les bars ou les boutiques situés non loin des cabines. Demandez des *fichas de telefone*. Chaque *ficha* permet trois minutes de conversation. Les jetons inutilisés vous sont restitués lorsque vous raccrochez.
Certains téléphones publics sont appelés *orelhão* (grande oreille) en raison de la coquille protectrice qui remplace la cabine. Ils sont de couleur jaune pour les appels locaux ou en PCV, bleus pour les appels automatiques longue distance à l'intérieur du Brésil. Ces derniers utilisent des jetons spéciaux, un peu plus chers que les premiers. Vous pouvez également effectuer vos appels d'un *posto telefônico*, station de la compagnie du téléphone, que vous trouverez dans la plupart des gares routières et des aéroports. On peut soit y téléphoner avec des jetons, soit utiliser un téléphone et payer le caissier ensuite, soit appeler en PCV ou avec une carte de crédit.

• Appels internationaux

Pour effectuer un appel en automatique, il faut composer le *00* + indicatif pays + indicatif de zone + numéro de téléphone.
Renseignements internationaux : *0033*.
Opérateur international : *000111*. Vous devez passer par l'opérateur pour effectuer un appel en PCV ou payer par carte de crédit. Ce service est doté d'interprètes parlant plusieurs langues.
Appels en PCV : *107*
Renseignements sur les tarifs et les réductions : *000334*. Le tarif des communications internationales baisse de 20 % entre 20 h et 5 h (heure de Brasília) du lundi au samedi, et le dimanche toute la journée.

• Appels nationaux longue distance

Pour effectuer un appel en automatique, composer le *0* + indicatif de zone + numéro de téléphone.
Automatique PCV : *9* + indicatif de zone + numéro de téléphone. Un message pré-enregistré vous demandera de vous identifier et d'indiquer le nom de la ville où vous vous trouvez après le signal sonore. Si votre interlocuteur n'accepte pas l'appel, la communication est automatiquement coupée.
Appel en PCV par l'opérateur à partir d'un téléphone public (sans jeton) : *107*.
Le tarif des communications nationales longue distance baisse chaque jour de 75 % entre 23 h et 6 h, de 50 % entre 6 h et 8 h et entre 20 h et 23 h les jours de semaine, entre 14 h et 23 h le

samedi, entre 6 h et 23 h le dimanche et les jours fériés.

• Numéros divers

Opérateur local : *100*
Opérateur appel national longue distance : *101*
Renseignements téléphoniques locaux : *102*
Informations tarifs : *108*
Télégrammes (locaux, nationaux et internationaux) : *135*
Service de réveil téléphonique : *134*
Horloge parlante : *130*

Vous pouvez envoyer des télex de certains bureaux de poste. La plupart des hôtels disposent d'un service de télex pour leurs clients.
Les hôtels de luxe disposent également d'un service de télécopie. Il n'est pas nécessaire d'être client de l'hôtel pour avoir accès à ce service.

Électricité

Le voltage électrique n'est pas standardisé à travers tout le Brésil mais la plupart des grandes villes utilisent le 127 volts. C'est le cas de Rio de Janeiro, São Paulo, Belém, Belo Horizonte, Corumbá, Cuiabá, Curitiba, Foz do Iguaçu, Pôrto Alegre et Salvador. Le courant est à 220 volts à Brasília, Florianópolis, Fortaleza, Recife et São Luis. Manaus utilise le 110 volts.
La plupart des appareils électriques modernes sont dotés de commutateurs qui vous permettent de passer du 110 au 220 volts. De plus, les hôtels disposent généralement d'adaptateurs gracieusement mis à la disposition des clients.

Poids et mesures

Le Brésil utilise le système métrique et mesure la température en degrés Celsius. D'autres unités de mesure sont parfois utilisées dans certaines régions rurales, mais les habitants sont toujours familiarisés avec le système métrique.

Services religieux

Le catholicisme est la religion officielle et dominante au Brésil mais de nombreuses personnes se réclament également de diverses religions d'origine africaine. Le *candomblé* en est l'expression la plus pure, avec des déités (orixás), des rituels, des danses et même une langue encore pratiqués dans certaines régions d'Afrique. L'*umbanda* mêle les croyances africaines au catholicisme en un fascinant syncrétisme religieux. A chaque orixá correspond un saint du calendrier catholique. Le spiritisme, également très pratiqué au Brésil, subit des influences africaines et européennes. De nombreux Brésiliens catholiques prennent part à la fois aux cérémonies afro-brésiliennes, spiritistes ou chrétiennes.
Le *candomblé* se pratique essentiellement à Bahia, tandis que l'*umbanda* et le spiritisme sont plus largement répandus. Si vous désirez participer à l'une de ces cérémonies, adressez-vous à votre hôtel. Les visiteurs sont généralement les bienvenus, aussi longtemps qu'ils montrent du respect pour les rites qui se déroulent devant eux. Demandez toujours la permission avant de prendre des photos.
Si vous êtes pratiquant, il est très facile de suivre les services religieux pendant votre séjour au Brésil. En dehors des églises catholiques omniprésentes, il existe également de nombreux temples protestants à travers tout le pays. En raison de la présence des ambassades étrangères, il y a à Brasília une grande variété de temples et d'églises. Rio de Janeiro et São Paulo ont chacune plusieurs synagogues, ainsi que des églises où les offices sont dits en langues étrangères.

Médias

• Quotidiens et magazines

La plupart des quotidiens de langue étrangère sont en anglais. Le *Latin America Daily Post*, le *Miami Herald*, édition sud-américaine de l'*International Herald Tribune*, et le *Wall Street Journal* sont disponibles chez tous les marchands de journaux dans les grandes villes, ainsi que les magazines *Times* et *Newsweek*.
Vous trouverez des journaux et des magazines en langue française dans les librairies des aéroports.
Les journaux brésiliens sont des mines de renseignements précieux si vous voulez savoir ce qui se passe en ville, ou connaître les taux de change. Il n'est pas nécessaire de maîtriser le portugais pour s'y retrouver dans les rubriques *cinema, show, dança, música, teatro, televisão, exposições*. Les taux de change figurent quant à eux à la rubrique *câmbio*.
Si vous parlez le portugais et si vous désirez vous tenir informé par la presse brésilienne, vous choisirez l'un des quotidiens suivants : *Folha de São Paulo, Estado de São Paulo* et *Gazeta Mercantil* à São Paulo, *Jornal do Brasil* et *O Globo* à Rio de Janeiro.

• Radio et télévision

La télévision brésilienne est très sophistiquée, à tel point qu'elle exporte ses programmes vers

de nombreux pays, y compris l'Europe. Il y a au Brésil cinq réseaux nationaux, trois réseaux régionaux et une multitude de stations indépendantes qui couvrent l'ensemble du pays.
Un seul réseau, la télévision éducative, est contrôlé par le gouvernement. Le géant brésilien T.V. Globo est le quatrième réseau commercial du monde. Avec plus de 40 stations dans un pays encore largement analphabète, Globo est souvent la seule source d'information pour bon nombre de personnes.
Les feuilletons brésiliens, ou *telenovelas*, sont uniques en leur genre. Diffusés aux heures de grande écoute, ils sont si populaires que les Brésiliens ne prennent aucun rendez-vous à ce moment pour ne pas rater un épisode. Ces feuilletons reflètent les coutumes, lancent les modes, influencent les habitudes sociales et le langage. Il est intéressant d'en suivre quelques-uns, ne serait-ce que parce qu'ils sont le reflet fidèle des classes moyennes urbaines.
Un tiers environ des programmes sont importés, essentiellement des États-Unis. Les séries, les films et les téléfilms étrangers sont diffusés en version portugaise, à l'exception des shows musicaux et des films diffusés pendant la nuit. Certains des hôtels de luxe reçoivent des émissions américaines par satellite.
Il y a près de 2 000 stations de radio au Brésil. Elles diffusent les tubes nationaux et internationaux, et de nombreux morceaux de musique brésilienne. Certaines stations proposent des programmes de musique classique le dimanche après-midi. Toutes les émissions sont en portugais. Cependant, si votre poste de radio capte les ondes courtes, vous pourrez recevoir les programmes de *« Voice of America »* et de *« BBC World Service »* en langue anglaise.

Santé

Si vous tombez malade pendant votre séjour au Brésil, votre hôtel vous remettra une liste de médecins dignes de confiance et connaissant souvent plusieurs langues étrangères. La plupart des grands hôtels ont même un médecin sur place. A Rio de Janeiro, le centre sanitaire assure une permanence téléphonique 24 h sur 24. *Tél. (021) 325-93 00*, (poste 44).
De nombreux médicaments peuvent être achetés sans ordonnance. Vous retrouverez peut-être même des substances depuis longtemps interdites dans votre pays. Néanmoins, si vous suivez un traitement, apportez vos médicaments en quantité suffisante. Les produits simples, tels qu'aspirine, pansements, crèmes solaires, crèmes antimoustiques, etc., sont disponibles partout. Les drugstores proposent également des cosmétiques.
Ne sous-estimez pas le soleil tropical ! Les plages sont souvent balayées par un agréable vent de mer et l'on ne se rend parfois compte de la force du soleil que lorsqu'il est trop tard. Il faut donc être prudent. Utilisez une crème solaire, vous trouverez d'excellentes marques au Brésil.

• L'eau

Ne buvez pas l'eau du robinet au Brésil. Même si elle est traitée dans les grandes villes, et parfois très fortement chlorée, les Brésiliens la filtrent toujours. Les hôtels et les restaurants vous proposeront des bouteilles d'eau minérale gazeuse *(com gas)* ou non gazeuse *(sem gas)* à bon marché. N'oubliez pas de boire pour compenser la transpiration.

POUR MIEUX CONNAITRE LE BRÉSIL

Gouvernement et économie

Le Brésil est une république fédérale composée de 27 États. Chaque État est doté de sa propre législature. Cependant, comme le gouvernement fédéral exerce un contrôle sévère sur l'économie, l'autonomie politique des États est restreinte.
Les impôts sont collectés par le gouvernement avant d'être redistribués dans les États et dans les villes. Le chef du gouvernement dispose de pouvoirs étendus et exerce sur le pays un contrôle important. L'organe législatif se compose d'un Congrès divisé en une Chambre basse, la Chambre des députés, et une Chambre haute, le Sénat. En février 1987, le Congrès fédéral s'est transformé en une Assemblée nationale constituante, qui a pour tâche de fournir une nouvelle Constitution fédérale au pays.
Le principal problème du Brésil au XXe siècle a été l'instabilité politique. La nouvelle Constitution est la cinquième que connaît le pays depuis 1930. L'intervention des militaires dans la politique brésilienne a toujours été très forte. Les différentes dictatures n'ont été entrecoupées que par de brèves périodes de démocratie. Le dernier régime militaire qui débuta par un coup d'État en 1964, s'est maintenu jusqu'en 1985, date à laquelle un président civil, démocratiquement élu, est entré en fonction.

Climat

La quasi-totalité du territoire brésilien (8,5 millions de km^2) se situe entre l'équateur et le tropique du capricorne. Au sein de cette même zone tropicale, les températures et la pluviométrie varient du nord au sud, de la côte à l'intérieur, des régions de basse altitude (bassin amazonien, Pantanal) aux régions montagneuses. N'oubliez pas que les saisons sont inversées par rapport à l'hémisphère nord, même si, à cette latitude, elles sont moins différenciées que dans les zones tempérées.

Au nord du Brésil, dans la jungle amazonienne, le climat est équatorial, caractérisé par des températures et des taux d'humidité élevés, ainsi que des pluies très fortes pendant toute l'année. Certaines régions ne connaissent pas de saison sèche mais il y a toujours un court répit entre le mois de juillet et le mois de novembre. Les rivières sont donc hautes de décembre à juin. La température moyenne est de 24° à 27° C.

La côte atlantique, de Rio Grande do Norte à l'état de São Paulo, jouit d'un climat tropical humide et chaud, mais les pluies y sont moins fréquentes que dans le nord et les saisons sont plus marquées. La côte du Nordeste ne connaît que peu de variations de température entre l'été et l'hiver, mais l'hiver (d'avril à juin) est plus arrosé. La région côtière du sud-est, quant à elle, est plus arrosée en été (de décembre à mars). La température moyenne est de 21° C à 24 °C. A Rio de Janeiro, elle atteint parfois 40 °C en été pour tomber à 18 °C en hiver.

L'intérieur du Brésil est soumis à un climat tropical semi-humide, avec un été chaud et pluvieux de décembre à mars, et un hiver plus frais et plus sec de juin à août. La température annuelle moyenne varie entre 20 °C et 28 °C. São Paulo, située à 800 m au-dessus du niveau de la mer, Brasília (1 000 m) et le plateau du Minas Gerais connaissent parfois des températures très fraîches (10 °C).

Les régions montagneuses du sud-est ont un climat tropical, mais les saisons sèches et les saisons des pluies sont plus nettement marquées. Les températures sont également plus basses (entre 18 °C et 23 °C).

Une partie de l'intérieur du Nordeste connaît un climat tropical semi-aride : chaud et peu pluvieux. La saison des pluies va généralement de mars à mai. Elle est parfois plus courte, voire absente. La température moyenne varie de 24 °C à 27 °C.

Le sud du Brésil, situé au-dessous du tropique du capricorne, a un climat subtropical humide. Les pluies tombent régulièrement pendant toute l'année. Les températures varient de 0 °C à 10 °C en hiver, avec des chutes de neige et des gelées occasionnelles, et de 21 °C à 32 °C en été.

Us et coutumes

Les coutumes sociales ne sont pas très différentes de celles des pays occidentaux. Les Brésiliens peuvent se montrer à la fois respectueux des formes et complètement informels.

Les noms de famille sont très peu utilisés. Cependant, même si l'on passe tout de suite au prénom, des titres de respect (*senhor* pour les hommes, *dona* pour les femmes) doivent être utilisés envers les étrangers ou pour témoigner de son respect envers une personne plus âgée ou d'une classe sociale plus élevée. Dans certaines familles, par exemple, les enfants s'adressent à leurs parents en disant *o senhor* et *a senhora* plutôt que d'utiliser le tutoiement.

Si la poignée de main est une pratique courante lorsque deux personnes sont présentées pour la première fois, il est plus fréquent de saluer ses amis et sa famille, mais aussi les étrangers auxquels on est présenté, par de grandes embrassades. Si les femmes et les hommes s'embrassent, ainsi que les femmes entre elles, les hommes préfèrent se serrer la main en se tapant l'épaule. S'ils se connaissent bien, les hommes s'embrassent également en se donnant des tapes dans le dos. Même si le baiser est une coutume généralement admise, il existe des subtilités régies par les différences sociales.

Les Brésiliens sont des hôtes attentionnés, veillant à ce que les verres, les assiettes ou les tasses de café de leurs invités ne soient jamais vides. Au-delà du plaisir de recevoir, il s'agit là d'une question d'honneur.

Si la société brésilienne est essentiellement masculine, le machisme y prend une forme atténuée, plus subtile, que dans les autres pays d'Amérique latine. D'une manière générale, les Brésiliens forment un peuple courtois... sauf lorsqu'ils sont en voiture. Il faut donc se montrer extrêmement prudent au volant. Les conducteurs ne font que rarement attention aux piétons.

COMMENT SE DÉPLACER

Depuis l'aéroport

A moins de disposer d'une voiture à l'arrivée, le mieux est de se déplacer dans l'un des taxis

de l'aéroport, payable à l'avance à un taux fixé selon votre destination. Cela évitera les malentendus sur le montant de la course. Si vous décidez de prendre un taxi normal, vérifiez les tarifs officiels pour éviter tout abus.
Un service d'autobus spéciaux est à votre disposition pour vous rendre de l'aéroport en ville et, dans certains cas, l'itinéraire comporte des arrêts aux plus grands hôtels. Renseignez-vous au guichet information de l'aéroport.
Certains des hôtels de luxe peuvent vous envoyer une voiture avec chauffeur. Abordez la question au moment de la réservation.

Taxis

Le taxi est probablement la meilleure façon de se déplacer dans une ville inconnue. Bien entendu, il est facile de se faire avoir. Lorsque c'est possible, prenez le taxi de votre hôtel où quelqu'un pourra dire au chauffeur où vous désirez vous rendre.
Les radio-taxis sont un peu plus chers mais également plus fiables et plus confortables. Les chauffeurs des taxis jaunes qui s'arrêtent dans la rue sur un simple signe, n'essaieront pas de vous voler mais peuvent tenter de vous faire payer plus cher ou de faire durer la course. D'une manière générale, les taxis brésiliens coûtent moins cher qu'en Europe.
En raison de l'inflation et des augmentations fréquentes du prix de l'essence, il est impossible de tenir les compteurs des taxis à jour. Vous trouverez donc, sur la vitre arrière gauche, un tableau vous permettant d'actualiser le prix indiqué au compteur. Si vous arrêtez un taxi en pleine rue, assurez-vous que le chauffeur applique le tarif N° 1 lorsqu'il remet son compteur à zéro. Le tarif N° 2, plus élevé, ne s'applique qu'après 23 h, le dimanche et les jours fériés, pour certaines zones éloignées ou difficiles à atteindre. Les chauffeurs appliquent souvent le tarif N° 2 en décembre pour gagner le « treizième mois ».

Autocars

Un service d'autocars est assuré entre les plus grandes villes du Brésil, et même vers les capitales des pays voisins. N'oubliez pas que les distances sont grandes et que les voyages en autobus prennent plusieurs jours. Cependant, il est toujours possible de briser la monotonie du voyage en faisant quelques étapes.
Les voyages en autocars sont bon marché. Le trajet de Rio de Janeiro à São Paulo (6 heures) coûte environ 25 francs, dans un véhicule confortable. Le même trajet effectué dans un car plus luxueux, avec sièges inclinables et service de boissons coûtera 48 francs. Pendant les vacances, les cars à destination de São Paulo partent toutes les minutes. Sur d'autres lignes, il n'y a souvent qu'un départ par jour (comme le Rio-Belém, environ 180 francs pour 52 heures de route). Achetez votre billet à l'avance dans une agence de voyages ou à la gare routière.
Il existe également des services d'autocars locaux à destination des villes plus petites et plus isolées. Il s'agit là d'une expérience très différente qui vous fera prendre conscience que le Brésil est toujours un pays en voie de développement. Les autocars, toujours bondés, cahotent sur des pistes défoncées, s'arrêtant n'importe où pour prendre des passagers suplémentaires. Vous paierez le même prix, que vous fassiez le voyage debout ou assis.

Autobus

Comme seul un petit nombre de Brésiliens peut se permettre de posséder une voiture, les transports en commun sont très utilisés. Les grandes villes disposent d'autobus à air conditionné qui relient les zones résidentielles aux quartiers des affaires. Les autobus des villes ne coûtent pas très cher. Il faut monter par la porte arrière et, après avoir payé le contrôleur, vous pouvez passer le tourniquet et aller vous asseoir. Mieux vaut préparer votre monnaie avant de monter pour ne pas bloquer les autres voyageurs. Attention, les autobus sont le terrain de chasse préféré des pickpockets. Lorsque vous désirez descendre, tirez sur la corde (ou appuyez sur le bouton) et passez par la porte avant.
Ne portez jamais d'objets de valeur lorsque vous prenez l'autobus et tenez votre sac devant vous. Évitez également d'attirer l'attention en parlant trop fort, en un mot, restez discret.

Métro

Rio de Janeiro et São Paulo ont chacune un métro très agréable, avec des voitures spacieuses et propres à air conditionné. En revanche, le réseau n'est pas très étendu. Le métro est le moyen le plus sûr pour un étranger de se déplacer sans risquer de se perdre. Des cartes sont affichées dans toutes les stations. Les lignes partent toutes du centre de la ville et se doublent, le plus souvent, de correspondances par autobus ou par train.
Les deux lignes de métro de São Paulo se croisent sous la Praça da Se, au cœur de la ville, et fonctionnent de 5 h à minuit. La ligne nord-sud

relie Santana et Jabaquara, la ligne est-ouest va de Santa Cecilia à Penha. Il y a des arrêts aux stations d'autobus inter-city et aux correspondances pour l'aéroport international de Guarulhos.
Les deux lignes de métro de Rio de Janeiro vont du centre à Botafogo, au sud, et à Irajá, au nord, avec des arrêts près du Sambadrome et du stade de football de Maracana. Il y a des correspondances par autobus aux deux terminus. Le métro de Rio est fermé le dimanche, et fonctionne de 6 h à 23 h du lundi au samedi.
Le prix du ticket simple *(unitário)* ne change pas même si vous passez d'une ligne à l'autre. Il existe des forfaits *(ida e volta)* et des tickets multiples, ainsi que différentes combinaisons de tickets de métro et de bus *(metrô-ônibus)*. Les tickets sont en vente dans les stations et dans les bus de correspondances *(integração)*.

Bateaux

Des excursions en bateau sont proposées dans les villes côtières ou situées près d'un fleuve. Il existe des options pour des voyages plus longs.
Les excursions sur l'Amazone dure de quelques jours à une semaine ou plus, soit sur de véritables palaces flottants, soit sur des bateaux plus modestes. Il est également possible de faire des excursions sur le fleuve São Francisco dans le Nordeste, ainsi que dans les marécages du Pantanal (Mato Grosso) qui attirent de nombreux pêcheurs. La compagnie Blue Star prend des passagers sur ses cargos qui font escale dans plusieurs villes portuaires de la côte atlantique. Les compagnies Linea C et Oremar organisent des croisières au départ de Rio à destination de Buenos Aires et des Caraïbes.
Les villes côtières, ainsi que les villes situées sur les fleuves, proposent des excursions d'un jour. Elles disposent également de ferries reliant les îles. Dans certaines stations balnéaires, il est possible de louer des voiliers ou des yachts pour une sortie en mer.

Trains

Les trains ne sont pas un moyen de transport répandu au Brésil et le réseau ferroviaire n'est donc pas très étendu. Cependant, certaines lignes attirent de nombreux touristes, soit pour la beauté des paysages qu'elles permettent de découvrir, soit pour le train lui-même, tiré par une antique locomotive à vapeur.
- Dans l'État de Paraná, la ligne Curitiba-Paranáguá (110 km) est célèbre pour ses fabuleux paysages de montagne.
- Le train pour Corumbá, dans l'État du Mato Grosso do Sul, près de la frontière bolivienne, traverse le sud du Pantanal. La ligne (1 400 km) va jusqu'à São Paulo. La portion la plus intéressante se situe entre Campo Grande et Corumbá.
- En Amazonie, un train effectue le court trajet entre Pôrto Velho et Cachoeira de Teotônio, dans l'État de Rondônia, sur les vestiges de la ligne historique Madeira-Mamoré (27 km). La ligne n'est ouverte que le dimanche.
- Dans l'État du Minas Gerais, d'antiques locomotives à vapeur s'essoufflent entre São João del Rei et Tiradentes (12 km) et entre Ouro Prêto et Mariana (20 km). Samedi et dimanche uniquement.
- Dans l'État de São Paulo, Paranápiacaba (train à vapeur) escalade 48 km à travers la montagne. Pendant la partie la plus raide du trajet, il est tiré par une crémaillère.
- Dans l'État de Rio de Janeiro, un train à vapeur effectue le trajet entre Miguel Pereira et Conrado (28 km) tous les dimanches.
- Le train de nuit qui relie Rio de Janeiro à São Paulo dispose d'un wagon-restaurant et d'un « service en chambre » dans les wagons-lits. Le prix est d'environ 100 francs pour un wagon double, 65 francs pour un wagon simple. Départ à 23 h, arrivée à 8 h. Il est préférable de réserver à l'avance, *tél. (021) 233 - 33 90*.

Location de voitures

Des agences de location de voitures sont disponibles dans les grandes villes. Avis et Hertz sont tous deux représentés au Brésil, et les deux chaînes nationales brésiliennes les plus importantes s'appellent Localiza et Nobre. Il existe également de bonnes compagnies régionales. Les tarifs varient de 180 francs à 500 francs par jour (assurance et taxes comprises), selon le type de véhicule. Certaines compagnies proposent des forfaits journaliers, tandis que d'autres établissent les prix en fonction des kilomètres parcourus. La plupart des cartes de crédit internationales sont acceptées. Certaines agences vous feront payer un supplément si vous louez une voiture dans une ville et la rendez dans une autre. Si vous ne prévoyez qu'un aller, mieux vaut s'adresser à l'une des deux compagnies principales qui disposent d'un nombre plus élevé d'agences régionales.
Vous pouvez louer une voiture dès votre arrivée à l'aéroport, par l'intermédiaire de votre hôtel, ou encore, sur place, dans une agence. Il n'est pas nécessaire de posséder un passeport international. Pour 120 francs de plus, la voiture vous sera fournie avec un chauffeur pour huit heures.

Chaque heure supplémentaire coûte aux environs de 25 francs.
La conduite au Brésil est assez désordonnée. Les conducteurs de Rio, notamment, sont célèbres pour leurs changements de file impromptus, leur mépris des limitations de vitesse en ville et leur souveraine indifférence pour les piétons et les autres conducteurs. Restez prudent et attendez-vous à l'imprévisible. Dans les grandes villes, trouver un parking est souvent difficile. La meilleure solution, à Rio, consiste à se garer près de l'entrée de métro de Botafogo et de circuler en métro.
Quel que soit l'endroit où vous choisirez de vous garer en ville, dès que vous arrêterez le moteur, un « gardien » surgira comme par magie et vous offrira de garder un œil sur votre voiture en espérant un pourboire, ou vous demandera même de payer sa (douteuse) vigilance à l'avance. L'équivalent d'un franc ou deux fera l'affaire. Mieux vaut payer que de retrouver une voiture endommagée au retour.
Les autoroutes, et particulièrement les autoroutes inter-États, sont généralement de bonne qualité mais le plus souvent embouteillées à cause des camions. Mieux vaut donc les éviter pour traverser les montagnes.
Si vous prévoyez de vous déplacer par la route, achetez le guide routier "Quatro Rodas" (Quatre Roues) qui contient toutes les cartes routières et les itinéraires possibles. Vous le trouverez chez la plupart des marchands de journaux.

Compagnies aériennes intérieures

Pour voyager à l'intérieur du Brésil, les plus importantes compagnies aériennes sont Transbrasil, Varig/Cruzeiro et Vasp, plus quelques compagnies régionales desservant les villes plus petites. Les trois compagnies principales desservent l'ensemble des pays et ont des guichets dans les aéroports, ainsi que des agences en ville. Vous pouvez également acheter vos billets dans une agence de voyages ou faire vos réservations par téléphone ou par télex.
Les différentes compagnies ont des tarifs similaires sur les mêmes destinations, souvent bien inférieurs aux tarifs pratiqués en Europe ou aux États-Unis. Cependant, en raison de l'inflation, ils varient rapidement. Mieux vaut donc vous renseigner sur place, ou dans votre agence de voyages avant le départ.
Une réduction de 20 % est proposée sur les vols de nuit *(vôo econômico ou vôo noturno)*. Les départs s'effectuent entre minuit et 6 h. Transbrasil et Varig proposent également des passeports aériens qui doivent être achetés en dehors du Brésil. Le premier est valable pendant 14 jours et permet de visiter quatre ville. Le second, un peu plus cher, est valable pendant 21 jours et donne accès à des déplacements illimités.
Les grandes compagnies assurent un service de navette entre Rio et São Paulo (un vol toutes les 1/2 h), Rio et Brasília (un vol toutes les heures), Rio et Belo Horizonte (environ 10 vols par jour). La réservation n'est pas obligatoire mais conseillée sur ces vols.
Un service Air Taxi est à votre disposition pour le monde entier. Renseignez-vous à l'aéroport à votre arrivée ou prenez vos dispositions par l'intermédiaire d'une agence de voyages ou de votre hôtel.

• **Transbrasil** (vols nationaux)
Belém
Réservations : *tél. (091) 224 3677/6711*
Aéroport : *tél. (091) 233 3941/2674*

Brasília
Réservations : *tél. (061) 248 6433*
Aéroport : *tél. (061) 248 5152*

Manaus
Réservations : *tél. (092) 234 9229*
Aéroport : *tél. (092) 212 1356*

Recife
Réservations : *tél. (081) 224 7716/6166*

Rio de Janeiro
Réservations : *tél. (021) 297 4422*
Aéroport international : *tél. (021) 398 5985*
Aéroport Santos Dumont : *tél. (021) 220 9278/262 6061*

Salvador
Réservations : *tél. (071) 241 1044*
Aéroport international : *tél. (071) 249 2467/204 1100*

São Paulo
Réservations : *tél. (011) 228 2022*
Aéroport Congonhas : *tél. (011) 240 2652/533 7111*
Aéroport Guarulhos : *tél. (011) 945 2253/2702*

• **Varig/Cruzeiro (vols nationaux et internationaux)**
Belém
Réservations : *tél. (091) 224 3344/223 5269*
Aéroport : *tél. (091) 233 3541*

Brasília
Réservations : *tél. (061) 242 4111*
Aéroport : *tél. (061) 248 4497/222 7267/232 7275*

Manaus
Réservations : *tél. (092) 232 8198/8293/234 0251*
Aéroport : *tél. (092) 232 8112/234 3397*

Recife
Réservations : *tél. (081) 231 2037*
Aéroport : *tél. (081) 231 2037/326 1019/326 1040*

Rio de Janeiro
Réservations : *tél. (021) 292 6600*
Aéroport Santos Dumont : *tél. (021) 220 7728/297 5141*

Salvador
Réservations : *tél. (071) 243 7811/2142*
Aéroport : *tél. (071) 249 2586/2811*

São Paulo
Réservations : *tél. (011) 240 3922*
Aéroport Guarulhos : *tél. (011) 945 2195/2295*

- **Vasp (vols nationaux)**

Belém
Réservations : *tél. (091) 222 9611/224 5588*
Aéroport : *tél. (091) 233 0941/1152/1814/224 5588*

Brasília
Réservations : *tél. (061) 244 2020*
Aéroport : *tél. (061) 226 4115/248 5187/5245*

Manaus
Réservations : *tél. (092) 234 1266/0349/0576/0886*
Aéroport : tél. (092) 212 1355/1437/1252

Recife
Réservations : *tél. (081) 231 3048/222 3611*
Aéroport : *tél. (081) 222 3611/326 1699/341 7772*

Rio de Janeiro
Réservations : *tél. (021) 292 2080*
Aéroport international : *tél. (021) 398 5989*
Aéroport Santos Dumont : *tél. (021) 292 2112*

Salvador
Réservations : *tél. (071) 243 7277/7044*
Aéroport : *tél. (071)243 7044/249 2495/2464*

São Paulo
Réservations : *tél. (011) 533 2211*
Aéroport Congonhas : tél. (011) 533 7011
Aéroport Guarulhos : *tél. (011) 945 2962/2424*

Compagnies aériennes régionales

- **Nordeste**

Brasília
Aéroport : *tél. (061) 248 6918/5348*

Recife
Aéroport : *tél. (081) 341 4222/3187*

Rio de Janeiro
Réservations : *tél. (021) 220 4366/9652/262 2237*
Aéroport Santos Dumont : *tél. (021) 262 3580*

Salvador
Réservations : *tél. (071) 224 7755*
Aéroport : *tél. (071) 249 2630*

São Paulo
Réservations/aéroport Congonhas : *tél. (011) 241 8397/542 2591*

- **Rio-Sul**

Rio de Janeiro
Réservations/aéroport Santos Dumont : *tél. (021) 262 6911*

São Paulo
Réservations : *tél. (011) 543 7261/240 3044/3267/61 65187*

- **Taba**

Belém
Réservations : *tél. (091) 223 3111*

Rio de Janeiro
Tél. (021) 220 2529/2649

- **Tam**

Brasília
Aéroport : tél. (061) 248 5961

Rio de Janeiro
Aéroport Santos Dumont : *tél. (021) 262 6311*
Aéroport international : *tél. (021) 398 3271*

São Paulo
Réservations : *tél. (011) 578 8155*
Aéroport Congonhas : *tél. (011) 240 5404*

Compagnies aériennes internationales

- **Air France**

Rio de Janeiro
Réservations : *tél. (021) 220 3666*
Aéroport internatoinal : *tél. (021) 398 3311*

São Paulo
Réservations : *tél. (011) 255 2111*
Aéroport Guarulhos : *tél. (011) 945 2211*
Aéroport Viracopos : *tél. (0192) 47 7778*

Brasília
Tél. (061) 223 4152/4299/4355/4575

Recife
Tél. (081) 224 7944
Aéroport Guararapes : tél. (081) 341 0670

- **Canadian Pacific - C P Air**

Rio de Janeiro
Tél. (021) 220 5343

São Paulo
Tél. (011) 259 9066/9603

- **Swissair**

Rio de Janeiro
Réservations : *tél. (021) 203 2144*
Aéroport international : tél. (021) 398 3304/3547

São Paulo
Réservations : *tél. (011) 258 6211*
Aéroport Guarulhos : *tél. (011) 945 2010*
Aéroport Congonhas : *tél. (011) 241 2915*

Brasília
Tél. (061) 223 4005/4382

Voyages organisés

Il existe toute une variété de voyages organisés en groupe, ou individuels pour découvrir le Brésil. Certains comprennent le transport, les repas et l'hébergement, les excursions et les loisirs. D'autres ne comprennent que le vol et l'hébergement à l'hôtel. Votre agence de voyages vous renseignera sur les différentes options. Il existe également des voyages par thèmes incluant l'aller-retour pour le Brésil, tels que des excursions en bateau sur l'Amazone, des excursions de pêche et d'observation de la vie sauvage dans le Pantanal (Mato Grosso), des séjours à Rio, Salvador ou Recife pendant le Carnaval, pour n'en citer que quelques-uns.
Si vous n'êtes pas au Brésil en voyage organisé, renseignez-vous auprès de votre hôtel ou d'une agence de voyages locale, au sujet des visites guidées en ville, des visites en bateau des îles voisines, des excursions à la montagne ou dans les stations balnéaires, et des loisirs.
Il est possible d'organiser sur place des excursions un peu plus longues. Au départ de Rio ou de São Paulo, il est très facile de faire le tour de l'Amazonie ou du Pantanal, de prendre l'avion pour Brasília ou les chutes d'Iguaçú, ou même de participer à une excursion dans le Nordeste ou les villes coloniales du Minas Gerais.
Les croisières le long de la côte brésilienne doivent être réservées longtemps à l'avance, de préférence, dans votre pays d'origine.

LA LANGUE

La langue du Brésil est le portugais mais si vous avez des connaissances en espagnol, cela pourra vous aider. Un grand nombre de mots sont similaires dans les deux langues, et la plupart des Brésiliens vous comprendront si vous vous adressez à eux en espagnol. Si l'anglais ou le français sont souvent pratiqués dans les classes sociales supérieures, ne vous attendez pas à pouvoir vous exprimer dans votre langue avec l'homme de la rue. En revanche, vos efforts pour apprendre le portugais sur place seront toujours appréciés.
L'anglais est parlé dans les grands hôtels et restaurants mais si vous désirez sortir des sentiers battus, il est conseillé de vous procurer un petit dictionnaire de poche. Vous en trouverez, au Brésil, dans les aéroports, les boutiques des hôtels et les principaux libraires.
Il existe en portugais trois formes pronominales pour la deuxième personne : *você* marque indifféremment le tutoiement ou le vouvoiement, *o senhor* (pour les hommes) et *o senhora* (pour les femmes) est l'équivalent du « vous » français et ne s'emploie que pour marquer le respect à une personne d'un certain âge ou de statut différent du vôtre. Dans le Nordeste et le Sud, le « tu » est fréquemment employé pour le tutoiement mais équivaut le plus souvent à *você*.
Si vous devez rester un certain temps au Brésil, il existe des cours de portugais pour étrangers. En attendant, voici quelques termes et expressions essentiels :
Tudo Bem, qui signifie « tout va bien » est l'une des formes les plus communes de salut. La première personne demande : *Tudo Bem ?*, et la seconde répond : *Tudo bem.*

Bonjour/ bon après-midi	*Bom dia/Boa Tarde*
Bonsoir/ bonne nuit	*Boa Noite*
Comment allez-vous/vas-tu ?	*Como vai ?*
Bien, merci	*Bem, obrigado*
Allo	*Alô*
Salut !	*Oi* (salut informel, également utilisé dans les restaurants pour attirer l'attention des serveurs).
Au revoir	*Tchau* (informel), *até logo, adeus*
Je m'appelle…/ Je suis...	*Meu nome é…/Eu sou…*
Comment vous appelez-vous ?	*Como é seu nome ?*
Enchanté (de vous rencontrer)	*E' um prazer*
Bien ! Super !	*Que bom !*
Santé !	*Saúde*
Je ne comprends pas	*Nao entendo*
Comprenez-vous ?	*Você entende ?*
Veuillez répéter plus lentement	*Por favor repete, mais devagar*
Comment cela s'appelle-t-il ?	*Come se chama isto ?*
Comment dit-on… ?	*Como se diz… ?*
S'il vous plaît/ merci (beaucoup)	*Por favor/(Muito) Obrigado*
De rien	*De nada*
Excusez-moi	*Desculpe* (pour s'excuser) *Com Licença* (pour prendre congé ou demander à quelqu'un de se pousser)
Où est…?	*Onde é…?*
La plage	*a praia*
La salle de bains	*o banheiro*
La gare routière	*o rodoviário*
L'aéroport	*o aeroporto*
La gare	*a estaçao de trem*
La poste	*o correio*
Le commissariat	*a delegacia de polícia*
L'ambassade/ consulat	*a embaixada/o consulado*
Où peut-on trouver… ?	*Onde é que tem… ?*
Un bureau de change	*uma casa de câmbio*
Une banque	*um banco*
Une pharmacie	*uma farmácia*
Un (bon) hôtel	*um (bom) hotel*
Un (bon) restaurant	*um (bom) restaurante*
Un arrêt de bus	*um ponto de ônibus*
Une station de taxis	*um ponto de taxi*
Une station de métro	*uma estaçao de metrô*
Une station service	*um posto de gasolina*
Une cabine téléphonique/ téléphone public	*um telefone público*
Un supermarché	*um supermercado*
Un hôpital	*um hospital*
Un médecin	*um médico*
Un mécanicien	*um mecânico*
Taxi/Bus/Voiture	*Taxi/ônibus/Carro*
Avion/Train/Bateau	*Aviao/Trem/Barco*
Un billet pour…	*Uma passagem para…*
Je veux aller à…	*Quero ir para…*
Veuillez m'emmener à…	*Por favor, me leve para…*
Veuillez arrêter ici/Stop !	*Por favor pare aqui/Pare !*
Je veux louer une voiture	*Quero alugar um carro*
Combien ?	*Quanto ?*
Combien cela coûte-t-il ?	*Quanto custa ?*
Une chambre simple/double	*Um quarto de solteiro/ de casal*
Le menu/ la carte des vins	*O cardápo/a carta de vinhos*
Petit déjeuner/ déjeuner/dîner	*Café da manha/almoço/ jantar*
Eau minérale (gazeuse/ non gazeuse)	*Agua mineral (com gás/sem gás)*
L'addition, s'il vous plaît	*A conta, por favor*
Je voudrais changer de l'argent	*Quero trocar dinheiro*
Quel est le taux de change ?	*Qual é o câmbio ?*
Lundi	*Segunda-feira* (souvent 2a)
Mardi	*Terca-feira* (3a)
Mercredi	*Quarta-feira* (4a)
Jeudi	*Quita-feira* (5a)
Vendredi	*Sexta-feira/meijo* (6a)
Samedi	*Sábado*
Dimanche	*Domingo*
Le week-end	*O fim semana*

MUSÉES

Les musées à caractère historique sont rares au Brésil. A quelques rares exceptions près, les moyens financiers sont trop faibles pour les entretenir et les approvisionner. La liste ci-dessous n'est pas exhaustive. Les expositions temporaires sont annoncées dans les journaux à la rubrique *exposiçoes*.

● Rio de Janeiro

Musée Carmen Miranda
Parque do Flamengo, tél. (021) 551 2597.
Ouvert du mardi au vendredi de 11 h à 17 h et les samedis, dimanches et jours fériés de 13 h à 17 h.

Musée d'art Chacara do Ceu
Rua Murtinho Nobre, tél. (021) 232 1386/224 8981.
Ouvert du mardi au samedi de 14 h à 17 h et le dimanche de 13 h à 17 h.

Musée de la ville (Museo da Cidade)
Estrada da Santa Marinha, Parque da Cidade, Gavea tél. (021) 322 1328.
Ouvert du mardi au dimanche de 12 h à 16 h 30.

Musée folklorique (Museo do Folclore Edison Carneiro)
Rua do Catete, tél. (021) 285 0891.
Ouvert du mardi au vendredi de 11 h à 18 h et les samedis et dimanches de 13 h à 17 h.

Musée indien (Museo de Indio)
Rua des Palmeiras, 55 Botafogo, tél. (021) 286 8799.
Ouvert du mardi au vendredi de 10 h à 17 h et les samedis et dimanches de 13 h à 17 h.

Musée H. Stern
Rua Visconde de Pirajà, 490, 3° andar, Ipanema, tél. (021) 259 7442.
Ouvert du lundi au vendredi de 8 h 30 à 18 h et le samedi de 8 h 30 à 12 h.

Musée historique Itamarati (Museo Historico et Diplomàtico do Pàlacio do Itamarati)
Av. Marechal Floriano, 196, Centro tél. (021) 291 4411.

Musée du cinéma (Museo da Umagem e do Sem)
Praça Rui Barbosa, 1, Centro tél. (021) 262 0309/2102463.
Ouvert de lundi à vendredi de 13 h à 18 h.

Musée d'art moderne (Museo de Arte Moderna)
Av. Infante D. Henrique, 85, Parque do Flamengo tél. (021) 210 2188.
Ouvert du mardi au dimanche de 12 h à 18 h.

Musée historique national (Museo Historico Nacional)
Praça Marechal Ancora, centro tél. (021) 240 7978/220 2628.
Ouvert du mardi au vendredi de 10 h à 17 h 30 et les samedis, dimanches et jours fériés de 14 h 30 à 17 h 30.

Musée national (Museo Nacional)
Quita da Boa Vista, São Cristovão, tél. (021) 264 8262
Ouvert du mardi au dimanche de 10 h à 16 h 45.

Musée national des Beaux-Arts (Museo Nacional de Belas Artes)
Av. Rio Branco, 199, centro, tél. (021) 20 0161/240 0068.
Ouvert mardi et jeudi de 10 h à 18 h 30, mercredi et vendredi de 12 h à 18 h et samedi, dimanche et jours fériés de 15 h à 18 h.

● São Paulo

Musée d'Anchieta (Casa de Anchieta)
Pàtio do Colégio, centro, tél. (011) 239 5722.
Ouvert du mardi au samedi de 13 h à 17 h et le dimanche de 10 h à 17 h.

Musée des Bandeirantes (Casa do Bareirantes)
Praça Monteiro Lobato, Butanta tél. (011) 211 0920
Ouvert du mardi au vendredi de 10 h 30 à 17 h et les samedis et dimanches de 12 h à 17 h.

Musée d'art folklorique (Museo de Folclore)
Parque de Ibirapuera, Pavilhao Lucas Nogueira Garcez, tél. (011) 544 4212.
Ouvert du mardi au dimanche de 14 h à 17 h.

Musée d'art brésilien (Museo de Arte Brasileira)
Rua Alagoas, 903, Higienópolis, tél. (011) 826 4233.
Ouvert du mardi au vendredi de 14 h à 22 h et les samedis, dimanches et jours fériés de 13 h à 18 h.

Musée d'art contemporain (Museo de Arte contemporanea)
Parque do Ibirapuera, Pavilhao da bienal, 3° andar tél. (011) 571 9610.
Ouvert du mardi au dimanche de 13 h à 18 h.

Musée de la Nativité (Museo do Presépio)
Parque do Ibirapuera, Grande Marquise, tél. (011) 544 1329.

Musée pauliste (Museo Paulista/Museu do Ipiranga)
Parque de Independencia, Ipiranga, tél. (011) 215 4588.
Ouvert tous les jours de 9 h 30 à 17 h.

Musée d'art sacré (Museo de Arte Sacra)
Av. Tiradentes, 676, Luz, tél. (011) 227 7694.
Ouvert du mardi au dimanche de 13 h à 17 h.

Musée d'art de São Paulo (MASP)
Av. Paulista, 1758, Cerqueira César, tél. (011) 251 5644.
Ouvert du mardi au vendredi de 13 h à 17 h et les samedis et dimanches de 14 h à 18 h.

• Bélem

Musée Emilo Goeldi
Av. Magalhaes Barata, 376 tél. (091) 224 9233
Ouvert du mardi au vendredi de 10 h à 12 h et 14 h à 18 h le samedi de 8 h à 13 h et de 15 h à 18 h et le dimanche de 8 h à 18 h.

• Belo Horizonte

Musée Abilio Barreto
Rua Bernardo, Mascarenhos, Cidade Jardine, tél. (031) 212 1400.
Ouvert le lundi et le mercredi de 10 h à 17 h.

Musée d'art de Belo Horizonte (Museo de Arte)
Av. Otacilio Negrao de Lima, Pampulha tél. (031) 443 4533.
Ouvert tous les jours de 8 h à 12 h.

Musée Mineiro
Av. João Pinheiro, 342, centro, tél. (031) 201 6777.
Ouvert les mardis, mercredis et vendredis de 12 h à 18 h 30, le jeudi de 12 h à 21 h et les samedis et dimanches de 10 h à 16 h.

Musée de minéralogie
Rua da Bahia, 1149 tél. (031) 212 1400.
Ouvert tous les jours de 8 h à 17 h.

Musée d'histoire naturelle (Museo de Historia Natural)
Rua Gustavo da Silveira, 1035 (Instituto Agronomico), tél. (031) 461 7666.
Ouvert tous les jours de 8 h à 16 h 30.

• Brasília

Musée d'art de Brasília (MAB)
SHTS (près du Brasília Palace Hotel), tél. (061) 224 6277.
Ouvert du mardi au dimanche de 10 h à 17 h.

Musée historique de Brasília
Praça dos Tres Poderes.
Ouvert tous les jours de 8 h à 12 h et de 13 h à 18 h.

• Curitiba

Musée municipal (Casa da Memoria)
Rua 13 de Maio, 571.
Ouvert du mardi au vendredi de 8 h à 12 h et de 14 h à 18 h.

Musée David Carneiro
Rua Com. Araujo, 531 tél. (041) 222 9358.
Ouvert le samedi de 14 h à 16 h.

Musée de l'immigration (Museo da Habitaçao do Imigrante)
Bosque Joao Paulo II.
Ouvert les lundis et mercredis de 7 h à 19 h.

Musée d'art contemporain
Rua des. Westphalen, 16, tél. (041) 222 5172.
Ouvert du lundi au vendredi de 9 h 30 à 18 h et le dimanche de 13 h à 17 h.

Musée d'art sacré
Lgo. Cel. Eneas.
Ouvert du mardi au vendredi de 9 h à 12 h et de 13 h 30 à 18 h 30.

• Diamantina

Musée du diamant
Rua Direita.
Ouvert du mardi au dimanche de 12 h à 17 h 30.

• **Manaus**

Musée géographique et historique de l'Amazonas (Museo do Instituto Geogràfico e Historico do Amazonas)
Rua Bernardo Ramos, 11, tél. (092) 232 7077.
Ouvert du lundi au vendredi de 9 h à 13 h.

Musée indien (Museo do Indio)
Rua duque de Caxias/Av. 7 de Setembro tél. (092) 234 1422.
Ouvert du lundi au samedi de 8 h à 11 h et de 14 h à 17 h.

Musée de minéralogie
Estr. do Aleixo, 2150 tél. (092) 236 1334.
Ouvert du lundi au vendredi de 8 h à 12 h et de 14 h à 18 h.

Musée du port de Manaus
Boulevard Vivaldo Lima, centro, tél. (092) 232 4250.
Ouvert du mardi au dimanche de 8 h à 11 h et de 14 h à 17 h.

• **Ouro Prêto**

Musée Aleijadinho
Praça de São Francisco
Ouvert du mardi au dimanche de 8 h à 11 h 30 et de 13 h à 17 h.

Musée Inconfidencia
Praça Tiradentes.
Ouvert du mardi au dimanche de 12 h à 17 h.

Musée de l'argent (Museo de Prata)
Praça Mns. Joao Castilho Barbosa.
Ouvert du mardi au dimanche de 12 h à 17 h.

• **Petropolis**

Musée impérial
Av. 7 de Setembro, 220.
Ouvert du mardi au dimanche de 12 h à 17 h.

Musée Santos Dumont
Rua do Encanto, 124.
Ouvert du mardi au dimanche de 9 h à 17 h.

• **Pôrto Alegre**

Musée Julio de Castilhos
Rua Duque de Caxias, 1231 tél. (0512) 21 3959.
Ouvert du mardi au dimanche de 9 h à 17 h.

Musée de Pôrto Alegre
Rua João Alfredo, 582 tél. (0512) 21 6622
Ouvert du lundi au vendredi de 8 h à 11 h 30 et de 14 h à 17 h 30 et le samedi de 8 h à 11 h 30.

Musée d'art Rio grande do Sul
Praça Barão do Rio Branco tél. (0512) 21 8456.
Ouvert du mardi au dimanche de 10 h à 18 h.

• **Recife/Olinda**

Musée de l'abolition
Rua Benfica, 1150, Madalena tél. (081) 228 3011.
Ouvert du lundi au vendredi de 8 h à 12 h et 14 h à 17 h.

Musée Brennand
Engenho São João (Vaz)
Ouvert du lundi au vendredi de 8 h à 11 h 30 et de 14 h à 17 h et le samedi de 8 h à 11 h 30.

Musée de la céramique (Museo do Barro)
Rua Floriano Peixoto, Raio Detes, 3° andar, tél (081) 224 2084.
Ouvert du lundi au vendredi de 9 h à 12 h et de 14 h à 18 h et le samedi de 9 h à 12 h.

Musée d'art sacré franciscain (Museo Franciscano de Arte Sacra)
Rua do Imperador (Santo Antonio), tél. (081) 224 0530.
Ouvert du lundi au vendredi de 8 h à 11 h 30 et de 14 h à 17 h et le samedi de 8 h à 11 h 30.

Musée d'art contemporain
Rua 13 de Maio, Olinda.
Ouvert du lundi au jeudi de 8 h à 17 h 30 et les samedis et dimanches de 14 h à 17 h 30.

Musée du Nordeste (Museo do Homem de Nordeste)
Av. 17 de Agosto 2187 (Casa Forte), tél. (081) 268 2000.
Ouvert les mardis, mercredis et vendredis de 11 h à 17 h, le jeudi de 8 h à 17 h et les samedis, dimanches et jours fériés de 13 h à 17 h.

Musée archéologique et géographique de Pernambouc
Rua do Hospicio, 130 (Boa Vista), tél. (081) 222 4952.
Ouvert du lundi au vendredi de 10 h à 12 h et de 15 h à 17 h.

Musée d'art sacré de Pernambouc
Rua Bispo Coutinho, 726, Alto da Sé.
Ouvert du mardi au vendredi de 8 h à 12 h et de 14 h à 18 h et les samedis et dimanches de 14 h à 18 h.

Musée de Recife (Museo da Cidade de Recife)
Forte das Cinco Pontas, São José, tél. (081) 224 8492.
Ouvert du lundi au vendredi de 8 h à 18 h et les samedis et dimanches de 14 h à 18 h.

Musée du train (Museo do Trem)
Praça Visc. de Mauà, Santo Antonio tél. (081) 231 2022.
Ouvert du mardi au vendredi de 9 h à 12 h et de 13 h à 17 h, le samedi de 8 h à 12 h et de 14 h à 18 h et le dimanche de 14 h à 18 h.

• Salvador

Musée Abelardo Rodrigues
Rua Gregorio de Mattos, 45, Pelourinho, tél. (071) 242 6155.
Ouvert du lundi au vendredi de 10 h à 11 h 30 et de 14 h à 17 h et les samedis et dimanches de 14 h à 17 h.

Musée afro-brésilien
Bâtiments de la Faculdade de Medcina, Terreiro de Jesus, tél. (071) 243 0384.
Ouvert du mardi au samedi de 9 h à 11 h 30 et de 14 h à 17 h 30.

Musée archéologique et ethnique
Même adresse, même tél. que ci-dessus.
Ouvert du mardi au vendredi de 9 h à 11 h 30 et de 14 h à 17 h 30 et le samedi de 9 h à 11 h 30.

Musée d'art de Bahia
Av. 7 de Setembre, 2340, Vitoria, tél. (071) 235 9492.
Ouvert du mardi au dimanche de 14 h à 18 h.

Musée Carlos Costa Pinto
Av. 7 de Setembre, 2490, Vitoria, tél. (071) 243 0983.
Ouvert du mardi au samedi de 9 h à 12 h et de 14 h à 17 h 30.

Musée municipal (Museo da Cidade)
Lgo. do Pelourinho, 3 tél. (071) 242 8773.
Ouvert tous les jours de 8 h à 12 h et de 14 h à 18 h.

Musée d'art sacré Monseigneur Aquino Barbaso
Basilica de N.S. da Conceiçao da Praia tél. (071) 242 0545.
Ouvert du mardi au dimanche de 8 h à 12 h.

Musée d'art moderne
Av. Do Contorno, Solar do Unhao, tél. (071) 243 6174.
Ouvert du mardi au vendredi de 10 h à 12 h et de 14 h à 18 h et les samedis, dimanches et jours fériés de 14 h à 18 h.

Musée d'art sacré
Rua do Sodré, 25 tél. (071) 243 6310.
Ouvert du mardi au samedi de 13 h à 18 h.

Musée de la fondation de l'institut féminin (Museo da Fundaçao do Instituto Feminino)
Rua Mons. Flaviano, 2 , Politeama de Cima, tél. (071) 245 7522.
Ouvert du lundi au vendredi de 8 h à 11 h et 14 h à 16 h 30.

SPORTS ET LOISIRS

Football

Le football est le sport national du Brésil, qui unit le peuple entier dans une même passion. Pendant la coupe du Monde, le pays s'arrête et chacun passe ses journées devant son poste de télévision. Si vous aimez le football, chargez votre hôtel de vous réserver une place pour un match professionnel. Si vous êtes à Rio, n'omettez pas d'aller admirer le stade géant de Maracana. La plupart des hôtels de luxe disposent d'un terrain mis à la disposition des clients.

Sports aquatiques

C'est dans le nord et le Nordeste qu'il est le plus agréable de prendre des bains de mer car les eaux sont calmes et chaudes toute l'année. Les hôtels sont tous dotés de piscines. En

revanche, il n'existe pas de piscines municipales au Brésil.
Vous pourrez louer des bateaux à voile, des bateaux de pêche, des équipements de plongée sous-marine, des planches de surf ou de windsurf dans n'importe quelle station balnéaire de la côte brésilienne. Pour un voilier ou un bateau à moteur avec équipage, comptez environ 800 francs par jour. Si vous êtes à Rio, c'est à la Marina da Gloria que vous trouverez votre bonheur.

Pêche

Il existe de nombreuses espèces de poissons de mer ou d'eau douce. Le matériel de pêche est en général loué en même temps que le bateau et le guide, et des excursions de pêche sont régulièrement organisées. Dans le Nordeste, des pêcheurs professionnels acceptent parfois d'emmener un ou deux passagers dans leurs *jangadas*.
Pour la pêche sous-marine, le meilleur endroit est sans conteste l'île Fernando de Noronha, au nord-est du Brésil, et l'archipel coralien Abrolhos, au large de Bahia.

Autres sports

Certains hôtels disposent de courts de tennis. Il existe, par ailleurs, quelques courts publics, mais on joue le plus souvent dans des clubs. Le golf n'est pas encore très populaire au Brésil. On y joue essentiellement à Rio et à São Paulo. Les terrains de golf sont généralement très fermés mais il est possible d'y accéder par l'intermédiaire de votre hôtel. Les courses hippiques sont très appréciées et il existe des hippodromes dans de nombreuses villes. Le grand événement hippique, Le Grande Premio do Brasil, se court chaque année à Rio de Janeiro, le premier dimanche d'août.
Le Brésil figure sur les circuits mondiaux du Grand Prix de Formule 1. La course se déroule à Rio de Janeiro en mars ou en avril. Les *cariocas* pratiquent le deltaplane avec passion. Il est possible de s'initier à ce sport avec des moniteurs expérimentés. Renseignez-vous auprès de votre hôtel.
Rio est le paradis de la course à pied, avec ses bords de mer longs de plusieurs kilomètres. A São Paulo, le parc Ibirapuera est le lieu de rendez-vous favori des coureurs. Les courses à pied les plus importantes du Brésil sont le Rio Marathon et le São Silvestre qui a lieu le 31 décembre à São Paulo.
La chasse est interdite par la loi dans tout le Brésil.

Escalade-randonnée

Il y a de nombreuses montagnes à escalader au Brésil. A Rio, par exemple, on peut monter à pied au sommet du Pain de sucre et du Corcovado. Des clubs de randonnée organisent des expéditions dans les régions montagneuses voisines, et combinent la marche à pied avec le canoë-kayak, la voile ou le rafting. Renseignez-vous auprès de votre hôtel. Si le vélo et le camping vous attirent, contactez le Camping Clube do Brasil qui organise des treks dans les régions les plus sauvages du Brésil.

Capoeira

Si vous désirez assister à une représentation de capoeira, cette danse brésilienne inspirée des arts martiaux africains, adressez-vous à votre hôtel.

SHOPPING

Ce sont les pierres précieuses et semi-précieuses qui séduisent le plus les touristes étrangers au Brésil. Leur principal attrait, hormis leur prix, en est l'extraordinaire variété. Le Brésil produit des améthystes, des aigues-marines, des opales, des topazes, des tourmalines de couleurs variées, pour ne citer que les plus populaires, ainsi que des diamants, des émeraudes, des rubis et des saphirs. Environ 65 % de la production mondiale de pierres précieuses est brésilienne, le Brésil est également en tête des producteurs d'or.
A l'heure actuelle, ce pays est l'un des plus grands centres de la joaillerie mondiale. Les prix sont d'autant plus intéressants que la production est entièrement nationale, de l'extraction des pierres au ciselage et à la conception des bijoux.
La valeur d'une pierre précieuse est déterminée avant tout par sa couleur et sa qualité, pas nécessairement par sa taille. Voici les quelques points à retenir pour l'achat d'une pierre : sa couleur, sa coupe, son eau et son coût. Plus la couleur est soutenue, plus la pierre a de la valeur. Par exemple, une aigue-marine d'un bleu profond vaudra plus cher qu'une pierre bleu pâle. La coupe doit souligner l'eau, le « feu intérieur » de la pierre.

Vous trouverez peut-être des occasions intéressantes mais si vous n'êtes pas un expert, mieux vaut faire vos achats chez un bijoutier capable de vous guider dans votre choix en toute confiance. Les trois plus grandes chaînes de bijouteries au Brésil sont H. Stern, Amsterdam Sauer et Roditi. Vous trouverez leurs boutiques dans les aéroports, les centres commerciaux et la plupart des grands hôtels. Il existe cependant encore beaucoup d'autres joailliers, moins importants mais tout aussi fiables.

Les articles en cuir sont également très prisés, en particulier les chaussures, les sacs, les portefeuilles et les ceintures. Les plus beaux cuirs viennent du sud du Brésil. Vous trouverez chaussures et articles de maroquinerie à des prix intéressants dans les foires artisanales. Il existe, dans certaines villes, des marchés couverts proposant toute une gamme de produits traditionnels :

- Les céramiques se vendent essentiellement dans le Nordeste, où saladiers et cruches en grès sont encore couramment utilisés. Le Nordeste est également le pays des figurines primitives en argile, représentant le plus souvent des héros folkloriques, des scènes de la vie quotidienne ou des scènes de fêtes. Les céramiques marajoara, décorées de motifs géométriques particuliers, viennent de l'île de Marajó, à l'embouchure de l'Amazone.
- C'est encore dans le Nordeste, dans l'état de Ceará, que vous trouverez des dentelles et des vêtements brodés, tandis que le Minas Gerais reste le pays du tissage et des tapisseries faites à la main.
- Les hamacs en coton sont populaires à travers tout le Brésil mais c'est surtout dans le nord et le Nordeste qu'on les utilise le plus fréquemment en guise de lits.
- Le Brésil est également le pays du bois. Certaines boutiques vendent des ustensiles de cuisine en bois, des saladiers, des plateaux, etc. Quant aux figurines en bois sculpté, c'est dans les foires artisanales que vous pourrez les acheter. Les *carrancas*, figures de proue qui ornent les bateaux du fleuve São Francisco, sont très originales mais peut-être plus difficiles à transporter.
- La paille, ainsi que toute une variété de fibres naturelles (feuilles de bananier ou de palmier) servent à confectionner des paniers, des chapeaux, des sacs, des nattes, des sandales. Vous trouverez ces produits essentiellement dans le Nordeste.
- L'artisanat indien, originaire du nord de l'Amazonie, comprend des parures (colliers, boucles d'oreilles), des ustensiles de cuisine (passoires, paniers), des armes (arcs, flèches, javelots) et des instruments de musique (tels les curieux « bâtons de pluie » qui imitent le bruit de la pluie qui tombe sur les feuilles des arbres). Ces objets sont fabriqués à la main, à partir de bois, de feuilles, ou d'épines et sont ornés de dents, de griffes, de plumes multicolores, de coquillages et de graines.
- Dans le Minas Gerais, des objets en stéatite sont en vente dans tous les magasins de souvenirs.
- Si vous aimez la peinture, vous pourrez acheter des toiles dans les galeries d'art aussi bien que dans les marchés ou les foires artisanales. Les peintures primitives ou naïves du Brésil sont très appréciées.
- Si c'est la musique qui vous attire, n'hésitez pas à rapporter l'un de ces curieux instruments de percussion utilisés par les groupes de samba pour rythmer leurs danses. Vous les trouverez essentiellement dans les foires artisanales. Les disques et les cassettes sont généralement moins chers qu'en Europe.
- La mode brésilienne est souvent originale. Parmi les articles les plus populaires figurent les fameux maillots brésiliens et les kangas, sortes de grands paréos imprimés en couleurs vives, dans lesquels les Brésiliennes s'enroulent après le bain.
- Les magasins d'objets religieux sont intéressants à visiter. Les amulettes les plus appréciées sont les figas (pendentifs en forme de poing avec le pouce serré entre l'index et le majeur) et les bracelets du Senhor do Bonfim, originaires de Salvador.
- Vous trouverez du café en grains dans n'importe quel supermarché ou boulangerie. Le café emballé sous vide garde plus longtemps son arôme. Vous pourrez l'acheter à l'aéroport, avant de partir, emballé dans des paquets rigides plus pratiques à transporter.

POUR LES GOURMETS

Vous trouverez dans toutes les grandes villes de bons restaurants, et n'oubliez pas que la plupart des hôtels servent en général une assez bonne cuisine.

Au Brésil, il s'ouvre et se ferme une cinquantaine de restaurants par jour, aussi nous ne pouvons vous assurez que la liste ci-dessous soit parfaitement exacte.

Classements des restaurants
A : Excellente cuisine, prix élevé.

B : Très bonne cuisine, prix moyen à élevé.
C : Bonne cuisine, prix raisonnable.
D : Cuisine simple et prix modeste.

• Rio de Janeiro

Cuisine brésilienne

A Cabaça Grande (C)
12 Rue do Ouvidor, centr0, tél. 231 2301.

Escondidinho (C)
12 A/B Beco dos Barbeiros, centr0, tél. 242 2234.

Bar do Arnaudo (B)
316B Rue Alm. Alexandrino, Santa Teresa, tél. 252 7246.

Le sirenuse (B)
2B Rue dos Jangadeiros, Ipanema, tél. 267 3588.

Vice Rey (D)
535 Av. mons. Ascâneo, Barra da Tijuca, tél, 399 1683.

Bardo Beto (B)
51 rue Farme de Amoedo, Ipanema, tél. 267 4443.

Churrascarias (Barbecue)

Mariu's (C)
290B Av. Atlantica, Leme, tél. 542 2393.

Jardim (D)
225 Rue Republica do Peru, Copacabana, tél. 235 3263.

Majorica (C)
11/15 Rue Senador Vergueiro, Flamengo, tél. 245 8947.

Cuisine internationale

La Tour *(B)*
651 Rue Santa Luzia, Lagoa, tél. 242 3221.

Neal's (B)
695 Rue Sorocaba, Botafogo, tél. 266 6577.

Nino (C)
242 A Rue Domingos Ferreira, Copacabana, tél. 255 9606.

Cuisine française

Rive Gauche (A)
1484 Av. Epitacio Pessoa, Lagoa, tél. 247 9993.

Café de la Paix (C)
1020 Av. Atlântica, hôtel Méridien, Leme, tél. 275 1799.

Cuisine italienne

Enotria (A)
115 Constante Ramos, Copacabana, tél. 237 6705.

Tarentella (C)
850 Av. Sernambetiba, Barra da Tijuca, tél. 399 0632.

• Itacurucá

Restaurant Hotel Pierre (A)
Itacurucà Island, réservations à Rio, tél. 521 1546.

• Petrópolis

Churrascaria Majorica
754 Av. do Imperador.

Cantina Italiana (C)
48 Paulo Barbosa

• Teresópolis

Taberna Alpina
131 Duque de Caxias.

La Cremaille
1012 Av. Feliciano Sodré.

• São Paulo

Cuisine brésilienne régionale

Amaralina (C)
803 Rue Borges Lagoa, vila Clementino, tél. 549 1552.

Tia Carly (C)
492 Al. Ribeirao Prêto, Bela Vista, tél. 284 4372.

Tipico Amazonense (D)
1360 Al. Nhambiquaras, Moema, tél. 61 2443.

Churrascarias

Buffalo Grill (A)
2231 Rue Bela Cintra, Cerqueira César, tél. 853 5014.

Rodeio (B)
1468 Rue Haddock Lobo, tél. 883 2322.

Dinho's Place (A)
45 Al. Santos, Paraiso, tél. 284 5333.

Cuisine de poisson et fruits de mer

Mexilhao (C)
626 Rue 13 de Maio, Bela Vista, tél. 288 2485.

Cuisine internationale

Paddock (B)
228 Av. São Luis, centro, tél. 257 4768.

Cuisine française

La Casserole (A)
346 Igo do Arouche, tél. 220 6283.

Le Bistrot
510 Av. Adolfo.

Freddy (B)
Pça Dom Gastao Liberal Pinto II, Itaim Bibi, tél. 852 7339.

Cuisine italienne

Trattoria do Piero (C)
323 Rue Caconde.

Tibêrio
392 Av. paulista.

Cuisine portugaise

Abril em Portugal (A)
47 rue Caio Prado, ventre, tél. 256 5160.

Cuisine suisse

Chamonix (B)
1446 Rue Pamplona, Jardim paulista, tél. 287 9818.

• Campos do Jordao

Sole Mio
Route de Horto Florestal.

• Caraguatatuba

Brisa
1821 Av. Artur Costa Filho.

• Foz do Iguacu

Churrascarias

Rafahin (D)
Route das Caratas, tél. 74 2720.

Cabeça de Boi (D)
1325 Av. Brasil, tél. 74 1168.

Cuisine internationale

Abaeté (C)
893 Rue Alm. Barroso, tél. 74 3084.

- **Paraná**

• Curitiba

Cuisine française

Ile de France (A)
538 Praça 19 de Dezembro, tél. 223 9962.

Churrascaria

Pinheirao (D)
400 Rue João Negrao, tél. 224 1662.

- Rio Grande do Sul

• Caxias do Sul

Cantina Pao e Vino (C)
1757 Rue Ludovico, Bairro Santa Catarina.

• Gramado

Saint Hubertus
Rue da Caixa d'Agua.

• Pôrto Alegre

Plaza São Rafael (B)
514 Av. Alberto Bins, tél. 21 6100.

Embaixador (C)
354 Rue Jerônimo Cœlho, tél. 216100.

Everst Roof
1357 Uque de Caxias.

Cuisine chinoise

Gold dragon
479 Rue Dr. Valle.

Cuisine portugaise

Casa de Portugal
579 João Pessoa.

- Santa Catarina

• Blumenau

Blumental
962 15 de Novembro.

Rancho Alegre
1335 7 de Setembro.

Florianópolis

Lindacap (C)
178 Rue Felipe Schmidt, tél. 22 0558.

Manolo's (C)
71 Rue Felipe Schmidt, tél. 22 4351.

• Joinville

Tannenhof (A)
340 Rue Visconde de Taunay, tél 22 2311.

Centre

• Brasília

Cuisine brésilienne régionale

Comida Brasileira (D)
302 Coméercoe Local Sud, bloc B, tél. 226 0560.

Churrascarias

Do Lago (D)
Secteur hôtelier nord, tél. 223 9266.

Cuisine française

Français (C)
404 Comercio local Sul, Bloc D, tél. 224 5559.

Cuisine espagnole

O Espanhol
Av. W 3 Sul 506, Loja 23, tél. 242 1443.

- Mato Grasso/Pantanal

• Corumbá

Churrascaria Gaùcha
Rue Frei Mariano

Cuisine italienne

Tarantella
Rue Frei Mariano

• Cuiabá

Peixera do Queiroz (C)
Spécialités de poissons
130 praça Jaime Figureiredo, tél. 322 6420.

Churrascaria Majestic (B)
585 Av. Coronel Escolastico.

Beija Flor (C)
Rue Galdino Pimentel.

- Minas Gerais

• Belo Horizonte

Cuisine brésilienne

Verde Gaio (C)
606 Rue Guajajaras, tél. 224 5331

Churrascarias

Carretao Guaiba
8412 Av. do Contorno.

Cuisine internationale

Café idéal (B)
583 Rue Claudia Manoel, tél. 226 6019.

Nacional Club (D)
77 rue Bernado Mascarenhas, tél. 201 5007.

• Diamantina

Confiança (B)
39 rue da Quitanda.

● **Ouro Prêto**

Cuisine régionale

Calabouço (D)
132 Rue Conde de Bobadela, tél. 551 1222.

Casa do Ouvidor (D)
42 Rue Conde de Babadela, tél. 551 2141.

Cuisine internationale

Taberna Luxor (C)
Praia Antonio Dias, tél. 551 2244.

Estrada Real (D)
161 Road. Dos Inconfidentes, tél. 551 2122.

Nord Est

- Alagoas

● **Maceió**

Ao Lagostao (B)
1348 Av. Duque de Caxias, tél. 221 6211.

O Gaucho
1466 Av. Duque de Caxias.

- Bahia

● **Salvador**

Cuisine brésilienne régionale

Senac (D)
19 Largo do Pelourinho, Pelourinho, centro, tél. 242 5503.

Casa de Gamboa (C)
51 Rue Gamboa de Cima, Campo Grande, tél. 245 9777.

Cuisine brésilienne de poissons et fruits de mer

Frutos do Mar (C)
415 Rue Marquès de Leao, Barra, tél. 245 6479.

Churrascarias

Churrascaria Moenda et Bargaço
43 Rue P. Quadra, Jardim Armaçap, tél. 231 5141.

● **Ilhéus**

Luanda Beira Bahia
Av. Soarès Lopes.

Vesuvio
Praça D. Eduardo.

- Ceará

● **Fortaleza**

La trattoria
Entre Tabajaras et Av. Kennedy, Praia de Iracema.

O Ozias
1449 Rue Canuto de Aguiar, tél. 224 9067.

Caminho a Saude
1468 Barao do Rio Branco.

- Maranhao

● **São Luis**

Solar do Riberao (C)
141 Rue Isaac Martins, tél. 222 3068.

Base do Germano
Av. Wenceslau Bras, Canto da Fabril.

Panorama
206 Av. Dom Pedro II.

- Pernambuco

● **Olinda**

L'atelier
91 Rue Bernardo Vieira de Melo, tél. 429 3099.

Vila d'Olinda
2200 Av. José Augusto Moreira, Casa Caida, tél. 431 2955.

● **Recife**

Cuisine régionale

Senzala (C)
Hotel Casa Grande, 5000 Av. Conselheiro Aguar.

Edmilson (B)
307 Av. Maria Irene, Jordao, tél. 341 0644.

Poissons et fruits de mer

Canto do Barra (B)
Av. Bernardo Vieira de Melo, tél. 361 2168.

Lobster (C)
Av. Boa Viagem, tél. 326 75 93.

- Rio grande do Norte

• Natal

Casa de Mäe
230 Rue Pedro Afonso.

Raizes (C)
Av. Campos Sales.

- Amapá

• Macapá

O Boscao
997 Hamilton Silva.

O Paulistano
412 Av. Henrique Galucio.

- Amazonas

• Manaus

Churrascarias

Rodaviva (D)
1005 Av. Ajuricaba, tél. 232 2687.

Cuisine régionale de poissons

Panorama (B)
900 Rue Recife, tél. 232 3177.

Cuisine internationale

Taruma (B)
Praia de Ponta Negra, tél. 234 1165.

Mandarin (D)
650 Av. Eduardo Ribeiro, tél. 234 9834.

- Pará

• Belém

Miako (B) cuisine japonaise
766 Rue 1 de Março, centro, tél. 223 4485.

Churrascaria Sanambaia
Quai Kennedy.

La Em Casa (B)
982 Av. Gov. José Malcher, Nazaré, tél. 223 1212.

O Theatro (B)
882 Av. President Vargas, tél. 223 6500.

• Santarem

Storil
Travessa Turiano Meira.

OÙ SE LOGER

Les bons hôtels abondent au Brésil. Les grandes villes et les régions touristiques possèdent des hôtels de luxe internationaux, dotés d'un personnel multilingue prêt à satisfaire le moindre de vos désirs. Ces hôtels ont parfois même leur propre agence de voyages. La liste ci-dessous, si elle regroupe les meilleurs hôtels des régions les plus touristiques, est loin d'être exhaustive. Une chambre pour deux dans un hôtel de luxe coûte généralement entre 500 et 1 000 francs, petit-déjeuner compris.
Les chambres sont généralement propres, et le personnel courtois, mais il vous faudra sans doute vous exprimer en portugais pour vous faire comprendre. Il est toujours bon de demander à voir la chambre avant de la louer.
Il est également conseillé de réserver à l'avance, surtout pendant le Carnaval ou les vacances car les hôtels sont alors pleins de touristes brésiliens aussi bien qu'étrangers.
Si vous vous aventurez dans des terres plus sauvages, pour lesquelles cette liste ne mentionne pas d'adresse, procurez-vous le guide routier Guia Brasil. Vous le trouverez chez les marchands de journaux. Il est très utile car il contient des cartes routières, ainsi que des listes d'hôtels et de restaurants pour plus de 715 villes brésiliennes. S'il est rédigé en portugais, les symboles utilisés sont expliqués en espagnol et en anglais.
Si vous préférez le camping à l'hôtel, contactez le **Camping Clube do Brasil** dont le siège se trouve à Rio de Janeiro, *Rua Senador Dantas 75, 29e étage, tél. (021) 262 7172.* La **Casa do Estudante do Brasil**, située sur la *Praça Ana Amelia 9, 8e étage, à Rio de Janeiro, tél. (021) 220 7223*, vous fournira, quant à elle, une liste d'auberges de jeunesse bon marché dans dix

États du Brésil. En dépit du nom, il n'y a pas de limite d'âge.

Les hôtels sont classés selon cinq catégories :
Catégorie A : + de 100 $, pour une chambre double, service compris, sans repas.
Catégorie B : de 70 $ à 100 $
Catégorie C : de 45 $ à 70 $
Catégorie D : de 20 $ à 45 $
Catégorie E : de 12 $ à 20 $

● Rio de Janeiro

Califôrnia Othon (B)
2616 Av. Atlântica, Copacabana, tél. 021 257 1900, télex : 021 22655.

Caesar Park (A)
640 Av. Vieira Souto, Ipanema, tél. 021 287 3122, télex : 021 21204.

Copacabana Palace (A)
1702 Av. Atlântica, Copacabana, tél. 021 255 7070, télex : 021 22248.

Everest-Rio (A)
1117 Rua Prudente de Morais, tél. 021 287 8282, télex : 021 22254.

Inter-Continental Rio (A)
Av. Liôrânea, São Conrado, tél. 021 322 220, télex : 021 21790.

Luxor Copacabana (A)
2554 Av. Atlântica, Copacabana, tél. 021 257 1940, télex : 021 23971.

Luxor Continental (B)
320 Rua Gustavo Sampaio, Leme, tél. 021 275 5252, télex : 021 21469.

Luxor Regente (B)
3716 Av. Atlântica, Copacabana, tél. 021 287 4212, télex : 021 23887.

Marina Palace (A)
630 Av. Delfim Moreia, Leblon, tél. 021 259 5212, télex : 021 30224.

Marina Rio (B)
696, Av. Delfilm Moreia, Leblon, tél. 021 239 8844, télex : 021 30224.

Méridien-Rio (A)
1020 Av. Atlântica, Leme, tél. 021 275 9922, télex : 021 23183.

Miramar Palace (B)
9 Sa Ferreira, Copacabana, tél. 021 275 9922, télex : 021 21508.

Nacional (A)
769 Av. Niemeyer, São Conrado, tél. 021 322 1000, télex : 021 21238.

Ouro Verde (B)
1456 Av. Atlântica, Copacabana, tél. 021 542, télex : 021 23848.

Praia Ipanema (B)
706 Av. Vieira Souto, Ipanema, tél. 021 239 9932, télex : 021 31280.

Rio Othon Palace (A)
3264 Av. Atlântica, Copacabana, tél. 021 255 8812, télex : 021 23265

Rio Palace (A)
4240 Av. Atlântica, Copacabana, tél. 021 521 3132, télex : 021 21803.

Rio-Sheraton (A)
121 Av. Niemeyer, Vidigal, tél. 021 274 1122, télex : 021 21206.

Trocadero (C)
2064 Av. Atlântica, Copacabana, tél. 021 257 1834, télex : 021 23265.

● Búzios

Pousada Casa de Pedra (D)
57 TrAv. A. Quintanilha, tél. 024 623 1499.

● Itacurucà

Hotel Pierre (A)
Itacurucà Island, réservation à Rio, *tél. 021 521 1546* ou *289 7546.*

Jaguanum (A)
Jaguanum Island, réservation à Rio, *tél. 021 237 5119*ou *235 2893.*

● Itatiaia

Hotel do Ypê (C)
Parc national, à 13 km, tél. 0243 53 1453.

Simon (B)
Parc national, à 13 km, tél. 0243 52 1122.

● Nova Friburgo

Fazenda Garlipp (C)
Estrada Niteroi-Nova Friburgo, à 70,5 km, Mury, tél. 0245 42 1330.

Mury Garden (C)
Estrada-Nava Friburgo, à 70 km, Mury, tél. 0245 42 1176.

San Souci (C)
Rue Itajai, tél. 0245 33 7752, télex : 0245 34348.

● Paráti

Pousada do Ouro (B)
145 Rue Dr. Pereira, tél. 0243 71 1311, ou réservation à Rio, *tél. 021 221 2022.*

● Petrópolis

Casa do Sol (B)
Estrada Rio-Petrópolis, à 115 km, Quitandinha, tél. 0241 43 5062.

Riverside Parque (D)
522 Rue Hermogêneo Silva, Retiro, tél. 0242 42 3704.

● Teresópolis

Alpina Estr (D)
Vila Imbui, Teresópolis-Petrópolis, tél. 021 742 5252, télex : 021 34587.

● São Paulo

Bristol (A)
277 Rue Martins Fontes, centro, tél. 011 258 0011, télex : 011 24734.

Caesar park (A)
1508/20 Rue Augusta, Cerqueirra Cesar, tél. 011 285 6622, télex : 011 22539.

Eldourado Boulevard (A)
234 Av. São Luis, centro, tél. 011 256 8833, télex : 011 22490.

Eldourado Higienópolis (A)
836 Rue Marquês de Itu 836, Higienópolis, tél. 011 222 3422, télex : 011 21765.

Grand Hotel Ca'd'Oro (A)
129 Rue Augusta, centro, tél. 011 256 8011, télex : 011 21765.

Maksoud Plaza (A)
150 Alameda Campinas, Bela Vista, tél. 011 251 2233, télex : 011 30026.

Moferrej Sheraton (A)
Alemada Santos 1437, Cerqueira Cesar, tél. 011 542 1244, télex : 011 25662.

Novotel São Paulo (A)
450 Rue Min. Nelson Hungria, tél. 011 542 1244, télex : 011 25662.

Samanbaia (B)
422 Rue du 7 avril, centro, tél. 011 231 1333, télex : 011 30441.

São Paulo Hilton (A)
165 Av. Ipiranga, centro, tél. 011 256 0033, télex : 011 31761.

Transamérica (A)
18951 Av. Nacoes Unidos, Santo Amaro, tél. 011 523 4511, télex : 011 31761.

● Aguas da Prata

Panorama
Rue Dr. Hermani G. Correa, tél. 0196 42 1511.

● Atibaia

Village Emdorado
1 Rod. Dom Pedro, à 70,5 km, tél. 011 2533, télex : 011 33341.

● Campos do Jordão

Toriba (A)
Av. Ernesto Diederischen, tél. 0122 62 1566, télex : 0122 378.

● Caraguatatuba

Pousada Tabatinga (A)
Estr. Caragua tatuba-Utabuba, Praia Tabatinga, tél. 0124 24 1411, télex : 0122 390.

● Guaruja

Casa Grande (A)
999 Av. Miguel Estefano, Praia da Enseada, tél. 0132 86 2223, télex : 013 1738.

Delphin Hotel (B)
1295 Av. Miguel Stefano, Praia da Enseada, tél. 0132 86 211, télex : 013 1738.

Jequiti-Mar (A)
100 Av. Marjoty Prado, Praia de Pernambuco, tél. 0132 53 3111, télex : 013 1683.

• Ilhabela

Ilhabela (C)
151 Av. Pedro Paula de Morais, tél. 0124 72 1071.

Mercedes (D)
Prainha Mercedes, tél. 0124 72 1071.

• Foz do Iguacú

International Foz (A)
345 Rue Almirante Barroso, tél. 0455 74 266, télex : 0452 574.

Panorama (D)
Rod. das Cataratas, tél. 0455 74 1200, télex : 0452 257.

- Paránà

• Curitiba

Caravelle Palace (A)
282 Rue Cruz Machado, tél. 041 223 4323, télex : 041 5085.

Del Rey (C)
18 Rue Ermelino de Leao, tél. 041 224 3033.

- Rio Grande do Sul

• Caxias do Sul

Alfred (D)
2266 Rue Sinimbu, tél. 054 221 2111, télex : 054 2441.

Alfred palace (D)
2302 Rue Sinimbu, tél. 054 221 8655, télex : 054 2441.

Alfred Volpiano (D)
1462 Rue Ernesto Alves, tél. 054 221 4688.

Cosmos (D)
11563 Rue 20 de Setembro, tél. 054 221 7733.

Samuara (E)
Estrada Caxias do Sul Farroupilha, tél. 054 221 7733, télex : 054 2226.

• Gramado

Hotel das Hortensias (D)
83 Rue Bela Vista, tél. 054 286 1334.

Serrano (C)
1112 Av Presidente Costa e Silva, tél. 054 286 1334.

• Nova Petrópolis

Recanto Suiço (C)
2195 Av. 15 de Novembro, tél. 054 281 1229.

• Pôrto Alegre

Embaixador (C)
354 Rue Jerônimo Cœlho, tél. 0512 26 5622, télex : 051 1527.

Plaza São Rafael (B)
514 Av. Alberto Bins, tél. 0512 21 6100, télex : 051 1339.

- Santa Catarina

• Blumenau

Garden Terrace (D)
45 Rue Padre Jacobs, tél. 0473 22 3544, télex : 0473 224.

Plaza Hering (A)
Rue 7 de Setembro 818, tél. 0473 22 1277.

• Florianópolis

Faial Palace (D)
Rue Felipe Schmidt 87, tél. 0482 23 2766, télex : 0482 487.

Florianópolis Palace (C)
2 Rue Artista Bittencourt, tél. 0482 22 9633, télex : 0482 191.

• Joinville

Anthuruim Parque (D)
226 Rue São José, tél. 0474 22 6299, télex : 0474 414.

Tannenhof (B)
340 Rue Visconde de Taunay, tél. 0474 22 2311.

● Laguna

Itapituba (B)
BR-101 Nord, Praia de Itapituba, tél. 0486 44 0294, télex : 0482 423.

Laguna tourist (A)
Praia do Gi, tél 0486 44 0022, télex : 0482 598.

Centre

● Brasília

Carlton (C)
Bloc G, Quadra 5, Secteur hôtelier Sud, tél. 061 224 8819, télex : 061 1981.

Eron Brasília (C)
Quadra 5, Lote A, Secteur hôtelier Nord, tél. 061 226 2125, télex : 061 1422.

Nacional (C)
Lote 1, Secteur hôtelier Nord, tél. 061 1062.

- Mato Grasso/Pantanal

● Corumbá

Nacional (D)
934 Rue América, tél. 067 231 6868, télex : 067 3205.

Santa Monica (D)
369 Rue Antônio maria coelho, tél. 067 231 3001, télex : 067 3205.

● Cuiabá

Aurea Palace
63 Av. General Mello, centro, tél. 065 322 3377, télex : 065 2476.

Las Velas
62 Av. Filinto Müller, Aéroport, tél. 065 381 1422, télex : 065 2354.

● Pantanal

Botel Amazonas/Botel Corumbá (Hôtel flottant)
Information à Corumbá, tél. 067 231 3016, télex. : 065 3146.

Hotel Cabanas do Pantanal (C)
Information à São Paulo, Rio Piraim, tél. 011 34 4245.

Santa Rosa Pantanal (C)
Tod. Transpantaneira, Rio Cuiabá, Porot joffre. Information à Cuiabá, *tél. 065 321 5514.*

- Minas Gerais

● Araxa

Grande Hotel (A)
Estância do Barreiro, tél. 034 661 2011, télex : 034 3347.

● Belo Horizonte

Belo Horizonte Othon Palace (A)
1050, Av. Afonso Pena, centro, tél. 031 226 7844, télex : 031 2052.

Brasilton (B)
Rodovia Fernao Dias, Contagem, tél. 031 351 0900, télex : 031 1860.

Hotel Del Rey (B)
60 Praça Afonso Arinos, centro, tél. 031 222 2211, télex : 031 1033.

Wembley Palace (C)
201, Rue Espirito Santo, centro, tél. 031 201 6966, télex : 031 3019.

● Diamantina

Tijuco Hotel (D)
211 Rue Macau do Melo, tél. 037 931 1022.

● Ouro Prêto

Estrada Real (D)
Road. Dos Inconfidentes, tél. 031 551 2122, télex : 031 6133.

Grand Hotel Ouro Prêto (D)
Rue Senador Rocha Lagoa 161, tél. 031 551 1488.

Luxor Pousada (D)
Praça Antonio Dias, tél. 031 551 2244, télex : 031 2948.

Nord Est

- Alagoas

● Maceió

Jatiuca (A)
220 Rue lagoa da Anta 220, Lagoa da Anta, tél. 082 231 255, télex : 082 2302.

- **Bahia**

● **Salvador**

Bahia Othon Palace (B)
2456 Av. Presidente Vargas, Ondina, tél. 071 247 1044, télex : 071 1217.

Luxor Convento do Carmo (C)
1 Largo do Carmo, Santi Antonio, tél. 071 242 3111, télex : 071 1513.

Marazul (C)
3937 Av. 7 de Setembro, Barra, tél. 071 235 2110, télex : 071 2296.

Meridien Bahia (B)
216 Rue Fonte do Boi, Rio Vermelho, tél. 071 249 8011, télex : 071 2449.

Quadro Rodas Salvador (A)
Rue Pasargada, Farol de Itzapoa, tél. 071 249 9611, télex : 071 1430.

Salvador Praia (B)
2338 Av. Presidente Vargas, Ondina, tél. 071 2451 5033, télex : 071 1430.

● **Ilhéus**

Britânia (E)
16 Rue 28 de Junho, tél. 073 231 1722.

Ilhéus Praia (D)
Praça Dom Eduardo, tél. 073 231 2533, télex : 073 2180.

● **Lençois**

Pousada de Lençois (D)
747 rue Altina Alves, réservation à Salvador, *tél. 071 233 9395, télex : 071 1896.*

- **Ceará**

● **Fortaleza**

Beira Mar (C)
3130 Av. President Kennedy, Praia de Meireles, tél. 085 224 4744, télex : 085 1852.

Colonial Praia (B)
145 Rue Barao de Aracati, Iracema, tél. 085 224 855, télex : 085 1200.

Esplanada Praia (C)
2000 Av. President Kennedy, Praia de Meireles, tél. 085 1103, télex : 085 1103.

Imperial Othon Palace (A)
2 Av. President Kennedy, Praiai de Meireles, tél. 085 244 3333, télex : 085 1569.

Praiano Palace (D)
2800 Av. President Kennedy, Praia de Meireles, tél. 085 211 9911, télex : 085 1391.

San Pedro (D)
81 Rue Castro e Silva, tél. 085 211 911, télex : 085 1391.

Savanah (D)
20 TrAv. Pará, Praça do Ferreira, tél. 085 211 9966.

- **Maranhão**

● **São Luis**

São Francisco (E)
Conjunto São Francisco, tél. 098 227 1155, télex : 098 2301.

São Luis Quadro Rodas (A)
Praia do Calhau, tél. 098 222 4455, télex : 098 2123.

- **Pernambuco**

● **Olinda**

Marolinda (D)
1615 Av. Beira-Mar, tél. 081 429 1699, télex : 081 3249.

Quatro Rodas Olinda (A)
2200 Av. José Augusto Moreira, Casa Caida, tél. 081 431 2955.

● **Recife**

Boa Viagem (C)
5000 Av. Boa Viagem, tél. 081 341 4144, télex : 081 2072.

Hotel do Sol (C)
Av. Boa Viagem, Boa Viagem, tél. 091 326 7644, télex : 081 2141.

International Othon Palace (C)
3722 Av. Boa Viagem, Boa Viagem, tél. 081 326 7225.

Miramar (B)
363 Rue dos Navegantes, Boa Viagem, tél. 081 326 7422, télex : 081 2139.

Park (C)
9 Rue dos Navegantes, Boa Viagem, tél. 081 325 4666, télex : 081 1903.

Savaroni (C)
3772 Av. Boa Viagem, Nos Viagem, tél. 081 325 5077, télex : 081 1428.

Vila Rica (C)
4308 Av. Boa Viagem, tél. 081 326 5111, télex : 081 1903.

- Rio Grande do Norte

● Natal

Luxor (D)
634 Av. Rio Branco, tél. 084 221 2721, télex : 084 2175.

Natal Mar (E)
8101 Via Costeira, Ponta negra, tél. 084 236 2121, télex : 084 2449.

Reis Magos (D)
822 Av. Café Filho, Praia do Meio, tél. 084 222 2055, télex : 084 2102.

Vila do Mar (D)
Via Costeira, tél. 084 222 3755, télex : 084 2749.

Nord

- Amapá

● Macapá

Amapaense (D)
109, Av. Tirandes, tél. 096 222 3366.

Novotel (A)
17 Av Amazons, tél. 096 222 1144, télex : 091 1480.

- Amazonas

● Manaus

Amazonas (B)
Praça Adalberto Vale, tél. 092 232 6201, télex : 092 2277.

Ana Cassia (C)
14 Rue dos Andradas, tél. 092 232 6201, télex : 092 2713.

Da Vinci (C)
240 A Rue belo Horizonte, Adrianopolis, tél. 092 233 6800, télex : 092 1024.

Lord (A)
217/225 Rue Marcilio Dias, tél. 092 234 9741, télex : 092 2278.

Novotel (A)
4 Av. Mandu, Grande Rotula, Distrito Industrial, tél. 092 237 1211, télex : 092 2429.

Tropical Manaus (A)
Praia de Ponta Negra, tél. 092 234 1165, télex : 092 2173.

- Pará

● Belém

Excelsior Grão Pará (D)
718 Av. Presidente Vargas, tél. 091 222 3255, télex : 091 1171.

Hilton International Belém (A)
882 Av. Presidente Vargas, tél. 091 223 6500, télex : 091 2024.

Novotel (A)
4804 Av Bernardo Sayao, Guama, tél. 091 229 8011, télex : 091 1241.

Sagres (D)
2927 Av. Governador José Malcher, São Bras, tél. 091 228 3999, télex : 091 1662.

● Santarem

Santarem Palace (D)
726 Av. Rui Barbosa, tél. 091 223 2128.

Tropical (D)
4120 Av. Mendoça Furtado, tél. 091 522 1583.

Uiapuru (E)
140 Av. Adriano Pimentel, tél. 091 522 1531.

ADRESSES UTILES

Offices du tourisme

L'office du tourisme national brésilien, Embratur, dont le siège est à Rio de Janeiro, peut vous envoyer par la poste tous les rensei-

gnements que vous désirez. Contactez : **Embratur**, *Rua Mariz e Barros 13, 9° andar, Praça da Bandeira, 20 000 Rio de Janeiro, RJ, Brésil.*
Au Brésil, chaque État dispose de son propre office du tourisme. La liste ci-dessous vous en donne les principales adresses. Cependant, si vous désirez obtenir des renseignements sur un état ne figurant pas dans cette liste, contactez Embratur. Une fois sur place, adressez-vous à votre hôtel.

Ambassades et consulats

Vous trouverez ci-dessous une liste des ambassades étrangères à Brasília, ainsi qu'une liste des consulats étrangers à Rio de Janeiro et à São Paulo.

- **Ambassade de Belgique**

Brasília
SES, Av. das Nações, lote 32, tél. 243 1133.

Rio de Janeiro
Av. Visconde de Albuquerque, 694, tél. 274 6747.

São Paulo
Av. Paulista, 2073, tél. 287 7892.

- **Ambassade de France**

Brasília
SES, Av. das Nações, lote 4, tél. 223 0990.

Rio de Janeiro
Av. Pres. Antonia Carlos, 58, tél. 220 3729.

São Paulo
Av. Paulista, 2073, tél. 285 9522.

- **Ambassade de Suisse**

Brasília
SES, Av. das Nações, lote 41, tél. 244 5500.

Rio de Janeiro
Rua Candido Mendes, 157, tél. 242 8035.

São Paulo
Av. Paulista, 1754, tél. 289 1033.

BIBLIOGRAPHIE

Généralités

J. Cau et J. Bost, *Brésil*, Nagel, 1988.Collectif, *Brésil*, Larousse, 1990.
C. Furtado, *le Brésil après le miracle*, Maison des Sciences de l'homme, 1987.
C. Gilen et E. Deuber-Pauli, *les Enfants de la Rocinha*, Aire, 1986.
A. Gheerbrant, *l'Amazonne un géant blessé*, Découvertes Gallimard, 1988
R. da Matta, *Carnavals, bandits et héros, ambiguïtés de la société brésilienne*, Seuil, 1983.
D. et A. Ruellan, *le Brésil*, Karthala, 1989.
A. de Seguin, *le Brésil : presse et histoire, 1930-1985*, L'Harmattan, 1986.
A. Thevet, *le Brésil et les Brésiliens*, P.U.F., 1953.
C. Vanhecke, *Brésil*, Petite Planète, Seuil, 1976.

Ethnologie er religion

L. Bodard, *le Massacre des Indiens*, Gallimard, 1969.
M. Carelli, *Brésil épopée métisse*, Découvertes Gallimard, 1987.
C. Clément, *Claude Lévi-Strauss*, Gallimard, 1979.
R. Jaulin, *le Livre blanc de l'ethnocide en Amérique*, Fayard, 1972.
C. Lévi-Strauss, *Tristes Tropiques*, Plon, 1955.
A. Metraux, *Religion et magie indiennes d'Amérique du Sud*, Gallimard, 1966 ; *les Indiens d'Amérique du Sud*, ed. A.-M. Métailié, 1982.

Histoire

G. Freyre, *Maîtres et esclaves : la formation de la société brésilienne*, Gallimard, 1978 ; *Terre de sucre*, Gallimard, 1956.
A. von Humboldt, *Voyages dans l'Amérique équinoxiale*, Maspéro, 1980.
A. de Lyra Tavares, *Regards sur cinq siècles Frances-Brésil*, A.C.I., 1973.
C. M. de La Condamine, *Voyage sur l'Amazone*, FM/La Découverte, 1981.
F. Mauro, *Histoire du Brésil*, « Que sais-je ? », P.U.F.

Littérature

J. Amado, *Bahia de tous les saints*, Gallimard, 1938 ; *Capitaines des sables*, Gallimard 1952 ;

Tocaia Grande : la face cachée, Sock, 1985 ; *Dona Flor et ses deux maris*, L.G.F., 1985.

Sir A. Conan Doyle, *le Monde perdu*, Gallimard, 1979.

Dos Passos, *Brésil en marche*, Gallimard, 1964.

S. Marcio, *l'Empereur d'Amazonie*, Lattès, 1983.

J. Verne, *les Voyages extraordinaires*, Hetzel et Cie, 1881 ; *la Jaganda, Huit Cents Lieues sur l'Amazone*, Hetzel et Cie, 1881.

CRÉDITS PHOTOGRAPHIQUES

Aristides Alves	232, 285d, 287
Apa Photo Agency	94-95
Zeca Araújo	306
Daniel Jr. Augusto	52, 152 159, 162
Ricardo Azoury	17g, 174, 185, 207g, 230, 231, 246, 247, 304
Nair Benedicto	12-13, 66, 93, 260-261
Cynthia Brito	48
Salomon Cytrynowicz	69d
Antonio Gusmão	244
Richard House	68g, 202-203, 204, 206g, 208d, 209, 211, 265d, 315
Jornal do Brasil	41d, 42, 43, 44, 45
John H. Jr. Maier	26-27, 28-29, 60, 61g, 62d, 63g, 84d, 88g, 89g, 89d, 91g, 91d, 92, 96-97, 100, 102-103, 104-105, 106, 107, 108, 109, 110, 111g, 112d, 114g, 114d, 115, 117d, 118d, 119, 122, 123g, 123d, 124, 125, 128-129, 130-131,132, 135, 136, 137, 138g, 138d, 139g, 140, 141, 142, 143, 148, 161d, 178-179, 180g, 184d, 194d, 198d, 239, 240, 241d, 248, 249g, 250d, 252, 253, 274-275,276-277, 278, 280, 282, 283, 284, 292d, 293, 295g, 296d, 297, 298-299, 300
Ricardo Malta	6-7, 158, 271, 288, 307
Delfim Martins	55
Juca Martins	160, 166g, 190, 195, 197, 198g, 199, 316
Claus Meyer	120, 121
Vanja Milliet	30-31, 32, 34, 35, 36d, 37g, 38g, 39d, 40, 72-73, 74, 76, 77, 78, 85g, 153, 156, 167, 305, 309, 310, 311g
Vautier de Nanxe	5, 8-9, 10-11, 14, 16-17, 18-19, 20-21, 24-25, 50, 53, 57, 58, 64g, 65d, 77, 81, 82, 86, 87d, 144-145, 146-147, 154, 168, 171, 172g, 173, 176, 177, 182g, 182d, 183, 186, 187, 201, 210, 214, 216d, 218, 219, 220, 221, 222d, 223, 224, 225d, 226d, 227, 228, 233, 234, 235, 236-237, 245g, 245d, 250g, 254-255, 256, 257, 258, 262, 264, 266g, 267, 268d, 269, 270, 273, 290, 294, 301g, 302, 312, 314, 318, 319, 320
João R. Ripper	278-279, 317
Mauricio Simonnetti	51, 88, 155, 206d, 243
Michael Small	71
Tony Stone Worldwide	46-47, 188-189, 251
Luis Veiga	196

Illustration de couverture : retour des pêcheurs sur la plage d'Iguape.
Photographie de Gérard Sioem. © Agence CEDRI.

INDEX

A

Abrão, 138
Acaraú, 259
Afoxés, 217
Agreste, 246
Alagoas, 237, **250**
Alcãntara, 253
Aleijadinho, **177**
Alfândega, 268
Alter do Chão, 267
Aluxá, 87
Amado (Jorge), 216
Amazone, 21, **263**, **270**, **313**
Amazonie, 19, **263**, **313**
Angra dos Reis, 138
Aqueduto do Caprioca, 111
Aracajú, 251
Araguaia, 211
Architecture, **306**
Arcos da Lapa, 111
Areia Vermelha, 249
Arpoador, 118
Arraial do Cabo, 136
Art, **176**, **303**
Aruama, 135
Atibaia, 164
Avenida Central, 109
Avenida Rio Branco, 109

B

Bahia, **216**
Baia Chacororé, 208
Baia de Sepetiba, 137
Baia de Todos os Santos, **219**
Baie de Guanabara, **111**
Baie de Tous les Saints, **219**
Banco do São Paulo, 158
Bandeirantes, 34
Barbalho, 259
Barra (plage de), 123, 225
Barra da Tijuca, **123**
Barrage de Sobradinho, 234
Barra do Ceará, 258
Barreira do Inferno, 249
Basilica da Nossa Senhora da Assunção (São Paulo), 158
Basilica de Nazaré, 265
Basilica do Nosso Senhor Bom Jesus do Matozinhos, 175
Bela Vista, 154
Belèm, **264**
Belo Horizonte, **173**
Bertioga, 166
Biblioteca Nacional, 109
Biennale, 308
Bixiga, 154
Blumenau, 195
Boa Viagem, 218
Boa Vista, 272
Boa Vista Palace, 161
Boca Maldita, 191
Bom Retiro, 155
Branco (Castelo), 43
Bras, 155
Brasíla, **181**, 307
Brejo Grande, 251
Building Martinelli, 158
Burle-Marx (Roberto), 306
Búzios, **133**

C

Cabo Frio, 135
Cabral (Pedro Alvares), 33
Cáceres, 209
Cachoeira, 231
Camaçari, 232
Camboriu, 198
Campos do Jordão, **164**
Campos Elíseos, 154
Campos Gerais, 193
Campo Grande, 210
Candomblé, **88**, 216
Canela, **199**
Canoa Quebrada, 258
Cantagalo Par, 119
Canyon d'Itaimbézinho, 200
Caoutchouc, **315**
Capela de São Roque, 242
Capela Dourada, 239
Capela do Perpétuo Socorro, 259
Capela Santo Antônio, 253
Capoeira, 218, 286
Caraguatatuba, 166
Carnaval (Rio de Janeiro), **281**
Carnaval (Salvador), 216, 285
Carrancas, **90**, 244
Carrapicho, 251
Caruaru, 246
Casa da Cultura, 257
Casa da Cultura Américo Simas, 231
Casa da Glória, 175
Casa de Anchieta, 153
Casa de Jorge Amado, 221
Casa de Pedra, 206
Casa de Rui Barbosa, 110
Casa de Santos-Dumont, 142
Casa do Artesão (Corumbá), 210
Casa do Artesão (Pôrto Velho), 207
Casa dos Contos, 172
Casa dos Milagres, 259
Cascade Véu da Noiva, 193
Catedral Basilica da Sé, 220
Catedral Nossa Senhora da Graça, 264
Cathedral Bom Jesus de Lapa, 205
Cathedral da Sé, 253
Cathedral de São Pedro de Alcãntara, 141
Cathedral do Pilar, 175
Cathédrale de Brasília, 184
Caverna do Francés, 206
Caverna do Padre, 235
Caxias do Sul, 196
Ceará, 237, **255**
Centro do Turismo do Ceará, 257
Cerrado, 23
Chapada Dimantina, **232**
Chapada do Araripe, 259
Chapada dos Guimarães, 206
Christ Rédempteur, **115**
Chute de Verre, 232
Cicero (Padre), **91**, 259
Cidade Alta, 219
Congonhas do Campo, **175**
Congresso (Brasília), 182
Conjunto de Pelourinho, 221
Convento de Santo Antônio, 107
Convento de São Francisco (Marechal Deodoro), 251
Convento de São Francisco, 220
Convento Nossa Senhora dos Anjos, 136
Copacabana, **114**
Corcovado, **115**
Correios e Telégrafos, 231
Corumbá, 210
Costa (Lúcio), **181**, 306
Costa Verde, **136**
Couvento São Francisco, 242
Crato, 259
Croisière, 270
Cuiabá, 202, **205**
Cuisine (de Bahia), 228
Cumbuco, 258
Curitiba, 191

D

Dedo da Nossa Senhora, 142
Dedo de Deus, 142
Diamantina, **174**
Di Cavalcanti, 303

E

École de samba, 283
Eixo Monumental, 181
Elevador Lacerda de Salvador, 224
Encontro das Aguas, 272
Esplanade São Bento, 155
Estrada de Coco, 227

F

Favelas, **79**
Fawcett (Percy), 314
Fazanda Banal, 139
Fazena Nova, 246
Feira da Santana, 231
Fernando de Noronha, 250
Fêtes, **287**
Florianopolis, 195
Fondation Oscar Americano, 159
Football, **299**
Fôret de Tijuca, 115
Fortaleza, **256**
Forte Castelo, 264
Forte dos Reis Magos, 249
Forte do São João, 166
Fort Nossa Senhora da Assunção, 256
Fort Orange, 241
Forte Santo Antônio, 253
Forte Santo Antônio da Barra, 225
Forte São Sebastio, 255
Fort Schoonenborch, 256
Foz do Iguaçú, 194
Français, 34
Frevo, 286
Fundação Cultural do Mato

G

Grosso, 205
Gada Bravo, 234
Gaiola, 270
Galeria Paulo Prado, 311
Galerie de l'État de São Paulo, 159
Garganta do Diabo, 193
Gaucho, 198, 200
Getúlio Vargas, 225
Gonçalves (André), 105
Goulart (João), 42
Gramado, **199**
Gravatá, 246
Grotte do Convento, 235
Gruber Mario, 305
Gruta Azul, 136
Guaibim, 227
Guaratiba, 125
Guarujá, 166

H

Higienópolis, 154

I

Ibirapuera, 161
Ibotirama, 234
Icó, 259
Icoaraci, 266
Idoles, **87**
Igreja Boa Viagem, 225
Igreja Comandaroba, 252
Igreja da Candelaria, 109
Igreja da Misericórdia, 242
Igreja da Ordem Terceira de São Domingos, 220
Igreja da Ordem Terceira de São Francisco, 221
Igreja da Ordem Terceira de São Francisco das Chagas, 191
Igreja da Ordem Terceira do Carmo (Salvador), 222
Igreja da Ordem Terceira do Carmo (Santo Antônio) , 252
Igreja de Glória (Rio), 107
Igreja de Monte Serrat, 225
Igreja de Santo Antônio (Recife), 239
Igreja de Santo Antônio (São Paulo), 154
Igreja de Santo Antônio (Tiradentes), 175
Igreja de São Francisco (Marechal Deodoro), 251
Igreja de São Francisco (Paraíba), 249
Igreja de São Francisco (Salvador), 220
Igreja de São Francisco de Paulo, 108
Igreja do Carmo (Diamantina), 174
Igreja do Carmo (Ouro Prêto), 171
Igreja do Carmo (Sabará), 174
Igreja do Carmo (Santos), 167
Igreja do Carmo (São Paulo), 153
Igreja do Desterro, 253
Igreja do Rosário dos Prêtos, 174
Igreja dos Remédios, 253
Igreja Nossa Senhora Achiropita, 154
Igreja Nossa Senhora da Assunção (Mariana), 172
Igreja Nossa Senhora da Assunção (Cabo Frio), 136
Igreja Nossa Senhora da Candelaria, 108
Igreja Nossa Senhora da Conceição (Marechal Deodoro), 251
Igreja Nossa Senhora da Conceição (Sabará), 174
Igreja Nossa Senhora da Conceição (São Vicente), 167
Igreja Nossa Senhora da Conceição (Vila Velha), 241
Igreja Nossa Senhora da Conceição da Praia, 224
Igreja Nossa Senhora da Conceição de Antonio Dias, 172
Igreja Nossa Senhora da Conceição do Monte, 231
Igreja Nossa Senhora da Corrente, 251
Igreja Nossa Senhora da Glória do Outeiro, 107
Igreja Nossa Senhora da Graça, 242
Igreja Nossa Senhora da Vitoria, 252
Igreja Nossa Senhora de Assumpção (Cabo Frio), 136
Igreja Nossa Senhora de Bonfim (Marechal Deodoro), 251
Igreja Nossa Senhora dos Anjos, 251
Igreja Nossa Senhora do Carmo (Alcântara), 253
Igreja Nossa Senhora do Carmo (Mariana), 172
Igreja Nossa Senhora do Carmo (Rio), 108
Igreja Nossa Senhora do Carmo (São João del Rei), 175
Igreja Nossa Senhora do Monte do Carmo, 108
Igreja Nossa Senhora do O, 174
Igreja Nossa Senhora do Pilar, 171

Igreja Nossa Senhora do Rosário (Diamantina), 175
Igreja Nossa Senhora do Rosário dos Pretos (Salvador), 222
Igreja Nossa Senhora do Rósario dos Prêtos (Ouro Prêto), 171, 177
Igreja Nosso Senhor do Bonfim, 224
Igreja Santa Ana, 206
Igreja Sant'Aninha, 252
Igreja Santa Rita de Cássia, 139
Igreja Santa Tereza, 222
Igreja Santo Alexandre, 264
Igreja-Santuario Dom Bosco, 184
Igreja São Bento, 167
Igreja São Francisco (São Paulo), 153
Igreja São Francisco da Penitência, 107
Igreja São Francisco de Assis (Belo Horizonte), 173
Igreja São Francisco de Assis (Ouro Prêto), 172
Igreja São Francisco de Assis (São João del Rei), 175
Igreja São Pedro dos Clérigos, 220
Iguaçú (chutes d'), **193**
Iguape, 258
Ilha das Rocas, 133
Ilha de Itaparica, 226
Ilha de Marajó, 266
Ilha de Paquetá, 111
Ilha do Bananal, 211
Ilha do Farrol, 136
Ilha dos Frades, 227
Ilha do Mel, 193
Ilha do Pombeba, 138
Ilha do San Martin, 194
Ilha do Sorocoa, 137
Ilha Grande (État de Bahia), 234
Ilha Grande (État de Rio), 138
Ilha Itamaracá, 241
Ilha Santa Lucia, 252
Ilhéus, **230**
Indiens, **67**, 87
Instituto Butantá, 161
Ipânema, 117
Ipojuca, 241
Itacuruçá, 137
Itapuã, 226
Itu, **164**

J

Jaguanum, 137
Jardim Bosque, 266
Jardim Botânico, 119
Jardim zoológico, 161
Jardin Felícia Leirner, 164
Jaruá, 87
Jean III, 33
Jean VI, 36
Jeito, 83
Jericoacoara, 259
Jésuites, **200**
João Pessoa, 247
José Menino, 167
Juazeiro, 234
Juazeiro do Norte, 259

K

Kubitscek (Juscelino), **41**, 175, **181**, 306

L

Lac du Parque Solon de Lucena, 249
Ladeira do Carmo, 222
Lagoa da Conceição, 195
Lagoa dos Patos, 199
Lagoinha (État de São Paulo), 166
Lagoinha (Nordeste), 258
Lagon de Parnamirim, 258
Lagon Rodrigo do Freitas, 117
Laguna, **198**
Lagune de Mundau, 251
Lanranjeiras, 252
Largo da Carioca, 107
Largo da Ordem, 191
Largo de São Francisco, 108
Largo do Carmo, 222
Largo dos Jesuitas, 165
Leblon, 117
Lençois, **232**
Lévi-Strauss (Claude), 204
Liberdade, 154, **156**
Lisboa (Antônio Francisco), 171, **177**

M

Macapá, 266
Maceió, 250
Macumba, **88**
Mambucaba, 139
Manaus, **267**
Mangaratiba, 138
Manoa, **314**
Maracana, 300
Maranhão, 237, 253
Marché municipal (São Paulo), 158
Marechal Deodoro, 251
Mariana, **172**
Maricá, 135
Martins, 137
Mato Grosso, **202**, 205, 210
Medici (général), 43
Mercado da Ribeira, 242
Mercado Modelo, 224
Mesa do Imperador, 117
Métis, **59**
Minas Gerais, **169**
Mirante de Dona Marta, 117
Missions, **200**
Mission de São Miguel, 200
Montagnes Parima, 272
Monumento a Juscelino Kubitschek, 181
Monumento das Bandeiras, 160
Morro Branco, 258
Morro da Gávea, 119
Morro da Urca, 112
Morro de Santo Antônio, 252
Morro dos Dois Irmãos, 118
Morro do Pai Inácio, 234
Mosteiro de São Bento, 108
Musée de l'Immigration (São Paulo), 157
Musée Indien, 110
Musée maritime (Santos), 167
Musée républicain (Itu), 165
Museu Câmara Cascudo, 249
Museu Cháraca do Céu, 111
Museu Civico Religioso Padre Cicero, 259
Museu Costa Pinto, 222
Museu da Cidade, 221
Museu da Marinha, 109
Museu da República, 109
Museu de Aeronotica, 161
Museu de Alcântara, 253
Museu de Arte Contemporânea, 161
Museu de Arte de São Paulo, **158**
Museu de Arte Modern, 109
Museu de Arte Popular, 249
Museu de Arte Sacra (Itu), 165
Museu de Arte Sacra (Mariana), 173
Museu de Arte Sacra (Salvador), 222
Museu de Arte Sacra (Santos), 167

Museu de Arte Sacra (São Cristóvão), 252
Museu de Arte Sacra (São Paulo), **159**
Museu de Belas Artes, 109
Museu de Mineralogia, 172
Museu de Rondônia, 207
Museu do Açúcar, 240
Museu do Antropologia, 240
Museu do Arte Popular, 240
Museu do Diamante, 175
Museu do Homen do Nordeste, 240
Museu do Homen do Norte, 269
Museu do Indio, 205, 269
Museu Emilio Goeldi, 266
Museu Franciscano de Arte Sacra, 239
Museu Historico (Fortaleza), 257
Museu Historico de Brasília, 182
Museu Historico do Maranhão, 253
Museu Histórico Nacional, 109
Museu Imperial, 141
Museu Inconfidência, 170
Museu Ipiranga, **160**
Museu Joaquim Nabuco, 240
Museu Marechel Rondon, 205
Museu Municipal (Atibaia), 164
Museu Nacional (Rio), 110
Museu Padre Toledo, 175
Museu Regional Dom Bosco, 210
Museu Regional do São Francisci, 235
Museu Sergipe, 252
Musique, **291**

N

Natal, 249
Neves (Tancredo), 44
Niemeyer (Oscar), **181**, **306**
Niterói, 111
Nordeste, **237**
Nova Jerusalém, 246
Novo Petrópolis, 199

O

Obelisco-Mausoléu de Herois, 160
Oficina Cerâmica Francisco Brennand, 241
Olinda, **242**
Orellana (Francisco de), 313
Oros, 259
Orquidário, 167
Otavio Araujo, 305
Ouro Prêto, **170**

P

Paço Imperial, 108
Pain de Sucre, **112**
Palácio da Justicia, 182
Palácio de Cristal, 142
Palácio do Planalto, 182
Palácio Episcopal, 242
Palácio Imperial, 141
Palácio Rio Negro, 269
Palais du Gouverneur, 159
Pampulha (parc de), 306
Pampulha, 173
Pantanal, **207**
Pantheon Tancredo Neves, 183
Pão de Açúcar, **112**
Paracuru, 258
Paraíaba, 237, 247
Parainha, 257
Paraná, **191**
Paranaguá, 191
Paranapiacaba, 164
Paratí, **139**
Parc national des Aparados da Serra, 200
Parc naturel de Caracol, 200
Parque Campa Grande, 226
Parque da Cidade, 112
Parque das Escuturas, 246
Parque Estadual das Fontas do Ipiranga, 161
Parque Ibirapuera, **160**
Parque municipal (Atibaia), 164
Parque Nacional das Emas, 211
Parque Nacional da Serra dos Orgãos, 142
Parque Nacional de Araguaia, 211
Parque Nacional de Vila Velha, 193
Parque Nacional Ubajara, 259
Pátio do Colégio, 153
Pavilion Bienal, 161
Pedra da Guaratiba, 125
Pedra do Sino, 142
Pelé, 300
Penedo, 251
Pernambuco (plage de), 166
Pernambuco, 237, 238
Petrópolis, **140**
Piatã, 226
Piauí, 237
Pico de Itapeva, 164
Pico de Neblina, 272
Pierre Ier, 36
Pierre II, 37, 140
Pinheiros, 158
Pituba, 225
Pizarro (Francisco), 313
Poconé, 209
Pombal, 183
Pont Colombo Sales, 195
Pontal do Sul, 193
Ponta Negra, 135
Portáo de Inferno, 206
Portinari (Candido), 303
Pôrto Alegre, 200
Pôrto Cercado, 209
Pôrto das Dunas, 257
Pôrto Seguro, **230**
Pôrto Velho, **207**
Poussada do Ouro, 139
Praca XV de Novembro, 108
Praça Alto da Sé, 242
Praça Anchieta, 220
Praça da Boa Viagem, 241
Praça da Republica (Cuiabá), 205
Praça da Republica (Recife), 239
Praça da Sé, 219
Praça do Carmo (Olinda), 242
Praça do Patriarca, 155
Praça dos Três Poderes, 182
Praça Generoso Marques, 191
Praça Liberdade, 157
Praça Tiradentes (Curitiba), 191
Praça Tiradentes (Ouro Prêto), 170
Praça Tiradentes (Rio), 107
Praia Boa Viagem (Recife), 241
Praia Boa Viagem (Salvador), 218
Praia Cotovelo, 249
Praia da Pitangueiras, 166
Praia de Iracema, 257
Praia do Forte, 227
Praia do Francês, 251
Praia do Futuro, 257
Praia do Meirelles, 257
Praia do Poço, 249
Praia Genipabu, 249

Praia Grande (São Vicente), 167
Praia Joaquina, 195
Praia Pajuçara, 251
Praia Touros, 249
Praia Vermelha, 112
Prainha, 125
Prison Anchieta, 166
Puerto Iguazu, 194
Puerto Stroessner, 194

Q
Quadros (Janio),
Quimbanda, **88**

R
Raposo (Francisco), 314
Recife, **238**
Recôncavo da Bahia, 230
Recreio dos Bandeirantes, 125
Restinga da Marambaia (Rio), 125
Restinga do Marambaía (État de Rio), 137
Ribeirão da Ilha, 195
Rio de Janeiro (État de), **133**
Rio de Janeiro, **105**
Rio Grande do Norte, 237, **249**
Rio Grande do Sul, **198**
Rio Marañon, 272
Rio Paraguay, 209
Rio São Lourenço, 209
Rio Solimões, 272
Rocinha, 80
Rondon (Candido Mariano da Silva), **204**, 318
Rondônia, 202, 204
Roosvelt (Théodore), 204, 317
Roraima (État de), 272

S
Sabará, 174
Saints, **87**
Sala dos Milagres, 225
Sales (Manuel Ferraz de Campos), 38
Salgadeiro, 206
Salvador, **219**
Samba, 283
Santarém, 267
Santa Amaro, 230
Santa Casa da Misericórdia, 222
Santa Catarina, **195**
Santa Teresa, **110**
Santos, **166**
Santos-Dumont (Alberto), 142
Santo Angelo, 200
Santo Antônio de Leverger, 208
Santo Antônio do Rio Madeira, 207
São Corado, **122**
São Cristóvão, 252
São Francisco, 27, **244**
São Gabriel de Cachoeira, 272
São João del Rei, 175
São Luis, 253
São Mateus, 136
São Paulo, **149**
São Paulo de Piratininga, 153
São Pedro d'Aldeia, 135
São Sebastião, 166
São Vicente, **167**
Saquarema, 135
Sarney (José), 44
Seconde Guerre mondiale, 40
Sergipe, 237
Serra da Ibiapaba, 259
Serra Gaúcha, **199**
Serra Pelada, 267, 319
Sertão, 238, **242**
Simba Safari, 161
Stade Otávio Mangabeira, 226

T
Teatro Amazonas, **268**
Teatro Castro Alves, 226
Teatro da Paz, 265
Teatro José de Alencar, 257
Teatro Municipal (Rio), 109
Teatro Municipal (São Paulo), 158
Teatro Santa Isabel, 239
Teotônio, 207
Teresópolis, **142**
Terreiro de Jesus, 220
Théâtre de Belèm, 265
Tiradentes, 175
Torres, 199
Touros, 249
Tour de la télévision, 181
Trios Elétricos, 217
Tucuruí, 267

U
Ubatuba, **166**
Umbanda, **88**

V
Valença, 227
Vallée de l'Anhangabu, 154
Vallée de l'Aube, 185
Vallée de l'Aurore, 87, **93**
Vallée du Cariri, 259
Vargas (Getúlio), **39**
Ver-O-Peso, 265
Vespucci (Amerigo), 263
Vidigal, **122**
Vila Velha, 241
Villa du Cheval de Troie, 253
Vingnobles, **196**
Visconde de Piraja, 118
Vista Chinesa, 117
Vitória de Santo Antão, 242
Volpi (Alfredo), 304

X
Xavier (Joaquim J. da Silva), 36

Y
Yemanjá, 87